HAVRE DES MORTS

Patricia Cornwell est membre émérite de l'Académie internationale du John Jay College de justice pénale dédié à l'étude des scènes de crime. Elle a contribué à fonder l'Institut de sciences médico-légales de Virginie et elle est membre du conseil national de l'hôpital McLean, affilié à Harvard, où elle défend la cause de la recherche en psychiatrie. Son premier roman, *Postmortem*, remporta dans la même année cinq des plus importants prix dont celui du Roman d'aventure en France. *Une peine d'exception* fut couronné par le Gold Dagger Award en 1993. En 2011, elle a été nommée Chevalier des arts et des lettres en France. *Scarpetta*, *L'Instinct du mal* et *Havre des morts* font partie de ses récents best-sellers internationaux, traduits en trente-six langues. Les enquêtes de Kay Scarpetta vont bientôt faire l'objet d'une adaptation cinématographique, dont les droits ont été acquis par Fox 2000, avec Angelina Jolie dans le rôle principal.

Paru dans Le Livre de Poche :

BATON ROUGE
CADAVRE X
COMBUSTION
DOSSIER BENTON
ET IL NE RESTERA QUE POUSSIÈRE
LA GRIFFE DU SUD
L'ÎLE DES CHIENS
L'INSTINCT DU MAL
JACK L'ÉVENTREUR AFFAIRE CLASSÉE
MORDOC
MORTS EN EAUX TROUBLES
REGISTRE DES MORTS
SANS RAISON
SCARPETTA
LA SÉQUENCE DES CORPS
SIGNE SUSPECT
TOLÉRANCE ZÉRO
TROMPE-L'ŒIL
UNE MORT SANS NOM
UNE PEINE D'EXCEPTION
LA VILLE DES FRELONS

PATRICIA CORNWELL

Havre des morts

Une enquête de Kay Scarpetta

ROMAN TRADUIT DE L'ANGLAIS (ÉTATS-UNIS) PAR ANDREA H. JAPP

ÉDITIONS DES DEUX TERRES

Titre original :

PORT MORTUARY
Publié par G.P. Putnam's Sons, New York.

ISBN : 978-2-253-16265-0 – 1re publication LGF

NOTE À MES LECTEURS

Bien que ce roman soit une œuvre de fiction, il ne s'agit pas de science-fiction. Les procédures médicales et de médecine légale, les technologies et les armes que vous allez découvrir existent aujourd'hui, au moment où vous lisez ce livre. Certains aspects sont très perturbants. Cependant tout est possible.

Diverses entités sont également réelles et opérationnelles à l'heure où j'écris, notamment les suivantes :

— le Havre des morts de la base de l'armée de l'air à Dover ;
— le bureau du médecin expert de l'armée ;
— le laboratoire d'empreintes génétiques de l'armée ;
— l'Institut d'anatomopathologie de l'armée ;
— le département de la Défense ;
— l'Agence de recherches avancées de la Défense ;
— l'Institut royal d'études pour la défense et la sécurité ;
— SWORDS *(Special Weapons Observation Remote Direct-Action System)*, robot de combat.

Bien qu'appartenant au domaine du possible, le Centre de sciences légales de Cambridge, la prison pour femmes de

Chatham, Otwahl Technologies et MORT *(Mortuary Operational Removal Transport)*, robot d'aide à l'évacuation des blessés du champ de bataille, sont des créations issues de l'imagination de l'auteur, ainsi que l'intrigue et tous les personnages de cette histoire.

Mes remerciements à tous les brillants membres, hommes et femmes, du système médico-légal de l'armée et de l'Institut d'anatomopathologie de l'armée, qui ont eu la gentillesse, tout au long de ma carrière, de partager avec moi leur perspicacité et leurs connaissances de haut niveau, et dont la discipline, l'intégrité et l'amitié m'ont impressionnée.

Comme toujours, je suis profondément redevable au Dr Staci Gruber, directrice du laboratoire de neuro-imagerie clinique et cognitive, hôpital McLean, professeur assistant de psychiatrie à l'Harvard Medical School.

Et, bien entendu, ma gratitude au Dr Marcella Fierro, ancien médecin expert en chef de Virginie, et au Dr Jamie Downs, médecin légiste à Savannah, Géorgie, pour leur expertise dans tous les domaines de la pathologie.

Pour Staci,
qui doit vivre avec moi
pendant que je le vis...

Chapitre 1

Dans le vestiaire réservé au personnel féminin, je jette ma blouse souillée dans une corbeille destinée aux déchets biologiques, puis me débarrasse du reste de mes vêtements et de mes sabots médicaux. Je me demande si le *Col. Scarpetta* inscrit en noir au stencil sur mon armoire sera effacé demain matin, à la minute où je repartirai pour la Nouvelle-Angleterre. Cette idée, qui me traverse l'esprit pour la première fois, me perturbe. Une part de moi n'a pas envie de quitter cet endroit.

En dépit de six mois d'entraînement intensif et de la tristesse qu'inspire une quotidienne mitoyenneté avec la mort au service du gouvernement des États-Unis, la vie à la base de l'armée de l'air de Dover ne manque pas d'un certain confort. Mon séjour ici fut étonnamment dénué de complications, et je peux même dire qu'il fut agréable. Au fond, je vais regretter de ne plus me lever avant l'aube dans ma modeste chambre, d'enfiler un pantalon de treillis, un polo et des boots, de traverser à pied le parking dans la nuit froide jusqu'au pavillon du golf pour manger un morceau et boire un café avant de prendre la voiture pour me rendre au Havre des morts, où je n'exerce aucune responsabilité. Lorsque je suis de service au bureau du médecin expert de l'armée, j'abandonne mes devoirs de médecin expert en chef. Un certain nombre de gens sont mes supérieurs hiérarchiques. Les choix importants ne m'appartiennent pas, si tant est que l'on me demande un jour mon avis. Tel n'est plus le cas lorsque je regagne le Massachusetts, où tout le monde dépend de mes décisions.

Nous sommes le lundi 8 février. La pendule murale placée au-dessus des lavabos blancs rutilants indique en rouge, tel un avertissement, 16 : 33. Je suis censée faire mon apparition sur CNN dans moins de quatre-vingt-dix minutes, pour expliquer ce qu'est un « Rad-Path », un radiologue anatomopathologiste, pourquoi j'ai choisi d'en faire une spécialité, sans oublier le rapport entre tout cela et la base de Dover, le département de la Défense et la Maison-Blanche. En d'autres termes, je vais sans doute dire que je ne suis plus simplement médecin légiste, ni réserviste du bureau du médecin expert de l'armée. Je me répète intérieurement la liste des points que je devrais souligner : depuis le 11 Septembre, depuis l'invasion de l'Irak par les États-Unis, et maintenant le *surge*, le renforcement des troupes, en Afghanistan, la frontière entre les mondes militaire et civil s'est définitivement évanouie. Je pourrais citer un exemple : en novembre dernier, en l'espace de quarante-huit heures, treize hommes tombés au feu ont été rapatriés par avion depuis le Moyen-Orient, et autant de victimes de la tuerie à la base de Fort Hood, au Texas. Les pertes massives ne se cantonnent pas au théâtre des combats, encore que je ne sache plus très bien où se situent aujourd'hui les champs de bataille. Peut-être tout est-il devenu un champ de bataille, expliquerai-je à la télévision : nos maisons, nos écoles, nos églises, les avions de ligne, nos lieux de travail, de courses, de vacances…

Je trie mes affaires de toilette en même temps que les commentaires sur lesquels je devrai insister en ce qui concerne l'utilisation à la morgue de la radiologie en 3D, de la tomodensitométrie, ou CT scans. Il me faudra aussi souligner que si mon nouveau quartier général de Cambridge, dans le Massachusetts, est le premier centre civil des États-Unis à effectuer des autopsies virtuelles, un autre à Baltimore le suivra bientôt, et cette tendance se renforcera. La technologie permet d'améliorer considérablement l'autopsie traditionnelle, celle où l'on dissèque au fur et à mesure, tout en prenant des photos après coup, en espérant que l'on n'a rien laissé échapper, ou que l'on n'a pas introduit d'artefact. Cette avancée la rendra bien plus précise, telle qu'elle devrait être.

Je regrette de ne pas passer sur *World News* ce soir. Maintenant que j'y réfléchis, j'aurais préféré m'entretenir avec Diane Sawyer. Le fait d'être une habituée des plateaux de CNN pose un problème : la familiarité engendre souvent l'absence de respect. J'aurais dû y penser avant. Je songe soudain que cette interview pourrait devenir trop personnelle. J'aurais dû évoquer cette possibilité avec le général Briggs, l'informer de ce qui est arrivé ce matin, lorsque la mère furieuse d'un soldat décédé s'est déchaînée contre moi au téléphone, m'accusant de crime raciste et menaçant de médiatiser ses griefs.

La porte de mon armoire métallique claque comme un coup de feu lorsque je la referme. Chargée de ma trousse en plastique, qui contient shampoing et conditionneur à l'huile d'olive, crème exfoliante à base d'algues marines, un rasoir, un flacon de gel de rasage pour peau sensible, du savon liquide, un gant de toilette, un bain de bouche, une brosse à ongles et de l'huile parfumée Neutrogena que j'utiliserai en dernier, je foule le carrelage brun clair toujours frais et lisse de mes pieds nus. J'installe soigneusement mes affaires personnelles sur le rebord carrelé d'une cabine de douche et fais couler l'eau chaude à la limite du supportable. Le jet puissant me frappe tandis que je me tourne afin de me mouiller entièrement, lève le visage, puis baisse les yeux et contemple mes pieds pâles. Je laisse l'eau masser mon crâne et ma nuque dans l'espoir de détendre mes muscles noués, tout en réfléchissant au contenu de ma penderie à la base et à la façon dont je vais m'habiller.

Le général Briggs – en privé je l'appelle John – souhaiterait que je porte la nouvelle tenue de camouflage ou, mieux encore, l'uniforme bleu de l'armée de l'air, mais je ne suis pas d'accord. Il est préférable que j'opte pour une tenue civile, de celles que les gens ont l'habitude de voir lorsque je participe à des émissions de télévision, un simple tailleur sombre sur un chemisier ivoire et la discrète montre Breguet à bracelet de cuir que m'a offerte ma nièce Lucy. J'éviterai la Blancpain, avec son cadran noir démesuré et sa lunette céramique. Un autre cadeau de ma nièce, puisque tout ce qui a trait à l'horlogerie techniquement compliquée et chère la fascine. Pas de pantalon, mais une jupe et des talons hauts, pour véhiculer une image de femme abordable et pas menaçante, un truc que j'ai appris il y a bien longtemps au tribunal. Étrangement, les jurés aiment contempler mes jambes, alors que je leur décris des blessures fatales avec un luxe de détails anatomiques crus, sans oublier les derniers moments d'agonie de la victime. Mon choix de vêtements va déplaire à Briggs. Cependant je lui ai rappelé hier soir, tandis que nous prenions un verre pendant le Super Bowl, qu'à moins de s'appeler Ralph Lauren, un homme devrait s'abstenir de donner des conseils vestimentaires à une femme.

Un brutal courant d'air dérange la brume de vapeur d'eau qui a envahi la cabine de douche. Je crois percevoir une présence et en suis instantanément contrariée. Ce pourrait être n'importe qui, n'importe quel membre du personnel militaire, un médecin ou autre, bref une personne autorisée à pénétrer dans cette unité de haute sécurité, qu'elle soit à la recherche de toilettes, d'une désinfection ou d'un change d'habits. La liste des collègues avec lesquels je me trouvais peu avant dans la salle d'autopsie principale défile dans mon esprit, et je parierais qu'il s'agit encore du capitaine Avallone. Durant presque toute la matinée réservée au CT scan, on aurait cru une tour inamovible plantée à mon côté, comme si, après tout ce temps, je ne savais pas encore comment m'y prendre. Quant au reste de la journée, elle a rôdé autour de mon poste de travail, tel un brouillard tenace. Sans doute est-ce elle qui vient d'entrer. J'en suis même certaine, puisque c'est toujours elle. L'irritation me crispe. *Va-t'en !*

— Docteur Scarpetta ?

Sa voix familière s'élève, une voix fade, dénuée de passion, une voix qui semble me suivre partout.

— Un appel téléphonique pour vous.

Je crie pour surmonter le bruit de l'eau qui cascade :

— Je viens juste d'entrer dans la douche !

Une façon de lui dire de me laisser tranquille. *Un peu d'intimité, par pitié !* Je ne veux parler ni au capitaine Avallone ni à personne d'autre pour l'instant, et cela n'a rien à voir avec ma nudité.

— Désolée, madame, mais Pete Marino souhaite vous parler.

Sa voix impassible se rapproche.

Je crie :

— Qu'il attende !

— Il affirme que c'est important.

— Vous pouvez lui demander ce qu'il veut ?

— Il dit juste que c'est important, madame.

Je promets de le recontacter rapidement. Sans doute suis-je un peu discourtoise. Cependant, en dépit de mes meilleures intentions, je ne peux pas toujours me montrer charmante. Pete Marino est un enquêteur avec lequel j'ai travaillé la moitié de ma vie. J'espère que rien de dramatique n'est survenu à la maison. Non, Marino s'arrangerait pour me le faire savoir, s'il s'agissait d'une véritable urgence : un problème avec Benton, mon mari, ou bien avec Lucy ; ou s'il y avait un gros ennui au Centre de sciences légales de Cambridge, à la tête duquel j'ai été nommée. Marino remuerait ciel et terre. Il ne se contenterait pas de me faire prévenir qu'il patiente au téléphone pour me transmettre une importante nouvelle. Encore une manifestation de son incapacité à contrôler ses pulsions, songé-je. Quand une idée lui traverse l'esprit, il s'imagine devoir la partager avec moi dans la seconde.

J'ouvre grande la bouche afin de me débarrasser de ce goût de chair humaine brûlée en décomposition piégé au fond de ma gorge. Les volutes de vapeur font remonter au plus profond de mes sinus la puanteur qui m'a environnée aujourd'hui. Les molécules biologiques putrides sont là, présentes avec moi dans la cabine de douche. Je frotte le dessous de mes ongles avec un savon antibactérien que je fais gicler d'un flacon, similaire à celui que j'utilise pour la vaisselle ou pour décontaminer mes boots sur une scène de crime. Je me brosse les dents, les gencives et la langue avec le bain de bouche. Je me rince les narines du mieux possible, récure le moindre centimètre de peau, puis me lave les cheveux, à deux reprises, pourtant la puanteur s'accroche à moi. Je ne parviens pas à me sentir propre.

Le mort auquel j'ai consacré mon temps s'appelait Peter Gabriel, comme la rock star légendaire, mais ce Peter Gabriel-là était soldat de première classe. Il se trouvait depuis à peine un mois en Afghanistan, dans la province de Badghis, quand un engin explosif improvisé à partir d'un tuyau d'égout en plastique bourré de PE-4 et coiffé d'une plaque de cuivre a explosé sur le bord de la route, transperçant le blindage de son Humvee et provoquant à l'intérieur un brasier de métal fondu. Le première classe Gabriel a occupé l'essentiel de ma dernière journée, dans ce gigantesque endroit *high tech* où les médecins légistes et les scientifiques de l'armée gèrent des affaires auxquelles le grand public ne les associe pas nécessairement : l'assassinat de JFK, la récente identification génétique de la famille Romanov, ainsi que celle des membres d'équipage du sous-marin *H.L. Hunley*, coulé pendant la guerre de Sécession. Nous sommes une noble organisation peu connue ; ses origines remontent à 1862, à l'Army Medical Museum, dont les chirurgiens veillèrent sur Abraham Lincoln mortellement blessé, avant de pratiquer son autopsie. Je devrais raconter tout cela sur CNN. *Concentre-toi sur les choses positives. Oublie ce qu'a dit Mme Gabriel.* Je ne suis ni un monstre, ni une fanatique. Je me serine : *Tu ne peux pas en vouloir à cette pauvre femme d'être perturbée.* Elle vient de perdre son unique enfant. Les Gabriel sont noirs. *Bon sang, qu'est-ce que tu ressentirais à sa place ? Évidemment que tu n'es pas raciste.*

Je perçois de nouveau une présence. Quelqu'un est entré dans le vestiaire, que j'ai réussi à embuer autant qu'un sauna. La chaleur fait battre mon cœur à tout rompre.

— Docteur Scarpetta ?

Avallone semble moins hésitante, comme si elle avait des nouvelles.

Je ferme le robinet et sors de la douche en attrapant une serviette dans laquelle je m'enroule. La silhouette confuse du capitaine Avallone flotte dans le brouillard de vapeur d'eau, près des lavabos et des séchoirs à main automatiques. Je ne distingue que ses cheveux bruns, son treillis kaki et son polo noir orné de l'écusson du bureau du médecin expert de l'armée, brodé bleu et or.

Elle lance :

— Pete Marino…

— Je l'appelle dans une minute, dis-je en tirant une autre serviette d'une étagère.

— Il est là, madame.

— Comment ça, « là » ?

Je m'attends presque à le voir se matérialiser dans le vestiaire, telle une créature préhistorique émergeant de la brume.

— Il patiente derrière, près des baies de déchargement, madame, m'informe-t-elle. Il vous emmènera à l'Eagle's Rest pour prendre vos affaires, ajoute-t-elle comme si le FBI venait me chercher *manu militari*, comme si on venait m'arrêter ou me jeter dehors. J'ai pour instructions de vous conduire jusqu'à lui et de vous assister autant que nécessaire.

Le capitaine Avallone se prénomme Sophia. Officier de métier, tout juste sortie de son internat de radiologie, elle reste toujours militairement correcte et polie jusqu'à l'obséquiosité lorsqu'elle s'attarde et rôde autour de vous. Mais là, vraiment, le moment est mal choisi. J'emporte la trousse de toilette en trottinant sur le carrelage pendant qu'elle me suit à la trace.

— Je ne suis pas censée partir avant demain, et mes projets de voyage n'incluaient pas de me rendre où que ce soit en compagnie de Marino, lui dis-je.

— Je peux m'occuper de votre véhicule, madame. J'ai cru comprendre que vous n'alliez pas prendre le volant…

— C'est quoi, cette histoire ? Vous lui avez demandé ?

J'empoigne ma brosse à cheveux et le déodorant rangés dans mon armoire.

— J'ai essayé, madame. Mais il n'a pas été très coopératif.

Un avion de transport lourd C-5 Galaxy gronde au-dessus de ma tête, en approche finale sur la piste 19. Le vent souffle encore et toujours du sud.

Les numéros de pistes d'atterrissage correspondent aux orientations sur une boussole. Il s'agit de l'un des nombreux principes aéronautiques que j'ai appris de Lucy, pilote d'hélicoptère entre autres choses. 19 est l'équivalent de l'azimut magnétique, cent quatre-vingt-dix degrés. L'opposé sera donc 01. L'orientation se fait dans ce sens en raison de la loi de Bernoulli et de celles du mouvement que nous devons à Newton. Tout tourne autour de la vitesse que doit acquérir l'air afin de glisser sur une aile d'avion, de la nécessité de décoller et atterrir vent de face, qui dans cette partie du Delaware souffle depuis la mer, des hautes pressions vers les basses pressions, du sud au nord. Jour après jour, les avions de transport ramènent les cadavres et les emportent le long d'une bande de macadam noire qui s'étend tel le Styx derrière le Havre des morts.

Couleur gris requin, le Galaxy semble aussi long qu'un terrain de football, tellement énorme et lourd qu'il paraît presque immobile dans le ciel clair parsemé de cirrus, ces nuages que les aviateurs baptisent « panaches de jument ». Sans même le regarder, rien qu'à la tonalité aiguë de son rugissement, je sais de quel type de cargo aérien il s'agit. Je peux maintenant reconnaître l'écho des turboréacteurs de cent quatre-vingt-onze newtons de poussée unitaire. Je suis capable d'identifier un C-5 ou un C-17 à des kilomètres de distance, de distinguer un hélicoptère Chinook d'un Black Hawk ou d'un Osprey. Lorsque je dispose de quelques instants de loisir, par beau temps, je m'installe sur un banc et contemple les machines volantes de Dover qui m'évoquent des créatures exotiques, mainates, éléphants ou animaux préhistoriques. Leurs pesantes et spectaculaires évolutions dans des vrombissements assourdissants et les ombres qu'elles projettent en passant ne me lassent jamais.

Le train d'atterrissage touche terre, soulevant des bouffées de fumée, tellement proche que le grondement résonne en moi tandis que je traverse l'aire de réception avec ses quatre énormes quais de déchargement, son haut mur de protection qui les dérobe au regard et ses générateurs de secours. Je me dirige vers une camionnette bleue qui m'est inconnue. Pete Marino n'esquisse pas le moindre geste pour me saluer ni ouvrir la portière, ce qui ne signifie rien. Marino n'a pas de temps à perdre en politesses. D'aussi loin que je me souvienne, les marques d'amabilité ou de gentillesse particulière n'ont jamais fait partie de ses priorités. Nous nous sommes rencontrés pour la première fois dans une morgue à Richmond, Virginie, il y a plus de vingt ans[1], ou alors sur une scène de crime, j'avoue ne plus m'en souvenir.

Les cheveux encore humides après ma douche, je grimpe dans le véhicule, referme la portière et fourre un sac marin entre mes jambes. Rien qu'à sa tête, sans qu'il ait prononcé un mot, je sais que mon apparence lui déplaît. Ses regards en coin qui me détaillent de la tête aux pieds en s'attardant là où ils ne le devraient pas me renseignent toujours. Il n'aime pas que je porte ma tenue de travail de médecin expert de l'armée, mon treillis kaki, mon polo et ma parka, et les quelques fois où il m'a vue en uniforme, je crois que je lui ai fait peur.

Tandis qu'il manœuvre en marche arrière, je lui demande :

— Où avez-vous volé cette camionnette ?

— C'est un prêt de l'aviation civile.

Au moins sa réponse m'apprend-elle qu'il n'est rien arrivé à Lucy.

Le terminal privé situé à l'extrémité nord de la piste sert au personnel non militaire autorisé à atterrir sur la base de l'Air Force. Ma nièce a servi de taxi volant à Marino jusqu'ici. L'espace d'un instant, l'idée me traverse qu'ils ont décidé de me faire une surprise. Ils ont débarqué sans prévenir pour m'éviter de prendre un vol commercial demain matin et me ramener enfin à

1. *Postmortem*, Éditions des Deux Terres, 2004 (nouvelle traduction), rééd. 2011 *(N.d.T)*.

la maison. Non, je prends mes désirs pour des réalités. Je me trompe et cherche une réponse sur son visage buriné, le détaillant d'un coup d'œil, ainsi que je procède avec un nouveau patient : chaussures de sport, jean, un blouson de cuir Harley-Davidson doublé de mouton qu'il traîne depuis une éternité, une casquette de base-ball des Yankees qu'il arbore à ses risques et périls en territoire des Red Sox, et ses lunettes à monture métallique démodée.

Impossible de déterminer s'il a rasé le peu de cheveux gris qu'il lui reste, mais il est propre et plutôt soigné. Son visage n'est pas empourpré par le whisky, ni son ventre distendu par la bière. Il n'a pas les yeux injectés de sang, ses mains ne tremblent pas, et je ne détecte aucun relent de cigarette, preuve qu'il se maintient au régime sec. Régime sec qu'il convient de mettre au pluriel afin de l'empêcher de succomber à nouveau à ses tendances de primate, toujours prêtes à prendre le dessus. Sexe, alcool, drogues, tabac, bouffe, obscénités de langage, intolérance, paresse. Je devrais même ajouter fausseté : lorsque cela l'arrange, il sait se montrer évasif ou carrément menteur.

Je commence :

— Je suppose que Lucy est à l'hélicoptère ?…

Il me coupe la parole tandis que nous nous engageons dans Purple Heart Drive :

— Vous savez comment c'est dans cette taule quand vous êtes sur une affaire, pire que cette fichue CIA ! Votre baraque pourrait être en train de cramer, ils sont pas foutus de dire un mot, et j'ai dû appeler cinq fois ! Alors j'ai pris les choses en main, et Lucy et moi, on a rappliqué.

— J'apprécierais de connaître la raison de votre venue.

— Y en a pas un qui vous aurait interrompue pendant que vous bossiez sur le soldat de Worcester, déclare-t-il à ma grande surprise.

Le soldat de première classe Gabriel était originaire de Worcester, dans le Massachusetts, et je ne comprends pas comment Marino peut être informé d'un cas traité à la base de Dover. Personne n'aurait dû lui communiquer cette précision. Tout ce que nous faisons au Havre des morts est recouvert d'un épais voile de discrétion, parfois même classé secret-défense. La mère du soldat aurait-elle mis ses menaces à exécution et contacté les médias ? Aurait-elle claironné au profit de la presse que le médecin expert militaire chargé de son fils, une femme blanche, est une raciste ?

Avant que j'aie eu le temps de demander quoi que ce soit, Marino ajoute :

— Apparemment, c'est la première victime de guerre originaire de Worcester, et les médias locaux sont déchaînés. On a eu des appels, des gens qui se sont emmêlé les pinceaux, je suppose, et qui pensaient que tous les macchabées ayant un lien avec le Massachusetts atterrissaient chez nous.

— Les journalistes ont cru que nous avions pratiqué l'autopsie à Cambridge ?

— Ben, le Centre de sciences légales est aussi une morgue, un havre des morts, comme Dover. C'est peut-être pour ça.

— Les médias savent sans doute maintenant que toutes les victimes tombées sur les théâtres d'opérations extérieurs sont directement acheminées à la base de Dover. Vous êtes sûr que c'est ce qui motive l'intérêt des journalistes ?

— Pourquoi ? fait-il en me regardant. Vous savez quelque chose que j'ignore ?

— Il s'agissait juste d'une question.

— Tout c'que je sais, c'est qu'il y a eu quelques appels, et qu'on les a renvoyés sur Dover. Bon, vous étiez en train de vous occuper du gamin de Worcester, personne voulait vous déranger, alors j'ai fini par appeler le général Briggs au bout de vingt minutes de vol, quand on s'est ravitaillés en carburant à Wilmington. Il a demandé à l'autre, là, la capitaine « Oui, monsieur, non, monsieur », d'aller vous chercher dans la douche. Elle est célibataire ou elle appartient à la même confrérie que Lucy ? Pas tarte, la nana !

— Et comment savez-vous à quoi elle ressemble ? dis-je, perplexe.

— Elle rendait visite à sa mère qu'habite le Maine, et elle s'est arrêtée en cours de route au Centre. Vous étiez pas là.

J'essaye de me souvenir si on m'en a jamais informée, tout en réalisant que je n'ai aucune idée de ce qui s'est passé dans le service que je suis censée diriger.

— Fielding lui a sorti le grand jeu, le tour du proprio, poursuit Marino, qui n'apprécie guère mon assistant, Jack Fielding. Enfin, tout ça pour dire que j'ai vraiment essayé de vous joindre. Je voulais pas vous tomber dessus comme ça.

Marino se montre évasif. Tout cela s'apparente à un stratagème qu'il a monté de toutes pièces. Il s'est cru obligé de débarquer sans prévenir, pour une raison qui reste à déterminer. Sans doute parce qu'il tenait à s'assurer que je l'accompagnerais sans délai. Je sens de gros ennuis se profiler.

— Le dossier Gabriel n'explique pas que vous me tombiez dessus comme ça, pour reprendre vos mots.

— Juste !

— Quoi d'autre ?

— On a un problème, déclare-t-il, le regard fixé droit devant lui. Du coup, j'ai dit à Fielding et aux autres que personne, vraiment personne, examinerait le corps tant que vous seriez pas là.

Jack Fielding est un anatomopathologiste expérimenté, qui n'obéit pas aux ordres de Marino. Si mon assistant a choisi de se retirer et de s'en remettre à moi, cela signifie probablement que nous avons sur les bras une affaire avec des implications politiques, ou bien qui pourrait nous valoir un procès. Que Fielding n'ait pas essayé de me joindre par téléphone ou par *e-mail* me tracasse beaucoup. Je vérifie de nouveau mon iPhone. Aucun message de lui.

— Hier après-midi à Cambridge, vers trois heures et demie, entreprend d'expliquer Marino.

La nuit est presque tombée, nous roulons sur Atlantic Street et traversons à petite vitesse le centre de la base.

— À Norton's Woods, sur Irving Street, à peine à un pâté de maisons de chez vous. Dommage que vous ayez pas été sur place. Vous auriez pu vous rendre sur la scène à pied. Peut-être que les choses auraient tourné différemment.

— Quelles choses ?

— Un homme, un Blanc à peau un peu mate, sans doute une petite vingtaine d'années. Il sortait son chien et il tombe raide d'une crise cardiaque, OK ? Eh ben, justement pas ! poursuit-il tandis que nous dépassons des rangées d'installations en béton et en métal réservées à la maintenance, des hangars et bâtiments divers affublés de numéros au lieu de noms. Donc, on est dimanche après-midi, en plein jour, et y a plein de gens autour parce qu'il se passe un truc dans un bâtiment voisin, ce machin avec le grand toit métallique vert.

Norton's Woods, qui abrite l'Académie américaine des arts et des sciences, est un domaine boisé sur lequel s'élève un magnifique bâtiment de verre et de bois loué pour des cérémonies ou événements prestigieux. Il se trouve à quelques maisons de distance de la propriété dans laquelle nous avons emménagé, Benton et moi, le printemps dernier, afin que je me rapproche du Centre de sciences légales et que lui profite de la proximité de Harvard, où il enseigne au département de psychiatrie de l'école de médecine.

Marino poursuit :

— En d'autres termes, des yeux et des oreilles partout. Foutus lieu et moment pour zigouiller un mec !

— Vous n'évoquiez pas une crise cardiaque ? Étant donné son jeune âge, il s'agirait plutôt d'une arythmie cardiaque.

— Ouais, c'est ce qu'on a pensé. Plusieurs témoins l'ont vu brutalement s'agripper la poitrine et s'effondrer. Il a été déclaré mort sur place – soi-disant. Transporté ensuite directement à vos bureaux, et il a passé la nuit au frigo.

— Qu'est-ce que vous voulez dire par *soi-disant* ?

— Tôt ce matin, Fielding rentre dans le frigo. Il remarque des gouttes de sang par terre et une véritable mare sur le plateau de la civière. Il va chercher Anne et Ollie. Du sang coule du nez et de la bouche du gars. Or y avait rien l'après-midi d'avant quand il a été déclaré décédé. Il y avait pas de sang sur la scène, pas une goutte, et voilà qu'il dégouline. Pas des fluides corporels, de toute évidence, parce que c'est sûr qu'il est pas en train de se décomposer. Le drap qui le couvre est ensanglanté, il y a environ un litre de sang dans la housse à cadavre, et ça, bordel, c'est pas normal. J'ai jamais vu un macchabée se mettre à saigner comme ça. Alors j'ai dit qu'on avait un foutu problème sur les bras, et que tout le monde la fermait.

— Qu'a fait Jack ? Qu'a-t-il dit ?

— Vous plaisantez là ? Foutu assistant que vous avez là. Ne me lancez pas sur le sujet.

— Le corps a été identifié ? Et pourquoi Norton's Woods ? Il vivait dans le coin ? Peut-être un étudiant d'Harvard, à la Divinity School, la faculté de théologie ? (Celle-ci se trouve juste au coin de Norton's Woods.) S'il se promenait avec son chien, je doute qu'il ait participé à l'événement qui se déroulait là, quel qu'il soit.

Je m'efforce à un calme que je suis loin de ressentir, tandis que nous poursuivons cette conversation sur le parking de l'hôtel Eagle's Rest.

— On n'a pas encore beaucoup de détails, mais apparemment il s'agissait d'un mariage, explique Marino.

— Un dimanche de Super Bowl ? Qui organiserait un mariage à une pareille date ?

— Ben, c'est le bon plan si vous voulez que personne ne vienne ! Ou si vous êtes étranger, ou antiaméricain. J'en sais foutre rien, mais je crois pas que le type faisait partie des invités, et pas seulement à cause du chien. Il portait un 9 mm Glock sous sa veste. Pas de papiers d'identité, mais il écoutait une radio satellite portable. Vous voyez sûrement où je veux en venir.

— Pas du tout !

— Lucy vous en dira plus sur la partie radio satellite, mais de toute évidence il surveillait, il espionnait, et peut-être que la personne qu'il emmerdait a décidé de lui rendre la monnaie de sa pièce. Là où j'veux en venir, c'est que selon moi quelqu'un lui a fait un truc, infligé une blessure que les auxiliaires médicaux n'ont pas vue, ni les ambulanciers qui l'ont embarqué ensuite. Du coup, on le fourre dans la poche à cadavre. Une fois la fermeture remontée, il commence à saigner pendant le transport. Ça ne peut se produire que s'il a encore une pression artérielle, donc il était encore vivant quand on l'a débarqué à la morgue et qu'il a été bouclé dans notre foutue chambre froide. Il fait moins de cinq degrés là-dedans. C'est sûr que ce matin il était mort d'hypothermie. À moins qu'il ait claqué d'hémorragie avant.

J'objecte :

— S'il a reçu une blessure de nature à provoquer une hémorragie externe, pourquoi n'a-t-il pas saigné sur place ?

— À vous de me le dire.

— Combien de temps a duré l'intervention des secours ?

— Quinze, vingt minutes.

— Peut-être la rupture d'un vaisseau sanguin pendant les tentatives de réanimation ? Lorsqu'elles sont assez sévères, les blessures *ante mortem* et *post mortem* peuvent provoquer des hémorragies importantes. Par exemple, une côte fracturée au cours de la réanimation cardio-pulmonaire a pu provoquer une perforation ou sectionner une artère. Lui aurait-on posé un drain thoracique en prévention, cause possible de blessure et du saignement que vous venez de décrire ?

Malheureusement, je connais les réponses à mes questions. Marino est un enquêteur criminel confirmé, doublé d'un enquêteur médico-légal. Il n'aurait pas réquisitionné ma nièce et son hélicoptère pour débarquer à l'improviste à Dover s'il existait une explication logique ou même plausible. Quant à Jack Fielding, il saurait reconnaître une véritable blessure d'un artefact accidentel. *Pourquoi ne me donne-t-il aucune nouvelle ?*

— Le QG des pompiers de Cambridge se situe à un peu plus d'un kilomètre de Norton's Woods et l'équipe de secours est arrivée en quelques minutes, continue Marino.

Nous sommes assis dans la camionnette, moteur coupé. La nuit est presque entièrement tombée et, à l'exception d'un très faible rayon de lumière vers l'ouest, l'horizon et le ciel se confondent. *Quand Fielding a-t-il jamais géré une catastrophe sans moi ? Jamais.* Il s'évanouit dans la nature, confie aux autres le soin de réparer les dégâts qu'il a causés. Voilà pourquoi il n'a pas essayé de me joindre. Peut-être a-t-il de nouveau laissé tomber son boulot. Combien de fois faudra-t-il qu'il se conduise de cette façon avant que je cesse de le réembaucher ?

— D'après les pompiers, le type est mort sur le coup, ajoute Marino.

Je déteste quand il assène ce genre d'affirmation désinvolte et rétorque :

— À moins qu'un engin explosif improvisé ne pulvérise quelqu'un en mille morceaux, la mort instantanée n'existe pas.

Tomber raide mort, mort avant de toucher terre… J'ai eu beau lui répéter des centaines de fois qu'un arrêt respiratoire ou cardiaque ne constitue pas la cause de la mort mais le symptôme de l'agonie, et qu'il s'écoule plusieurs minutes avant la mort clinique, rien n'y fait. Voilà vingt ans qu'il me sert ces généralités. La mort n'est pas instantanée. Il ne s'agit pas d'un processus simple. Faute de trouver autre chose à dire, je lui rappelle ce fait médical.

— J'me contente de répéter ce qu'on m'a dit, d'accord ? Et, d'après eux, il pouvait pas être réanimé, me balance Marino comme si les auxiliaires médicaux étaient plus qualifiés que moi en matière de mort. Sans réaction, voilà ce qu'il y a d'écrit sur leur formulaire.

— Vous les avez interrogés ?

— L'un d'eux, ce matin au téléphone. Le type n'avait pas de pouls, plus rien. Il était mort, en tout cas c'est ce qu'a affirmé l'auxiliaire. À votre avis, qu'est-ce qu'il pouvait dire d'autre ? Qu'ils n'étaient pas trop sûrs, mais qu'ils l'avaient quand même expédié à la morgue ?

— Lui avez-vous précisé la raison de vos questions ?

— Vous me prenez pour un débile ? On a pas besoin que ça s'étale en première page du *Globe* ! Si ce truc atterrit aux infos, je peux tout de suite retourner au département de police de New York, ou peut-être chez Brink's, sauf que personne embauche.

— Quelle procédure avez-vous suivie ?

— J'ai suivi que dalle. Fielding s'en est chargé. Bien sûr, il affirme qu'il a tout fait dans les règles, que la police de Cambridge lui a certifié qu'il y avait rien de suspect sur les lieux, qu'il s'agissait de toute évidence d'une mort naturelle, avec des témoins. Fielding a donné l'autorisation de transférer le corps au Centre de sciences légales, pourvu que les flics se chargent de garder le flingue et l'expédient tout de suite aux labos pour qu'on puisse déterminer à quel nom il est enregistré. Une affaire de routine, et c'est pas de notre faute si les secours ont merdé. En tout cas, c'est ce qu'assure Fielding. Mais vous savez ce que j'en dis, moi ? Aucune importance, parce que c'est sur nous que ça va retomber ! Les médias ne vont pas nous lâcher et clameront que les services du médecin expert général devraient repartir à Boston. Vous imaginez le topo ?

Avant que le Centre de sciences légales de Cambridge ne démarre ses activités l'été dernier, le bureau du médecin expert général de l'État se trouvait à Boston, noyé sous les problèmes politiques et économiques, sans parler des scandales qui faisaient constamment la une de l'actualité. Des cadavres étaient égarés, d'autres expédiés par erreur à certaines entreprises de pompes funèbres. On procédait à des incinérations sans examen approfondi, et dans une affaire de décès d'enfant avec présomption de maltraitance d'autres globes oculaires que ceux de la petite victime avaient été analysés. Les responsables se succédaient et les services du district avaient dû être fermés, faute de crédits. Toutefois, aucun des commentaires négatifs qui avaient déferlé sur le bureau de Boston ne pouvait se comparer à ce que Marino évoquait dans notre cas.

— Je préfère m'abstenir d'imaginer quoi que ce soit et me concentrer sur les faits, dis-je en ouvrant ma portière.

— Ben, le problème, c'est qu'on a pas beaucoup de faits qui tiennent debout.

— Avez-vous confié à Briggs ce que vous venez de me raconter ?

— Juste ce qu'il avait besoin de savoir.

Je répète ma question :

— La même chose qu'à moi ?

— À peu près.

— Vous n'auriez pas dû. C'est mon rôle. Il me revenait de décider des éléments à lui communiquer.

Je suis assise avec la portière grande ouverte, et le vent s'engouffre à l'intérieur. Encore humide de ma douche, je suis transie. J'insiste :

— Il ne vous appartient pas de faire remonter les infos dans la hiérarchie au prétexte que je suis occupée.

— Eh ben, vous étiez surchargée et je lui ai dit, voilà.

Je descends de la camionnette et tente de me rassurer en songeant que Marino doit se tromper. Les urgentistes de Cambridge ne peuvent pas avoir commis une bourde aussi monumentale. Je m'efforce d'échafauder une explication au fait qu'une blessure mortelle n'ait pas saigné sur place, avant de saigner abondamment par la suite. J'envisage même de recourir à un ordinateur pour confronter heure et cause de la mort de cet homme avec l'hypothèse d'un décès survenu dans une chambre froide de morgue. Je suis déconcertée et n'ai pas la moindre idée de ce qui a pu se produire. Par-dessus tout, je m'inquiète de ce jeune homme amené dans mes locaux, présumé mort. Je le vois, enveloppé d'un drap et enfermé dans une housse à cadavre. Une vision d'horreur absolue, le cauchemar : se réveiller dans un cercueil, être enterré vif. De près ou de loin, il ne m'est jamais arrivé une chose aussi effroyable de toute ma carrière, et je ne connais personne qui ait vécu cela.

Marino essaie de nous rassurer tous les deux :

— Au moins, y avait pas de trace indiquant qu'il avait tenté de sortir de la housse. Rien qui laisse penser qu'il ait pu être conscient à un moment et qu'il se soit mis à paniquer. Du genre essayer d'arracher la fermeture éclair, donner des coups de pied. S'il s'était débattu, j'imagine que quand on l'a retrouvé ce matin, il aurait été dans une drôle de position sur le plateau. Il serait peut-être même tombé, non ? Sauf qu'en y réfléchissant, je me demande si on peut pas suffoquer dans un de ces grands sacs. Sûrement que si, puisqu'ils sont censés être étanches. Ce qui les empêche pas de fuir, notez bien. Montrez-moi un seul sac à cadavre qui fuit pas… Ça, c'est l'autre truc bizarre. Il y a des gouttes de sang par terre, depuis la baie de déchargement jusqu'au frigo.

— Nous continuerons cette conversation plus tard.

C'est l'heure d'arrivée à l'hôtel. Beaucoup de gens vont et viennent sur le parking tandis que nous nous dirigeons vers l'entrée moderne de stuc clair, et la voix de stentor de Marino porte comme s'il déclamait du bas d'un amphithéâtre. Ma réflexion ne l'empêche pas d'ajouter :

— Ça m'étonnerait que Fielding se soit donné la peine de regarder l'enregistrement vidéo. Ça m'étonnerait qu'il ait foutu quoi que ce soit d'ailleurs. Depuis ce matin, pas le moindre signe de vie de cet enfoiré ! Encore une fois volatilisé. Bon sang, j'espère qu'on va pas fermer boutique à cause de lui, poursuit-il en ouvrant la porte d'entrée vitrée. Ce serait génial, non ? Vous lui rendez un sacré service en lui filant du boulot alors qu'il s'est cassé du dernier, et il fout en l'air le Centre avant même son démarrage.

Dans le hall décoré de vitrines où s'alignent trophées et objets de collection de l'armée de l'air, de fauteuils confortables et d'un grand écran de télévision, un panneau souhaite la bienvenue aux invités dans le foyer des C-5 Galaxy et des C-17 Globemaster III. À la réception, j'attends en silence derrière un homme en ACU, l'uniforme de combat de l'armée de terre au camouflage pixélisé de couleurs neutres. Il achète de la mousse à raser, de l'eau et plusieurs bouteilles miniatures de Johnnie Walker. J'informe le réceptionniste que je quitte l'hôtel plus tôt que prévu, et non, je n'oublierai pas de rendre la clé, et bien entendu, je sais que le tarif gouvernemental habituel de trente-huit dollars me sera imputé pour la journée, même si je ne reste pas cette nuit.

Marino poursuit sur sa lancée :

— Comment on dit déjà ? Une bonne action est toujours punie ?

— Essayons de ne pas nous montrer trop négatifs.

— Vous et moi, on a laissé tomber des bons jobs à New York, on a fermé le bureau de Watertown, et voilà qu'on se retrouve avec un truc de ce genre sur les bras.

Je ne réponds pas.

— Bon Dieu, j'espère qu'on a pas foutu en l'air nos carrières !

Je ne réponds toujours rien. J'en ai assez entendu. Après avoir dépassé le comptoir de vente et les distributeurs automatiques, nous nous engageons dans l'escalier en direction du premier étage, moment qu'il choisit pour m'apprendre que Lucy ne nous attend pas avec l'hélicoptère au terminal de l'aviation civile, mais qu'elle se trouve dans ma chambre. Elle emballe mes affaires, les tripote, se décide sur une chose ou une autre, vide mon placard, mes tiroirs, débranche mon ordinateur portable, mon imprimante et mon routeur sans fil. Il ne me l'a pas dit tout de suite parce qu'il sait fichtrement bien que dans des circonstances habituelles cela me contrarierait au-delà du raisonnable – et qu'il s'agisse de ma nièce, le petit génie de l'informatique ex-membre d'une agence fédérale, que j'ai élevée comme ma fille, n'y change rien.

Les circonstances s'avérant tout sauf banales, je suis soulagée de la présence de Marino à mon côté et de celle de Lucy dans ma chambre, qu'ils soient tous les deux venus me chercher. Je dois rentrer à la maison et remettre de l'ordre dans tout ça. Nous suivons le long couloir moquetté de rouge sombre, dépassons la galerie décorée de copies de style colonial, dans laquelle trône un fauteuil de massage électronique destiné aux pilotes fatigués. En insérant ma carte magnétique pour ouvrir ma porte, je me demande qui a laissé entrer Lucy, je repense à Briggs et à CNN. Impossible de me montrer à la télévision. Et si les médias avaient eu vent de ce qui s'est passé à Cambridge ? Non, je le saurais depuis le temps, Marino le saurait. Bryce, mon administrateur, le saurait et il m'en aurait tout de suite informée. Tout va bien se passer.

Assise sur mon lit soigneusement fait, Lucy est en train de refermer ma trousse de maquillage. En l'embrassant, environnée par l'odeur fraîche et citronnée de son shampoing, je me rends compte à quel point elle m'a manqué. Sa combinaison noire de vol fait ressortir l'éclat de son audacieux regard vert et de sa courte chevelure aux nuances d'or rose, ses méplats marqués et sa minceur. J'oublie toujours à quel point elle est éblouissante, hors du commun, à la fois garçonne et féminine, le corps sculpté tel celui d'un athlète mais avec des seins, et habitée d'une intensité qui la fait paraître féroce.

Qu'elle se montre enjouée ou simplement polie, ma nièce a tendance à intimider les gens. Elle n'a que peu d'amis, pour ne pas dire aucun, à l'exception de Marino, peut-être, et ses liaisons amoureuses ne durent jamais. Même sa relation avec Jaime Berger, semble-t-il, bien que je me sois abstenue de formuler mes soupçons à haute voix, évitant toute question. Cependant je n'ai jamais gobé son explication, selon laquelle elle aurait déménagé de New York à Boston pour des raisons financières. Même si l'activité de son entreprise d'investigations informatiques faiblissait – et d'ailleurs je n'y crois pas non plus –, Lucy gagnait plus à Manhattan que les émoluments que lui verse le Centre de sciences légales de Cambridge, c'est-à-dire rien. Ma nièce travaille pour moi *pro bono*. Elle n'a pas besoin d'argent.

Tout en l'observant avec attention pour essayer d'interpréter le moindre signe de sa part, car elle a l'art d'expédier des messages subtils et mystérieux, je m'enquiers :

— C'est quoi, cette histoire de radio par satellite ?

Elle vérifie mon flacon d'Advil, les comprimés oblongs cliquettent à l'intérieur, puis semble décider qu'il n'en reste plus assez pour s'en embarrasser et balance le tout dans la poubelle.

— Le mauvais temps arrive, j'aimerais partir le plus vite possible.

Elle dévisse le bouchon d'un flacon de Zantac, qui suit le même chemin que l'Advil.

— On discutera en vol, poursuit-elle, et j'aurai besoin de ton aide de copilote. Éviter les averses de neige et les pluies glaçantes sur notre route ne va pas être aisé. Une trentaine de centimètres de neige devrait s'accumuler à Cambridge à partir de dix heures.

Je pense aussitôt à Norton's Woods. Je dois procéder à un examen rétrospectif, mais le temps d'arriver là-bas, l'endroit sera recouvert de neige.

— C'est embêtant, observé-je. On a peut-être une scène de crime qui n'a pas bénéficié de l'attention qu'elle méritait.

— J'ai demandé à la police de Cambridge d'y retourner ce matin, annonce Marino tandis qu'il fouille les lieux du regard comme si la pièce avait aussi besoin d'être passée au peigne fin. Ils n'ont rien trouvé.

Je m'inquiète de nouveau :

— La police vous a-t-elle demandé la raison de votre insistance ?

— J'ai prétendu qu'on se posait des questions au sujet du Glock. Le numéro de série a été limé. Je crois que je vous l'avais pas dit, ajoute-t-il en continuant de tout inspecter autour de lui, en évitant soigneusement mon regard.

— Le labo de balistique peut tenter de restaurer le numéro de série à l'acide. En désespoir de cause, on essaiera le microscope électronique à balayage à grande chambre, tranché-je. S'il reste quoi que ce soit, on le trouvera. Et je vais demander à Jack de se rendre à Norton's Woods pour effectuer une reconstitution.

— Ouais. J'suis sûr qu'il va se faire un plaisir de foncer là-bas, rétorque Marino d'un ton sarcastique.

J'ajoute :

— Il peut prendre des photos avant que la neige ne commence à tomber. Lui ou quelqu'un d'autre… la personne de garde…

— C'est une perte de temps, me coupe Marino. Aucun de nous se trouvait là-bas hier. Personne connaît exactement le lieu où ça s'est produit – tout ce qu'on sait, c'est qu'il y a un arbre et un banc vert juste à proximité. Ça nous fait une belle jambe, sur à peu près deux hectares et demi d'arbres et de bancs verts !

Tandis que Lucy continue de passer en revue ma petite trousse à pharmacie étalée sur le lit, pommades, analgésiques, anti-acides, vitamines, gouttes oculaires, gels nettoyants pour les mains, je demande :

— Il doit bien y avoir des photos ? La police a dû prendre des clichés du corps *in situ*.

— J'attends que les enquêteurs me les communiquent. Le flic qui a été dépêché sur les lieux m'a apporté le pistolet ce matin. Un certain Lester Law, diminutif *Les Law*, plus connu sur le terrain sous le surnom de *Lawless*, « Sans loi », comme son père et son grand-père avant lui. Une généalogie de flics de Cambridge qui remonte au débarquement du foutu *Mayflower* ! Je l'avais jamais rencontré.

— Je crois que j'ai terminé, décrète Lucy en se levant du lit. Tu veux peut-être vérifier que je n'ai rien oublié ?

Les poubelles débordent, mes bagages sont faits, alignés le long d'un mur. Rien n'a été oublié dans le placard, porte grande ouverte, à l'exception des cintres. Équipement informatique, dossiers, articles de journaux, livres, tout a disparu de mon bureau. Il n'y a plus rien non plus dans la corbeille à linge sale, ni dans la salle de bains, ni dans les tiroirs de la commode que je vérifie. J'ouvre le petit réfrigérateur, vide et nettoyé. Tandis que Marino et Lucy entreprennent de sortir mes affaires, je compose le numéro de Briggs sur mon iPhone. Je contemple le bâtiment de deux étages enduit de stuc qui s'élève de l'autre côté du parking et la large baie vitrée située au centre du deuxième étage. Hier soir, je me trouvais dans cette suite avec Briggs et d'autres collègues. Nous regardions le match et la vie était belle. Nous avions acclamé les New Orleans Saints, porté des toasts à nous-mêmes, au Pentagone et à son Agence de recherches avancées de la Défense, la DARPA, qui a rendu possible la réalisation d'autopsies virtuelles en tomographie assistée par ordinateur, d'abord à Dover, puis au Centre de sciences légales de Cambridge. Nous avions célébré l'accomplissement de notre mission, du travail bien fait… Et voici maintenant que cette affaire nous tombe dessus, comme si cette soirée n'avait aucune réalité, comme s'il ne s'agissait que d'un rêve.

Je prends une profonde inspiration et presse la touche « envoi » de mon iPhone, un grand creux dans la poitrine. Briggs ne doit pas me bénir. De l'autre côté du parking, des images crépitent sur l'écran de la télévision à écran plat montée au mur de son salon, et il passe devant la baie vitrée, vêtu de son uniforme de combat vert et brun sable au col mandarin, la tenue qu'il arbore toujours lorsqu'il se trouve ailleurs qu'à la morgue ou sur une affaire. Je l'observe répondre au téléphone, puis regagner la grande baie, devant laquelle il se tient, regardant droit dans ma direction. De loin, on pourrait presque croire que nous sommes face à face, le médecin expert en chef des forces armées et moi, séparés par une étendue de macadam et de voitures, comme si nous nous préparions pour un duel.

Il m'accueille d'un ton sombre :

— Colonel ?

— Je viens d'être mise au courant. Et je vous garantis que je m'en occupe. Je serai à bord de l'hélicoptère dans moins d'une heure.

Sa voix grave et autoritaire résonne dans mon combiné. J'essaye de déterminer son degré de mauvaise humeur et ce qu'il va décider.

— Vous savez ce que je répète toujours : il existe une réponse à tout. Le problème consiste à la trouver et à l'appliquer de la meilleure façon qui soit. De la façon la plus adéquate et appropriée.

Il se montre calme et prudent, et surtout très sérieux.

— On fera ça une autre fois, ajoute-t-il.

Il fait allusion au dernier briefing que nous devions tenir avant mon départ. Je suis certaine qu'il s'agit également d'une allusion à CNN, et je me demande ce que lui a dit Marino. Que lui a-t-il exactement raconté ?

— Je suis d'accord, John. Mieux vaut tout annuler.

— Ç'a été fait.

— Parfait.

Je reste neutre. Je ne tiens pas à ce qu'il devine mes inquiétudes, alors même que je le sais à l'affût. Je le sais fichtrement bien.

— Ma priorité consiste à vérifier l'exactitude de l'information qu'on m'a rapportée. Je ne vois pas comment une telle chose a pu se produire.

— Le moment est mal choisi pour vous montrer à la télévision. Nul besoin de Rockman pour venir nous le préciser.

Rockman est l'attaché de communication. Et Briggs n'a pas besoin de « venir », car je suis bien certaine qu'il s'est déjà entretenu avec lui. Je réponds :

— Je comprends.

— Le *timing* est sidérant. Si j'étais paranoïaque, je penserais que quelqu'un a orchestré une espèce de sabotage bizarre.

— Si je me fie aux informations que l'on m'a communiquées, je ne vois pas comment cela serait possible.

— « Si j'étais paranoïaque », ai-je dit, rétorque Briggs.

De là où je me trouve, je ne vois que sa silhouette robuste et impressionnante. Je ne parviens pas à distinguer son expression, mais c'est tout à fait inutile : pas un sourire n'effleure ses lèvres et son regard gris est aussi dur que de l'acier trempé.

— Le *timing* relève de la coïncidence ou non. C'est le principe de base des enquêtes criminelles, John. Ce ne peut être que l'un ou l'autre.

— Ne banalisons pas cette affaire.

— Loin de moi cette idée !

— J'imagine mal ce qu'il pourrait y avoir de pire qu'un type encore vivant enfermé dans votre foutue chambre froide, assène-t-il d'un ton catégorique.

— Rien ne dit…

— Après tout ce que nous venons d'accomplir, c'est vraiment trop dommage, coupe-t-il, comme si tout ce que nous avions bâti ces dernières années se trouvait sur le point de s'écrouler.

— Nous ignorons si ce qui a été rapporté est exact…

Il m'interrompt de nouveau :

— Je crois qu'il serait préférable de ramener le corps ici. Le laboratoire d'empreintes génétiques de l'armée peut travailler à l'identification. Rockman fera tout ce qui est nécessaire pour que rien ne s'ébruite. Nous disposons de ce qu'il faut ici.

Je suis sidérée. Briggs veut envoyer un avion à Hanscom Field, la base aérienne qui travaille en liaison avec le Centre de sciences légales de Cambridge. Il souhaite que ce soit le laboratoire d'empreintes génétiques de l'armée, et probablement d'autres labos militaires, en tout cas pas moi, qui gère l'affaire, tout simplement parce qu'il ne me croit pas compétente. Il ne me fait pas confiance.

— Nous ignorons si ce décès revient à la juridiction fédérale, contré-je. À moins que vous disposiez d'autres informations.

— Écoutez, j'essaye d'agir au mieux et dans l'intérêt de tous les intervenants.

Les mains derrière le dos, les jambes légèrement écartées, il me fixe de l'autre côté du parking.

— Ce que je suggère, poursuit-il, c'est d'envoyer un C-17 à Hanscom. Le corps peut être rapatrié ici avant minuit. Le Centre de Cambridge est également un dépôt mortuaire, et c'est ce que font les dépôts mortuaires.

— Non. Le but n'est pas de recevoir des corps, puis de les transférer ailleurs pour procéder aux autopsies et aux analyses de laboratoire. Il n'a jamais été prévu que le Centre de Cambridge constitue une première étape de filtrage avant Dover, un simple contrôle préliminaire avant que les experts prennent la main. Je n'ai pas été mandatée pour cela, et il n'en a jamais été question lorsque trente millions de dollars ont été dépensés pour les installations de Cambridge.

— Vous devriez rester à Dover, Kay, et nous ramènerons le corps ici.

— Je vous demande de vous abstenir d'intervenir, John. Pour l'instant, cette affaire est du ressort du médecin expert en chef du Massachusetts. Ne mettez pas en doute mon autorité.

Un long silence s'installe.

— Vous tenez vraiment à cette responsabilité, reprend-il.

Il ne s'agit pas d'une question, mais d'une affirmation.

— Que je le veuille ou non, cette responsabilité m'appartient.

— J'essaye de vous protéger. Je m'y suis efforcé.

— Eh bien, ne le faites pas.

Je ne crois pas que tel soit son but. Je pense plutôt qu'il n'a pas confiance en moi.

— Je peux vous assigner le capitaine Avallone pour vous aider. Ce n'est pas une mauvaise idée.

À nouveau, je n'en crois pas mes oreilles. Je réplique avec fermeté :

— Ce ne sera pas nécessaire. Le Centre de Cambridge est parfaitement capable de gérer tout cela.

— Qu'il soit noté que j'ai fait offre de service.

Noté par qui ? Étrangement, l'idée me traverse l'esprit que quelqu'un d'autre nous écoute, sur la ligne ou à portée d'oreille. Briggs se tient toujours debout devant sa baie vitrée. Il m'est impossible de déterminer si une personne se trouve avec lui dans sa suite.

— Faites comme bon vous semble, déclare-t-il. Je n'interviendrai pas contre votre volonté. Appelez-moi dès que vous avez des informations. Réveillez-moi si nécessaire.

Il ne me souhaite ni au revoir ni bonne chance. Il ne me dit pas non plus que ce fut un plaisir de m'avoir à la base pendant six mois.

Chapitre 2

Lucy et Marino ont quitté ma chambre. Mes valises, mes sacs à dos et mes boîtes à archives ont disparu, il ne reste plus rien. On pourrait croire que je n'ai jamais occupé ce lieu, et pour la première fois depuis des années, peut-être même des décennies, je me sens désespérément seule.

Je jette un dernier coup d'œil alentour pour m'assurer que rien n'a été oublié. Mon regard effleure le four à micro-ondes, le petit réfrigérateur-congélateur et la cafetière, les fenêtres donnant sur le parking et la suite éclairée de Briggs. Au-delà, le ciel noir au-dessus de l'étendue désertée du terrain de golf. D'épais nuages qui occultent les étoiles passent devant la lune oblongue, qui semble s'allumer et s'éteindre tel un fanal à mon attention, comme pour me prévenir de ce qui vient dans ma direction et m'enjoindre de m'arrêter ou de poursuivre ma route. Le mauvais temps qui approche à grande vitesse, porté par le puissant vent du sud, ce vent qui ramène les gros avions et leur triste cargaison, m'inquiète. Je devrais me hâter. Pourtant mon attention est distraite par le miroir de la salle de bains, par la personne qui s'y reflète, et je m'arrête un instant pour me détailler dans l'éclat aveuglant des lampes fluorescentes. *Qui es-tu donc maintenant ? Qui es-tu en réalité ?*

Mes yeux bleus et mes courts cheveux blonds, mes traits fermes et ma silhouette n'ont pas beaucoup changé et sont même remarquablement bien conservés, étant donné mon âge. Je me suis assez bien débrouillée, compte tenu du fait que j'ai passé ma vie enfermée dans des antres de béton et d'acier dépourvus de fenêtres. La génétique en est en grande part responsable, cette volonté chevillée au corps de s'en sortir, de réussir dans une famille aussi tragique qu'un opéra de Verdi. Les Scarpetta sont de solide souche italienne du Nord, avec des traits marqués, un teint et des cheveux clairs, une ossature et des muscles bien dessinés qui permettent de survivre obstinément aux épreuves et aux faiblesses complaisantes que la plupart des gens n'associent pas à ma personnalité. Mais si destructeurs soient-ils, les penchants sont bien là, la passion pour la nourriture, la boisson, pour tout ce que la chair désire. Je suis avide de beauté et je ressens tout avec intensité, pourtant je suis également une aberration. Je peux me montrer insensible et sans faille, immuable et implacable. Toutefois il s'agit chez moi de comportements acquis, dont je suis convaincue qu'ils me sont indispensables. Ils ne me sont pas naturels, non plus qu'à qui que ce soit dans cette famille d'humeur volatile et théâtrale. Voilà au moins une chose dont je suis certaine quant à mes origines. Le reste est bien plus sujet à caution.

Mes ancêtres étaient fermiers et ouvriers dans les chemins de fer, mais ces dernières années, lorsqu'elle s'est mis en tête de remonter dans notre généalogie, ma mère a ajouté au mélange des artistes, des philosophes et des martyrs. D'après elle, je descends d'artisans qui ont bâti le maître-autel, les stalles du chœur ainsi que les mosaïques de la basilique Saint-Marc, et créé les fresques du plafond de l'église de l'Ange-Raphaël à Venise. D'une manière ou d'une autre, mon ascendance inclut beaucoup de moines. Dernièrement, en se fondant sur des éléments que j'ignore, ma mère a affirmé que je serais liée par le sang au peintre le Caravage, un meurtrier, et qu'une relation ténue existerait entre moi et Giordano Bruno, brûlé vif pour hérésie.

Ma mère vit toujours dans sa petite maison de Miami, et ses efforts pour déterminer ce que je suis au juste la préoccupent beaucoup. À sa connaissance, il n'existe pas d'autre médecin que moi dans notre arbre généalogique, et elle ne comprend toujours pas que j'aie choisi les morts pour patients. Que les terreurs d'une enfance consumée par l'obligation de m'occuper d'un père en phase terminale, avant de devenir chef de famille à l'âge de douze ans, aient pu en partie façonner ma personnalité, ni ma mère ni ma sœur unique, Dorothy, ne peuvent sans doute l'entrevoir. Par intuition et par expérience, je suis experte en violence et en mort, en guerre constante contre la souffrance et la douleur. D'une façon ou d'une autre, je finis soit responsable, soit coupable, nul moyen d'y échapper.

Je referme la porte sur ce qui a constitué mon foyer depuis bien plus longtemps que six mois en réalité. Briggs est parvenu à me rappeler d'où je viens et où je vais. Ce parcours a débuté bien avant le mois de juillet dernier, il remonte à 1987, lorsque j'ai compris que la fonction publique était ma destinée. J'ignorais comment j'allais rembourser la dette contractée pour effectuer mes études de médecine. J'ai laissé une composante aussi banale que l'argent, et quelque chose d'aussi honteux que l'ambition, modifier irrévocablement le cours des événements, et pas dans le bon sens – peut-être même dans le pire. Mais j'étais jeune et idéaliste, orgueilleuse aussi. Je voulais toujours plus, sans comprendre à l'époque que « plus » se révèle souvent « moins », lorsque rien ne vous rassasie jamais.

Des bourses d'études m'ayant permis de suivre l'école paroissiale, puis de m'inscrire à l'université Cornell, puis à la faculté de droit de Georgetown, j'aurais pu débuter ma vie professionnelle, délivrée du fardeau de la dette. Mais j'avais boudé l'école de médecine de Bowman Gray, souhaitant désespérément intégrer celle de l'université Johns Hopkins. Jamais je n'avais à ce point désiré quelque chose. J'y étais parvenue, sans aucune bourse ni aide financière, avec pour résultat de leur devoir des sommes astronomiques. Mon seul recours consistait à accepter une bourse militaire, ainsi que nombre de mes pairs, y compris Briggs, dont j'avais fait la connaissance à mes tout débuts dans la profession, lorsque j'avais été affectée à l'Institut d'anatomopathologie de l'armée, la structure mère du bureau du médecin expert de l'armée. Briggs m'avait convaincue qu'après un séjour bien tranquille au centre médical de l'armée Walter Reed à Washington, à passer en revue des rapports d'autopsies militaires, une fois que j'aurais payé mes emprunts, je pourrais trouver une bonne situation en médecine légale civile.

En revanche, je n'avais pas compté sur l'Afrique du Sud, décembre 1987, le plein été sur ce continent lointain. Noonie Pieste et Joanne Rule, deux jeunes femmes à peu près du même âge que moi, tournaient un documentaire lorsqu'elles avaient été ligotées sur des chaises, battues, taillées en pièces. On leur avait enfoncé une bouteille en verre dans le vagin, arraché la trachée. Des crimes raciaux perpétrés contre deux jeunes Américaines. « Vous allez au Cap, m'avait lancé Briggs. Vous enquêtez et vous les ramenez. » Propagande de l'apartheid. Des mensonges et encore des mensonges. *Pourquoi elles, pourquoi moi ?*

Je descends l'escalier pour rejoindre le hall, me répétant que je ne dois pas penser à tout cela maintenant. *D'ailleurs, pourquoi tout cela me revient-il en ce moment ?* Je sais pourquoi. Ce matin, au téléphone, on m'a incendiée, on m'a insultée, et ces souvenirs de plus de vingt ans sont remontés à la surface. Je me souviens des rapports d'autopsie qui avaient disparu, de mes bagages fouillés. J'en étais arrivée à me convaincre qu'on allait me retrouver morte : un fâcheux accident, un suicide ou un meurtre mis en scène, comme celui de ces deux femmes. Je les revois toujours, aussi nettement qu'à l'époque, raides et livides, allongées sur des tables de métal, leur sang s'écoulant dans les canalisations d'une morgue dépourvue de matériel radiologique, tellement rudimentaire que nous avions utilisé des scies à main pour découper les crânes. J'avais même dû apporter mon propre appareil photo.

Je dépose ma clé à la réception et me repasse en esprit la conversation que je viens d'avoir avec Briggs. Tout devient clair. Pourquoi n'ai-je pas compris la vérité immédiatement ? Je repense à son ton distant, sa froideur délibérée, tandis que je l'observais à travers la vitre. Je l'ai déjà entendu s'exprimer de cette façon, mais face à d'autres, lorsque le problème posé prenait une ampleur qui lui échappait. L'opinion qu'il a de moi n'explique pas tout. Quelque chose d'autre s'est immiscé, qui dépasse ses calculs habituels et notre passé conflictuel.

Quelqu'un est intervenu, et je doute qu'il s'agisse de l'attaché de communication ou d'un membre de la base. J'opterais plutôt pour une personne très haut placée. Je suis certaine que Briggs s'est entretenu avec Washington une fois que Marino lui a divulgué l'information, a déblatéré et échafaudé ses élucubrations avant que j'aie eu l'occasion de placer un mot. Marino n'aurait jamais dû parler, ni de moi, ni de l'affaire de Cambridge. Il a mis en branle une mécanique qu'il est incapable de comprendre, à l'instar de tant d'autres choses. Marino n'a jamais appartenu à l'armée, ni travaillé pour le gouvernement fédéral, et il ignore tout des affaires internationales. Sa conception de la bureaucratie et des complots se résume à celle des politiques de départements de police locaux, ce qu'il estampille du terme « conneries ». Le concept du pouvoir, le vrai, celui qui peut jouer sur une élection présidentielle ou déclencher une guerre, lui échappe totalement.

Briggs n'aurait jamais suggéré d'envoyer un avion militaire dans le Massachusetts pour ramener un corps à la base de Dover s'il n'avait pas reçu le feu vert du département de la Défense – en d'autres termes le Pentagone. Une décision a été prise sans que j'aie le moins du monde été consultée. Une fois dehors, sur le parking, je grimpe dans la camionnette sans jeter un regard à Marino, tellement je suis furieuse.

— Parle-moi de cette radio par satellite, dis-je à Lucy.

J'ai bien l'intention d'aller au fond de cette histoire et de découvrir ce que sait Briggs, ou bien ce qu'on lui a fait croire.

— Un Sirius Stiletto, me répond-elle de la banquette arrière plongée dans l'obscurité, tandis que je monte le chauffage parce que Marino a toujours trop chaud même lorsque les autres meurent de froid. En réalité, ce n'est rien de plus qu'un outil de stockage de fichiers avec une source d'alimentation. Bien entendu, ça fonctionne également comme une radio XM portable, sa finalité première, mais ici c'est sur le casque d'écoute qu'on a fait preuve de créativité. Pas forcément ingénieux, mais techniquement malin.

— Y a un microphone et une caméra miniature intégrés dedans, explique Marino en conduisant. C'est pour ça que je crois que le type mort était celui qui espionnait. Il pouvait quand même pas ignorer que son casque était équipé d'un système d'enregistrement audiovisuel !

— Rien n'est moins évident. Un individu pouvait parfaitement le surveiller sans que la victime en ait la moindre idée, rétorque Lucy en s'adressant à moi, et je sens que Marino et elle se sont disputés à ce sujet. La mini-caméra espion est logée dans le bandeau du casque, sur le rebord, donc difficile à voir. Même si tu le remarquais, il ne te viendrait pas nécessairement à l'esprit qu'on a installé dedans une caméra sans fil plus petite qu'un grain de riz, un émetteur radio de la même taille et un capteur de mouvements qui se met en veille après quatre-vingt-dix secondes d'immobilité. Ce type se promenait avec une micro-webcam qui enregistrait sur le disque dur de la radio et sur une carte micro SD supplémentaire de huit gigas. Il est trop tôt pour que je puisse te dire s'il était au courant – en d'autres termes, s'il avait installé le système. Je sais que Marino en est convaincu, mais pas moi.

— La carte micro SD était fournie avec la radio ou ajoutée après l'achat ?

— Ajoutée. Ce qui revient à dire que la capacité de stockage était importante. Ce que j'aimerais savoir, c'est si les fichiers étaient régulièrement téléchargés ailleurs, sur ses ordinateurs personnels par exemple. Si on arrive à mettre la main dessus, on pourra peut-être débrouiller tout ça.

Une façon pour Lucy de nous expliquer que les fichiers vidéo qu'elle a consultés jusqu'à présent ne nous apprennent pas grand-chose. Elle a des raisons de penser que la victime possède un sinon plusieurs ordinateurs personnels, mais elle n'a rien trouvé qui puisse nous préciser où elle habitait, ni nous renseigner sur son identité. Elle poursuit :

— Les données stockées sur le disque dur et la carte SD ne remontent pas au-delà du 5 février, vendredi dernier donc. Cela signifie-t-il que la surveillance venait juste de commencer ? Ces fichiers vidéo sont lourds et prennent beaucoup de place sur le disque, et selon moi il est plus probable qu'ils aient été chargés ailleurs. Ensuite, on pouvait enregistrer de nouveau sur le disque, par-dessus les anciens fichiers. Peut-être n'avons-nous donc que les enregistrements les plus récents, ce qui n'exclut pas qu'il en existe d'autres.

— Ces images ont donc sans doute été chargées à distance.

— C'est ainsi que je procéderais si j'espionnais, déclare Lucy. Je me brancherais sur la webcam à distance et je téléchargerais ce que je veux.

Je demande :

— Et l'observation en temps réel, ce serait possible ?

— Bien entendu. Si c'était lui l'objet de la surveillance, la personne qui l'espionnait pouvait se brancher sur la caméra et l'observer en simultané.

— Pour le harceler, le suivre ?

— Il s'agit d'une raison logique. Ou alors pour réunir des informations, de l'espionnage véritable. Ce que font certains lorsqu'ils soupçonnent que leur conjoint les trompe. Tout ce que tu peux imaginer est possible.

— Alors il est plausible qu'il ait enregistré sa propre mort sans même le savoir, par inadvertance.

En dépit de la lueur d'espoir qu'elle provoque en moi, l'idée me trouble profondément. Je souligne :

— J'utilise le terme « inadvertance » parce que nous ignorons à quoi nous avons affaire. Par exemple, il a peut-être intentionnellement enregistré sa propre mort. Dans ce cas, il s'agirait d'un suicide. N'excluons aucune hypothèse.

— Un suicide ? Impossible, intervient Marino.

Je répète :

— Pour l'instant nous ne devrions rien exclure.

— Comme un attentat-suicide ? suggère Lucy. Comme Columbine et Fort Hood ? Il avait peut-être en tête de tuer le plus de gens possible à Norton's Woods avant de se suicider. Mais un truc s'est produit, lui coupant l'herbe sous le pied…

Je répète encore une fois :

— Nous ne savons rien.

— Dix-sept balles se trouvaient dans le chargeur du Glock, plus une dans la chambre, me dit Lucy. Une grosse puissance de feu. De quoi flanquer en l'air un mariage, ça, c'est sûr. Il faudrait savoir qui se mariait, sans oublier les noms des invités.

Je sais tout des tueries de Fort Hood, de Virginia Tech, de trop de ces endroits où les assaillants ouvrent le feu sans toujours se préoccuper de l'identité de leurs victimes, et je rectifie :

— La plupart de ces gens-là ont des chargeurs supplémentaires. S'ils ont pour projet une tuerie de masse, ils emportent en général des munitions en abondance et des armes en plus. Cela étant, je suis d'accord avec toi. L'Académie américaine des arts et des sciences est un endroit très coté. Il nous faut connaître les noms des mariés et de leurs invités.

— Vous devez être membre, intervient Marino. Vous avez peut-être un contact qui peut nous filer la liste et un planning des événements ?

— Je ne suis pas membre de l'Académie.

— Vous rigolez ?

Je m'abstiens de lui répondre que je n'ai pas obtenu de prix Nobel ou Pulitzer, que je ne suis pas titulaire d'un Ph.D, mais juste diplômée en médecine et en droit, et que ça ne compte pas pour l'Académie. Je pourrais lui rappeler que l'Académie n'a peut-être rien à voir là-dedans, puisque des personnes extérieures peuvent louer le bâtiment. Il suffit d'avoir des relations et de l'argent. Mais je ne suis pas d'humeur à donner des explications détaillées à Marino. Il n'aurait pas dû appeler Briggs.

Lucy se penche par-dessus le dossier du siège et me tend son iPad.

— En ce qui concerne les enregistrements, bonnes et moins bonnes nouvelles. Les bonnes : il ne semble pas que des fichiers aient été effacés, en tout cas pas récemment, ainsi que je l'ai souligné. Ce qui ferait pencher la balance en faveur de l'hypothèse selon laquelle c'était lui l'espion. On pourrait spéculer que si un individu le surveillait et a quelque chose à voir avec sa mort, cette personne se serait sans doute connectée sur l'adresse Web pour effacer le disque dur et la carte mémoire avant que des gens comme nous ne l'examinent.

— La personne en question aurait aussi dû faire disparaître cette foutue radio et le casque de la scène, non ? intervient Marino. Si le gars était surveillé, traqué, et qu'on l'a zigouillé ? Moi, j'aurais raflé le casque et la radio, et je me serais cassé le plus vite possible. En conclusion, je parie que c'était lui qui enregistrait. Je crois pas une minute que ce soit quelqu'un d'autre. Et j'parie que ce type mort était embringué dans un truc, et que, quelle que soit la raison de l'équipement de surveillance, il était le seul à être au courant de son existence. Ce qui est chiant, c'est qu'il y a pas d'enregistrement de celui qui l'a buté, et ça, c'est significatif. Si quelqu'un lui a sauté dessus pendant qu'il promenait son chien, pourquoi le casque l'a pas enregistré ?

— Le casque n'a rien enregistré parce que le type décédé n'a pas vu la personne, réplique Lucy. Il ne regardait pas dans sa direction.

J'insiste à nouveau :

— À supposer que son décès ait été provoqué d'une façon ou d'une autre par un individu.

— Tout juste, admet Lucy. La caméra pointe droit du haut du front, à la manière d'un troisième œil. Le casque enregistre donc à peu près ce que voit celui qui le porte.

— Donc celui qui l'a buté venait de derrière, déclare Marino d'un ton péremptoire. Et ça s'est produit tellement vite que la victime a même pas eu le temps de se retourner. Ou alors… peut-être une espèce d'attaque de *sniper* ? On lui a tiré dessus à distance, un genre de flèche empoisonnée ? Ça peut paraître tiré par les cheveux, mais ça arrive, ce genre de conneries. Vous vous souvenez de l'espion du KGB piqué avec un parapluie dont la pointe renfermait de la ricine ? Il attendait à un arrêt de bus et personne a rien vu.

Je rectifie :

— Il s'agissait d'un dissident bulgare qui travaillait à la BBC, et on ne possède aucune certitude quant au parapluie, et vous extrapolez de plus en plus… un peu comme s'enfoncer dans une forêt vierge sans boussole.

— De toute façon, la ricine ne vous fait pas tomber raide mort instantanément, remarque Lucy. Comme la plupart des poisons d'ailleurs, y compris le cyanure d'hydrogène. Je ne pense pas qu'il ait été empoisonné.

— Tout ça ne nous aide pas beaucoup.

— Mon expérience de flic, voilà ma boussole, me rétorque Marino. J'utilise mes talents de déduction. On m'appelle pas Sherlock pour rien, fait-il en tapotant sa casquette de base-ball de son index épais.

— Personne ne vous a jamais appelé Sherlock ! lance Lucy depuis l'arrière.

Je contemple la grosse masse de Marino, ses mains énormes posées sur le volant qui frotte contre son ventre, même quand il est dans ce qu'il nomme une forme olympique, et je répète :

— Rien de très exploitable là-dedans.

— C'est pas vous qui me serinez toujours qu'il faut réfléchir en dehors des sentiers battus ? me balance-t-il d'un ton dur, sur la défensive.

— Les devinettes ne servent à rien. Vous savez bien qu'il est imprudent de relier des éléments qui n'ont peut-être rien à voir.

Marino a toujours eu tendance à sauter aux conclusions. Cependant, depuis qu'il a pris ses nouvelles fonctions au Centre de Cambridge, qu'il travaille de nouveau avec moi, cette tendance n'a fait qu'empirer. Pour moi, la responsabilité en revient à cette omniprésence de l'armée dans nos vies depuis quelque temps. Plus exactement, c'est de la faute de Briggs. Marino s'est ridiculement amouraché de ce puissant anatomo-pathologiste mâle, général de surcroît. Il s'est toujours moqué de mes liens avec l'armée, ne les prenant jamais en considération, qu'ils fissent partie de mon passé ou même après le 11 Septembre, lorsque je fus rappelée avec un statut particulier. Marino n'a jamais tenu compte de mes attaches militaires, agissant comme si elles n'existaient pas.

Il conduit en regardant droit devant lui, et les phares d'une voiture qui arrive en sens inverse illuminent son visage. J'y lis sa mauvaise humeur et une certaine incompréhension qui lui sont intrinsèques. L'indéniable affection que j'éprouve à son égard me pousserait facilement à le prendre en pitié, mais pas à cet instant ni dans ces circonstances. Je ne laisserai pas voir que je suis contrariée. Je lui demande :

— Qu'avez-vous confié d'autre à Briggs ? En plus de vos opinions ?

Il ne répond pas et Lucy prend le relais :

— Briggs a vu ce que tu ne vas pas tarder à découvrir. Que les choses soient claires : l'idée ne vient pas de moi et je n'ai rien envoyé par *mail*.

— Envoyé quoi par *mail* exactement ? dis-je, alors que je sais précisément de quoi elle parle.

Mon incrédulité ne fait que croître : Marino a communiqué des indices à Briggs. L'affaire m'appartient, mais Briggs a pris connaissance des informations avant moi.

— Ben, il voulait savoir, se défend Marino comme si cela justifiait le reste. Qu'est-ce que j'pouvais lui raconter ?

— Rien du tout ! Vous êtes passé par-dessus moi. Cette histoire n'est pas de son ressort.

— Ben si, forcément. Il a été nommé par le chef des services de santé de l'armée, en gros on peut dire par le président, donc son rang hiérarchique le place au-dessus de nous tous dans cette camionnette.

— Le général Briggs n'est pas le médecin expert en chef du Massachusetts, et vous ne travaillez pas pour lui, mais pour moi.

Je mesure soigneusement la façon dont je m'exprime. Je m'efforce d'avoir l'air raisonnable et calme, comme lorsqu'un avocat agressif s'acharne à me déstabiliser dans le box des témoins, ou que Marino est à un cheveu d'exploser dans un étalage grossier de braillements obscènes et de claquements de portières.

— Le Centre de sciences légales de Cambridge a compétence sur plusieurs juridictions. Dans certaines situations, il peut prendre en charge des dossiers fédéraux. Ça peut paraître déroutant, mais nous sommes le résultat d'une initiative conjointe de l'État, du gouvernement fédéral et du MIT, sans oublier Harvard. Certes, le concept est inédit et délicat, raison pour laquelle vous auriez dû me laisser prendre cette affaire en charge, au lieu de me court-circuiter. Le problème, dis-je en essayant d'adopter un ton prosaïque et accommodant, c'est qu'en impliquant le général Briggs de façon prématurée et précipitée, la situation peut se transformer et se doter d'une vie propre… Mais bon, ce qui est fait est fait.

— Hein ? Qu'est-ce qui est *fait* ?

L'incertitude gagne Marino et je devine une nuance d'inquiétude dans sa voix. Cela étant, il est exclu que je lui facilite la tâche. Il doit réfléchir à ce qui s'est produit, étant responsable de ce sac de nœuds.

— Bien, et si nous passions aux moins bonnes nouvelles ? dis-je en me retournant vers Lucy.

— Regarde ça. Il s'agit des trois derniers enregistrements, plus une minute par-ci, par-là, quand les écouteurs ont été repoussés par les infirmiers, les flics et moi ce matin, lorsque j'ai entrepris de les examiner au labo.

L'écran de l'iPad répand une lueur vive et colorée dans l'obscurité. Je tape sur l'icône du premier fichier vidéo sélectionné par Lucy. S'affiche ce que la victime voyait hier à quinze heures quatre, c'est-à-dire un lévrier noir et blanc roulé en boule sur un canapé bleu dans un salon au plancher de pin recouvert d'un tapis rouge et bleu.

La caméra se déplace en même temps que l'homme. Il a positionné son casque sur sa tête. L'enregistrement commence : une table basse jonchée de livres et de papiers soigneusement empilés, une feuille qui ressemble à du calque pour architecte ou ingénieur sur laquelle est abandonné un crayon ; une fenêtre aux stores de bois baissés ; un bureau encombré de deux grands écrans plats informatiques et de deux Silver MacBook, un téléphone branché sur un chargeur, peut-être un iPhone, et une pipe de verre ambré fumant dans un cendrier ; un lampadaire avec un abat-jour vert ; une corbeille à chien en polaire et des jouets éparpillés. J'entrevois une porte protégée d'une serrure à pêne dormant et d'une targette, et sur un mur des photos encadrées et des posters qui passent trop rapidement pour que je puisse en distinguer les détails. Je les étudierai plus tard.

Jusqu'à présent, je n'ai rien remarqué qui me permette de déduire l'identité de l'homme, ni le lieu où il vit. J'ai l'impression d'un petit appartement ou de la maison de quelqu'un qui aime les animaux, vit à l'aise financièrement et veille à sa sécurité et son intimité. En supposant qu'il s'agit bien de sa résidence et de son chien, l'homme est intellectuellement et techniquement évolué, créatif et organisé, il fume peut-être de la marijuana et s'est choisi un animal de compagnie en mal d'affection, pas un trophée, mais une petite créature qui a subi la cruauté dans une vie antérieure et est incapable de se débrouiller toute seule. Je m'inquiète soudain pour le chien. Qu'a-t-il pu lui arriver ?

Les secours et la police n'ont sûrement pas abandonné hier dans Norton's Woods un lévrier sans défense, seul et perdu dans le climat de la Nouvelle-Angleterre. Benton m'a dit qu'il faisait moins douze degrés ce matin à Cambridge, et il neigera avant la fin de la nuit. Le chien se trouve peut-être au siège des pompiers, bien nourri et soigné depuis le décès de son maître. L'enquêteur Law, ou quelqu'un d'autre de la police, l'a peut-être ramené chez lui. Toutefois, il ne serait pas invraisemblable que personne ne se soit rendu compte qu'il appartenait à la victime. Mon Dieu, ce serait affreux.

Je ne peux m'empêcher de demander :

— Qu'est devenu le lévrier ?

— Aucune idée, répond Marino à ma consternation. Personne était au courant jusqu'à ce matin, quand Lucy et moi, on a pris connaissance de ce que vous êtes en train de visionner. Les secours se souviennent pas d'avoir remarqué un lévrier en liberté. Faut dire qu'ils faisaient pas particulièrement attention, mais la grille qui donne accès à Norton's Woods béait quand ils sont arrivés. Mais vous le savez sans doute : la grille est jamais fermée à clé, et grande ouverte presque tout le temps.

— Il ne survivra pas longtemps par ce froid glacial. Comment les gens n'ont-ils pas remarqué cette pauvre bête en liberté, sans sa laisse ? Il a bien dû courir dans le parc au moins quelques minutes avant de s'échapper par la grille. Un peu de bon sens ! Quand son maître s'est écroulé, le chien ne s'est pas brusquement enfui dans la rue.

— Il y a beaucoup de gens qui détachent leurs chiens pour les laisser se balader, courir un peu dans les parcs. Norton's Woods ne fait pas exception à la règle, remarque Lucy. Moi, je libère toujours Jet Ranger.

Jet Ranger est le vieux bouledogue de Lucy, et prétendre qu'il « court » serait abusif. Elle ajoute :

— Peut-être que personne n'a rien remarqué parce que ça ne sortait pas de l'ordinaire.

— En plus, tout le monde devait être préoccupé par ce type qui venait de tomber raide, ajoute Marino, énonçant une évidence.

Je jette un œil à l'extérieur, aux résidences militaires qui défilent le long de la chaussée faiblement éclairée, aux avions énormes et brillants comme des planètes dans la dense obscurité du ciel. Ce qu'on me raconte est incompréhensible. Je suis surprise que le lévrier ne soit pas demeuré près de son maître. L'animal a peut-être paniqué, ou bien il existe une autre raison pour laquelle personne n'a remarqué sa présence.

— Le chien va refaire surface, continue Marino. Dans un quartier comme ça, c'est impossible que les riverains se préoccupent pas d'un lévrier errant tout seul. À mon avis, un des voisins ou un étudiant l'a récupéré. À moins qu'après avoir descendu le type, le meurtrier l'ait embarqué.

— Pourquoi ? dis-je, perplexe.

— Eh ben, si on applique votre conseil, faut garder l'esprit ouvert, répond-il. Qui nous dit que celui qu'a fait le coup est pas resté dans le coin à observer ce qui se passait ? Et qu'au moment opportun il s'est barré avec le chien, en prétendant que l'animal lui appartenait ?

— Mais pour quelle raison ?

— Peut-être que d'une façon ou d'une autre le clébard pourrait nous conduire au meurtrier ? suggère-t-il. À son identification ? Ou alors par jeu, par défi, ou un foutu souvenir ? Bordel, qu'est-ce qu'on en sait ? Mais à un moment vous remarquerez sur les extraits vidéo que la laisse du chien est détachée. Et devinez quoi ? Eh ben, on l'a pas retrouvée. Elle était ni avec le corps ni avec le casque.

Le chien s'appelle *Sock*, « Chaussette ». Sur l'écran de l'iPad, l'homme claque de la langue et explique à l'animal que l'heure de la promenade est arrivée. « On y va, Sock, fait-il d'un ton câlin et d'une agréable voix de baryton. Allez, espèce de paresseux, c'est l'heure de la balade et des besoins. » Je décèle un léger accent, anglais ou australien, ou peut-être sud-africain. Il s'agirait là d'une coïncidence vraiment bizarre. Je dois cesser de penser à l'Afrique du Sud. *Concentre-toi sur ce que tu as sous les yeux*, me dis-je tandis que Sock saute du canapé. Je remarque qu'il ne porte pas de collier. L'animal – un mâle, je suppose, étant donné son nom – est mince, les côtes légèrement saillantes, une caractéristique de sa race. D'âge adulte, peut-être même vieux, l'une de ses oreilles est découpée de façon irrégulière, comme si elle avait été déchirée il y a longtemps. Je suis convaincue qu'il s'agit d'un animal réformé des champs de courses et je me demande s'il porte une puce d'identification. Si tel est le cas et que nous le retrouvions, nous pourrions remonter sa trace et peut-être découvrir qui l'a adopté.

Deux mains entrent dans le champ de vision, tandis que l'homme se penche et glisse autour du long cou mince de Sock une laisse rouge coulissante. Je remarque une montre en métal argenté avec un tachymètre sur la lunette, distingue l'éclat doré d'une chevalière, peut-être une bague de collège. Le bijou pourrait s'avérer utile, du moins s'il est toujours glissé au doigt de la victime. Peut-être porte-t-il une inscription. Les mains hâlées sont délicates, aux doigts fins. J'entrevois l'espace d'un instant un blouson vert foncé, un ample pantalon de treillis noir et l'extrémité éraflée d'une chaussure marron de randonnée.

La caméra se fixe sur le mur au-dessus du canapé, recouvert de lambris de châtaignier ponctués de trous de vers, et le bas d'un cadre métallique apparaît à l'image. Lorsque l'homme se relève, une affiche ou une gravure envahit l'écran, reproduction d'un dessin qui me paraît familier. Je reconnais le croquis du XVIe siècle de Léonard de Vinci, celui d'un projet de machine volante, avec des ailes semblables à celles d'un oiseau. Un souvenir me revient, qui remonte à quelques années… Quand exactement ? L'été d'avant le 11 Septembre. J'avais emmené Lucy voir une exposition à Londres, à la Courtauld Gallery, consacrée aux inventions de Léonard de Vinci, et nous avions flâné plusieurs heures, fascinées, écoutant les conférences d'éminents scientifiques internationaux, tout en contemplant les études de Vinci autour de l'eau, de la terre et des machines de guerre : sa vis aérienne, son scaphandre à casque, son parachute, sa grande arbalète, le char de combat et le chevalier automate.

L'immense génie de la Renaissance professait que tout art est science et que toute science est art. Il était convaincu qu'il suffit de se montrer assez méticuleux et observateur pour découvrir dans la nature des solutions à tous les problèmes, du moins si l'on est véritablement à la recherche de la vérité. Les mêmes leçons que celles que j'ai tenté d'enseigner à ma nièce presque toute sa vie. Je n'ai cessé de lui répéter qu'en se montrant humble, discret, et courageux, on apprend tout de ce qui nous entoure. L'homme que j'observe sur le petit appareil serré entre mes mains détient les réponses à mes questions. *Parle-moi. Raconte-moi. Qui es-tu et que s'est-il passé ?*

Il se dirige vers la porte, dont la serrure est fermée et la targette poussée. La perspective change brutalement, l'angle de la caméra se modifie, et je me demande s'il a rectifié la position de son casque. Celui-ci n'était peut-être pas d'aplomb sur ses oreilles, et il s'apprête à écouter de la musique avant de sortir. Il passe devant un objet mécanique grossier, une espèce de sculpture grotesque, un assemblage de bouts de ferraille. Je fais une pause sur image, sans parvenir à déterminer la nature de cette chose, et décide que dès que j'en aurai l'opportunité, je me repasserai les vidéos autant de fois que nécessaire afin d'étudier soigneusement le moindre détail. Le cas échéant, Lucy agrandira et analysera certaines images avec ses logiciels de traitement. Pour l'instant, je dois accompagner cet homme et son chien jusqu'au domaine boisé situé à peine à un pâté de maisons de notre résidence, à Benton et moi. Je dois assister à ce qui s'est passé. Dans quelques minutes, il va mourir. *Montre-moi et je comprendrai, je trouverai la vérité. Laisse-moi m'occuper de toi.*

L'homme et le chien descendent trois étages dans une cage d'escalier mal éclairée. Leurs pas résonnent avec vivacité et légèreté sur du bois nu, et ils émergent tous les deux dans une rue bruyante et animée. Le soleil décline dans le ciel. Les langues de neige souillée de saleté noirâtre m'évoquent une croûte de biscuits écrasés. À chaque fois que l'homme baisse le regard, j'entraperçois l'asphalte et des pavés humides, du sable et du sel, vestiges des opérations de déneigement. Voitures et gens tressautent et remuent de façon saccadée au rythme de sa marche ou lorsqu'il tourne la tête. Il cherche une fréquence tout en avançant et la musique s'élève en arrière-fond, Annie Lennox, sur la radio par satellite. Je ne perçois que ce qui est audible à l'extérieur du casque, ce qu'enregistre le micro placé à l'intérieur du bandeau. L'homme a dû monter le volume assez fort. Une erreur : il n'entendra sans doute pas quelqu'un arriver derrière lui. S'il se préoccupe de sa sécurité au point de verrouiller à double tour la porte de son appartement et de porter un pistolet, pourquoi ne s'inquiète-t-il pas d'être sourd à son environnement ?

De nos jours, les gens se comportent de façon peu sensée. Même des gens assez prudents se laissent aller de façon ridicule aux multitâches. Ils expédient des SMS ou vérifient leurs messageries tout en conduisant, en faisant fonctionner d'autres machines aussi dangereuses ou en traversant une rue fréquentée. Ils discutent sur leurs téléphones portables en même temps qu'ils circulent à bicyclette, à rollers ou même en pilotant. Combien de fois ai-je répété à Lucy de ne pas répondre au téléphone de l'hélicoptère ? Peu importe qu'elle utilise un Bluetooth ou un mains libres.

Je vois grâce aux yeux de l'homme et reconnais l'endroit où il se trouve : sur Concord Avenue. Il marche d'un bon pas en compagnie de Sock. Il dépasse des immeubles de brique rouge, le département de police d'Harvard, puis la marquise rouge foncé du Sheraton Commander Hotel, situé de l'autre côté du parc public, le Cambridge Common. Il habite donc à proximité, dans un immeuble ancien d'au moins trois étages.

Pourquoi n'emmène-t-il pas Sock au Cambridge Common, un parc très apprécié par les maîtres de chiens ? Quoi qu'il en soit, son lévrier et lui poursuivent leur chemin, dépassent statues et canons, réverbères, chênes dénudés, bancs et voitures garées le long des parcmètres qui bordent la rue. Un labrador sable se lance à la poursuite d'un gros écureuil, et Annie Lennox chante *« No more I-love-you... I used to have demons in my room at night... »* Je suis devenue les yeux et les oreilles de cet homme alors que ses écouteurs enregistrent. Rien ne me permet de penser qu'il soit au courant de la caméra et du micro dissimulés, ou que cela le préoccupe le moins du monde.

Il promène son chien. Pas un instant je n'ai eu le sentiment qu'il espionnait quoi que ce soit ou s'apprêtait à exécuter de sombres desseins, à ceci près qu'il a fourré un pistolet semi-automatique Glock avec dix-huit balles de neuf millimètres dans son blouson vert. Pourquoi ? Était-il en route pour tuer quelqu'un, le pistolet représentait-il seulement une arme de défense, et, dans ce cas, de quoi avait-il peur ? Se déplacer armé était peut-être une habitude, une routine. Il y a des gens comme ça, pour qui porter une arme devient un automatisme. Pourquoi a-t-il effacé le numéro de série du Glock ? À moins qu'il ne s'agisse de quelqu'un d'autre ? Il me vient à l'esprit que les systèmes d'enregistrement cachés dans ses écouteurs font peut-être partie d'une de ses expériences, d'un de ses projets de recherche. Cambridge et ses alentours représentent sans conteste la Mecque des innovations technologiques. C'est d'ailleurs l'une des raisons pour lesquelles le département de la Défense, le Commonwealth du Massachusetts, Harvard et le MIT sont tombés d'accord pour installer le Centre de sciences légales sur la rive nord de la Charles River, dans un bâtiment de biotechnologie édifié sur Memorial Drive. L'homme poursuivait peut-être un troisième cycle, ou bien il s'agissait d'un ingénieur, ou encore d'un chercheur en informatique. Les images tremblotantes et abruptes des appartements de Mather Court, un terrain de jeu, Garden Street, les pierres tombales usées et de guingois du cimetière datant de 1635, l'Old Burying Ground, défilent sur l'écran de l'iPad.

Parvenu à Harvard Square, son attention est attirée par le kiosque de Crimson Corner. Il semble vouloir se diriger là, peut-être pour s'acheter un journal, parmi la quantité de choses que nous adorons, Benton et moi. C'est notre quartier, où nous flânons à la recherche de café et de cuisine ethnique, de journaux et de livres. Nous finissons toujours les bras chargés de mets à emporter et de trucs fabuleux à lire, que nous empilons sur le lit le week-end et pendant les vacances, lorsque je reste à la maison ; le *New York Times* et le *Los*

Angeles Times, le *Chicago Tribune* et le *Wall Street Journal*. Pourvu qu'on se fiche de tomber sur des informations vieilles d'un ou deux jours, on trouve également les épais journaux de Londres, Paris, Berlin. Quelquefois nous dénichons *La Nazione* et *L'Espresso*. Je nous lis les nouvelles de Florence et Rome, nous épluchons les petites annonces de locations de villas et fantasmons sur le fait d'aller vivre là-bas, à l'instar de la population locale, de visiter ruines et musées, d'arpenter la campagne italienne et la côte amalfitaine.

L'homme s'arrête sur le trottoir encombré et paraît changer d'avis. Sock et lui traversent la rue en trottinant, pour se retrouver sur Massachusetts Avenue. Je pense savoir où ils vont. Ils tournent à gauche dans Quincy Street et adoptent un pas plus vif. L'homme tient un sac en plastique dans la main, comme si Sock n'allait pas se retenir beaucoup plus longtemps. Ils passent devant le bâtiment moderne de la Lamont Library, puis devant l'Harvard Faculty Club de style néo-géorgien, le Fogg Museum, l'église gothique en pierre de New Jerusalem. Ils tournent à droite dans Kirkland Avenue. Nous avançons tous les trois. Je les accompagne, je traverse vers Irving, je tourne à gauche dans la rue, à quelques minutes de Norton's Woods, à quelques minutes de notre maison, en écoutant *Five for Fighting* diffusé par la radio satellite… *« Even heroes have the right to bleed... »*

À chaque pas qui nous rapproche de la mort de l'homme et de la disparition du chien dans un froid polaire, que je refuse désespérément, un sentiment d'urgence s'empare de moi. Je marche avec eux comme si je les menais là-bas, parce que je sais ce qui va se passer et qu'ils l'ignorent. Je voudrais les arrêter, les contraindre à rebrousser chemin. Soudain, la maison apparaît sur notre gauche : deux étages, style fédéral, elle est blanche aux volets noirs avec un toit d'ardoise, construite en 1824 par un adepte du transcendantalisme qui connaissait Emerson, Thoreau et le Norton de la *Norton's Anthology* qui a donné son nom à Norton's Woods. Ma maison et celle de Benton, dont l'intérieur est orné de boiseries et de moulures, de plafonds aux poutres apparentes. Les paliers de l'escalier principal sont percés de magnifiques vitraux français représentant des scènes de nature, que la lumière illumine comme des bijoux au soleil. Une Porsche 911 est garée sur l'étroite allée de brique, et les pots d'échappement chromés laissent échapper de la fumée.

Benton recule sa voiture de sport, dont les feux stop s'illuminent comme deux yeux rougeoyants lorsqu'il freine pour laisser passer un homme et son chien. L'homme tourne la tête en direction de Benton. Peut-être admire-t-il la Porsche noire Turbo Cabriolet à quatre roues motrices que Benton brique tel un sou neuf. Mon mari se souviendra-t-il du jeune homme à l'épais blouson vert, promenant un lévrier noir et blanc, ou les aura-t-il totalement évacués de son esprit ? Je connais Benton. Sans doute l'homme et le chien vont-ils l'obséder tout autant que moi, et je fouille dans mes souvenirs… Qu'a fait Benton hier ? En fin d'après-midi, il a foncé à son bureau du McLean parce qu'il avait oublié de rapporter à la maison le dossier d'un patient qu'il devait examiner aujourd'hui. Quelques degrés de séparation, un jeune homme et son pauvre chien sur le point d'être arrachés l'un à l'autre pour toujours, et mon mari seul dans sa voiture, qui va chercher à l'hôpital des documents oubliés. Je regarde la scène se dérouler devant mes yeux comme si je devenais Dieu, et si c'est cela être Dieu, ce doit être affreux. Je connais leur futur et ne puis le modifier.

Chapitre 3

Je me rends soudain compte que la camionnette est arrêtée, et que Marino et Lucy en descendent. Nous sommes garés devant le terminal de l'aviation civile John B. Wallace. Je ne bouge pas et continue de regarder la scène qui se déroule sur l'iPad tandis que Marino et Lucy déchargent mes bagages.

L'air froid s'engouffre par le hayon arrière. Les questions défilent dans mon esprit. Pourquoi l'homme a-t-il décidé d'aller promener Sock à Norton's Woods, dans ce qu'on appelle Mid-Cambridge, presque à Somerville ? Pourquoi là et pas plus près de chez lui ? Avait-il rendez-vous avec quelqu'un ? Une grille de métal noire en partie entrouverte emplit l'écran et la main de l'homme la repousse. Il a enfilé des gants noirs épais, qui ressemblent à des gants de moto. A-t-il froid aux mains ou existe-t-il une autre raison ? Peut-être poursuit-il vraiment un but sinistre ? A-t-il l'intention d'utiliser son arme ? Il serait illogique d'armer un pistolet 9 mm et de presser la détente avec de gros gants peu pratiques. Je l'entends ouvrir le sac en plastique en le secouant et le découvre alors qu'il baisse les yeux. L'espace d'un instant j'entrevois autre chose, une chose qui ressemble à une minuscule boîte en bois. Une boîte à shit, me semble-t-il. Certaines d'entre elles sont fabriquées en bois de cèdre et pourvues d'un tout petit hygromètre, comme un humidificateur. La pipe de verre ambré fumante sur le bureau, dans l'appartement, me revient en mémoire. Peut-être aime-t-il promener son chien à Norton's Woods parce que l'endroit est préservé et, en règle générale, très discret. La police ne s'y intéresse guère, sauf lors d'événements d'importance, accueillant des VIP et requérant une certaine protection. Il aime peut-être venir ici fumer de l'herbe. Il siffle le chien, se baisse et lui ôte la laisse. Je l'entends : « Alors, mon vieux, tu te souviens de notre endroit ? Montre-moi notre endroit. » Ses mots sont ensuite étouffés et je ne perçois plus distinctement ses paroles. On dirait : « Et pour toi… », suivi de : « Tu veux envoyer un ?… », ou : « Tu envoies un ?… » Même après l'avoir repassé deux fois, je ne comprends pas, peut-être parce qu'il est penché et parle dans le col de son blouson.

À qui s'adresse-t-il ? Je ne vois personne dans les parages, rien que le chien et les mains gantées. Lorsque l'homme se redresse, accompagné de la caméra, je distingue de nouveau le parc, un panorama d'arbres et de bancs, et sur l'un des côtés une allée empierrée près du bâtiment au toit métallique vert. J'entrevois des gens. À les voir emmitouflés contre le froid, je me doute qu'il ne s'agit pas d'invités au mariage, mais plus probablement de promeneurs, comme notre homme. Sock trotte en direction d'arbustes où il fait ses besoins, et son maître s'enfonce plus avant dans l'élégant domaine boisé parsemé de vieux ormes et de bancs de couleur verte.

Il siffle en disant : « Viens, mon vieux, suis-moi. »

Dans les zones ombragées, l'épais tapis de neige qui entoure les massifs de rhododendrons est retourné, semé de feuilles mortes, de cailloux et de brindilles cassées, et j'ai l'impression morbide qu'apparaissent des tombes clandestines, de la peau arrachée et des ossements érodés par les éléments, rongés et éparpillés. L'homme observe, examine autour de lui, et la caméra espion se fixe sur le toit métallique vert à trois niveaux du bâtiment de bois et de verre de l'Académie, que j'aperçois habituellement de la véranda de notre maison. L'homme tourne la tête. Je découvre une porte au rez-de-chaussée qui donne sur l'extérieur. La caméra s'arrête de nouveau sur une femme aux cheveux gris qui se tient devant cette porte. Vêtue d'un tailleur et d'un long manteau de cuir brun, elle est en conversation téléphonique.

L'homme siffle, ses pas crissent sur le gravier de l'allée tandis qu'il se dirige vers le chien pour ramasser ce que celui-ci a abandonné… *« And this emptiness fills my heart... »*, chante Peter Gabriel. Je repense au jeune soldat homonyme brûlé dans son Humvee. Je le sens à nouveau, comme si l'odeur infecte qu'exhalait sa dépouille était encore emprisonnée au plus profond de mes narines. Je pense à sa mère, à son chagrin, à sa colère lorsqu'elle m'a appelée ce matin. On ne remercie guère les anatomopathologistes. J'essaye de ne pas oublier que, parfois, les vivants se conduisent comme si j'étais à l'origine du décès de leurs bien-aimés. *Ne le prends pas pour toi.*

Les mains gantées secouent de nouveau le sac en plastique froissé, du genre qu'on donne au supermarché, puis un événement se produit. La main de l'homme remonte vers sa tête. Je l'entends cogner contre son casque. On dirait qu'il écrase quelque chose et il s'exclame « Mais qu'est-ce que ?… Hé !… » d'un ton rauque et surpris. Ou peut-être s'agit-il d'un cri de douleur. Pourtant je ne distingue rien ni personne, hormis les arbres et des silhouettes lointaines. Je ne vois plus le chien, ni le maître. Je remonte dans l'enregistrement et repasse l'extrait. Sa main gantée de noir pénètre brusquement le champ et il jette : « Mais qu'est-ce que ?... Hé !... » J'ai le sentiment qu'il est contrarié ou bouleversé et stupéfait, comme si un incident venait de lui couper le souffle.

Je passe de nouveau la scène, tentant de déceler autre chose. Il me semble que son ton trahit une protestation, peut-être de la peur et, oui, de la souffrance. On pourrait croire qu'on vient de lui donner un coup de coude ou de le bousculer brutalement sur un trottoir encombré. Puis le sommet des arbres dénudés apparaît soudain, tournoie, des morceaux d'ardoise grossissent à vue d'œil tandis qu'il s'écroule sur le chemin avec un bruit sourd. Il est tombé sur le dos, ou alors le casque a roulé par terre. Des branches nues et un ciel gris ont envahi l'écran, plus rien ne bouge, puis le bas d'un long manteau noir passe devant dans un bruissement et claque tandis que quelqu'un marche rapidement. Un autre bruit de bousculade assez fort et l'image change de nouveau. D'autres branches et le même ciel gris, zébrés par les lattes d'un banc vert. Les images se succèdent à une vitesse incroyable, puis les voix et les échos des gens alentour prennent de l'ampleur.

— Appelez les secours !

— Je crois qu'il ne respire plus !

— Je n'ai pas mon portable. Appelez les secours !

— Allô ? Il y a... euh, oui, à Cambridge. Oui, dans le Massachusetts ! Bon Dieu ! Dépêchez-vous ! Merde, ils m'ont mis sur répondeur. Grouillez-vous, bon sang ! Je ne peux pas y croire ! Oui, oui, un homme, il s'est effondré. On dirait qu'il ne respire plus… Norton's Woods, au coin d'Irving et Bryant… Oui, quelqu'un essaie de pratiquer la respiration artificielle. Je reste en ligne… Je suis là. Oui, je veux dire, je ne… Elle veut savoir s'il ne respire toujours pas. Non, non, il ne respire pas ! Il ne bouge pas. Il ne respire plus !… Je n'ai pas vraiment vu ce qui s'est passé, j'ai juste regardé… il était par terre… d'un seul coup, il était par terre…

J'appuie sur la touche « pause » et descends de la camionnette. Il fait froid, le vent souffle et je presse le pas pour rejoindre le terminal. L'endroit est petit, avec des toilettes et un espace ponctué de chaises. Une vieille télévision est allumée. Je regarde un moment *Fox News*, puis fais défiler en avance rapide la vidéo sur l'iPad. Accoudée au comptoir, Lucy règle à l'aide de sa carte bancaire les frais d'autorisation d'atterrissage. De nouveau, des images de branchages dénudés à travers les lattes peintes en vert. Je suis maintenant convaincue que les écouteurs ont atterri sous un banc, la caméra pointant vers le ciel, tandis que la radio XM continuait à diffuser… *« Dark lady laughed and danced... »* La musique est plus forte, le casque ne reposant plus sur la tête de l'homme, et entendre chanter Cher paraît si incongru.

Les voix hors champ se mêlent, pressantes et excitées. Je perçois un bruit de pas et le hurlement distant d'une sirène de pompiers, pendant que ma nièce bavarde avec un type d'un certain âge. Il a l'air ravi de lui raconter qu'il était pilote de chasse, maintenant en retraite, et qu'il travaille à temps partiel à la base de Dover comme FBO, base d'assistance aux avions.

— … au Vietnam ? Alors ce devait être quoi ? Un F-4 Phantom ?

— Ouais, et un F-14 Tomcat, le dernier que j'ai piloté. Mais vous savez, jusque dans les années 1980, il y avait encore des Phantom. Bien construits, ils peuvent tenir le coup une éternité. Regardez depuis combien de temps on utilise les C-5. Et il y a encore des Phantom en Israël, je crois. Et en Iran aussi. Ceux qui restent aux États-Unis aujourd'hui, on les utilise comme drones ou comme cibles sans pilote. C'est un sacré avion. Vous en avez déjà vu ?

— À la base aéronavale de Belle Chasse, en Louisiane. J'ai emmené mon hélicoptère là-bas pour donner un coup de main après le passage de Katrina.

— Il paraît qu'ils font des expériences pour casser les ouragans, en utilisant des Phantom qui volent dans l'œil du cyclone, fait-il avec un hochement de tête.

L'écran de l'iPad s'obscurcit. Le casque n'enregistrait plus et je suis persuadée que lorsque l'homme est tombé à terre, l'appareil a été expédié à une bonne distance, sous un banc. Le capteur de mouvements ne détectant plus d'activité, il est passé en mode veille. Bizarre. Comment les écouteurs sont-ils tombés, exactement, et pourquoi ont-ils échoué là ? Quelqu'un les a peut-être écartés d'un coup de pied. Dans l'éventualité où cette personne tentait d'aider la victime, l'éloignement du casque serait accidentel. En revanche, si cet individu les a repoussés de façon délibérée, il s'agit peut-être de celui qui traquait discrètement le jeune homme et l'enregistrait à son insu. Je repense au bas du manteau noir qui passe en claquant, je mets en avance rapide par intermittence, à la recherche des images suivantes, à l'affût du moindre son. Rien jusqu'à seize heures trente-sept, à l'instant précis où les arbres et le ciel obscurci chahutent en tous sens, où des mains nues se rapprochent en gros plan et où on entend un froissement de papier tandis que les écouteurs glissent dans un sac. Une voix lâche : « … L'équipe des Colts, pas de problème. » Une autre voix : « Les Saints vont rafler la mise. Ils ont… » Ensuite l'obscurité, des bribes de phrases étouffées, puis plus rien.

Je repêche la télécommande sur le bras d'un canapé du terminal et passe sur CNN. J'écoute les informations, scrutant la bande défilante en bas de l'écran. Pas un mot sur l'homme des fichiers vidéo. Il faut que j'insiste au sujet de Sock. Où se trouve ce chien ? Il est impensable que personne n'ait de nouvelles. Marino pénètre dans l'espace d'attente. Il fait semblant de ne pas me voir, parce qu'il boude. Ou bien il est gêné parce qu'il regrette la façon dont il s'est comporté. Je me refuse à lui demander quoi que ce soit. J'en viendrais presque à le rendre responsable de la disparition du lévrier, à me laisser gagner par l'impression que tout est de la faute du grand flic. Je me refuse à lui pardonner d'avoir transmis les fichiers à Briggs, de lui avoir parlé en premier. Si pour une fois je ne passe pas l'éponge, peut-être que pour une fois il en tirera une leçon ? Épineux problème : je ne parviens jamais à lui en vouloir totalement, à lui tout autant qu'à tous ceux pour qui j'éprouve de l'affection. Encore cette fichue culpabilité catholique. Bien que cela me paraisse incompréhensible, je suis déjà en train de me radoucir à son égard. Ma résolution faiblit, je le sens, tandis que je zappe les chaînes de télévision à la recherche d'informations qui pourraient porter atteinte au Centre de sciences légales. Il se dirige vers Lucy en me tournant le dos. Je ne veux pas me disputer avec lui. Je ne tiens pas à le blesser.

Je m'éloigne du poste de télévision, persuadée qu'au moins pour le moment les médias ignorent tout du corps qui m'attend dans la morgue de Cambridge. Je me convaincs qu'un événement pareil ne pourrait que faire la une. Mon iPhone saturerait sous l'avalanche de messages. Briggs l'aurait appris et n'aurait pas manqué de m'en parler. Même Fielding m'aurait alertée. Sauf que je n'ai eu aucune nouvelle de mon assistant. Je tente de le rappeler, mais il ne répond pas sur son portable et il n'est pas au bureau. Bien sûr que non. Bon sang, il ne travaille jamais aussi tard. J'essaye de le joindre chez lui à Concord, mais tombe de nouveau sur un répondeur. Je laisse encore un message :

— Jack, c'est Kay. Nous allons décoller de Dover. Vous pouvez peut-être m'envoyer un SMS ou un *e-mail* pour me tenir au courant. Je suppose que l'enquêteur Law n'a pas rappelé ? Nous attendons toujours les photos. Avez-vous entendu parler d'un lévrier disparu, le chien de la victime, Sock, aperçu pour la dernière fois à Norton's Woods ?

Mon ton vire à l'agacement. Fielding m'évite, et ce n'est pas la première fois. Il est passé maître dans l'art de la fuite. Je poursuis :

— Eh bien, j'essaierai à nouveau de vous joindre dès notre arrivée. Je suppose que nous vous verrons au bureau, entre vingt et une heures trente et vingt-deux heures. J'ai expédié des messages à Anne et Ollie. Pouvez-vous vous assurer qu'ils seront présents ? Cette affaire exige toute notre attention, dès ce soir. Pourriez-vous vous renseigner auprès de la police de Cambridge à propos du chien ? Il porte peut-être une puce…

Cela paraît ridicule d'insister sur ce point auprès de Fielding. Que diable peut-il en savoir ? Inutile d'essayer de l'expédier sur la scène du décès, Marino a raison. Mais quelqu'un aurait dû y aller.

L'hélicoptère Bell 407 de Lucy est noir, avec des vitres teintées à l'arrière. Elle déverrouille les portes et le compartiment à bagages, tandis que le vent balaye violemment la piste.

Une manche à air pointe en direction du nord, aussi rigide qu'un cône de circulation à l'horizontale, un bon et un mauvais signe. Nous aurons bien le vent de face, mais également le front de la tempête, des pluies abondantes mêlées de neige et de grésil. Marino commence à charger mes bagages tandis que Lucy effectue le tour de l'hélicoptère. Elle vérifie les antennes, les prises de pression statiques, les pales du rotor, les radeaux de sauvetage intégrés et les bouteilles d'azote qui permettent de les gonfler, puis le rotor de queue en aluminium et sa boîte de transmission, le circuit hydraulique et le réservoir.

Je lui dis tout à trac :

— Si quelqu'un le surveillait, l'enregistrait clandestinement, on peut penser que cette personne n'est pas étrangère à sa mort, non ? Selon toi, dans ce cas, cette personne n'aurait-elle pas effacé à distance les fichiers vidéo enregistrés par le casque ? Du moins s'en serait-elle débarrassée en les virant du disque dur et de la carte micro SD, non ? Elle se serait assurée que nous ne trouverions rien, aucune piste.

— Ça dépend, fait ma nièce en agrippant une poignée sur le fuselage et en poussant l'extrémité de sa boot dans une marche intégrée pour grimper sur le flanc.

— Si c'était toi la personne en question ?

— Si c'était moi ? répète-t-elle tout en ouvrant des attaches et en soulevant un panneau dans la coque d'aluminium léger. Si j'étais certaine qu'il n'y a rien d'incriminant ou de significatif sur les enregistrements, je ne me serais pas donné la peine de les effacer, explique-t-elle en inspectant le moteur et ses supports à l'aide d'une torche SureFire petite mais puissante.

— Pourquoi ?

Avant qu'elle ait eu le temps de répondre, Marino s'approche de moi et déclare à la cantonade :

— J'vais faire un tour au pipi-room. Si quelqu'un a envie, c'est le moment !

On croirait un chef de cabine, tenant à nous rappeler qu'il n'y a pas de toilettes dans l'hélicoptère.

Il essaie de rentrer dans mes bonnes grâces. Je lui réponds :

— Merci, ça va.

Il s'éloigne en direction du terminal, bientôt avalé par l'obscurité de la piste.

Le puissant jet de lumière de la torche de Lucy illumine tubes et tuyaux, tandis qu'elle poursuit son inspection du moteur, s'assurant que rien n'est abîmé ou desserré. Elle lâche :

— Moi, voilà ce que j'aurais fait juste après la mort du type. Je me serais connectée sur la webcam pour télécharger immédiatement les fichiers vidéo, et si je n'avais rien vu d'inquiétant, je n'y aurais pas touché.

Elle grimpe encore plus haut pour vérifier le rotor principal, son mât et le plateau cyclique. J'attends qu'elle redescende sur le tarmac pour demander :

— Pourquoi tu n'y toucherais pas ?

— Réfléchis.

Je la suis tandis qu'elle contourne l'hélicoptère, grimpe à nouveau afin de vérifier l'autre flanc. Mes questions semblent presque l'amuser, comme si les réponses étaient l'évidence même.

— Admettons que les fichiers soient effacés après son décès. La conclusion qui s'impose alors, c'est qu'une autre personne est à l'origine de cette manipulation informatique, non ? dit-elle tout en inspectant le dessous du capot avec soin à l'aide de sa torche.

Puis elle redescend d'un bond sur la piste.

— Bien sûr, il n'aurait pas pu le faire après sa mort !

J'ai attendu pour lui répondre parce qu'elle pourrait se blesser, à grimper comme ça partout sur l'hélicoptère, surtout lorsqu'elle inspecte le mât du rotor. Je ne tiens pas à la distraire. Je poursuis :

— Si tu l'espionnais et que tu saches qu'il est mort, ou que tu sois l'auteur de son meurtre, tu ne toucherais pas aux fichiers pour que personne ne puisse soupçonner une intervention extérieure.

— Et comment ! Si je le surveillais, si je le suivais dans le but de le tuer, je peux t'assurer que je laisserais les derniers enregistrements vidéo. Je ne ramasserais pas non plus les écouteurs, confirme-t-elle en illuminant de nouveau le fuselage du rayon de sa lampe. Si des témoins l'ont vu avec le casque dans le parc ou sur le chemin, on se demanderait aussitôt pourquoi celui-ci a disparu. Surtout qu'il est de taille conséquente et se remarque facilement.

Nous contournons l'hélicoptère pour nous approcher de son nez.

— S'il me venait l'idée de récupérer le casque, il faudrait aussi que j'embarque la radio satellite, que je fouille dans la poche de son blouson pour la récupérer.

Ça représente beaucoup de temps perdu et d'efforts, alors qu'il est écroulé au sol et qu'un témoin peut me surprendre. Et si on suppose que la surveillance dure depuis un moment, *quid* des fichiers précédents téléchargés quelque part ? Si on ne trouve aucun appareil enregistreur sur lui, mais qu'on découvre des enregistrements sur un serveur ou un ordinateur personnel quelque part, comment va-t-on l'expliquer ? Tu sais ce qu'on dit, poursuit-elle en ouvrant une trappe d'accès au-dessus du tube de Pitot et en balançant le faisceau de la lampe à l'intérieur. Chaque crime en suppose en fait deux : l'acte en lui-même et ce que tu dois accomplir pour le dissimuler. Le plus intelligent consiste à abandonner le casque et les fichiers vidéo pour que les flics ou quelqu'un comme toi et moi en déduisent que la victime elle-même enregistrait. C'est d'ailleurs ce dont Marino est convaincu. Moi, j'en doute.

Elle rebranche la batterie. Si quelqu'un réussissait à s'introduire dans le cockpit lorsqu'elle abandonne l'hélicoptère, il pourrait accidentellement démarrer le moteur en jouant avec l'accélérateur et les manettes, ce qui explique que Lucy la débranche systématiquement après l'atterrissage. Quel que soit le degré d'urgence du vol prévu, Lucy procède toujours à une visite pré-vol approfondie, surtout si elle a laissé l'appareil sans surveillance, et même si celui-ci se trouve sur une base militaire. Toutefois il devient vite évident que son examen est encore plus minutieux qu'à l'accoutumée, au point que je me demande si elle est inquiète ou soupçonne quelque chose.

— Tout va bien ? Tout est en parfait état ?

— C'est ce dont je m'assure, répond-elle avec une froideur qui me frappe.

Je perçois ses secrets. Elle ne fait confiance à personne. Elle a raison. Pour en revenir au premier jour de cette histoire, je n'aurais pas non plus dû faire confiance à certaines personnes. Des gens qui mentent et manipulent en prétendant que c'est pour la bonne cause, une cause juste et noble. Noonie Pieste et Joanne Rule avaient été étouffées dans leur lit, probablement à l'aide d'un oreiller. Voilà pourquoi je n'avais relevé aucune réponse tissulaire au niveau de leurs blessures. Agressions sexuelles, coups de machette, entailles avec des tessons de verre, et même les ligatures pour les attacher aux chaises, le tout infligé *post mortem*. Une cause juste et noble aux yeux des responsables. Non, il s'agissait d'actes de violence inqualifiable et les coupables n'avaient jamais été inquiétés. Jusqu'à aujourd'hui. *N'y pense pas. Concentre-toi sur ce qui est devant toi, pas sur le passé.*

Le vent souffle en violentes rafales. J'ouvre la porte avant gauche et grimpe sur le patin. Je me contorsionne autour du collectif et des commandes du cyclique pour m'asseoir sur le siège gauche, et attache mon harnais quatre points. J'entends Marino ouvrir la porte derrière moi. L'hélicoptère frémit sous son poids tandis qu'il monte à l'arrière, bruyant et massif. Sa place de prédilection. Même lorsqu'il est le seul passager de Lucy, il n'a pas le droit de s'asseoir à l'avant, à cause des doubles commandes. Il serait capable d'y donner un coup de coude, de se cogner dedans ou même de s'en servir comme accoudoir, puisqu'il ne réfléchit pas. Il ne réfléchit jamais.

Lucy monte à son tour et entame l'inspection intérieure pré-vol. Je l'aide, la *checklist* en main. Nous la parcourons ensemble. Je n'ai jamais éprouvé le désir de piloter les divers engins volants que ma nièce a possédés au fil des ans, non plus que ses motos ou ses bolides italiens, mais le copilotage me convient très bien. Je sais me servir des cartes et de l'avionique, régler les radios sur les fréquences nécessaires, entrer dans le transpondeur ou le système de radionavigation Chelton les codes à quatre chiffres *squawk* et les informations requises. En cas d'urgence, je serais probablement capable de poser l'hélicoptère sans casse, mais l'atterrissage manquerait sans doute d'élégance.

Je continue de descendre dans la liste :

— … Interrupteurs supérieurs en position *off*.

— Oui.

— Coupe-circuits enclenchés.

— Oui.

Les doigts agiles de Lucy volent de place en place tandis que nous passons en revue la liste plastifiée.

Elle actionne momentanément la pompe d'augmentation et la manette des gaz en position de ralenti vol.

— Rien à droite, annonce-t-elle en regardant de son côté.

— Rien à gauche, dis-je en contemplant la piste plongée dans l'obscurité, le petit bâtiment aux vitres éclairées et un Piper Cub arrimé à distance raisonnable dont la bâche de protection claque au vent.

Lucy enclenche le démarreur, et la pale principale du rotor se met à tourner avec lenteur, lourdement, dans un bruit sourd, une pulsation plus rapide qu'un battement de cœur. La vision de l'homme mort me traverse l'esprit. Je songe à sa peur, à ce que j'ai perçu dans les trois mots qu'il a jetés :

« Mais qu'est-ce que ?… Hé !… »

Qu'a-t-il ressenti ? Qu'a-t-il vu ? Le bas d'un manteau noir, le pan d'un manteau noir qui passe en bruissant. À qui appartenait ce vêtement ? Un manteau de laine, un trench-coat ? En tout cas, il ne s'agissait pas de fourrure. Qui portait ce long manteau ? Quelqu'un qui ne s'est pas arrêté pour le secourir.

« Mais qu'est-ce que ?... Hé !... » Un cri surpris de douleur.

La scène défile à plusieurs reprises dans mon esprit. L'angle de la caméra qui bascule brusquement, l'objectif qui pointe droit sur les branches et le ciel gris, puis l'ourlet d'un long manteau noir qui passe rapidement dans le champ, l'espace d'un instant, une seconde, pas plus. Qui serait capable d'effectuer un détour pour éviter un individu en détresse, l'ignorant à la manière d'un objet inanimé, d'une bûche ou d'un rocher ? Quelle sorte d'être humain se ficherait qu'un homme s'agrippe la poitrine et s'effondre ? Peut-être la personne responsable ou quelqu'un qui, pour une raison ou pour une autre, ne tenait pas à être impliqué, à l'image des témoins d'un accident ou d'une agression qui accélèrent afin de ne pas être mêlés à une enquête. Un homme ou une femme ? Ai-je vu des chaussures ? Non, juste le bas d'un manteau qui volette, un bruit de bousculade. Puis des arbres dénudés, perçus au travers des lattes d'un banc peint en vert, se sont substitués à cette image. La personne vêtue de ce long manteau noir a-t-elle écarté d'un coup de pied les écouteurs afin que rien d'autre ne soit enregistré ?

Il faut que j'examine ces fichiers vidéo de plus près, mais pas pour l'instant. L'iPad se trouve à l'arrière et nous n'avons pas le temps. Les pales brassent rapidement l'air et le générateur est en route. Lucy et moi enfilons nos casques. Elle enclenche encore d'autres interrupteurs, l'*avionics master*, contact général des équipements électroniques, puis les instruments de vol et de navigation. Je mets l'interphone en position « équipage » pour que Marino ne puisse pas nous entendre, et inversement, pendant que Lucy parle au contrôleur aérien. Les feux anticollision, les feux rotatifs et les phares d'atterrissage de nuit illuminent le tarmac, le faisant paraître blanc, tandis que nous attendons que la tour de contrôle nous donne l'autorisation de décoller. J'entre les destinations sur l'écran tactile du GPS, le système de cartographie déroulante et le système de radionavigation Chelton, puis cale les altimètres. Je vérifie que l'indicateur digital de carburant correspond à la jauge. Je réitère les procédures à deux reprises, Lucy croyant aux vertus de la répétition.

La tour nous donne son feu vert. Nous progressons en vol stationnaire au-dessus de la piste, puis grimpons cap au nord-est, traversant la rivière Delaware à mille cent pieds. L'eau sombre que le vent fait moutonner ressemble à du métal fondu qui s'écoule en flots épais.

Chapitre 4

Nous changeons de cap, déviant vers Philadelphie, la visibilité se détériorant à proximité de la côte. Je bascule la commande de l'interphone pour parler à Marino :

— Tout va bien derrière ?

Je me sens plus calme, trop préoccupée par le long manteau noir et l'exclamation de surprise de l'homme pour en vouloir encore à Marino. Sa voix résonne :

— Ce serait plus rapide de couper par le New Jersey.

Il sait où nous nous trouvons, la cabine passager arrière disposant aussi d'un écran vidéo qui indique notre position. Lucy réplique :

— Nous avons du brouillard et de la neige verglaçante, et sur Atlantic City nous sommes en règles de vol aux instruments. En plus, ce n'est pas plus court. Nous passerons en écoute « équipage » la majeure partie du trajet pour que je puisse me concentrer sur les instructions.

Marino est de nouveau banni de la conversation tandis que nous sommes guidés d'une tour de contrôle à l'autre. La carte aéronautique de Washington est ouverte sur mes genoux, et j'entre les coordonnées GPS d'Oxford, dans le Connecticut, pour un éventuel arrêt-ravitaillement en carburant. Nous contrôlons les conditions météo sur l'écran radar : des blocs verts et jaunes compacts gagnent du terrain en provenance de l'Atlantique. Lucy affirme que nous pouvons battre de vitesse, éviter et esquiver les tempêtes aussi longtemps que nous demeurons à l'intérieur des terres et que le vent continuera de nous favoriser en augmentant notre vitesse sol jusqu'à un impressionnant cent cinquante-deux nœuds.

— Comment ça va ? dis-je en en me concentrant sur mon scanner pour repérer la présence d'antennes-relais ou d'autres aéronefs.

— Ça ira mieux une fois parvenus à destination. Je suis sûre qu'on peut aller plus vite que tout ce bazar, dit-elle en montrant du doigt ce qui s'étale sur l'écran radar, mais au moindre doute on se posera.

Elle ne serait jamais venue me chercher si elle avait pensé que nous serions obligés de passer la nuit au beau milieu d'un champ. Je n'éprouve aucune appréhension. Peut-être n'ai-je plus assez d'énergie pour m'inquiéter davantage. J'articule dans le micro qui frôle ma lèvre :

— Et d'une façon générale ? Comment vas-tu ? J'ai beaucoup songé à toi ces dernières semaines, dis-je en essayant de la pousser hors de sa carapace.

— Étant donné les circonstances, garder le contact avec les gens s'avère ardu, répond-elle. Chaque fois qu'on pensait que tu allais rentrer, un truc se produisait, alors on a tous arrêté de tirer des plans sur la comète !

La fin de ma formation a été reportée à trois reprises, en raison d'urgences diverses et variées. Deux hélicoptères abattus en Irak en une journée, avec vingt-trois morts. La tuerie de Fort Hood et, plus récemment, le tremblement de terre en Haïti. Les médecins militaires ont été déployés, impossible de se passer d'un seul poste, et Briggs a refusé de me laisser abandonner mon programme de formation. Il y a quelques heures encore, il a essayé de retarder mon départ, suggérant que je reste à Dover, comme s'il ne voulait pas que je rentre à la maison.

— J'ai même craint tout à l'heure, juste avant de débarquer à la base, qu'on nous apprenne qu'il te restait encore une semaine, deux semaines, un mois à tirer là-bas..., ajoute Lucy. Mais c'est bon, tu as terminé.

— Ils m'ont assez vue, apparemment.

— Espérons que tu ne vas pas rentrer pour faire demi-tour à peine tes bagages posés.

— J'ai passé mon certificat de spécialisation. C'est fini. J'ai un service à diriger.

— Ouais, il faut vraiment quelqu'un pour le diriger, ça, c'est sûr.

Je ne tiens pas à entendre d'autres commentaires désobligeants sur Jack Fielding.

— Et sinon, ailleurs tout va bien ?

— Ils ont presque terminé le garage. Même avec la baie de lavage, si tu te gares en tandem, il y a assez de place pour trois voitures.

Elle entreprend de me faire une mise à jour sur les travaux, ce qui me rappelle à quel point je me suis désinvestie de ce qui se passait chez moi. Elle poursuit :

— Le revêtement de sol caoutchouté est posé. Néanmoins le système d'alarme n'est pas fonctionnel. Ils ne voulaient pas s'enquiquiner avec les contacts d'alarme brise-vitres, mais j'ai lourdement insisté. Malheureusement, une des vieilles fenêtres d'origine du bâtiment, à verre ondulé, n'a pas survécu à la réhabilitation, et pour l'instant le garage est balayé par les courants d'air ! Tu étais au courant ?

— Benton s'en charge.

— Oui, eh bien, il a été très occupé. Tu as la fréquence de Millville ? Je crois que c'est 1-2-3.6-5.

Je vérifie la carte, confirme, tape la fréquence sur le premier canal de communication et tente un nouvel essai auprès de Lucy :

— Comment vas-tu ?

Je tiens à savoir ce qui m'attend à mon retour, en plus d'un individu mort dans la chambre froide de ma morgue. Lucy refuse de s'étendre sur son état d'esprit, et voici qu'elle accuse Benton d'être « très occupé » ! Bien entendu, lorsqu'elle lance un commentaire de ce genre, elle ne l'entend pas au sens littéral. Elle paraît extrêmement tendue. Elle surveille de façon obsessionnelle les instruments, les écrans radars et l'extérieur du cockpit, comme si elle redoutait un combat aérien, ou d'être frappée par la foudre, ou encore une panne mécanique. J'ai le sentiment que quelque chose ne tourne pas rond. À moins que mon humeur incertaine ne me joue des tours.

— Benton est sur une grosse affaire, dis-je. Particulièrement difficile.

Nous savons toutes les deux à quoi je fais allusion. Tous les journaux ont parlé de Johnny Donahue, le patient du McLean, un étudiant d'Harvard qui s'est accusé la semaine dernière de l'assassinat d'un petit garçon de six ans, massacré à l'aide d'un pistolet à clous. Benton est convaincu que ses aveux sont faux, avec pour résultat le fait que les flics et le *district attorney* ne le portent pas dans leur cœur. Les gens voudraient que les aveux soient authentiques, parce qu'ils se refusent à penser qu'un type capable d'une telle horreur puisse toujours se balader en liberté. Je me demande comment s'est passée la séance d'évaluation d'aujourd'hui. Je revois certaines des images que je viens de visionner, la Porsche noire de Benton faisant marche arrière dans notre allée. Il se rendait au McLean pour récupérer le dossier de Johnny Donahue lorsqu'un jeune homme et son lévrier sont passés devant chez nous. Quelques degrés de séparation. La toile humaine qui nous connecte tous les uns aux autres, qui relie tout le monde sur terre.

— Gardons la fréquence 1-2-7.3-5 sur le canal 2 pour pouvoir rester à l'écoute de Philadelphie, décide Lucy. Mais je vais essayer d'éviter leur espace aérien contrôlé de classe B. Je pense qu'on devrait y arriver, à moins que ce truc ne se rapproche depuis la côte, déclare-t-elle en indiquant les masses vertes et jaunes sur l'écran radar satellite météo.

Celui-ci indique que les précipitations avancent dans notre direction, comme si elles essayaient de nous forcer vers le nord-ouest, dans l'horizon éclairé du centre de Philadelphie, et à grimper en altitude.

— Je vais bien, lâche-t-elle alors. Désolée pour lui, d'autant que je sens ta contrariété, ajoute-t-elle avec un mouvement du pouce vers l'arrière en désignant Marino. Qu'est-ce qu'il a fait, à part se conduire à son habitude ?

— Tu as assisté à sa conversation avec Briggs ?

— Non, il a téléphoné depuis Wilmington, j'étais en train de payer le carburant.

— Il n'aurait pas dû l'appeler.

— Autant suggérer à Jet Ranger de ne pas se mettre à baver quand je sors le paquet de gâteaux. C'est un réflexe de Pavlov, chez Marino, de se pousser du col vis-à-vis de Briggs, de blablater. Pourquoi cela te surprend-il à ce point ? demande-t-elle comme si elle connaissait déjà la réponse, comme si elle tâtait le terrain, en quête de quelque chose.

— Peut-être parce qu'il a provoqué un problème encore plus gros que d'habitude, dis-je avant de lui raconter que Briggs voulait que le corps soit transporté à la base de Dover.

Je lui confie que le chef des médecins experts de l'armée dispose d'informations qu'il n'a pas partagées, ou qu'en tout cas je le soupçonne de me dissimuler quelque chose d'important. Et sans doute à cause de Marino, ajouté-je. À cause de ce que le grand flic a mis en branle en me court-circuitant.

— Je crois que nous sommes très loin du compte, rétorque Lucy tandis qu'une voix appelle par radio le numéro d'identification de queue de l'appareil.

Elle presse l'interrupteur radio sur le cyclique pour répondre, et tandis qu'elle suit les instructions de vol, j'entre la fréquence suivante. Nous effectuons des sauts de puce d'espace aérien en espace aérien. La plupart des masses sur le radar météo sont devenues jaunes et nous suivent de près depuis le sud-est, indiquant de fortes pluies qui à cette altitude vont créer des conditions de vol risquées, lorsque les particules d'eau refroidies au maximum vont heurter les extrémités des pales et geler. Je scrute le pare-brise en plexiglas, à la recherche de buée, mais ne vois rien, pas une goutte, tout en me demandant à quoi Lucy faisait allusion. Qu'est-ce qui est très loin du compte ?

— Tu n'as pas remarqué ce qui se trouvait dans son appartement ?

La voix de Lucy résonne dans mes écouteurs, et je suppose qu'elle parle de la victime, de ce que j'ai visionné. Mais je reviens à sa première déclaration :

— Tu as dit qu'on était loin du compte. Qu'est-ce que cela signifie ?

— Je vais t'en parler, mais je ne voulais pas aborder le sujet devant Marino. Il n'a rien remarqué. De toute façon, il n'aurait pas su à quoi ça correspondait. Je n'ai pas attiré son attention dessus, jugeant qu'il valait mieux que je te réserve mes réflexions. Je ne suis pas sûre qu'il faille mettre Marino au courant, point.

— Attiré l'attention sur quoi ?

— À mon avis, Briggs, lui, n'a pas eu besoin qu'on lui fasse un dessin, poursuit-elle. Il a disposé de bien plus de temps que toi pour décortiquer les fichiers vidéo, et lui, ou la personne à qui il les a montrés, a reconnu sans problème le machin en métal près de la porte : on dirait une espèce d'insecte rampant sur six pattes, assemblé par soudure avec des câbles, des matériaux composites, de la taille d'une machine à laver et sèche-linge empilables. On l'entrevoit à l'image l'espace d'une seconde quand l'homme et le chien sortent de l'appartement. Je suis sûre que si quelqu'un a compris de quoi il s'agissait, c'est bien toi.

— J'ai aperçu une chose que j'ai prise pour une sculpture rudimentaire.

De toute évidence, j'ai raté un lien que Lucy a établi. Un lien important.

— Il s'agit d'un robot, m'informe-t-elle. Et pas n'importe lequel. Un prototype développé pour l'armée, censé être un robot militaire tactique destiné aux troupes en Irak. On a ensuite envisagé pour lui une autre affectation pleine de créativité, mais l'idée est tombée à plat comme un soufflé raté.

Un éclair de reconnaissance, et un frisson de mauvais augure remonte du fin fond de mes tripes, me contracte la poitrine… un souvenir émerge. Lucy poursuit, et je crois savoir de quoi elle parle :

— Ce modèle spécifique a été rapidement abandonné.

MORT. *Mortuary Operational Removal Transport*. Un robot d'aide à l'extraction des blessés du champ de bataille. *Seigneur !*

— Jamais mis en service. Aujourd'hui, il est obsolète, pour ne pas dire ridicule. Il a été remplacé par des robots dotés de jambes, fondés sur la biologie, capables de porter de lourdes charges sur des terrains accidentés ou glissants. L'exemple type est ce quadrupède baptisé « Big Dog » qu'on voit partout sur You Tube. Ce foutu truc peut transporter des centaines de kilos toute la journée dans les pires conditions imaginables, saute avec autant d'agilité qu'un cabri et retrouve son équilibre quand il glisse, trébuche, ou qu'on lui balance un coup de pied.

Je prononce enfin le mot :

— MORT. Pour quelle raison la victime posséderait-elle un robot militaire tel que MORT, dans son appartement de surcroît ? Il y a un truc qui m'échappe là-dedans.

— Tu n'as jamais vu le robot en personne, si je puis dire, à l'époque où tu as participé à ce débat au Capitole ? Et non, rien ne t'a échappé. Je parle bien de MORT.

— Non, je n'ai jamais vu MORT dans la réalité.

On ne m'en avait montré que des vidéos de démonstration et j'avais pris part à plus d'un débat, surtout avec Briggs. Je répète, en parlant de ce que

Lucy affirme avoir identifié dans l'appartement du défunt :

— Pourquoi aurait-il une chose de ce genre à son domicile ?

— Un truc sinistre, une espèce de fourmi mécanique géante qui fonctionne à l'essence. Quand ça déambule lentement sur ses pattes courtes et maladroites, avec deux paires de pinces à l'avant, comme Edward aux mains d'argent, ça produit un vacarme de tronçonneuse. Si tu voyais ce machin s'approcher de toi, tu prendrais tes jambes à ton cou, ou bien tu lui balancerais une grenade !

— Mais dans son appartement ? Pourquoi ?

Des démonstrations que j'avais trouvées terrifiantes me reviennent, suivies de discussions animées qui avaient viré à l'accrochage désagréable avec des collègues, y compris Briggs au bureau du médecin expert, au Centre Walter Reed et au Russell Senate Office Building du Capitole.

MORT. La quintessence de l'automatisation à toute force, devenue source de controverse dans le renseignement militaire et médical. Ce n'était pas tant l'idée de la technologie en elle-même qui s'avérait désastreuse, mais les suggestions d'application. Une caniculaire matinée d'été à Washington me revient. La chaleur montait d'un trottoir encombré de boy-scouts en visite dans la capitale. Briggs et moi nous disputions. Nous étouffions dans nos uniformes, et le stress et l'énervement nous tendaient. Je me souviens d'être passée devant la Maison-Blanche environnée d'une foule compacte, en me demandant ce qu'on allait encore nous inventer. Quelles déshumanisations la technologie allait-elle encore nous apporter ? La scène s'était déroulée dix ans plus tôt, quasiment l'âge de pierre comparé à aujourd'hui.

— Je suis presque certaine – plus que certaine en fait – que c'est la machine qui se trouve dans l'appartement de ce type, reprend Lucy. Et un truc comme ça ne s'achète pas sur eBay.

Je suggère :

— C'est peut-être une maquette. Une réplique.

— Impossible. Quand j'ai zoomé dessus, j'ai vu en détail les matériaux composites, des signes d'usure, probablement des expériences sur terrain difficile, la machine a été un peu éraflée. J'ai même distingué les ports de connexion à la fibre optique. MORT n'était pas autonome, un des nombreux handicaps de ce robot. Rien à voir avec les robots sans fil qu'ils fabriquent aujourd'hui, avec ordinateurs intégrés. Ils reçoivent des informations par l'intermédiaire de senseurs contrôlés à partir des équipements et liaisons intégrés aux uniformes des soldats, qui n'ont plus à traîner partout la Pelicase – la caisse de transport du matériel. L'armée a conçu cela pour que ses opérateurs sur le champ de bataille gardent les mains libres quand ils sortent avec leur escouade de robots. Tous ces nouveaux trucs avec des processeurs ultra-légers et ultra-résistants que tu peux porter dans ta veste de combat. Ça peut permettre de manœuvrer un drone terrestre télécommandé ou des robots de combat, les SWORDS, *Special Weapons Observation Remote Direct-Action System*. Une infanterie robotisée armée de mitrailleuses M-249. Pas le genre de truc qui me met à l'aise, et je sais ce que tu en penses.

Je réponds :

— Les mots pour dire ce que j'en pense existent-ils seulement ?

— Pour l'instant, il y a trois unités SWORDS en service en Irak, mais elles n'ont pas encore utilisé leurs armes. Personne ne sait très bien comment inculquer ce genre de capacité de jugement à un robot. L'intelligence émotionnelle artificielle. Une perspective plutôt intimidante, mais pas impossible, j'en suis bien certaine.

— L'utilisation des robots devrait être réservée au maintien de la paix, à la surveillance et au transport de charges lourdes.

— Tout le monde ne partage pas ton avis.

Je poursuis :

— Ils ne devraient pas prendre des décisions concernant la vie et la mort. Ce serait comme si le pilote automatique de cet hélicoptère décidait tout seul si nous devons traverser les nuages qui viennent dans notre direction.

— Si mon hélicoptère disposait de capteurs d'humidité et de température, le pilote automatique en serait tout à fait capable. Ajoute-lui des transducteurs de force et il atterrira tout seul, aussi légèrement qu'une plume. Pourvu qu'il soit équipé de suffisamment de senseurs, tu n'as plus besoin de moi pour piloter. Tu grimpes dedans et tu appuies sur un bouton. Ça paraît dingue, mais plus c'est dingue, mieux c'est. Demande donc à l'Agence des recherches avancées de la Défense, la DARPA. Tu as une idée des sommes colossales que l'Agence investit dans la région de Cambridge ? demande Lucy en abaissant le collectif.

Nous perdons de l'altitude et de la vitesse, tandis qu'un nouvel amas de nuages fantomatiques tournoie vers nous dans l'obscurité.

Elle ajoute :

— Sans compter les investissements dans le Centre de sciences légales ?

Son comportement est différent, même les traits de son visage ont changé, et elle ne tente plus de dissimuler ce qui s'est emparé d'elle. Je reconnais cette humeur, je ne la reconnais que trop bien. Elle remonte à loin, et il y a longtemps que je ne la lui ai pas vue, mais je l'identifie parfaitement, comme les symptômes d'une maladie jusque-là en rémission.

— Informatique, robotique, biologie synthétique, nanotechnologies, plus c'est excentrique, mieux c'est, poursuit-elle. Parce que les savants fous, ça n'existe plus. Je ne suis pas sûre que la science-fiction soit encore d'actualité. Quelle que soit l'invention la plus tirée par les cheveux que tu puisses imaginer, il y a probablement quelque part quelqu'un en train de la mettre en œuvre, et sans doute est-elle déjà dépassée.

— Tu suggères donc que l'homme décédé à Norton's Woods a un lien avec l'Agence de recherches avancées de la Défense.

— À un titre ou un autre. Plus ou moins directement ou indirectement, je ne sais pas, répond-elle. MORT n'est plus du tout utilisé, ni par les militaires, ni pour quoi que ce soit. Il relevait encore de concepts à la *Star Wars* il y a huit ou neuf ans, quand l'Agence a intensifié le financement d'applications robotiques, de génie génétique et d'informatique destinées à l'armée et au renseignement. Ainsi que de médecine légale et de tout ce qui se rapporte à nos pertes, à ce qui se passe au combat, sur les théâtres d'opérations.

C'est l'Agence de recherches avancées de la Défense qui a financé la recherche et le développement de la technologie RadPath que nous utilisons à la base de Dover, et maintenant au Centre de Cambridge. Toujours l'Agence qui a payé ma formation de quatre mois qui se sont transformés en six.

— Une part substantielle des bourses de recherche va aux laboratoires de la région de Cambridge, à Harvard et au MIT, poursuit Lucy. Tu te souviens quand tout a fini par tourner autour de la guerre ?

Difficile de remonter à l'époque où les choses étaient différentes. La guerre est devenue notre industrie nationale, comme l'ont été autrefois l'acier, les chemins de fer et l'automobile. Voilà le monde dangereux dans lequel nous vivons, et je ne crois pas que cela puisse changer.

Lucy me rappelle :

— Tu te souviens de cette idée brillante selon laquelle MORT pouvait être utilisé sur les champs de bataille pour récupérer les victimes, de façon à ce que les hommes ne risquent pas leurs vies pour un camarade blessé ?

Une idée plus malencontreuse que brillante. Une idée d'une stupidité sans nom, pensais-je à l'époque, et aujourd'hui encore. Briggs et moi étions d'un avis radicalement opposé sur la question, mais il ne me remerciera jamais de lui avoir évité un faux pas en matière de communication, dont les retombées auraient pu s'avérer très néfastes pour lui.

— On a fait des recherches frénétiques là-dessus pendant un moment, puis l'idée a été reléguée dans un tiroir, ajoute Lucy.

Pour la bonne raison que l'utilisation de robots dans ce but suppose que les machines soient capables de déterminer qu'un soldat tombé est mortellement blessé ou mort.

— Le département de la Défense a dû faire face à

une levée de boucliers, tout du moins en interne, parce que la chose paraissait d'une froideur inhumaine.

À juste titre. Il est inconcevable que quelqu'un meure dans les pinces d'un truc mécanique qui le traîne sur le champ de bataille, hors d'un véhicule retourné ou des décombres d'un bâtiment effondré.

— Ce que je veux dire, poursuit ma nièce, c'est que le département de la Défense a enterré les premières générations de cette technologie. Elles ont été reléguées dans une décharge *top secret* ou récupérées pour des pièces détachées. Et pourtant une machine de ce genre trône dans l'appartement du gars de ta chambre froide. Où l'a-t-il dégotée ? Le lien existe. On aperçoit du papier calque quadrillé sur sa table basse. Il est ingénieur, inventeur, que sais-je, et d'une façon ou d'une autre impliqué dans des projets confidentiels qui nécessitent une autorisation de haut niveau en matière de secret-défense. Pourtant c'est un civil.

— Comment peux-tu en être certaine ?

— Crois-moi, j'en suis sûre. Il n'a pas d'expérience ni d'entraînement, et il n'est sûrement pas agent fédéral ou de renseignement militaire, parce qu'il ne se baladerait pas en écoutant de la musique à fond, armé d'un pistolet très cher dont le numéro de série est effacé – ce qui signifie qu'il l'a probablement acheté dans la rue. Dans le cas contraire, son arme aurait été intraçable, une arme qu'on utilise une fois et dont on se débarrasse…

— On n'a pas pu remonter la trace de l'arme ?

Je veux une certitude.

— Pas à ma connaissance, pas encore, ce qui est ridicule. Ce type n'est pas en mission secrète, jamais de la vie. Ce que je crois, c'est qu'il a peur, assène Lucy comme s'il s'agissait d'un fait établi. Enfin, avait. *Il avait peur*. Et quelqu'un le surveillait – en tout cas, c'est mon opinion –, et maintenant il est mort. Pour moi, il ne s'agit pas d'une coïncidence. Je te suggère de faire preuve d'une extrême prudence lorsque tu discuteras avec Marino.

— Ses facultés de jugement sont parfois exécrables, mais il n'essaie pas de m'enfoncer.

— Il n'a pas non plus ton expérience en matière de renseignement militaire médical, et sa compréhension de la confidentialité se borne à ne pas discuter des dossiers avec ses potes du bowling et à ne pas bavarder avec les journalistes. Il est persuadé que se confier à des gens comme Briggs ne comporte aucun inconvénient, parce qu'il ne comprend rien aux huiles de l'armée.

Il y a bien longtemps que je n'ai vu Lucy aussi sombre et inquiète, si longtemps que je ne m'en souviens plus. Elle continue :

— Dans une affaire de ce genre, réserve-moi tes commentaires, ou à Benton.

— Tu as raconté à Benton ce que tu viens de me dire ?

— Je te laisse lui expliquer pour MORT, parce qu'il ne comprendra sûrement pas de quoi il s'agit. Il n'était pas dans les parages quand tu as eu toutes ces histoires avec le Pentagone. Tu lui racontes, et ensuite nous discuterons tous les trois. Toi, lui et moi, et personne d'autre, en tout cas pour l'instant, parce qu'on ne sait pas qui est quoi, et on a intérêt à maîtriser les faits pour déterminer qui est du bon côté de la barrière !

Mon ton devient cassant comme je proteste :

— Si je ne peux pas faire confiance à Marino sur une affaire comme celle-ci, ou n'importe laquelle d'ailleurs, pourquoi m'embarrasser de lui ?

Après tout, faire venir Marino à Cambridge était également une idée de Lucy.

Elle m'a encouragée à l'embaucher en tant que directeur des enquêtes opérationnelles et l'a persuadé d'accepter, encore que la chose n'ait pas été trop ardue. Il ne l'admettra jamais, mais il n'a aucune envie de se trouver ailleurs que là où je suis. Du coup, lorsqu'il a compris que j'allais déménager à Cambridge, le département de police de New York l'a brusquement beaucoup déçu. Il a perdu tout intérêt pour Jaime Berger, l'assistante du procureur général de New York, au bureau de laquelle il avait été affecté. Il s'est querellé avec son propriétaire, dans le Bronx. Il a commencé à se plaindre des impôts à New York, alors qu'il les payait depuis plusieurs années. Il a décrété intolérable de ne pouvoir circuler à sa guise à moto, ni garer un pick-up, alors qu'il n'avait ni l'un ni l'autre à l'époque. Soudain, la nécessité d'un déménagement s'est imposée à lui.

— Il ne s'agit pas de confiance, mais de reconnaître les limites.

Venant de Lucy, la déclaration paraît exceptionnellement charitable. D'habitude, pour elle les gens sont simplement nuls, ou inutiles, et méritent la punition qu'elle leur réserve.

Elle remonte lentement le collectif et procède à de subtils ajustements avec le cyclique, augmentant notre allure tout en s'assurant que nous ne grimpons pas dans les nuages. La nuit, d'une impénétrable noirceur, nous environne. Par moments je ne distingue plus de lumières au sol, ce qui signifie que nous devons survoler des étendues boisées. J'entre la fréquence de McGuire, pour que nous puissions être à l'écoute de son espace aérien tout en gardant un œil sur le système d'alerte de trafic et d'évitement de collision. Celui-ci n'indique aucun aéronef dans les parages. On pourrait presque croire que nous sommes les seuls à voler ce soir.

Je réponds à ma nièce :

— Je ne peux pas m'offrir le luxe de travailler avec des gens limités. Ça implique que j'ai sans doute commis une erreur en embauchant Marino, et probablement une encore plus grosse en engageant Fielding.

— Le « probablement » est de trop, et ce n'est pas la première fois. Jack t'a laissée tomber à Watertown pour aller à Chicago. Tu aurais dû le laisser croupir là-bas.

— En toute impartialité, nous avons perdu le financement de Watertown. Il savait que le bureau allait probablement fermer, ce qui fut le cas.

— Ce n'était pas la raison de son départ, contre-t-elle.

Elle a raison et je m'abstiens de répondre. Fielding voulait déménager à Chicago parce que sa femme avait reçu une offre d'embauche là-bas. Deux ans plus tard, il m'a demandé s'il pouvait revenir, en prétextant que le travail avec moi lui manquait, que sa « famille » lui manquait : Lucy, Marino, Benton et moi. Une grande famille tellement unie.

— Et il n'y a pas qu'eux deux, poursuit Lucy. Tous les gens qui bossent là-bas sont sources de problèmes.

— Bon, je n'aurais donc dû embaucher personne, toi y compris, je suppose.

— Sans doute pas. Je ne suis pas exactement la championne du travail en équipe.

Lucy s'est fait virer du FBI et de l'ATF, le bureau des alcools, tabac, armes et explosifs. Je crois qu'elle est incapable de travailler sous la supervision de qui que ce soit, même la mienne.

Je réplique :

— Eh bien, voilà d'agréables perspectives pour un retour à la maison !

— C'est tout le danger d'un service expérimental qui, quoi qu'on puisse en dire, se trouve de fait à la fois civil et militaire, dispose de juridictions locales et fédérales, ainsi que d'attaches universitaires. Tu n'as rien à voir avec ça. Le personnel ignore au juste comment se comporter, est incapable de respecter les limites, si tant est qu'il les identifie. Je t'ai mise en garde contre tout cela il y a déjà longtemps.

— Une mise en garde ? Je me souviens seulement que tu as souligné ce point, en effet.

— Entrons la fréquence de Lakehurst, puis le code transpondeur VFR pour le vol à vue, j'abandonne le guidage radar, décide Lucy. Si on se laisse repousser encore plus à l'ouest, on va hériter d'un vent de travers qui nous ralentira de plus de vingt nœuds, et on se retrouvera cloués à terre à Harrisburg ou Allentown.

Chapitre 5

Les flocons de neige tourbillonnent tels des papillons de nuit affolés dans le faisceau des phares d'atterrissage et le maelström de nos pales, tandis que nous nous posons sur une plate-forme de remorquage en bois. Les patins effleurent une première fois le plateau, puis ploient lourdement sous le poids de l'appareil. Aussitôt, quatre paires de phares s'ébranlent dans notre direction, en provenance de la barrière de sécurité du service d'assistance aux vols privés.

Les phares se déplacent lentement à travers la piste, illuminant les chutes drues de neige, et je reconnais la silhouette de la Porsche Cayenne verte de Benton. Je reconnais la Suburban Chevrolet et la Range Rover, noires toutes les deux. Je ne connais pas la quatrième voiture, une berline noire élégante avec une calandre maillée chromée. Lucy et Marino ont dû venir séparément aujourd'hui et laisser leurs véhicules aux mains des employés, ce qui ne m'étonne pas. Ma nièce arrive toujours très en avance à l'aérodrome afin de préparer l'hélicoptère, de le vérifier depuis le tube de Pitot à l'avant jusqu'à la béquille de la poutre de queue. Il y a un moment que je ne l'ai pas vue dans cet état. Nous demeurons les deux minutes nécessaires en ralenti vol avant qu'elle ne termine les procédures d'arrêt moteur. Je mets ces instants à profit afin de ramener à moi le souvenir exact d'un moment identique, dans l'espoir de comprendre ce qui se passe, certaine qu'elle ne m'y aidera pas.

À moins que cela ne fasse partie d'un de ses plans bien conçus, elle ne se confie que lorsqu'elle y est disposée – ce qui, dans les situations extrêmes, revient à dire jamais. Pas moyen de lui extorquer des informations. Lucy adore les stratégies de dissimulation. D'aussi loin que je me souvienne, tel fut toujours le cas. Au fond, elle se sent plus à l'aise en se présentant au monde telle qu'elle n'est pas plutôt que telle qu'elle est vraiment. Elle s'épanouit dans le secret et le pouvoir qu'il implique, et l'émotion procurée par le risque, le danger réel, l'a toujours galvanisée. Plus la situation devient menaçante, plus elle s'y sent comme un poisson dans l'eau. Jusqu'à présent, tout ce qu'elle m'a révélé se résume au fait qu'une machine obsolète se trouve dans l'appartement de la victime, un robot tactique baptisé MORT, financé par l'Agence de recherches avancées de la Défense, robot qui, à l'origine, devait être utilisé telle une sorte de Faucheuse mécanique, dans le but de récupérer les corps des soldats sur le champ de bataille. Le concept était déplacé et dénué de toute sensibilité. Je m'y suis violemment opposée il y a des années de cela, mais l'incongruité de cet objet dans l'appartement de la victime n'explique pas le comportement de Lucy.

Quand m'a-t-elle à ce point effrayée ? À de multiples reprises, ne serait-ce que lorsque j'ai redouté qu'elle atterrisse en prison, il y a sept ou huit ans, quand elle est rentrée de Pologne. À l'époque, elle était impliquée dans une mission en rapport avec Interpol, avec les opérations spéciales, dont je ne sais toujours pas grand-chose aujourd'hui. Qu'accepterait-elle de me confier si je la poussais suffisamment dans ses retranchements, ce que je ne ferai pas, de toute façon ? J'ai choisi de rester dans le flou sur ce qu'elle a pu accomplir là-bas. Moins j'en sais, mieux je me porte. Jamais je ne dirais cela de ses sentiments, de sa santé ou de son bien-être d'une façon générale, car la moindre molécule de Lucy m'importe. En revanche, je puis l'affirmer en ce qui concerne certains des aspects compliqués et clandestins de son existence. Il y a des détails sur lesquels je ne poserai pas de questions, dans son intérêt autant que dans le mien. Je n'ai pas envie d'entendre parler de certaines histoires.

Au cours de la dernière heure de vol qui vient de s'écouler avant notre arrivée ici, à Hanscom Field, son anxiété, son impatience et son extrême vigilance n'ont fait que croître. Au demeurant, la vigilance de ma nièce est d'une nature toute particulière. C'est elle que je flaire. Lorsque Lucy se sent menacée, la vigilance constitue son arme de prédilection et elle adopte un mode de fonctionnement que j'ai toujours redouté. Quand nous nous sommes arrêtés pour nous ravitailler à Oxford, Connecticut, elle n'a pas laissé une seconde l'hélicoptère sans surveillance. Elle a supervisé la manœuvre du camion de carburant et m'a obligée à monter la garde dans le froid pendant qu'elle rejoignait au pas de course le terminal afin de payer, au prétexte qu'elle ne faisait pas confiance à Marino pour le boulot de sentinelle, selon ses termes. Elle m'a raconté que lorsqu'ils avaient refait le plein à l'aller, à Wilmington, dans le Delaware, il était trop occupé à discuter au téléphone pour se préoccuper de la sécurité ou pour remarquer ce qui se passait autour d'eux.

Elle m'a confié qu'elle l'avait observé par la fenêtre. Marino faisait les cent pas sur le tarmac, parlant et gesticulant, captivé par sa conversation avec Briggs, alors qu'il lui communiquait, sans nul doute, les détails au sujet de l'homme prétendument vivant lorsqu'il avait été enfermé dans ma chambre froide. Marino n'avait pas une seule fois jeté un œil à l'hélicoptère. Lorsqu'un autre pilote s'était approché pour détailler l'appareil, s'accroupissant afin d'inspecter le système d'imagerie thermique, le projecteur Nightsun, et qu'il avait jeté un œil dans la cabine à travers le plexiglas, Marino ne lui avait prêté aucune attention. Il ne lui était pas venu une seconde à l'esprit que les portes n'étaient pas verrouillées, de même que le bouchon du réservoir. D'autant que le capot n'est pas sécurisé. N'importe qui peut accéder au moteur, à la transmission, à la boîte de vitesses, aux organes vitaux d'un hélicoptère, en se contentant de détacher les loquets.

Il suffit de verser de l'eau dans le réservoir pour provoquer une extinction accidentelle en vol : le moteur cale. Ou bien de pulvériser une petite quantité d'un élément contaminant dans le circuit hydraulique, poussière, huile, ou de l'eau dans le réseau, et les commandes tombent en rideau, comme la direction assistée d'une voiture. À ceci près que la situation devient un peu plus préoccupante lorsque vous vous trouvez à deux mille pieds d'altitude.

Tandis que nous volions avec l'interphone en position « équipage », pour que Marino ne nous entende pas, Lucy me décrivait avec force détails terrifiants comment, si on veut vraiment faire des ravages, il suffit de contaminer le réservoir d'essence et le circuit hydraulique pour provoquer simultanément une extinction et une panne hydraulique. Le résultat peut virer à la catastrophe dans l'obscurité, ajoutait-elle : les atterrissages d'urgence, déjà difficiles en temps normal, deviennent totalement aléatoires, puisqu'on ne voit rien de ce qui se trouve en dessous, et qu'il ne reste qu'à prier pour s'épargner arbres, lignes électriques ou obstacles quelconques.

Bien entendu, le sabotage à l'aide d'un engin explosif est celui qu'elle redoute le plus. En règle générale, Lucy est obsédée par les explosifs, par leur véritable destination, l'identité de ceux qui les utilisent contre nous, y compris le gouvernement américain, si cela sert certains de ses desseins.

Il m'a donc fallu écouter toutes ces précisions, avant qu'elle ne me déprime encore davantage en m'expliquant à quel point il est aisé de dissimuler un tel engin, de préférence sous les bagages ou le tapis de sol à l'arrière, de façon à ce que l'explosion touche le réservoir principal de carburant, situé sous les sièges arrière. L'hélicoptère serait alors transformé en crématorium, a-t-elle ajouté, ce qui m'a de nouveau fait penser au soldat dans l'Humvee et à sa mère dévastée par le chagrin, s'en prenant à moi au téléphone. Tout au long de notre vol, je n'ai pu m'empêcher de procéder à des rapprochements fâcheux. N'importe quelle description de catastrophe fait naître en moi de saisissantes analogies nourries par mes propres affaires. Je sais comment meurent les gens. Le jour où cela m'arrivera, je sais exactement quels processus se mettront à l'œuvre.

Lucy coupe les gaz et abaisse le frein de rotor. À l'instant où les pales cessent de tourner, la portière de la voiture de Benton s'ouvre, sans que la lumière de l'habitacle s'allume. Il en sera de même dans les trois véhicules utilitaires sport présents sur la piste, car les flics et les agents fédéraux, même ceux qui ne le sont plus depuis longtemps, ont leurs petites manies. Ils ne s'installent jamais le dos à une porte. Ils détestent attacher leur ceinture de sécurité et ils n'aiment pas les lumières intérieures dans leurs voitures. La nécessité d'éviter les guets-apens et tout ce qui pourrait entraver leur fuite est gravée à jamais dans leur cerveau. Ils refusent de se transformer en cibles vivantes illuminées. Ils se montrent vigilants. Toutefois pas autant que Lucy au cours de ces dernières heures.

Benton se dirige vers l'hélicoptère et patiente près de la plate-forme d'atterrissage, sa chevelure argentée décoiffée par le vent, les mains dans les poches d'un vieux manteau en mouton *shearling* que je lui ai offert pour Noël autrefois. Sa haute et mince silhouette se détache dans la nuit enneigée, les traits de son visage nettement découpés dans l'alternance d'ombre et de lumière. Lorsque je le revois après une longue séparation, c'est toujours avec un regard neuf, à la manière d'une étrangère. De nouveau, j'éprouve pour lui l'attirance que j'ai ressentie la première fois, il y a bien longtemps, en Virginie. Je venais d'être nommée médecin expert en chef, la première femme des États-Unis à diriger un aussi important service de médecine légale. Lui était une légende du FBI, le profileur star, directeur de ce qui se nommait alors l'Unité des sciences du comportement de Quantico. Il avait pénétré dans ma salle de réunion. Le trouble et l'incertitude qui m'avaient envahie alors n'avaient rien à voir avec les meurtres en série pour lesquels nous étions là.

— Tu connais ce type ? me souffle-t-il à l'oreille tandis que nous nous étreignons.

Il dépose sur mes lèvres un baiser léger. Je sens le parfum boisé de son *aftershave* et le doux frôlement du cuir de son manteau contre ma joue.

Je jette un regard par-dessus son épaule. Un homme descend de la berline, une Bentley bleu foncé ou noire, dont le moteur V12 laisse échapper un ronronnement rauque. Il est massif, en surpoids, le visage alourdi de bajoues et surmonté d'une frange de cheveux clairsemés qui volette dans le vent. Vêtu d'un long pardessus au col remonté sur ses oreilles, les mains gantées, il se tient à une distance respectable, avec l'attitude réservée d'un chauffeur de limousine. Pourtant je sens à quel point il est attentif et Benton semble l'intéresser au plus haut point.

Il détaille l'hélicoptère, puis de nouveau Benton, et je tranche :

— Il doit attendre quelqu'un d'autre. Ou bien il s'est trompé.

— Puis-je vous aider ? lance Benton en se rapprochant de l'homme.

— Je cherche le Dr Scarpetta.

— À quel sujet ? demande Benton d'un ton cordial mais ferme, sans rien laisser transparaître.

— Je suis chargé d'une livraison. D'après mes instructions, le Dr Scarpetta devait se trouver dans l'hélicoptère ou l'attendre sur la piste. Vous êtes dans quelle branche ? À moins que vous n'apparteniez à la Sécurité intérieure ? Je vois qu'il y a une caméra thermique, un projecteur, beaucoup d'équipements spécifiques. Il est sacrément *high tech*, cet appareil. Quelle vitesse peut-il atteindre ?

— Que puis-je pour vous ?

— Je suis censé remettre quelque chose en mains propres au Dr Scarpetta. C'est vous ? On m'a recommandé d'exiger une pièce d'identité.

Le chauffeur observe Marino et Lucy qui extirpent mes affaires de l'arrière et du compartiment à bagages. L'homme ne s'intéresse pas à moi, ne m'a même pas jeté un regard. Pour lui, je suis la femme du grand et bel homme aux cheveux gris. Il pense que Benton est le Dr Scarpetta et que l'hélicoptère lui appartient.

— Allons-y, que vous puissiez partir avant que tout ça ne tourne au blizzard, décrète Benton en marchant droit sur la Bentley, de telle façon que le chauffeur n'a d'autre choix que le suivre. J'ai entendu qu'il y aurait une bonne quinzaine de centimètres, mais j'ai bien peur que ce soit une sous-estimation... On avait bien besoin de ça, hein ? Quel satané hiver ! Vous êtes d'où ? Pas d'ici, mais du Sud, non ? Le Tennessee ?

— Ça se devine encore, au bout de vingt-sept ans ? Décidément, il faut que je potasse mon accent yankee. Je suis de Nashville. Je me suis retrouvé stationné ici, avec l'unité de la 66th Air Base Wing, et je ne suis plus jamais reparti. Je ne suis pas pilote, mais je conduis plutôt bien..., fait-il en ouvrant la portière côté passager et en se penchant à l'intérieur. Vous pilotez ça vous-même ? Je ne suis jamais monté dans un appareil de ce genre. J'ai tout de suite vu que ce n'était pas un hélico de l'armée de l'air. Bon, je suppose que si vous faites partie de la CIA, vous n'allez pas le dire…

Leurs voix portent jusqu'à moi tandis que j'attends sur la piste, à l'endroit où m'a laissée Benton. Je ne commets pas l'erreur de le suivre jusqu'à la Bentley. Cependant je ne tiens pas à aller m'installer dans notre voiture alors que je n'ai pas la moindre idée de l'identité de cet homme, ni de la nature de sa livraison. Et comment a-t-il su que quelqu'un du nom de Scarpetta serait à Hanscom, dans un hélicoptère ou sur la piste, et à quelle heure l'appareil allait atterrir ? Jack Fielding est la première personne qui surgit dans mon esprit. Il est probable qu'il soit au courant de mon itinéraire, et je vérifie mon iPhone. Anne et Ollie ont répondu à mes textos et se trouvent déjà au Centre de sciences légales, nous attendant. Aucune nouvelle de Fielding en revanche. *Mais qu'est-ce qui lui prend ?* Quelque chose se trame, et quelque chose de sérieux. Il y a davantage là-dedans que son irresponsabilité habituelle, son indifférence ou sa conduite erratique. J'espère que tout va bien, qu'il n'est pas malade, blessé ou en conflit avec sa femme. Je vois Benton glisser un objet dans la poche de son manteau. Il se dirige droit vers la Porsche Cayenne, et le message est clair : *Monte et ne pose pas de questions sur la piste*. En dépit de son comportement cordial et détendu avec le chauffeur, un événement qui ne lui plaît pas vient de faire surface.

Nous claquons nos portières en même temps, et je m'enquiers :

— Que se passe-t-il ?

Au même moment, Marino ouvre le hayon arrière et entreprend d'empiler mes divers sacs.

Benton monte le chauffage sans répondre tandis que mes bagages s'accumulent, puis Marino vient jusqu'à ma portière et cogne du doigt à la vitre.

— Qui c'était, ce type ? fait-il en jetant un regard en direction de la Bentley.

La neige drue et épaisse givre la visière de sa casquette et fond sur ses lunettes.

Benton se penche et s'appuie contre moi pour questionner Marino :

— Beaucoup de gens savaient que vous vous rendiez à Dover avec Lucy aujourd'hui ?

— Le général et le capitaine Machin-Truc-Avallone, quand j'ai appelé pour faire passer un message à la Doc. Certaines personnes à votre bureau aussi. Pourquoi ?

— Nul autre ? Une allusion en passant aux services de secours, à la police de Cambridge ?

Marino réfléchit un instant et une drôle d'expression passe sur son visage. Il ne sait plus très bien à qui il en a parlé. Il essaie de se souvenir, pèse le pour et le contre. S'il a fait quelque chose d'idiot, il refusera de l'admettre. On lui a assez seriné qu'il manquait de discrétion. Il n'a pas l'intention de se faire réprimander une nouvelle fois. Pour être juste, Marino n'aurait eu aucune raison de se comporter comme si son déplacement dans le Delaware en compagnie de ma nièce, pour venir me chercher, relevait du secret-défense. Ma présence à la base de Dover n'a rien d'une information classifiée. Seule la raison pour laquelle je m'y trouvais est confidentielle. D'autant que j'étais censée rentrer à la maison demain.

Benton, qui partage mon sentiment, commente :

— Ce n'est pas très grave, j'essaye simplement de déterminer comment un coursier connaissait l'heure et le lieu d'arrivée de l'hélicoptère, voilà tout.

— Quelle sorte de coursier peut conduire une Bentley ? lui demande Marino.

— Eh bien, apparemment, le genre à qui on a confié votre itinéraire, ainsi que le numéro d'identification de queue de l'hélicoptère, réplique Benton.

— Enfoiré de Fielding ! Qu'est-ce qu'il fout ? Il a définitivement pété les plombs, ce mec !

Marino retire ses lunettes, mais n'a rien pour les essuyer. Son visage paraît nu, presque bizarre sans sa vieille monture métallique. Il s'adresse à moi :

— J'ai dû mentionner à quelques personnes que vous rentriez probablement aujourd'hui plutôt que demain. J'veux dire… sûr que certains s'en doutaient à cause du problème qu'on a avec le mort qui saigne, et tout le reste. Mais Fielding est le seul qui savait exactement ce que vous faisiez, et il connaît foutrement bien l'hélicoptère de Lucy, puisqu'il est déjà monté dedans. Et merde, vous ignorez la moitié du reste, ajoute-t-il sombrement.

— Nous en parlerons au bureau, intervient Benton, s'efforçant de le faire taire.

— Qu'est-ce qu'on sait vraiment de lui ? Bordel, qu'est-ce qu'il manigance ? Ça, on ne peut pas dire qu'il vous protège ! insiste Marino.

Benton persiste également, le mettant en garde :

— On en discutera plus tard.

— Il est en train de vous piéger, poursuit Marino à mon adresse.

— Ce n'est pas le moment ! coupe Benton d'un ton destiné à lui clouer le bec.

— Fielding veut votre boulot. À moins, simplement, qu'il veuille pas que *vous* l'ayez.

Marino me regarde, tout en enfonçant ses mains dans les poches de son blouson de cuir et en s'écartant de la vitre.

— Bienvenue chez vous, Doc ! persifle-t-il.

Des flocons de neige pénètrent dans la voiture, poussés par le vent, gouttes glaciales et humides contre mon visage et mon cou.

— C'est sympa de se souvenir à qui on peut réellement faire confiance, hein ? conclut-il en me fixant pendant que je remonte la vitre.

Les balises anticollision placées aux extrémités des ailes des jets garés clignotent en rouge et blanc tandis que nous remontons lentement en voiture la piste en direction de la barrière de sécurité, qui vient de s'ouvrir.

La Bentley la franchit. Nous sommes juste derrière, et je remarque que sa plaque d'immatriculation du Massachusetts ne comporte pas la mention « location », ce qui sous-entendrait que la voiture n'appartient pas à une compagnie de limousines. La chose ne me surprend pas vraiment. Les Bentley sont rares, surtout par ici, où les gens sont discrets et attachés à la protection de l'environnement, même ceux qui empruntent des avions privés. Je vois rarement des Bentley et des Rolls-Royce, essentiellement des Toyota et des Saab. Nous dépassons le bâtiment de Signature, une des compagnies de services aéroportuaires installées du côté civil du terrain d'aviation, et je pose la main sur le cuir doux de la poche de Benton, sans toucher à l'enveloppe couleur blanc crémeux qui en dépasse à peine.

L'homme lui aurait donné une lettre.

— Tu veux bien me dire ce qui s'est passé ?

— Personne ne devrait savoir que tu viens d'atterrir ici, que tu es là. Personne ne devrait disposer de renseignements personnels à ton sujet, ni connaître tes allées et venues, un point, c'est tout, lâche-t-il, le ton et les traits durs. Elle a manifestement téléphoné au Centre de sciences légales, et Jack l'a renseignée. Elle a probablement déjà appelé là-bas, et qui d'autre que Jack ?

Il s'exprime comme s'il évoquait un fait établi, sans que je comprenne à quoi il fait allusion.

— Bon sang, pourquoi Jack ou qui que ce soit d'autre lui communiquerait des informations !

Il poursuit sur sa lancée. Pourtant je ne crois pas une seconde qu'il s'interroge véritablement. Son ton indique exactement le contraire. Je doute même qu'il ait éprouvé de la surprise.

En revanche, j'évolue dans un brouillard complet et demande :

— Qui ? Qui a appelé le Centre ?

— La mère de Johnny Donahue. De toute évidence, ce gars est son chauffeur, explique-t-il avec un geste en direction de la voiture qui nous précède.

Les essuie-glaces émettent un gros chuintement de caoutchouc à chaque fois qu'ils balayent le pare-brise, repoussant une neige qui fond au contact de la vitre. Je scrute les feux arrière de la Bentley, tout en essayant de comprendre ce que me raconte Benton.

— On devrait regarder ce que c'est, dis-je en parlant de l'enveloppe dans sa poche.

— Il s'agit d'un indice. Les labos d'analyse doivent l'examiner.

— Ce serait bien que je prenne connaissance du contenu.

— J'ai fini l'évaluation de Johnny ce matin, me rappelle alors Benton. Et je sais que sa mère a appelé plusieurs fois le Centre de sciences légales.

— Comment le sais-tu ?

— Johnny me l'a dit.

— Et peut-on se fier à une information transmise par un patient d'hôpital psychiatrique ?

— J'ai passé quasiment sept heures avec lui depuis son admission, et je ne crois pas qu'il ait tué qui que ce soit. Il y a beaucoup de choses auxquelles je ne crois pas. Mais en me basant sur ce que je sais, je suis persuadé que sa mère aurait, en effet, pu appeler le Centre, déclare Benton.

— Elle ne peut pas espérer un seul instant que nous discutions avec elle de l'affaire Mark Bishop !

— De nos jours, les gens sont convaincus que tout relève du domaine public, qu'ils ont droit à l'information.

Se laisser aller à ce genre de suppositions ou de généralités ne ressemble guère à Benton. Sa réponse m'apparaît désinvolte et évasive. Il ajoute :

— Et Mme Donahue a un problème avec Jack.

Cette fois, la réflexion me paraît sincère.

— Johnny t'a dit que sa mère avait un problème avec Jack. Et pourquoi diable aurait-elle un avis sur mon assistant ?

— Je ne peux aborder certains aspects plus avant, me déclare-t-il en conduisant sur la route enneigée, le regard fixé droit devant lui.

La neige tombe de plus en plus serré, barrant la lumière des phares, heurtant les vitres dans un murmure sec.

Je sens toujours quand Benton garde des éléments par-devers lui. D'habitude, cela ne me pose pas de problèmes. Tel n'est pas le cas aujourd'hui. Je suis tentée de glisser l'enveloppe hors de sa poche pour regarder ce que quelqu'un, probablement Mme Donahue, veut me faire voir.

— Tu l'as rencontrée, tu lui as parlé ?

— Jusqu'à présent j'ai réussi à l'éviter, bien qu'elle ait appelé l'hôpital, essayé de me traquer, téléphoné plusieurs fois depuis que son fils a été hospitalisé. Il n'est pas approprié que je discute avec elle. Il serait inadéquat que j'évoque un bon nombre de choses, et je sais que tu le comprends.

— Si Jack, ou qui que ce soit d'autre, lui a divulgué des détails concernant Mark Bishop, c'est d'une extrême gravité, contré-je. Je comprends ta réticence. Du moins, je pense que je la comprends. Cela étant, j'ai le droit de savoir si Jack est véritablement à l'origine d'indiscrétions.

— J'ignorais jusqu'à quel point tu étais au courant, si Jack t'avait confié quoi que ce soit.

— À propos de quoi en particulier ?

Je refuse d'avouer à Benton, et peut-être plus encore à moi-même, que je ne me souviens pas précisément à quand remonte ma dernière conversation avec Fielding. Nos échanges, lorsqu'ils eurent lieu, ont été très brefs et de pure forme, et lorsque je suis rentrée à la maison pour les vacances, je ne l'ai même pas croisé. Il était absent et avait probablement emmené sa famille quelque part. Cependant je n'en suis pas sûre. Fielding a cessé de partager avec moi les détails de sa vie privée il y a de longs mois maintenant.

— Cette affaire-ci en particulier, le dossier Mark Bishop. Jack en a-t-il discuté avec toi, par exemple ?

Le samedi 30 janvier, Mark Bishop, un garçon âgé de six ans, jouait dans son arrière-cour à Salem, à environ une heure d'ici, quand quelqu'un lui a enfoncé des clous dans la tête.

Je réponds :

— Non. Jack n'a pas abordé le sujet avec moi.

Je me trouvais à Dover quand le petit garçon a été assassiné, et Fielding s'est chargé de l'affaire. Je m'en suis étonnée sur le moment, cette décision ne lui ressemblant absolument pas. Il n'a jamais été capable de gérer les affaires concernant des enfants, et j'ai été bouleversée d'apprendre qu'il avait décidé de s'occuper de celle-ci. Auparavant, lorsqu'un corps d'enfant était acheminé vers la morgue, Fielding s'absentait. Le fait qu'il prenne en charge le cas Mark Bishop n'était pas logique. Ma première impulsion avait été de rentrer à Cambridge, et je regrette aujourd'hui de ne pas l'avoir suivie. J'aurais dû agir en conséquence, mais je ne voulais pas infliger à mon second ce que Briggs vient tout juste de me faire subir. Je ne voulais pas faire preuve d'un manque de confiance. J'ai méticuleusement passé le dossier en revue, mais nous n'en avons pas parlé, Jack et moi, même si j'ai clairement indiqué que je me libérerais si nécessaire.

J'ai conscience d'être sur la défensive, une attitude que je déteste. Je poursuis sans pouvoir m'en empêcher, tout en m'en voulant parce que l'argument paraît faible, de pâles excuses :

— Techniquement, l'affaire est de son ressort. Et, techniquement, je n'étais pas là.

— En d'autres termes, Jack n'a pas tenté de partager ses détails. Je devrais dire : il n'a rien partagé.

Je lui rappelle :

— Souviens-toi de l'endroit où je me trouvais et de ce que j'y faisais.

— Kay, je ne dis pas que c'est de ta faute !

— Qu'est-ce qui est de ma faute ? Et qu'entends-tu par *ses* détails ?

— Je ne fais que demander si tu as posé des questions à Jack sur cette affaire. A-t-il, par exemple, évité d'en parler avec toi ?

— Tu sais comment il devient quand il s'agit de gamins. Lorsque ça s'est produit, je lui ai laissé un message pour lui préciser qu'un autre des médecins légistes pouvait s'en occuper, mais il a pris les choses en main. J'en ai été surprise, mais les choses se sont déroulées ainsi. Et comme je l'ai déjà dit, j'ai épluché tous les rapports. Le sien, celui de la police, ceux des labos, etc.

— Tu ne sais donc vraiment pas du tout ce qui se passe ici, résume-t-il.

— J'ai l'impression que c'est ce que tu suggères.

Benton demeure silencieux. Je m'efforce à une nouvelle tentative :

— Ce qui se passe en plus des derniers développements ? Les aveux du jeune Donahue ? Je suis au courant de ce qui a été diffusé aux informations, et un étudiant d'Harvard avouant une chose pareille, ça a fait la une partout. De toute évidence, tu laisses entendre qu'il existe des détails dont je n'ai pas été informée.

Il ne répond pas, encore une fois. J'imagine Fielding s'entretenant avec la mère de Johnny Donahue. Il est possible que Fielding lui ait donné des précisions sur l'endroit où je me trouverais ce soir, et qu'elle ait envoyé son chauffeur me remettre une enveloppe. Pourtant celui-ci ne semblait pas savoir que le Dr Scarpetta était une femme. Je regarde le manteau de *shearling* noir de Benton. Je distingue vaguement dans l'obscurité le rebord blanc de l'enveloppe dans sa poche.

— Pourquoi quelqu'un de ton bureau irait-il parler à la mère de la personne qui a avoué le crime ?

La question de Benton semble purement rhétorique, il s'agit plutôt d'une affirmation.

— Sommes-nous absolument certains qu'il n'y ait pas eu de fuite dans les médias à propos de ton départ de Dover aujourd'hui, à cause de cette autre affaire peut-être ? poursuit-il en faisant allusion à l'homme qui s'est écroulé dans Norton's Woods. Le fait qu'elle était au courant s'explique peut-être logiquement, autrement que par le biais d'un bavardage de Jack ? J'essaye de garder l'esprit ouvert.

Cette dernière affirmation me laisse sceptique. Benton paraît convaincu que Jack Fielding a parlé à Mme Donahue, pour une raison que je suis à cent lieues de pouvoir imaginer. À moins que Fielding ne veuille me voir perdre mon travail, ce que Marino a suggéré il y a quelques minutes.

— Nous connaissons la réponse tous les deux, toi et moi.

À mon ton empreint de conviction, je me rends compte à quel point je sais ce dont Jack Fielding serait capable. Je poursuis :

— À ma connaissance, rien n'a transpiré aux informations. Et même si Mme Donahue avait appris ma venue de cette façon, cela n'explique pas qu'elle connaissait le numéro d'identification de l'hélicoptère de Lucy. Cela n'explique pas qu'elle savait que j'arrivais par hélicoptère, ni que j'atterrirais à Hanscom, et à quelle heure.

Benton se dirige vers Cambridge. La neige s'est transformée en un blizzard de flocons qui rapetissent petit à petit. Les rafales de vent malmènent le SUV, le poussant à hue et à dia, la nuit se fait traîtresse et volatile.

J'ajoute :

— À ceci près que le chauffeur t'a pris pour moi. J'ai bien vu la façon dont il s'adressait à toi. Il pense que tu es le Dr Scarpetta, or la mère de Johnny Donahue doit savoir que je ne suis pas un homme.

— Difficile de dire ce qu'elle sait, répond Benton. Fielding est le médecin légiste responsable de cette affaire, pas toi. Techniquement, comme tu l'as dit, tu n'as rien à voir là-dedans. Techniquement, tu n'es pas responsable.

— Je suis directrice, donc responsable. Au bout du compte, tous les dossiers d'autopsie du Massachusetts sont de mon ressort. J'ai donc quelque chose à voir là-dedans.

— Ce n'était pas le sens de mes paroles. Ravi, toutefois, de te l'entendre dire.

Évidemment, ce n'était pas là qu'il voulait en venir. Cependant je préfère ne pas imaginer ce qu'il avait vraiment en tête. J'ai été absente. En résumé, j'étais censée me trouver à Dover, et en même temps mettre sur pied le Centre de sciences légales et le faire fonctionner sans moi. Peut-être était-ce trop demander. Peut-être m'a-t-on délibérément piégée, pour que j'échoue.

Benton poursuit :

— Depuis l'ouverture du Centre de sciences légales, tu es devenue invisible. Tu as disparu dans un trou noir, voilà le sens de mon message.

— Délibérément. Le bureau du médecin expert de l'armée ne recherche pas la publicité.

— Bien sûr que c'est délibéré. Je ne te reproche rien, affirme mon mari.

Je le soupçonne d'avoir une chose précise en tête. Autant la formuler à haute voix :

— Délibéré de la part de Briggs.

Benton n'a aucune confiance en Briggs, et cela ne date pas d'hier. J'ai toujours attribué cela à la jalousie. Briggs est un homme très puissant, redoutable, un statut dont Benton n'a plus eu l'occasion de jouir depuis son départ du FBI. S'ajoute ce passé que Briggs et moi partageons. Le général fait partie des très rares personnes que j'ai connues avant Benton et que je côtoie toujours. Il me semble que j'étais à peine adulte lorsque j'ai rencontré John Briggs pour la première fois.

Benton poursuit :

— Le bureau du médecin expert de l'armée a refusé que tu donnes des interviews à propos du Centre de sciences légales ou que tu parles en public de tout ce qui avait trait à Dover tant que le Centre n'était pas installé et que tu n'avais pas terminé ta formation. Ce qui signifie que tu es restée dans l'ombre un bon moment. J'essaye de me souvenir à quand remonte ta dernière apparition sur CNN. Au moins un an, non ?

— Coïncidence, j'étais censée réapparaître sous le feu des projecteurs ce soir. Autre coïncidence, l'émission sur CNN a été annulée. C'est la troisième fois, de même que mon retour ici a été reporté à plusieurs reprises.

— Hum… Beaucoup de coïncidences.

Peut-être Briggs m'a-t-il compromise, et de façon totalement intentionnelle. Quelle brillantissime stratégie ce serait de me former à un poste plus important, le plus important que j'aie jamais occupé, tout en me rendant presque invisible, en me réduisant au silence, pour, en définitive, se débarrasser de moi. Une perspective si choquante que je refuse d'y croire.

— De qui dépendent ces coïncidences, voilà ce que tu dois découvrir, déclare alors Benton. Je ne dis pas que Briggs ait agi de façon machiavélique. Il ne représente pas le Pentagone à lui tout seul. Ce n'est que le rouage d'une très grosse machine.

— Je sais à quel point il t'insupporte.

— Non, c'est la machine qui m'insupporte. Et la machine perdurera. Tu as intérêt à bien comprendre cela pour l'empêcher de t'avaler toute crue !

De vastes étendues de champs et de bois touffus défilent le long de la route tandis que la neige rebondit sur les vitres, puis nous franchissons un pont. L'eau tumultueuse qui dévale heurte avec force la barrière de sécurité à notre droite. L'air doit être plus froid ici, les flocons de neige se font petits, gelés. Nous traversons successivement des microclimats si changeants que je les trouve déroutants.

Benton reprend :

— Mme Donahue sait que le médecin expert en chef et directeur du Centre de sciences légales de Cambridge, le Dr Scarpetta, est le patron de Jack. Elle devait en avoir connaissance pour avoir pris la peine de te faire livrer un pli. Mais peut-être ne sait-elle que cela, résume-t-il, offrant une explication de ce qui s'est passé à l'aérodrome.

— Regardons ce que c'est.

Je veux cette enveloppe.

— Nous devons la confier pour examen aux laboratoires d'analyse.

— Elle sait que je suis le patron de Jack, mais pas que je suis une femme ?

La chose paraît ridicule, mais possible. J'ajoute :

— Une simple recherche sur Google l'éclairerait.

— Tout le monde ne se sert pas de Google.

La réflexion de Benton me rappelle à quel point j'ai tendance à oublier qu'il y a encore beaucoup de gens en froid avec la technique, y compris des gens avec chauffeur et Bentley. Les feux arrière de celle-ci sont maintenant loin devant nous, sur cette étroite route à deux voies, et rapetissent au fur et à mesure que la voiture s'éloigne à une vitesse trop élevée pour les conditions météorologiques.

— Tu as présenté une pièce d'identité au chauffeur ?

— À ton avis, Kay ?

Évidemment que non, Benton n'aurait pas fait une chose pareille.

— Il n'a donc pas compris que tu n'étais pas moi.

— Rien de ce que j'ai fait ou dit n'a pu le lui laisser deviner.

— Je suppose que Mme Donahue va continuer de penser que Jack travaille pour un homme. Bizarre, tout de même, que Jack lui ait précisé où me trouver, sans toutefois lui indiquer comment le chauffeur pouvait me reconnaître, ou tout au moins que j'étais une femme. Sans même utiliser de pronoms qui lui mettent la puce à l'oreille. Je ne sais pas, je trouve cela étrange.

Je ne suis pas convaincue par nos conjectures. Un truc cloche dans cette histoire.

Benton reprend :

— Je n'avais pas conscience que tu entretenais autant de doutes à l'égard de Jack. Encore que ceux-ci ne soient pas injustifiés.

Benton essaie de me faire parler. L'agent du FBI qui sommeille en lui s'est éveillé, et il y a longtemps que je n'avais pas été témoin d'un tel réveil.

— Épargne-moi les « jamais deux sans trois », ou tout autre adage de cet acabit, par pitié, supplié-je. On me l'a assez répété aujourd'hui.

— Je dis juste que je n'en avais pas pris conscience.

— Moi, je ne suis consciente que de mes habituels soucis et aveuglements à son propos. Je ne détiens pas assez d'informations pour être plus inquiète que d'habitude.

C'est ma façon de demander à Benton de me fournir assez d'éléments, s'il en a à sa disposition, de ne pas se conduire en flic ou en praticien spécialiste de la santé mentale. *Ne garde pas les choses pour toi*, lui dis-je en mon for intérieur.

C'est pourtant ce qu'il fait, plongé dans son mutisme. Il se concentre sur la route et son profil se détache avec netteté dans la lumière tamisée diffusée par le tableau de bord. Ainsi vont les choses entre nous. Nous prenons soin de contourner les informations confidentielles et privilégiées. Nous tournons autour des secrets. Par moments, nous mentons. Au début, nous trompions même, Benton étant marié à une autre. Chacun de nous sait comment duper les autres. Je n'en suis pas particulièrement fière, et je regrette que cela soit encore nécessaire d'un point de vue professionnel. Surtout à cet instant. Benton garde des secrets, et je veux la vérité. J'en ai besoin.

Je poursuis :

— Écoute, nous le connaissons tous les deux, et oui, depuis l'ouverture du Centre de sciences légales je suis demeurée invisible, coupée du monde. J'ai fait du mieux que j'ai pu pour gérer la situation à distance, tout en alignant les journées de dix-huit heures, sans même trouver le temps de m'entretenir au téléphone avec mon personnel. Toutes les communications se sont faites électroniquement, par *e-mails* ou fichiers PDF. J'ai à peine entraperçu âme qui vive. Étant donné les circonstances, je n'aurais jamais dû confier cette responsabilité à Jack. Lorsque je l'ai de nouveau embauché, puis que j'ai quitté la ville, j'ai enclenché un processus qui a conduit précisément là où nous en sommes. Tu m'avais prévenue et tu n'étais pas le seul.

— Tu as toujours refusé de croire qu'il représentait un sérieux problème pour toi, dit Benton d'un ton qui me déstabilise encore plus. Et pourtant il t'en a suffisamment posé. Parfois les preuves ne sont pas assez éclatantes pour nous contraindre à affronter une vérité que nous ne supportons pas. Tu es incapable de te montrer objective à son sujet, Kay, et la raison m'échappe.

— Je sais et je déteste ça.

Je m'éclaircis la gorge et tente de contrôler ma voix.

— Et je suis désolée.

— Je crois que je ne comprendrai jamais.

Les deux mains sur le volant, il jette un coup d'œil dans ma direction. Nous sommes seuls sur une route faiblement éclairée, poursuivant notre chemin à travers la nuit enneigée. La Bentley a disparu de notre champ de vision.

— Je ne porte aucun jugement, ajoute-t-il.

— Jack fiche sa vie en l'air et a besoin de moi à chaque fois.

— À moins que tu ne me dises pas tout, ce n'est pas de ta faute s'il fiche sa vie en l'air ! D'ailleurs, en tout état de cause, tu ne serais pas responsable. Les gens fichent leur vie en l'air tout seuls, ils n'ont pas besoin des autres pour leur donner un coup de main.

— Ce n'est pas tout à fait vrai. Il n'a pas choisi ce qui lui est arrivé lorsqu'il était enfant.

— Et ce n'est pas non plus de ta faute, rétorque-t-il comme s'il en savait plus sur le passé de Fielding que ce que je lui ai raconté, les quelques détails dont je dispose.

J'ai toujours fait très attention à ne pas trop sonder mes employés, et surtout pas Fielding. J'en sais suffisamment sur les tragédies qu'il a connues dans son enfance pour être consciente qu'il n'a pas nécessairement envie d'en parler.

J'ajoute :

— Évidemment, ça a l'air idiot.

— Non, pas idiot, simplement on dirait un drame qui se termine toujours de la même façon. Je n'ai jamais complètement compris pourquoi tu éprouvais le besoin de te conduire ainsi avec lui. J'ai l'impression qu'il s'est produit quelque chose dont tu ne m'as pas parlé.

— Je te raconte tout.

— Nous savons parfaitement tous les deux que c'est faux, dans mon cas comme dans le tien.

— Je devrais peut-être m'en tenir uniquement aux morts, dis-je d'un ton amer.

Le ressentiment est en train de filtrer à travers les barrières que j'ai soigneusement érigées tout au long de ma vie. Peut-être suis-je devenue incapable de vivre sans elles. J'ajoute :

— Les morts, ça, je sais m'en occuper.

— Ne parle pas comme ça, me conseille doucement Benton.

C'est parce que je suis fatiguée, me dis-je intérieurement. À cause de ce qui s'est passé ce matin, lorsque la mère noire d'un soldat noir décédé m'a dénigrée au téléphone, m'a insultée, m'a accusée de ne pas obéir à la règle d'or : « Ne fais pas à autrui ce que tu n'aimerais pas que l'on te fasse », mais à la *règle des Blancs*... Ensuite, Briggs a tenté de passer outre à mon autorité. Peut-être m'a-t-il piégée, peut-être souhaite-t-il mon échec.

— Ce n'est qu'un foutu cliché ! déclare alors Benton.

— Le plus drôle, à propos des clichés, c'est qu'ils sont fondés en partie sur la réalité.

— Ne parle pas comme ça.

— Il n'y aura plus de problèmes avec Jack. Je te promets que le drame va s'achever. Si tant est que ce ne soit pas déjà le cas et qu'il n'ait pas laissé tomber son boulot, comme par le passé. Il doit être licencié.

— Il ne te ressemble pas, ne t'a jamais ressemblé et ne pourra jamais te ressembler, et ce n'est pas ton foutu gamin !

Benton pense que c'est aussi simple que cela, mais il se trompe.

— Je dois m'en débarrasser.

— Fielding est un anatomopathologiste de quarante-six ans, qui n'a jamais rien fait pour mériter la confiance ou quoi ce soit d'autre dont tu fais preuve envers lui !

— J'en ai fini avec lui.

— Tu en as fini avec lui. Cela me semble imparable et tu vas devoir le laisser partir, déclare Benton, comme si la décision avait déjà été prise, comme si elle ne dépendait pas de moi. De quoi te sens-tu si coupable ?

Une nuance indéfinissable dans son ton, dans son comportement, me trouble. Je n'arrive pas à mettre le doigt dessus. Il poursuit :

— Pourquoi cette culpabilité, qui remonte à l'époque de Richmond, quand tu as commencé à travailler avec lui ?

J'élude la question :

— Je suis désolée d'avoir causé tant de problèmes. J'ai le sentiment d'être la fautive qui a lâché tout le monde. Je m'en veux d'avoir été absente. Vous ne pouvez pas savoir à quel point je me le reproche. J'assume la responsabilité de Jack, mais cela ne se reproduira plus.

— Il y a des choses dont tu n'es pas responsable, qui ne sont pas de ta faute. Je vais m'acharner à te le rappeler en permanence, même si tu persistes à penser le contraire, décrète mon mari le psychologue.

Je ne vais pas discuter de la culpabilité qui me revient ou pas. Simplement parce que je ne peux rien révéler de ce qui m'a poussée à toujours me montrer loyale envers Jack Fielding, de façon irrationnelle. Lorsque je suis rentrée d'Afrique du Sud, Jack Fielding a été ma pénitence, la punition que je me suis infligée, mon action d'intérêt public. Je cherchais désespérément à bien me conduire vis-à-vis de lui, parce que j'étais convaincue d'avoir porté tort à tout le monde.

— Je vais jeter un œil, dis-je en faisant allusion à ce qui se trouve dans la poche de Benton. Je sais comment examiner une lettre sans compromettre les indices, et il faut que je sache ce que m'a écrit Mme Donahue.

J'extirpe l'enveloppe de sa poche en la tenant légèrement par les bords. Je découvre que le rabat est collé avec du ruban adhésif gris qui recouvre en partie une adresse gravée dans une police typographique avec empattement à l'ancienne. Je reconnais le nom de la rue, dans le quartier de Beacon Hill à Boston, près du jardin public, très près de là où Benton possédait une maison de grès brun, demeure familiale depuis des générations. L'enveloppe porte la mention *Dr Scarpetta : confidentiel*, minutieusement tracée à l'aide d'un stylo à plume. Je prends bien soin de ne rien toucher à mains nues, surtout le ruban adhésif, qui constitue une bonne source d'empreintes, d'ADN et de matériaux microscopiques. En utilisant un réactif comme la ninhydrine, on peut développer des empreintes latentes sur des surfaces poreuses comme le papier.

Je pose l'enveloppe sur mes genoux.

— Tu as peut-être un couteau sous la main ? Et j'ai besoin d'emprunter tes gants.

Benton se penche de mon côté et ouvre la boîte à gants, dans laquelle se trouvent un couteau multifonctions Leatherman, une torche et un paquet de serviettes en papier, puis extrait des poches de son manteau une paire de gants de daim. Mes mains sont perdues dedans, mais je ne tiens pas à laisser d'empreintes ou à risquer d'en effacer. Je n'allume pas le plafonnier, car la visibilité, déjà mauvaise, ne fait qu'empirer. Je m'éclaire du faisceau de la torche et introduis une petite lame dans un coin de l'enveloppe.

Je la fais glisser tout du long, puis sors délicatement deux feuilles pliées d'un épais papier à lettres couleur crème, avec un filigrane que je ne distingue pas bien, mais qui ressemble à une sorte de blason ou d'armoiries. L'en-tête porte la même adresse de Beacon Hill, et les deux pages ont été tapées sur une machine à écrire qui dispose d'une police cursive, quelque chose que je n'ai pas vu depuis de nombreuses années, au moins une décennie sans doute. Je déchiffre à voix haute :

Cher Docteur Scarpetta,

J'espère que vous ne me tiendrez pas rigueur d'un geste qui doit vous paraître particulièrement malvenu et présomptueux de ma part. Mais je suis une mère, plus désespérée qu'aucune mère ne puisse l'être.

Mon fils Johnny a avoué un crime dont je sais qu'il ne l'a pas commis. Il ne peut pas en être coupable. Ces derniers temps, il a bien entendu connu des difficultés, qui nous ont conduits à envisager des soins. Toutefois, même en tenant compte de cela, il n'a jamais fait preuve de troubles du comportement sérieux, pas même lorsqu'il a débuté ses études à Harvard, adolescent de quinze ans renfermé et victime de la tyrannie des autres. S'il avait dû plonger dans une dépression, je pense qu'elle se serait produite à ce moment-là, lorsqu'il a pour la première fois quitté la maison, dépourvu de capacités normales à interagir avec les autres ou à se faire des amis. Il s'en est particulièrement bien sorti jusqu'à ce dernier trimestre de rentrée pour son ultime année d'études, où sa personnalité s'est dégradée d'alarmante manière. <u>Mais il n'a tué personne !</u>

Le Dr Benton Wesley, consultant pour le FBI et membre du personnel du McLean Hospital, sait beaucoup de choses sur les antécédents de mon fils et les obstacles qui ont perturbé son développement. Peut-être a-t-il toute latitude pour discuter ces détails avec vous, puisqu'il n'a pas semblé disposé à en parler avec votre assistant, le Dr Fielding. L'histoire de Johnny est longue et complexe, et il faut que vous l'entendiez. Qu'il vous suffise de savoir que lorsqu'il a été admis au McLean lundi dernier, c'est parce qu'il a été jugé qu'il présentait un danger pour lui-même. Il n'a fait de mal à personne d'autre. Rien dans son comportement n'indiquait qu'il pourrait en être autrement. Brusquement, sans aucune raison, il a avoué ce crime particulièrement odieux et épouvantable, et a rapidement été transféré dans le service de sécurité réservé aux tueurs psychopathes. Comment est-il possible que les autorités aient été aussi promptes à croire à une histoire tellement absurde et fausse, je vous le demande ?

Docteur Scarpetta, je dois vous parler. Je sais que votre bureau a procédé à l'autopsie du petit garçon mort à Salem, et je pense qu'il est raisonnable de solliciter une seconde opinion. Bien entendu, vous connaissez les conclusions du Dr Fielding : le meurtre a été prémédité, soigneusement planifié. Il s'agissait d'une exécution de sang-froid faisant partie d'un rite d'initiation à un culte satanique. Quelque chose d'aussi monstrueux est en totale contradiction avec ce dont mon fils est capable, et il n'a jamais rien eu à voir avec des cultes de quelque nature que ce soit. Il est grotesque de supposer que son penchant pour les livres et les films d'horreur, fantastiques ou violents ait pu le pousser à « passer à l'acte ».

Johnny est atteint du syndrome d'Asperger. Il est doué de façon spectaculaire dans certains domaines, et totalement incompétent dans d'autres. Ses habitudes sont très rigides, des routines qu'il suit de façon obsessionnelle. Le 30 janvier, exactement comme tous les samedis matin, de dix heures à treize heures, mon fils était attablé devant un brunch au Biscuit, en compagnie de la personne dont il est le plus proche, une étudiante de troisième cycle extrêmement douée elle aussi, Dawn Kincaid. Il ne pouvait donc pas se trouver à Salem lorsque le petit garçon a été tué vers quinze heures.

Johnny est atteint d'une particularité remarquable : il est capable de se souvenir du moindre détail obscur et de le répéter à la manière d'un perroquet. Pour moi, il est clair que ce qu'il a déclaré aux autorités vient tout droit de ce qu'il a entendu aux informations et de ce qu'on lui a rapporté de l'affaire. Il semble être réellement persuadé de sa propre culpabilité (pour des raisons qu'il m'est impossible de comprendre), et prétend même qu'une « plaie perforante » qu'il porte à la main droite a été provoquée par le pistolet à clous, qui s'est enrayé lorsqu'il l'a utilisé contre le garçon. C'est une invention totale : cette blessure résulte d'une automutilation, un coup infligé avec un couteau à viande, et l'une des nombreuses raisons pour lesquelles nous l'avions amené consulter au McLean. Mon fils paraît déterminé à être sévèrement puni pour un crime qu'il n'a pas commis, et du train où vont les choses, il parviendra à ses fins.

Vous trouverez ci-dessous les numéros où vous pouvez

me joindre. J'espère que tout cela éveillera votre compassion et que j'aurai bientôt de vos nouvelles.

Avec mes meilleurs sentiments,

ERICA

Erica Donahue

Chapitre 6

Je range les feuilles d'épais et lourd papier à lettres dans leur enveloppe, puis entoure celle-ci de serviettes jetables tirées de la boîte à gants pour la protéger du mieux possible à l'intérieur du compartiment à fermeture éclair de mon sac à bandoulière. S'il y a bien une chose que j'ai apprise au cours de toutes ces années, c'est qu'il est impossible de revenir en arrière. Des indices potentiels découpés, contaminés, perdus, c'est un peu la truelle d'un archéologue qui fait malencontreusement voler en éclats une antiquité.

Le vent agite avec violence les arbres le long de la route tandis que la neige pâle tourbillonne, et je remarque :

— Elle ne paraît pas savoir que nous sommes mariés.

— Sans doute pas, répond Benton.

— Son fils est au courant ?

— Je n'ai pas pour habitude de discuter de toi ou de ma vie privée avec mes patients.

— Alors elle ne sait probablement pas grand-chose sur moi.

J'essaye de comprendre comment il se peut qu'Erica Donahue n'ait pas informé son chauffeur que la personne à laquelle il devait remettre la lettre était une petite femme blonde, et pas un homme de grande taille aux cheveux argentés.

Je poursuis mes déductions :

— À supposer qu'elle ait tapé ceci elle-même, elle utilise une machine à écrire. Et quelqu'un qui se donne la peine de scotcher l'enveloppe pour garantir la confidentialité du message n'a, à l'évidence, laissé personne d'autre taper la lettre. Si elle utilise encore une machine à écrire, il est peu probable qu'elle se serve d'Internet et de Google. Le papier à lettres gravé et filigrané, le stylo à plume, la police cursive, tout semble indiquer une puriste, quelqu'un d'extrêmement méticuleux, avec des habitudes bien particulières et immuables.

— Erica Donahue est une artiste. Une pianiste classique, qui ne partage pas les intérêts du reste de la famille pour la haute technologie. Son mari est physicien nucléaire et son fils aîné ingénieur à Langley. Quant à Johnny, comme elle l'a souligné, il est incroyablement doué en mathématiques, en sciences. Cette lettre ne servira pas Johnny. Je regrette son geste.

— Tu parais t'être beaucoup investi dans ce garçon.

— Je déteste que des gens vulnérables deviennent des recours faciles face à un problème. Il suffit que quelqu'un soit différent et ne se conduise pas comme les autres pour qu'on le soupçonne d'être coupable de quelque chose.

— Selon moi, le procureur du comté d'Essex ne serait pas ravi de t'entendre.

J'imagine que c'est lui qui a engagé Benton pour procéder à l'évaluation de Johnny Donahue. Pourtant Benton n'agit pas à la manière d'un consultant, et sûrement pas comme quelqu'un qui travaille pour le bureau du procureur général de l'État. Il remplit un autre rôle.

— Déclarations trompeuses, absence de contact visuel, faux aveux. Un gamin atteint du syndrome d'Asperger, dans son isolement éternel et sa quête d'amis. Il n'est pas rare que les individus de ce type soient extrêmement influençables.

— Pourquoi chercherait-on à influencer Johnny pour lui faire endosser un crime ?

— Il suffit d'un rien, suggérer simplement quelque chose de suspect… Par exemple : « Quelle drôle de coïncidence que tu n'aies pas cessé d'évoquer une visite à Salem et que ce petit garçon se soit fait assassiner là-bas ! » Ou bien : « Tu t'es vraiment blessé en glissant la main dans le tiroir et en te rentrant le couteau dans la paume ? La chose aurait-elle pu se produire différemment sans que tu t'en souviennes ? » Il suffit que les gens imaginent la culpabilité et Johnny les imite. Il en vient à raconter ce qu'il pense que les gens veulent entendre. Il croit une chose parce qu'il pense que c'est ce que les gens veulent croire. Il n'a aucune compréhension des conséquences de son comportement. Statistiquement, les personnes affectées par le syndrome d'Asperger, surtout les adolescents, sont surreprésentées parmi les innocents arrêtés et reconnus coupables de crimes.

D'un seul coup, les flocons de neige deviennent énormes et tournoient frénétiquement comme des pétales de cornouiller pris dans un vent violent. Benton abaisse le rapport de la boîte automatique Tiptronic et freine légèrement. Je suggère :

— Nous devrions peut-être nous garer.

Les phares réfléchissent la blancheur qui nous entoure et je ne distingue plus la route.

— Sacrée tempête, on dirait une microrafale, commente-t-il en inclinant le torse pour scruter droit devant lui, alors que de violentes bourrasques nous ballottent. Je crois que la meilleure chose à faire, c'est d'en sortir le plus vite possible.

— Tu ne penses pas qu'on devrait s'arrêter ?

— Nous sommes sur la chaussée et je distingue encore sur quelle voie nous roulons. Il n'y a rien en face et rien derrière, ajoute-t-il après avoir jeté un coup d'œil dans les rétroviseurs.

— J'espère que tu as raison.

Je ne fais pas uniquement allusion à la neige. Tout paraît inquiétant. Nous pourrions nous croire environnés de forces sinistres, nous adressant un avertissement.

— La démarche de Mme Donahue n'était pas très futée. Émotionnelle, bien intentionnée même, mais pas intelligente, reprend Benton en conduisant très lentement au sein de ce chaos blanc. Ce sont des éléments rapportés en dehors de toute procédure, qui ne serviront à rien. Il est préférable que tu ne l'appelles pas.

— Je vais devoir montrer la lettre à la police, ou tout au moins en parler, qu'elle décide de la suite à donner aux événements.

— Elle n'a fait qu'aggraver les choses, déclare-t-il comme s'il lui revenait de décider de la situation. Ne te laisse pas mêler à cette affaire en lui téléphonant.

— Si on excepte sa tentative d'influencer le bureau du médecin légiste, qu'a-t-elle aggravé ?

— Elle commet des erreurs sur plusieurs points clés. Johnny ne lit pas de livres d'horreur, fantastiques ou ultra-violents, pas plus qu'il ne regarde de films du même genre, en tout cas pas à ma connaissance, et ce détail n'est pas de nature à l'aider. Quant à Mark Bishop, il n'a pas été assassiné vers quatorze ou quinze heures, mais plutôt vers seize heures, et Mme Donahue n'a peut-être pas compris ce que cela impliquait, explique Benton tandis que la microrafale cesse aussi brutalement qu'elle a commencé.

La neige se transforme à nouveau en une sorte de grésil qui tourbillonne comme du sable sur la chaussée et s'accumule en congères superficielles sur les côtés de la route.

Benton poursuit :

— Johnny se trouvait effectivement au Biscuit avec son amie, mais d'après lui il y est resté jusqu'à quatorze heures, pas treize heures. Apparemment, ils ont fréquenté l'endroit à plusieurs reprises, mais je n'ai pas le sentiment qu'il a respecté scrupuleusement une routine en s'y rendant avec cette jeune fille tous les samedis de dix à treize heures.

Le Biscuit est situé sur Washington Street, à un quart d'heure à peine à pied de notre maison de Cambridge, et je songe aux samedis où, lorsque je me trouvais là, Benton et moi nous rendions dans le petit café aux bancs de bois et au menu inscrit à la craie sur des ardoises. Peut-être Johnny et son amie se sont-ils un jour trouvés là en même temps que nous. Je demande :

— À quelle heure son amie dit-elle qu'ils ont quitté le café ?

— Elle prétend qu'elle s'est levée de table vers treize heures et l'a planté là, parce qu'il se conduisait de façon bizarre et refusait de partir avec elle. D'après sa déposition à la police, Johnny parlait de se rendre à Salem pour se faire dire la bonne aventure, il délirait là-dessus. Il était toujours attablé lorsqu'elle a franchi la porte du café.

Que Benton ait examiné une déposition faite à la police ou connaisse les détails d'un témoignage éveille mon intérêt. Son rôle ne consiste pas à déterminer l'innocence ou la culpabilité, ni même à s'en préoccuper, mais à évaluer si le patient dit la vérité, fait semblant d'être malade ou est incapable de témoigner au tribunal.

— Quelqu'un présentant le syndrome d'Asperger aurait beaucoup de mal à maîtriser le concept de tirage de cartes, de bonne aventure, ou quoi que ce soit de ce genre.

Ma perplexité augmente à chacune de ses phrases. Il s'adresse à moi comme s'il était enquêteur et que nous travaillions ensemble sur cette affaire, et pourtant, dès qu'il s'agit de Jack Fielding, il se montre cryptique. Le hasard n'a rien à voir là-dedans. Même s'il peut parfois donner l'impression contraire, mon mari laisse rarement échapper des informations. Lorsqu'il pense que je devrais être au courant d'un élément qu'il ne peut pas me confier, il trouve un moyen détourné de me le communiquer. Dans le cas contraire, il ne me fournit aucune aide. Un mode de vie très frustrant que nous avons été contraints d'adopter, mais au moins je peux affirmer que je ne m'ennuie jamais avec lui.

— Johnny ne peut pas réfléchir en termes d'abstraction, il ne comprend pas les métaphores. Il ne fonctionne que dans le très concret, explique-t-il.

— Et les autres clients du café ? Quelqu'un peut-il confirmer ce qu'a dit l'amie ou ce que soutient Johnny ?

— Pas de témoignage plus précis que la présence effective de Dawn Kincaid et lui samedi matin à cet endroit.

J'ai rarement vu Benton aussi préoccupé par un patient qu'il a évalué.

— Personne n'a remarqué s'il venait régulièrement, tous les samedis, et lorsque Johnny est passé à ses prétendus aveux, plusieurs jours s'étaient écoulés. Ahurissant à quel point les gens font preuve d'une mémoire merdique, pour y aller ensuite de suppositions !

Je récapitule ce que je viens d'entendre :

— Tu n'as donc pas d'autres éléments que les affirmations de Johnny, et maintenant ce que raconte sa mère dans cette lettre. Il dit avoir quitté le Biscuit à quatorze heures, ce qui ne lui laissait pas nécessairement le temps de se rendre à Salem et de commettre le meurtre vers seize heures. Sa mère soutient qu'il est parti à treize heures, et à ce moment-là il pouvait avoir le temps.

— Et donc ça ne le sert pas vraiment, je le répète. Le contenu de la lettre de sa mère est désavantageux pour lui. Le seul véritable alibi qu'on puisse offrir, susceptible de démontrer que sa confession est une vaste connerie, se résume à une chronologie problématique. Cependant un décalage d'une heure fait toute la différence, ou en tout cas le pourrait.

J'imagine Johnny se levant de table au Biscuit vers treize heures et prenant la direction de Salem. Compte tenu de la circulation, une fois sorti de Cambridge ou Somerville, puis empruntant l'Interstate 95 en direction du nord, il aurait pu se trouver devant la maison des Bishop, située dans le quartier historique, vers quatorze heures ou quatorze heures trente.

— Il a une voiture ?

— Il ne conduit pas.

— Alors en taxi, en train ? À cette époque de l'année, il n'y a pas de ferry. Ils ne naviguent pas avant le printemps et il aurait été obligé d'embarquer à Boston. Mais tu as raison. Sans voiture à sa disposition, il aurait mis plus longtemps à arriver là-bas. Une heure, ça fait une sacrée différence pour quelqu'un qui doit trouver un moyen de transport.

— D'où Mme Donahue sort-elle ce détail ? s'interroge-t-il. Johnny lui-même ? Peut-être a-t-il encore modifié sa version ? Il assure avoir quitté le Biscuit à quatorze heures, pas treize heures. D'un autre côté, peut-être a-t-il modifié ce point plutôt crucial parce qu'il pense que c'est ce qu'on a envie d'entendre. Ce serait étrange pourtant, très étrange.

— Mais toi, tu étais avec lui ce matin ?

— Jamais je ne chercherais à l'influencer pour qu'il modifie une déclaration.

Benton réplique que cet élément est nouveau et qu'il ne pense pas que Johnny ait modifié sa version quant à l'heure à laquelle il a quitté le café. Mme Donahue a-t-elle commis une erreur ? Alors que je considère cette possibilité, j'ai l'impression que quelque chose ne va pas.

— De toute façon, comment aurait-il pu se rendre à Salem ? demandé-je.

— En taxi ou en train, à ceci près qu'il n'existe aucune trace. Personne ne l'a remarqué. On n'a trouvé aucun reçu ou ticket, rien qui prouve qu'il se soit jamais trouvé à Salem ou entretienne un lien quelconque avec la famille Bishop. Excepté ses aveux, il n'y a rien, assène Benton tandis qu'il lève les yeux vers le rétroviseur central. Et le plus important dans tout cela, c'est que sa version est en tout point semblable à celle qui a été diffusée aux informations. Au fur et à mesure que les reportages ou les théories changent, il fait varier les détails en conséquence. Voilà un élément exact dans la lettre de sa mère : il répète mot pour mot, comme un perroquet, y compris lorsque quelqu'un suggère une hypothèse ou une information – en d'autres termes, l'amène là où il veut. Influençable, vulnérable à la manipulation, un comportement qui éveille la suspicion, voilà des signes distinctifs du syndrome d'Asperger, précise-t-il en jetant de nouveau un coup d'œil dans le rétroviseur. Ainsi que l'attention aux détails, aux vétilles qui peuvent paraître bizarres à la majorité des gens. L'heure qu'il est, par exemple. Il a toujours soutenu qu'il avait quitté le Biscuit à quatorze heures. Quatorze heures trois, pour être précis. Quand tu demandes à Johnny l'heure qu'il est, ou à quelle heure il a fait quelque chose, il te répondra quasiment à la seconde près.

— Alors pourquoi changer de version ?

— À mon avis, il n'a rien fait de la sorte !

— S'il tient réellement à ce que les gens croient qu'il a tué Mark Bishop, il devrait affirmer avoir quitté le café plus tôt.

— Le problème n'est pas qu'il y tient. Il le croit, lui. Pas à cause de ses souvenirs, mais en raison de son absence de souvenirs et de ce qu'on lui a suggéré.

— Qui ça ? Il semble qu'il ait avoué avant même d'être considéré suspect et interrogé. La police ne lui a pas extorqué d'aveux forcés, par exemple.

— Il ne se souvient de rien. Il est convaincu qu'après avoir quitté le Biscuit à quatorze heures, il a souffert d'un épisode dissociatif, qu'il s'est retrouvé sans savoir comment à Salem et a tué un petit garçon avec un pistolet à clous…

Je l'interromps :

— Non. Voilà une chose que je peux t'affirmer avec certitude. Ni lui ni personne n'a tué Mark Bishop avec un pistolet à clous.

Sans rien dire, Benton accélère. Les flocons de neige semblent s'être transformés en grêlons qui claquent en percutant la carrosserie.

— Mme Donahue semble également avoir mal interprété le diagnostic de Jack, dis-je avec conviction, tandis qu'une autre partie de moi ne cesse de s'interroger sur l'attitude à adopter vis-à-vis de cette femme.

Sans doute suivre le conseil de Benton et ne pas l'appeler. Demain matin, à la première heure, je demanderai à mon assistant administratif, Bryce, de la contacter pour lui expliquer qu'à mon grand regret je ne puis discuter avec elle du dossier Mark Bishop, ni d'ailleurs d'aucun autre. Bryce ne doit surtout pas donner l'impression que je suis trop occupée ou insensible à la détresse de Mme Donahue. Je repense alors à la mère du première classe Gabriel, aux douloureux reproches qu'elle m'a jetés à la figure ce matin à Dover. Je m'enquiers :

— Je suppose que tu as pris connaissance du rapport d'autopsie ?

— Oui.

— Alors tu sais que rien dans le rapport de Jack ne mentionne un pistolet à clous. La seule chose qu'il indique, c'est que la mort est due à des blessures provoquées par des clous ayant pénétré le cerveau.

J'en viens à la conclusion qu'il m'est impossible de laisser Bryce passer ce coup de téléphone à ma place. Je vais le faire moi-même et prier Mme Donahue de ne plus me contacter, en insistant sur le fait que j'agis dans son propre intérêt. Puis, de nouveau, le doute m'envahit. Indécise, j'hésite entre les différentes attitudes à adopter à son égard. J'ai toujours eu confiance en ma capacité à gérer les gens dévastés par le chagrin, ou furieux et égarés, mais je ne comprends pas ce qui s'est produit ce matin. Mme Gabriel m'a traitée de sectaire, de fanatique. Je n'avais jamais encore eu droit à cela !

— L'hypothèse d'un pistolet à clous n'a pas été exclue par les intervenants compétents, m'informe Benton. Y compris Jack.

— Je trouve cela quasiment impossible à croire.

— Il en a parlé.

— Première nouvelle.

— Il n'a cessé de le clamer à qui voulait l'entendre. Je me fiche de ce qu'il y a d'écrit dans son rapport, dans la paperasse que tu as vue, répète Benton en jetant un coup d'œil dans le rétroviseur.

— Pourquoi irait-il soutenir une chose contraire aux rapports de labo ?

— Je te communique simplement ce que je sais de source sûre : il a dit que l'arme du crime était un pistolet à clous, insiste Benton.

— Voilà une déclaration qui s'oppose totalement aux faits scientifiques et médicaux.

Loin derrière nous, j'aperçois des phares dans mon rétroviseur extérieur. J'explique :

— Un pistolet à clous laisse des marques d'outil correspondant à un seul coup mécanique, de la même façon que l'empreinte d'un percuteur sur une douille. Au lieu de cela, nous avons dans ce cas des impacts sur les clous qui correspondent à un marteau manuel. Le cuir chevelu et le crâne du garçon, ainsi que les contusions cérébrales sous-jacentes, portaient des traces de marteau. Les pistolets à clous abandonnent souvent un résidu similaire à celui d'un tir d'une arme à feu. Or, aucun dépôt de plomb ou de baryum n'a été détecté sur les blessures de Mark Bishop. Ce n'est pas un pistolet à clous qui a été utilisé. Si tu sous-entends que la police et le procureur sont convaincus du contraire, les bras m'en tombent.

— Dans cette affaire, les gens ont choisi de croire un certain nombre de choses. Ce n'est pas difficile à comprendre, déclare Benton tout en accélérant pour atteindre la vitesse limite autorisée.

Je jette un nouveau coup d'œil dans mon rétroviseur : les phares se sont rapprochés. Des feux puissants aux reflets bleus et blancs illuminent mon rétroviseur. Il doit s'agir d'un gros véhicule utilitaire sport avec des feux de brouillard et des phares au xénon. *Marino*, me dis-je. Et derrière lui, je l'espère, Lucy.

— Ils ont tant envie de croire aux aveux de Johnny, explique Benton. Ils veulent penser que l'agression a été fulgurante, que Mark Bishop n'a pas pu la voir venir, sinon il se serait débattu tel un beau diable. Bon Dieu, tout le monde se refuse à envisager qu'on ait maintenu un enfant qui savait ce qui allait lui arriver avant de lui enfoncer des clous dans le crâne à l'aide d'un marteau !

— Il ne portait aucune marque de défense. Pas de signe de lutte, aucun indice tendant à prouver qu'il ait été maîtrisé. Tout est indiqué dans le rapport de Jack. Je suis certaine que tu l'as vu, et qu'il a expliqué tout cela à la police et au procureur.

— J'aurais préféré que ce soit toi qui pratiques l'autopsie, déclare Benton en regardant alternativement ses deux rétroviseurs.

— Qu'a raconté Jack, hormis ce qui se trouvait dans son rapport ? En plus de cette histoire de pistolet à clous ?

Benton ne répond pas.

— Tu n'en sais peut-être rien, dis-je, quoique convaincue du contraire.

— Il a assuré qu'il ne pouvait pas exclure la possibilité d'un pistolet à clous. Après qu'on lui a posé la question, à la suite de la confession de Johnny, il a affirmé qu'il était impossible d'émettre un avis définitif. On a spécifiquement et directement demandé à Jack si l'arme du crime pouvait être un pistolet à clous.

— La réponse est non, incontestablement.

— Vous en discuterez entre vous, Kay. Il a affirmé qu'il était impossible d'établir une certitude dans cette affaire, qu'un pistolet à clous n'était pas exclu.

Je réplique :

— Moi, je te dis que c'est impossible et qu'on peut parfaitement parvenir à une certitude. Et à l'exception de ce que j'ai vu sur Internet – dont je ne tiens pas compte, comme de la majorité des informations relayées par les médias, à moins d'être certaine des sources –, c'est la première fois que j'entends évoquer un pistolet à clous.

— Fielding a expliqué que si on pressait un pistolet à clous contre la tête de quelqu'un, on obtiendrait une marque similaire à celle abandonnée par la gueule d'un canon à la suite d'une blessure d'arme à feu à bout touchant. Et qu'il est possible que ce soit ce qu'on distingue sur le cuir chevelu et les tissus sous-jacents. Voilà la raison pour laquelle il n'y a pas de trace de lutte ou d'indice qui laisse à penser que le garçonnet savait ce qui allait se produire.

— Non, rien à voir avec la marque d'une blessure par balle à bout touchant. De plus, c'est impossible. Les blessures que j'ai vues sur les photos ont été faites par un marteau. De surcroît, qu'il n'existe pas de traces de lutte ne prouve d'aucune façon que l'enfant n'a pas été contraint de coopérer, ou amadoué, manipulé. D'une façon ou d'une autre. Tout cela me donne l'impression que certaines personnes choisissent délibérément d'ignorer les faits, à cause de ce qu'elles préféreraient croire. C'est très dangereux.

— Selon moi, c'est Fielding qui ignore les faits rapportés dans le dossier, peut-être intentionnellement.

— Seigneur, Benton ! Fielding a beaucoup de défauts, mais quand même…

— À moins qu'il ne s'agisse de négligence. C'est l'un ou l'autre, déclare-t-il d'un ton qui me laisse penser qu'il a quelque chose derrière la tête. Écoute, tu as fait de ton mieux ces derniers mois.

— Et qu'est-ce que ça veut dire, ça ?

Mais je le sais. Cela signifie exactement ce que j'ai redouté chaque jour qu'a duré mon absence.

— Tu te souviens, si tu remontes à la nuit des temps, à Richmond, quand il était en spécialisation chez toi après son internat ? lance Benton.

Il se rapproche d'une zone interdite. Mais comment pourrait-il en être conscient ?

— Dès le premier jour, poursuit-il, il s'est montré incapable d'autopsier des enfants. C'est un fait, et tu l'as souligné. Lorsque le cadavre d'un enfant arrivait à la morgue, Jack prenait ses jambes à son cou, disparaissait parfois plusieurs jours d'affilée. Tu sillonnais la ville en voiture pour essayer de le retrouver, chez lui, dans son bar favori, à ce foutu gymnase et salle de taekwondo, pendant qu'il buvait jusqu'à tomber raide par terre ou flanquer une raclée à un type quelconque. Bon sang, aucun d'entre nous n'aime s'occuper d'enfants morts, mais lui, il a un vrai problème !

J'aurais dû pousser Fielding à s'orienter vers l'anatomie pathologique en chirurgie, à travailler dans un laboratoire hospitalier, à pratiquer des biopsies. Au lieu de cela, je l'ai encouragé à poursuivre en médecine légale, j'ai joué auprès de lui le rôle de mentor.

— Et pourtant il accepte l'affaire Bishop, insiste Benton, alors qu'il aurait pu la confier à un autre de tes médecins légistes. J'espère simplement qu'il n'a pas menti. J'espère vraiment qu'il n'a pas fait ça, en plus de tout le reste !

Je suis pourtant certaine que c'est exactement ce qu'il pense.

— En plus de quoi, tout le reste ?

Je jette un regard dans mon rétroviseur latéral, en me demandant pourquoi Marino colle à notre pare-chocs.

— J'espère qu'il n'a pas été encouragé à suggérer cette hypothèse d'un pistolet à clous et assez bête pour obéir.

Benton a une façon bien particulière de vérifier ses rétroviseurs, sans remuer la tête. Après toutes ces années de travail d'infiltration, d'obligation perpétuelle de surveiller ses arrières… Certaines habitudes ne se perdent jamais.

— Qui ça ?

— Aucune idée.

— Si, on dirait que tu le sais, mais que tu n'as pas l'intention de me mettre au courant.

Inutile d'insister. S'il ne me le dit pas, c'est qu'il ne le peut pas. Voilà vingt ans que durent ces échanges tortueux, toujours aussi pénibles. Il poursuit :

— Les flics veulent boucler l'affaire, ça ne fait pas l'ombre d'un doute. Pour eux, l'arme du crime est un pistolet à clous, parce que ça colle avec les aveux de

Johnny et parce que cette explication est plus confortable que celle impliquant un marteau. Que quelqu'un ait pu manipuler Jack m'inquiète.

— Tu en es sûr ? Ou bien tu le supputes ?

— Au fond, ce qui me préoccupe le plus, déclare-t-il alors, c'est que Jack soit le manipulateur.

À son ton, je déduis qu'il le pense vraiment. Agacée, je m'exclame :

— Si Marino pouvait cesser de coller à notre pare-chocs, il m'aveugle avec ses fichus phares ! Qu'est-ce qu'il fabrique ?

— Ce n'est pas Marino. Sa Suburban n'est pas équipée de ce genre de feux, et il a une plaque d'immatriculation à l'avant, pas cette voiture-là. Il s'agit d'un véhicule d'un autre État, sans obligation de plaque à l'avant. Elle a été ôtée ou dissimulée.

Je me retourne et les lumières me blessent les yeux. Le SUV roule à une dizaine de mètres derrière nous.

— Peut-être qu'il veut nous doubler ? je suggère.

— On va voir, mais j'en doute.

Benton ralentit et le SUV fait de même.

— Toi, je vais t'obliger à nous dépasser, déclare Benton en s'adressant au conducteur derrière nous. Note le numéro de la plaque arrière quand il va passer, me jette-t-il.

Nous sommes quasiment arrêtés sur la route, et l'autre voiture nous imite. Puis le conducteur recule rapidement, effectue un demi-tour et repart à toute vitesse dans l'autre sens, tandis que ses feux arrière disparaissent rapidement dans la nuit sur la route enneigée.

Je ne distingue pas la plaque minéralogique arrière, ni aucun autre détail, si ce n'est que le véhicule est de taille imposante et de couleur sombre.

— Pourquoi quelqu'un nous suivrait-il ? dis-je à Benton comme s'il était susceptible de le savoir.

— Je n'ai pas la moindre idée de ce qui vient de se passer.

— Quelqu'un nous suivait, voilà ce qui vient de se passer ! Et il était trop près à cause du temps affreux, parce que la visibilité est tellement mauvaise qu'à moins de se rapprocher, on peut facilement perdre un véhicule qui change brusquement de direction.

— En tout cas, c'est un pauvre type, pas très malin. À moins qu'il n'ait délibérément tenu à ce qu'on s'aperçoive de sa filature ou qu'il ait cru qu'on ne le remarquerait pas.

— Mais comment est-ce même possible ? Nous venons de traverser un blizzard. D'où pouvait-il sortir, bon sang ? Pas de nulle part !

Benton décroche son téléphone et compose un numéro.

— Où êtes-vous ? demande-t-il à son interlocuteur, avant d'ajouter après un silence : Un gros SUV avec feux de brouillard, phares au xénon, pas de plaque à l'avant, cul à cul avec nous. C'est ça. Il a fait demi-tour et est reparti dans l'autre sens à toute vitesse. Oui, sur la route 2. Vous n'avez rien croisé de ce genre ? Ça, c'est bizarre. Il a dû bifurquer quelque part. Bon, si… Oui. Merci.

Benton repose son téléphone sur la console, puis m'explique :

— Marino se trouve à quelques minutes derrière nous et Lucy le suit. Le SUV s'est évanoui dans la nature. Si quelqu'un est assez stupide pour vouloir nous suivre, il recommencera et on élucidera ça. Et si le but consistait à nous intimider, alors, qui que ce soit, il fait preuve d'une grande méconnaissance de sa cible.

— Nous sommes transformés en cible maintenant ?

— Quelqu'un de bien informé ne s'y frotterait pas, lâche Benton.

— À cause de toi.

Il ne répond pas. Pourtant c'est la vérité. N'importe qui connaissant un peu Benton saurait à quel point il est téméraire d'espérer l'intimider. Je ressens sa dureté, son aura d'inflexibilité. Je sais de quoi il devient capable une fois menacé. Lorsqu'on se mesure à eux, Lucy et lui se ressemblent : ils adorent ça. Benton est juste plus calme, calculateur et mesuré que ne le sera jamais ma nièce.

— Erica Donahue, dis-je.

C'est la première idée qui vient à l'esprit. J'explique :

— Elle a déjà envoyé quelqu'un pour nous intercepter, et je doute qu'elle réalise à quel point le beau et charmant psychologue d'Harvard qui s'occupe de son fils peut devenir dangereux.

Nul sourire ne flotte sur les lèvres de Benton.

— Ça ne rime à rien, argumente-t-il.

— Combien de gens sont au courant de nos déplacements ?

Inutile d'essayer d'alléger l'atmosphère, inexorablement dense. Benton a son propre niveau de vigilance, différent de celui de Lucy et qu'il dissimule beaucoup mieux. Je poursuis :

— Ou de *mes* déplacements ? Combien ? En plus de la mère ou du chauffeur. Qu'a donc fait Jack ?

Benton accélère sans me répondre.

— Tu ne penses pas que Jack ait une raison de nous intimider ? Ou tout au moins d'essayer ?

Il reste silencieux et nous continuons de rouler sans échanger un mot. Aucun signe du SUV aux phares au xénon et aux feux de brouillard. Benton finit par déclarer d'un ton plat qui trahit une absence totale de compassion :

— Lucy le soupçonne de boire beaucoup trop. Mais tu devrais en discuter avec elle et Marino.

Il n'éprouve à l'égard de Fielding que du mépris, même si la plupart du temps il s'abstient d'y faire allusion. J'en reviens à mes questions :

— Mais pourquoi Jack mentirait-il, tenterait-il d'influencer qui que ce soit ?

— À l'évidence, il arrive très tard au travail et disparaît soudain. De surcroît, ses problèmes dermatologiques ont refait surface, énumère Benton en évitant de répondre directement. Merde, j'espère vraiment qu'il ne reprend pas de stéroïdes en plus, surtout à son âge.

J'évite mon habituel refrain de défense, lorsque je ressasse que les problèmes d'eczéma, d'alopécie de Fielding ressurgissent dès qu'il est terriblement stressé. Mon assistant a toujours été obsédé par son corps, sa forme physique, un cas classique de bigorexie, de dysmorphie musculaire que l'on peut sans conteste lier aux abus sexuels dont il a été victime dans son enfance. Il serait absurde d'égrener tous mes arguments en ce moment et, pour une fois, je m'en abstiendrai. Je continue à jeter des regards en biais vers le rétroviseur latéral. Les feux de brouillard et les phares au xénon ont disparu. Je répète ma question :

— Pourquoi Jack mentirait-il ? Quelle raison aurait-il d'essayer d'influencer qui que ce soit dans cette affaire ?

— Je n'arrive pas à imaginer comment on peut faire tenir tranquille un gamin pendant qu'on lui inflige ça, déclare-t-il en revenant à Mark Bishop. La famille se trouvait dans la maison, et ils assurent qu'ils n'ont pas entendu de cris, rien du tout. Selon eux, Mark jouait et l'instant d'après il était allongé face contre terre dans la cour. Je tente de recomposer les événements sans y parvenir.

— D'accord, nous allons parler de ça, puisque tu ne répondras pas à ma question.

— J'ai essayé de me représenter la scène, de la reconstituer, sans résultat. La famille était chez elle. La cour est de taille modeste. Comment est-il possible que personne n'ait rien vu ni entendu ? s'obstine-t-il, le visage sombre, tandis que nous passons devant Lanes & Games, où Marino joue au bowling avec son association. Quel est le nom de son équipe ? *Pas de quartier.* Ses nouveaux copains sont des militaires et des représentants de la loi.

— Je croyais avoir tout vu. Pourtant je n'arrive tout simplement pas à imaginer comment les choses ont pu se passer, répète encore une fois Benton, qui ne peut ou ne veut pas me confier ce qu'il a en tête à propos de Fielding.

— Détrompe-toi, il s'agit de quelqu'un qui savait exactement ce qu'il faisait.

En effet, je me représente très bien le déroulement du crime. J'imagine ce qu'a accompli le meurtrier dans le moindre détail effroyable.

— Un individu capable de mettre le petit garçon à l'aise, de le persuader par la ruse de suivre ses instructions. Peut-être Mark a-t-il pensé qu'il s'agissait d'une mise en scène, d'un jeu.

Benton réfléchit :

— Un inconnu débarque dans son arrière-cour et le convainc de participer à un jeu durant lequel on va lui planter des clous dans le crâne – enfin, où on va faire semblant, plus probablement ? Peut-être. Un inconnu ? Là, je me pose des questions. Te parler m'a manqué.

— Non, pas un inconnu, tout au moins pas aux yeux de Mark. Je suppose qu'il n'avait aucune raison de se méfier de cette personne, quoi qu'elle puisse lui demander, dis-je en me fondant sur ce que je sais de ses blessures ou plutôt de l'absence de certaines. Le corps ne présente aucun signe de lutte ou de tentative de fuite évoquant la terreur ou la panique. Il est probable que le meurtrier lui était familier ou que, pour une raison que nous ignorons, il s'est senti enclin à coopérer. Moi aussi, te parler m'a manqué, mais maintenant je suis là et tu ne me dis rien !

— Bien sûr que si.

— Un de ces jours, je vais verser du penthotal dans ton verre et découvrir tout ce que tu ne m'as jamais raconté.

— Si seulement ça marchait, je te rendrais la pareille, plaisante mon mari. Mais on se retrouverait sérieusement dans la panade, tous les deux. Tu ne tiens pas à tout savoir. En tout cas tu ne devrais pas, et moi non plus sans doute.

— Quatre heures de l'après-midi, un 30 janvier, dis-je en songeant à l'intensité lumineuse au moment du meurtre du petit garçon. À quelle heure la nuit est-elle tombée ce jour-là ? Quel temps faisait-il ?

— Froid, couvert, et à quatre heures et demie l'obscurité était complète.

Je ne m'étonne pas qu'il puisse répondre. Ces détails sont les premiers que Benton aurait cherchés s'il avait été chargé de l'enquête.

— J'essaye de me souvenir si le sol était recouvert de neige, dis-je.

— Pas à Salem. Il pleut beaucoup à cause du port. L'eau réchauffe l'air.

— On n'a donc pas retrouvé d'empreintes de chaussures dans la cour des Bishop.

— Non. Et à quatre heures la nuit tombait, l'arrière-cour était plongée dans la pénombre, en partie à cause des arbres et des massifs d'arbustes, explique Benton comme s'il devenait l'enquêteur responsable. D'après les témoignages de la famille, la mère, Mme Bishop, est sortie à quatre heures vingt pour dire à Mark de rentrer à la maison, et elle l'a trouvé gisant dans les feuilles, face contre terre.

— Pourquoi partir du présupposé qu'il venait d'être assassiné lorsqu'elle l'a trouvé ? Les constatations physiques ne nous permettent pas de fixer précisément l'heure de la mort à seize heures.

— Les parents se souviennent d'avoir jeté un œil par la fenêtre vers quatre heures moins le quart, et ils ont vu Mark en train de jouer.

— De jouer ? Quelle sorte de jeu ?

— Je ne sais pas au juste. J'aimerais parler à la famille. Il manque beaucoup d'éléments.

Benton se montre de nouveau évasif. Je le soupçonne de les avoir déjà rencontrés. Il poursuit :

— Donc il jouait seul dans la cour, et quand sa mère a regardé par la fenêtre vers seize heures quinze, elle ne l'a pas vu. Elle est sortie et l'a trouvé gisant au sol, a tenté de le ranimer, l'a soulevé dans ses bras et s'est précipitée dans la maison. Elle a appelé les secours à exactement seize heures vingt-trois, hystérique, disant que son fils ne bougeait plus et ne respirait plus, qu'elle pensait qu'il s'était étouffé avec quelque chose.

— Pourquoi a-t-elle pensé ça ?

— Visiblement, avant de sortir jouer dehors, il avait mis des sucreries restant de Noël dans sa poche. Des bonbons. Et la dernière chose que lui a dite sa mère, c'est de faire attention et de ne pas courir ou sauter en les suçant.

Je ne peux m'empêcher de songer que c'est typiquement le genre de détails que Benton aurait soutirés lui-même aux Bishop. Je suis maintenant convaincue qu'il a discuté avec eux.

— Et on sait à quoi il jouait ? Il courait, gambadait, sautait, tout cela seul ?

De nouveau insaisissable, Benton se contente de préciser :

— Ce n'est qu'après les aveux de Johnny que j'ai été mêlé à cette affaire.

Pour une raison que j'ignore, il ne tient pas à parler de ce que faisait Mark dans son arrière-cour.

— Mme Bishop a raconté plus tard à la police qu'elle n'avait vu personne dans les parages, reprend-il. Aucune trace ne laisse penser qu'un individu se trouvait dans leur propriété, et elle n'a appris que son fils avait été assassiné qu'une fois aux urgences. Les clous, enfoncés jusqu'au bout, étaient dissimulés par ses cheveux. Peu de sang avait coulé. Et les chaussures de l'enfant avaient disparu. Il portait une paire d'Adidas pour jouer dans la cour. On ne les a toujours pas retrouvées.

Je persiste :

— Un petit garçon jouant dans sa cour à la tombée de la nuit. Encore une fois, difficile d'envisager qu'il ne se soit pas défié d'un inconnu. À moins qu'il ne symbolise quelque chose en quoi il avait instinctivement confiance.

— Un pompier, un policier, le type qui conduit le camion de glaces, ce genre de trucs, réfléchit Benton avec décontraction, comme si ce sujet-là ne présentait aucun danger. Ou, pire encore, un membre de sa famille.

— Un membre de sa famille l'aurait tué d'une façon aussi sadique et monstrueuse, puis aurait pris ses chaussures ? Pour emporter un souvenir ?

— Ou bien c'est ce qu'on a voulu faire croire.

— Je ne suis pas psychologue légale. Je me glisse dans ton rôle et je ne devrais pas. J'aimerais voir où s'est produit le meurtre. Jack ne s'est pas rendu sur la scène du crime, alors qu'il aurait dû procéder à une visite rétrospective, dis-je tandis que mon humeur s'assombrit.

De fait, Jack Fielding ne s'est pas déplacé sur la scène de crime de Mark Bishop, non plus qu'à Norton's Woods.

— Ou bien un autre gamin ? suggère Benton. Des gosses pris dans un jeu qui a tourné au tragique.

— En ce cas, il s'agissait d'un enfant remarquablement au fait de l'anatomie.

Je me remémore les clichés d'autopsie, la tête du petit garçon avec le cuir chevelu repoussé. Je revois les CT scans, les images en 3D de quatre clous de fer longs de cinq centimètres enfoncés dans le cerveau. J'explique :

— Celui qui a fait ça n'aurait pas pu choisir d'emplacements plus létaux. Trois des clous ont transpercé le lobe temporal au-dessus de l'oreille gauche et pénétré le pont de Varole. Le dernier a été enfoncé à l'arrière du crâne, de façon ascendante, pour endommager la jonction cervico-médullaire, la partie supérieure de la moelle épinière.

— La mort est survenue quand ?

— Rapidement. Rien que le clou à l'arrière de la tête aurait pu le tuer en l'espace de quelques minutes, le temps nécessaire à ce qui s'apparente à une mort par asphyxie. Une blessure au niveau des vertèbres cervicales C1 et C2 interfère avec la respiration. La police, le procureur ou d'ailleurs un jury auraient beaucoup de mal à croire qu'un autre enfant soit à l'origine de telles blessures. *A priori*, l'intention était de provoquer une mort très rapide, et l'agression a été préméditée, à moins que le marteau et les clous ne se soient trouvés sur place, dans la cour ou la maison, ce qui n'était pas le cas aux dires de tous, non ?

— On a bien retrouvé un marteau. Cela étant, quelle maison n'en possède pas ? Et les marques de l'outil ne correspondent pas. Mais tu le sais d'après les rapports d'analyse, Kay. Quant aux clous, aucun ne ressemble à ceux qui l'ont tué. On n'en a pas trouvé de similaires chez les Bishop, non plus qu'un pistolet à clous.

— Il s'agissait de clous à parquet, à tête en L.

Benton répète :

— On n'a trouvé aucune trace de clous de ce genre dans la maison, d'après la police.

— Ce sont des clous en fer, et non en acier.

Je poursuis avec les détails des clichés et des rapports de labo, et, en m'entendant, j'ai conscience de passer en revue cette affaire avec Benton comme si elle dépendait de moi ou de lui. J'ai l'impression que nous travaillons ensemble ainsi que nous en avions l'habitude au tout début de notre collaboration. J'ajoute :

— Avec des traces de rouille en dépit de la couche protectrice de zinc, ce qui laisse à penser qu'ils n'étaient pas flambant neufs, qu'ils devaient traîner quelque part, exposés à l'humidité, peut-être même à l'eau de mer.

— Il n'y avait rien de tout cela sur la scène du crime. Ni clous à parquet à tête en L, ni clous en fer d'aucune sorte. Le père a répandu la rumeur à propos d'un pistolet à clous, tout au moins en public.

— En public ? Tu veux dire qu'il en a parlé aux médias.

— Oui.

— Mais quand ? Quand leur en a-t-il parlé ? Voilà la question importante. D'où est venue la rumeur, et quand ? Est-on sûr et certain que le père en soit l'auteur ? Parce que, dans ce cas, c'est significatif. Cela laisserait entendre qu'il se bâtit un alibi en parlant d'une arme qu'il ne possède pas et qu'il essaie de lancer la police sur une fausse piste, dis-je.

— Nous sommes d'accord. M. Bishop a peut-être suggéré le pistolet à clous aux médias, mais la question est : quelqu'un lui a-t-il d'abord mis cette idée en tête ?

Je devine de nouvelles subtilités, et il me vient à l'esprit que Benton sait très bien où est née la rumeur du pistolet à clous. Il sait qui en est l'instigateur, et il n'est pas très difficile de voir où il veut en venir. Jack Fielding tente de manipuler l'opinion sur cette affaire. Peut-être Fielding est-il derrière cette hypothèse qui s'est répandue partout.

— Nous devrions procéder à un examen rétrospectif. Je ne me souviens plus du nom de l'enquêteur de Salem ?

Il y a tant à faire, tant de choses que j'ai manquées. Je sais à peine par où commencer.

— Saint Hilaire. James de son prénom, me renseigne Benton.

— Je ne le connais pas.

De fait, je suis devenue étrangère à ma propre existence.

— Il est convaincu de la culpabilité de Johnny Donahue, explique Benton. D'où ma véritable inquiétude : selon moi, l'inculpation de Johnny pour meurtre au premier degré n'est qu'une question de temps, et nous devons agir vite. Les choses ne vont pas s'arranger une fois que Saint Hilaire aura lu la lettre que Mme Donahue vient de t'écrire. Il n'en sera que plus convaincu. Nous devons nous démener, et rapidement. Certes, je suis censé m'en fiche. Mais ce n'est pas le cas, parce que Johnny n'est pas coupable et qu'aucun jury ne va l'apprécier. Il ne se conduit pas correctement. Il cerne mal les gens, et eux font de même. Ils le trouvent insensible et arrogant. Des trucs pas drôles du tout le font rire et glousser. Il est impoli, brusque, et ne perçoit pas ce qui se passe autour de lui. Toute cette histoire est une parodie, une absurdité, probablement un des exemples les plus classiques de faux aveux que j'aie jamais vus.

Je l'interroge :

— Alors pourquoi se trouve-t-il en unité fermée au McLean ?

— Il a effectivement besoin d'un traitement psychiatrique, pourtant il ne devrait pas être bouclé dans une unité de patients psychotiques. C'est mon opinion, mais personne n'en tient compte. Tu peux peut-être parler à Renaud et à Saint Hilaire, et ils t'écouteront, toi. Nous irons à Salem pour passer le dossier en revue avec eux. Et on en profitera pour jeter un œil sur les lieux.

— Et la dépression de Johnny ? Si on en croit sa mère, ses trois premières années à Harvard se sont très bien déroulées, et brusquement il doit être hospitalisé ? Quel âge a-t-il ?

— Dix-huit ans. L'automne dernier, il a entamé sa dernière année à Harvard, et son état s'est sensiblement dégradé. Verbalement et sexuellement agressif, de plus en plus agité et paranoïaque. Désordre de la réflexion, perception faussée. Des symptômes semblables à ceux de la schizophrénie.

— La drogue ?

— Aucun indice ne permet de le penser. Lorsqu'il a avoué le meurtre, il a été soumis aux tests, qui se sont révélés négatifs. Même ses cheveux ne contenaient aucune trace de drogue ou d'alcool. Son amie Dawn Kincaid étudie au MIT, et Johnny et elle travaillaient sur un projet. L'état de Johnny l'a tellement inquiétée qu'elle a fini par appeler sa famille. Cela se passait en décembre. Puis, il y a de cela une semaine, Johnny a été admis au McLean avec une plaie par arme blanche à la main. Il a annoncé à son psychiatre qu'il avait tué Mark Bishop, prétendant qu'il avait pris le train pour Salem avec un pistolet à clous dans son sac à dos. Il aurait eu besoin d'un sacrifice humain pour se débarrasser de l'entité démoniaque qui s'était emparée de sa vie.

— Pourquoi des clous ? Pourquoi pas une autre arme ?

— Un truc à voir avec les pouvoirs magiques du fer. Tous ces détails ont traîné dans les médias.

Je me souviens d'avoir vu quelque chose sur Internet à propos d'os du démon, ce que je mentionne à Benton.

— Tout à fait. On prétend que c'est ainsi qu'on aurait baptisé le fer dans l'ancienne Égypte. Du coup, certaines boutiques de Salem vendent ces fameux os du démon.

— Noués en forme de X, protégés dans une pochette en satin rouge. J'en ai vu dans les magasins de sorcellerie de Salem. Mais pas le même type de clous. Ceux qu'on y trouve ressemblent plutôt à des pointes et sont censés avoir l'air d'antiquités. Je doute qu'ils soient galvanisés.

— Le fer a la réputation de protéger des esprits malfaisants, ce qui explique pourquoi Johnny aurait utilisé des clous de ce métal. En tout cas, c'est sa version. Totalement dénuée d'originalité : comme tu viens de le souligner, durant les jours qui ont précédé ses aveux cette hypothèse courait déjà dans tous les reportages. (Benton fait une pause, puis ajoute :) Tes propres services ont suggéré la magie noire comme mobile possible, sans doute à cause du lien avec Salem.

— Offrir des théories ne relève pas de nos compétences. Notre travail consiste à nous montrer impartiaux et objectifs. Nous avons suggéré une chose pareille ? Que veux-tu dire par là ?

— Le sujet a été discuté, voilà tout.

J'insiste, bien que connaissant la raison :

— Avec qui ?

— Jack a toujours été un électron libre, mais il semble avoir perdu le peu de maîtrise qui lui restait, conclut Benton.

— Nous avons définitivement établi le fait que Jack constitue un problème auquel je ne peux plus trouver de solution.

J'en reviens à ce que Benton a mentionné plus tôt, à propos de l'amie du MIT de Johnny Donahue :

— Sur quel projet travaillaient-ils ? Et quelle est la spécialisation de Johnny ?

— La science informatique. Depuis le début de l'été dernier, il était stagiaire chez Otwahl Technologies, à Cambridge. Il est particulièrement doué dans certains domaines, ainsi que l'a souligné sa mère…

— Stagiaire en quoi ? Qu'y faisait-il ?

Je revois la façade de béton précoulé d'Otwahl, qui se dresse tel le vertigineux barrage Hoover du Colorado, non loin de l'endroit que nous venons de traverser, cette partie de Cambridge où le SUV aux phares au xénon nous a suivis avant de s'évanouir dans l'obscurité.

— Génie logiciel appliqué aux robots de reconnaissance et aux technologies voisines, répond Benton comme si le sujet n'avait guère d'importance puisqu'il ignore ce que je sais à propos de ces robots.

Des drones terrestres télécommandés, des robots militaires semblables au prototype de MORT qui se trouve dans l'appartement de la victime de Norton's Woods.

— Mais que se passe-t-il ici, Benton ? dis-je, troublée. Pour l'amour du ciel, que se passe-t-il ?

Chapitre 7

Le mauvais temps s'est installé. Bien que le vent soit tombé, une couche de neige de plusieurs centimètres s'est formée. La circulation est fluide sur Memorial Drive, la météo n'ayant que peu d'influence sur les gens habitués aux hivers de la Nouvelle-Angleterre.

Sur la gauche de la route, les terrains de jeu et les toits des résidences estudiantines du MIT sont complètement blancs. De l'autre côté, un voile neigeux évoquant de la fumée flotte sur la piste cyclable et le hangar à bateaux, avant de s'évanouir dans l'obscurité glacée de la Charles River. Plus loin vers l'est, là où la rivière se jette dans le port, des formes rectangulaires fantomatiques et des taches de lumière dans la nuit laiteuse dessinent la ligne des toits de Boston. Pas un seul avion ne vole au-dessus de Logan Airport.

— Nous devrions rencontrer Paul Renaud le plus vite possible – le plus tôt sera le mieux, déclare Benton, faisant allusion au procureur général du comté d'Essex.

Je reconstitue les pensées de Benton. Paul Renaud devrait être averti que la confession de Johnny Donahue risque de ne pas se révéler aussi limpide qu'il y paraît, et que d'une façon ou d'une autre il pourrait exister un lien entre l'étudiant d'Harvard et l'homme qui repose dans ma chambre froide.

— Mais si l'Agence de recherches avancées de la Défense est impliquée dans tout cela ? ajoute Benton.

— Otwahl reçoit des financements de l'Agence mais ne lui appartient pas, pas plus qu'au département de la Défense. Il s'agit d'une entreprise internationale privée, certes étroitement liée au gouvernement par le biais de subventions conséquentes, des dizaines de millions, peut-être même davantage, depuis sa mise au point plutôt maladroite de MORT.

— Le problème consiste à savoir sur quels autres projets ils travaillent actuellement. Sur quelle recherche qui pourrait revêtir une signification dans toute cette affaire.

— Je n'en sais vraiment rien. Mais il suffit de jeter un œil à cet endroit pour s'en faire une idée.

Si nous repartions en direction d'Hascom, nous passerions à moins d'un kilomètre d'Otwahl Technologies et de son installation adjacente consacrée aux essais de supraconductivité, un gigantesque complexe indépendant doté de sa propre police privée. Je poursuis :

— Sans doute la neutronique, à cause de la science des matériaux et de ses applications aux nouvelles technologies.

— Tu veux parler de la robotique.

— Robotique, nanotechnologies, génie logiciel, biologie synthétique… Lucy maîtrise un peu le sujet.

— Probablement plus qu'un peu, rectifie Benton.

— La connaissant, beaucoup plus qu'un peu, en effet.

— Ils sont sans doute en train de nous fabriquer de foutus humanoïdes, afin qu'on ne soit jamais à court de soldats.

— Ce serait possible, dis-je sans plaisanter.

— Et Briggs serait au courant du robot dans l'appartement de ce type à cause des fichiers vidéo ? insiste-t-il en parlant de l'homme de Norton's Woods. Et quoi d'autre encore ? Je me demande s'il en a parlé à Jack, s'il l'a contacté et lui a mis la puce à l'oreille en lui posant des questions.

Je lui fournis des explications supplémentaires, lui faisant un compte rendu plus détaillé de l'homme et des enregistrements découverts par Lucy – enregistrements que Marino a envoyés de façon inopportune à Briggs avant que j'aie l'occasion de les découvrir, d'autant que je n'ai pu les regarder que superficiellement, sur le chemin du terminal de l'aviation civile de Dover. Je raconte tout à Benton, à propos du robot à six pattes au sort malheureux, MORT, le *Mortuary Operational Removal Transport*, poussé près de la porte de l'appartement. Je lui rappelle les controverses, les différends que j'ai eus avec certains hommes politiques et surtout avec Briggs à propos de l'utilisation d'une machine pour récupérer les hommes sur le champ de bataille ou ailleurs.

Je lui décris cette espèce d'horreur, la cruauté de cet assemblage de métal avec propulsion à essence, qui faisait un bruit de tronçonneuse en se déplaçant sur le sol par embardées pour aller extraire des êtres humains morts ou blessés en les agrippant dans des pinces qui ressemblaient aux mandibules d'une fourmi géante.

— Tu es à l'agonie sur le terrain, et voilà ce que tes camarades envoient pour te récupérer… Tu te rends compte de ce que cela signifie ? Quelle sorte de message adresse-t-on aux proches de la victime quand ils voient ça aux informations ?

— Je suppose que tu as servi ce genre de discours incendiaire quand tu as témoigné devant la sous-commission du Sénat chargée des dotations à l'armée ?

— Je ne me souviens pas mot pour mot de mes déclarations.

— Je suis sûr que tu n'as pas dû te faire des amis chez Otwahl. Tu t'es même sans doute fait des ennemis dont tu n'as pas idée.

Je rectifie :

— Ni Otwahl ni aucune autre entreprise technologique n'étaient en cause. Otwahl n'a rien fait d'autre que mettre au point un drone terrestre. Ce sont des gens du Pentagone qui ont accouché de cet objectif soi-disant utile. Je pense qu'à l'origine MORT n'était rien d'autre qu'un robot militaire. J'avais même complètement oublié que l'entreprise en question était Otwahl, jusqu'à ce soir. Je ne me suis jamais préoccupée d'elle. C'est avec le Pentagone que je n'étais pas d'accord, et j'étais bien décidée à camper sur mes positions.

Je manque d'ajouter « cette fois-ci », mais me rattrape à temps. Benton ne sait rien de la fois où j'ai cédé du terrain.

— Des ennemis qui n'ont rien oublié. Les ennemis de ce genre n'oublient jamais rien, Kay. Je regrette de ne pas avoir été au courant au moment des faits.

À l'époque où je ferraillais au Capitole, Benton ne se trouvait pas dans les parages. Bénéficiant d'un programme de protection des témoins, il n'était pas exactement en position de m'aider ou me donner des conseils, ni même de m'assurer qu'il n'était pas mort.

— Tu dois avoir des dossiers là-dessus, poursuit-il, des archives qui remontent à cette époque.

— Pourquoi ?

— J'aimerais y jeter un œil, m'informer. Cela pourrait expliquer quelques petites choses.

— Quelles choses ?

— J'aimerais examiner ce que tu as conservé, répète-t-il.

Les retranscriptions de mon témoignage, les enregistrements vidéo d'extraits diffusés sur C-Span, la chaîne du Capitole et de la Maison-Blanche : ce dont je dispose doit se trouver dans mon coffre installé dans notre sous-sol de Cambridge – en compagnie de certains éléments que je ne veux pas communiquer à Benton. Un épais dossier gris à soufflets, et des photos que j'ai prises avec mon propre appareil. Des carrés de carton blanc maculés de taches de sang, une improvisation avant l'apparition des kits de prélèvement ADN avec cartes FTA. En effet, lorsqu'il sèche à l'air libre, le sang persiste éternellement, et je savais dans quelle direction s'orientait la technologie. Des enveloppes blanches banales contenant des rognures d'ongles, des poils pubiens et des cheveux. Des prélèvements oraux, anaux et vaginaux, et des sous-vêtements ensanglantés déchirés et découpés. Une bouteille de chablis vide, une canette de bière. Des éléments que j'avais rapportés clandestinement de l'autre côté de la terre, d'un continent sombre, il y a plus de vingt ans, des indices que je n'aurais pas dû avoir, des preuves que je n'aurais pas dû faire analyser personnellement. J'en ai décidé autrement. Me vient un doute tenace : si Benton avait connaissance de l'affaire du Cap, ses sentiments pour moi pourraient changer. Il continue :

— Tu sais ce qu'on dit : « La vengeance est un plat qui se mange froid. » Tu as flanqué en l'air un énorme projet de plusieurs millions de dollars, une *joint venture* entre le département de la Défense et Otwahl

Technologies. Tu as piétiné pas mal de plates-bandes, et bien qu'il se soit écoulé un certain nombre d'années, je suis convaincu qu'il y a là-bas des gens qui n'ont pas oublié, contrairement à toi. Et aujourd'hui, voilà que tu travailles avec le département de la Défense, à deux pas d'Otwahl. L'occasion est parfaite de mettre sa vengeance sur pied, de te rendre la monnaie de ta pièce.

— La monnaie de ma pièce ? Un type qui meurt subitement à Norton's Woods serait une façon de me faire payer ?

— Je pense simplement que nous devrions cerner les personnages en cause.

Nous demeurons ensuite silencieux. Devant nous s'étire le pont à poutrelles qui relie Cambridge à Boston, l'Harvard Bridge, que les gens du coin baptisent Mass Avenue Bridge ou MIT Bridge, suivant leurs affinités. Un peu plus loin s'élèvent mes bureaux, réunis dans un bâtiment semblable à un phare, en forme de silo surmonté d'un dôme de verre, six étages aux flancs de titane renforcé par de l'acier. La première fois que Marino a vu le Centre de sciences légales, il a décrété qu'il ressemblait à une balle dum-dum. Une métaphore assez parlante dans l'obscurité mêlée de neige.

Quittant Memorial Drive, nous nous éloignons de la rivière et tournons à gauche pour rejoindre le parking, illuminé par des lampes de sécurité solaires et ceint d'une clôture noire en PVC impossible à escalader ou découper. J'extrais de mon sac une télécommande et enfonce une touche qui ouvre la haute barrière. Nous roulons sur des traces de pneus presque entièrement recouvertes d'une mince couche blanche poudreuse. Les voitures d'Anne et Ollie sont garées près des fourgons à quatre roues motrices et des SUV du Centre. Il devrait y en avoir quatre, mais l'un d'entre eux manque, et depuis un moment, avant que la neige ne commence à tomber. Il s'agit probablement de celui de l'enquêteur médico-légal de garde.

Je me demande de qui il s'agit, et pourquoi cette personne est sortie avec l'un de nos véhicules. Sur une scène de crime, à moins qu'elle ne soit chez elle ? Je regarde autour de moi comme si je découvrais l'endroit. Au-dessus de la clôture, des deux côtés, se dressent des laboratoires qui appartiennent au MIT, des bâtiments de brique et de verre aux toits hérissés d'antennes et de paraboles. Les fenêtres sont plongées dans l'obscurité, à l'exception de quelques-unes qui brillent faiblement, comme si quelqu'un avait oublié d'éteindre une lampe de bureau. La neige zèbre la nuit, tombant avec un bruit évoquant le crachotis de la pluie. Benton se rapproche de l'immeuble pour se garer à la place réservée au directeur, à côté de celle de Fielding, désertée, recouverte de neige vierge.

— On pourrait se garer dans la baie de déchargement, propose-t-il, une nuance d'espoir dans la voix.

— Ce serait un passe-droit. De toute façon, c'est interdit. La baie est réservée aux livraisons et aux chargements.

— L'armée a déteint sur toi, Kay. Je vais adopter le salut militaire.

— Seulement à la maison.

Nous descendons de voiture. Je m'enfonce dans la neige jusqu'aux chevilles, une neige si froide, aux flocons si minuscules et glacés, qu'elle ne s'accumule pas sous la semelle de mes boots. Je compose un code sur un clavier scellé à côté du rideau métallique abaissé d'une baie. Il se relève avec fracas au moment où Marino et Lucy pénètrent sur le parking. La baie de déchargement ressemble à un petit hangar entièrement recouvert de peinture époxy blanche. Un engin de manutention monorail est installé au plafond, équipé d'un treuil électrique destiné aux corps trop volumineux pour être déplacés manuellement. Une rampe d'accès mène à une porte de métal, et sur le côté se trouve garé notre fourgon blanc, ce qu'à Dover nous appelons le camion à pain, conçu pour transporter jusqu'à six corps sur des civières ou dans des casiers de transfert, et pour servir de laboratoire de scène de crime mobile si nécessaire.

J'attends Marino et Lucy, tout en réalisant que ma tenue ne convient pas vraiment à la Nouvelle-Angleterre. Ma parka militaire, adaptée au Delaware, est insuffisante et je suis glacée jusqu'aux os. J'essaye de m'ôter de l'esprit qu'il serait bien plus agréable de m'asseoir devant un bon feu avec un *single malt* ou un bourbon *small batch*, de discuter avec Benton d'autres choses que de tragédie, de trahison et d'ennemis à la mémoire d'éléphant, de m'isoler du reste du monde. J'ai envie de prendre un verre et de parler franchement avec mon mari, de renoncer aux jeux et aux subterfuges, de ne plus me demander ce qu'il sait. J'ai besoin de passer un moment normal en sa compagnie… mais nous ignorons ce que cela signifie. Même lorsque nous faisons l'amour, nous gardons nos secrets, et rien n'est normal.

— Rien de nouveau, sauf de la part de Lawless, déclare Marino en réponse à une question que personne n'a posée pendant que la porte de la baie cliquette derrière nous. Il a enfin fini par nous envoyer un *mail* avec les photos de la scène de crime. Mais pour le chien pas de chance, personne n'a signalé de lévrier perdu.

— Quel lévrier ? demande Benton.

Trop occupée à lui décrire MORT, je n'ai guère mentionné ce que j'ai vu d'autre sur les fichiers vidéo et je me sens bête. Je précise :

— À Norton's Woods. Un lévrier noir et blanc baptisé Sock qui s'est apparemment enfui pendant que les secours s'occupaient de notre victime.

— Comment sais-tu qu'il s'appelle Sock ?

Je le lui explique pendant que j'applique mon pouce sur le senseur de la serrure biométrique pour qu'elle scanne mon empreinte, puis ouvre la porte qui mène au rez-de-chaussée du bâtiment. Je mentionne que le chien porte peut-être une puce électronique qui pourrait nous fournir des renseignements utiles à l'identification du propriétaire, et ajoute que certaines associations de sauvegarde pucent systématiquement les lévriers en fin de carrière sur les champs de courses avant de les proposer à l'adoption.

— Intéressant, remarque Benton. Je crois que je les ai vus.

— Il t'a regardé fixement quand tu sortais de l'allée dans ton cabriolet hier après-midi vers quinze heures quinze, précise Lucy.

Nous pénétrons dans la zone de traitement à l'arrivée, un espace ouvert qui dispose d'un bureau réservé à la sécurité et d'une balance digitale de sol. Une succession de portes en acier inoxydable massives ouvre sur des pièces réfrigérées et une chambre frigorifique.

— De quoi parles-tu ? demande Benton à ma nièce.

— Vous avez passé tout ce temps dans la voiture, dans le blizzard, et tu ne l'as pas mis au courant ? me lance Lucy, qui n'est pas à prendre avec des pincettes quand elle se met dans cet état.

Même si elle a raison, je ne peux m'empêcher de ressentir un pincement de contrariété. Une réflexion me traverse l'esprit : *Elle te connaît aussi. Elle te connaît tout autant que tu la connais.* Lorsque quelque chose me tracasse, que je garde obstinément par-devers moi, elle le sait parfaitement, et depuis notre départ de Dover je suis inquiète et obstinée. C'était idiot de ma part de ne pas expliquer dans le détail des choses sur lesquelles Benton peut m'aider. Je ne connais personne de plus habile sur le plan psychologique, et il aurait beaucoup à dire au sujet des menus détails récoltés par les enregistreurs dissimulés dans le casque du mort.

Au lieu de cela, je me suis focalisée sur l'Agence de recherches avancées de la Défense, parce que, en réalité, je suis obsédée par Briggs. Je ne me remets pas de ce qui s'est produit plus tôt dans la journée, de ce qui s'est produit il y a des dizaines d'années. Ce qu'a provoqué le général semble n'avoir jamais de fin. Il connaît cette zone sombre de mon passé, cet endroit que je ne montre à personne, et une partie de moi-même ne lui pardonnera jamais d'avoir créé cette situation. C'est lui qui a eu l'idée de m'envoyer au Cap. Ce fichu plan génial venait de lui.

Le regard fixé sur moi, Lucy s'adresse à Benton :

— L'homme et le lévrier sont passés juste devant votre allée quelques minutes avant sa mort. Si vous n'étiez pas parti, vous auriez entendu les sirènes. Vous vous seriez probablement rendu sur place pour voir ce qui se passait, et vous auriez peut-être glané des informations utiles.

Elle me dévisage comme si elle entrevoyait cette part sombre de moi-même. Je me rassure en me disant qu'elle ne peut être au courant. Je ne lui en ai jamais parlé, je ne l'ai jamais confié à Benton, ni à Marino, ni à qui que ce soit. À l'exception de ceux que j'ai conservés, tous les documents ont été détruits. Briggs me l'a promis il y a des décennies, lorsque j'ai quitté l'Institut d'anatomopathologie de l'armée et déménagé en Virginie, à l'époque où je savais déjà, sans qu'on me l'ait dit, que des dossiers manquaient. Je me répète que Lucy ne possède pas la combinaison de mon coffre, non plus que Benton. Personne ne l'a.

— Si vous faites un saut à mon labo, je vous montrerai les fichiers vidéo, propose Lucy à Benton.

Incertaine de la vérité, je demande à mon mari :

— Tu ne les as pas vus ?

Il se conduit comme si tel était le cas. Toutefois, peut-être s'agit-il encore de secrets, toujours davantage de secrets. Pourtant, lorsqu'il répond, je crois percevoir sa sincérité :

— Non. Mais je tiens à les visionner.

— Bizarre que vous apparaissiez dessus, lui dit Lucy. Comme votre maison. Vraiment bizarre. Ça m'a fait un drôle d'effet de voir ça.

Le vigile de nuit est assis derrière sa vitre. Il nous adresse un signe de tête, mais ne se lève pas de son bureau. C'est un homme massif et musclé, à la peau sombre, aux cheveux rasés de près et au regard dépourvu d'aménité, qui répond au nom de Ron. Il paraît avoir peur de moi, ou bien il se tient sur ses gardes. À l'évidence, on lui a intimé l'ordre de s'acquitter de sa mission en évitant toute cordialité, avec qui que ce soit. J'imagine les histoires qu'on a dû lui raconter, et Fielding me revient à l'esprit. Que lui est-il arrivé ? Quels problèmes a-t-il provoqués ? À quel point a-t-il porté tort au Centre ?

Je m'approche du guichet du vigile et vérifie le registre des entrées. Trois corps sont arrivés depuis quinze heures : un décès dû à un accident de la route, un homicide par arme à feu et une asphyxie par sac en plastique dans des circonstances encore indéterminées.

Je demande à Ron :

— Le Dr Fielding est là ?

Ancien membre de la police militaire des Marines, il est toujours tiré à quatre épingles et fier de son uniforme bleu nuit orné du drapeau américain et des épaulettes du bureau du médecin expert de l'armée, sans oublier son insigne en cuivre du service de sécurité du Centre sur sa chemise. Il me répond derrière sa vitre, le visage méfiant et rien moins que chaleureux, qu'il n'a pas vu Fielding. Il m'informe qu'Anne et Ollie sont présents, personne d'autre. Même l'enquêtrice médico-légale de garde, Janelle, n'est pas là, m'apprend-il. Il me répond d'un ton monocorde, ponctué de « m'dame », me rappelant à quel point les « m'dame » par-ci et « m'dame » par-là peuvent paraître froids et condescendants, et combien j'en ai soupé de les entendre à Dover. Janelle travaille chez elle à cause du temps, m'explique Ron. Il semble que Fielding lui ait assuré que ça ne posait pas de problème, ce qui n'est pas le cas. C'est contraire aux règles que j'ai établies. Les enquêteurs médico-légaux ne travaillent pas à domicile.

Je l'informe que nous serons dans la salle de radiographie.

— Si quelqu'un d'autre se présente, vous pourrez nous y contacter. Mais à moins que ce ne soit le Dr Fielding, l'identité du visiteur doit m'être communiquée afin que je donne l'autorisation de passage. D'ailleurs, même s'il s'agit de Fielding, prévenez-moi. Qui que ce soit.

— Si le Dr Fielding arrive, vous voulez que je vous appelle, m'dame. Pour vous prévenir, répète-t-il au point que j'en viendrais à croire qu'il ne comprend pas ce que je veux dire, à moins qu'il ne discute mes ordres.

Pour que les choses soient bien claires, j'insiste :

— Tout juste. Même s'il s'agit d'employés du Centre, personne ne rentre comme ça, sans que je vous en aie donné l'autorisation. À partir de maintenant, je veux que tout soit hermétique.

— Compris, m'dame.

— Des appels des médias ? Ils se sont manifestés ?

— Je surveille, m'dame.

Trois murs sont ornés d'écrans, chacun divisé en quatre parties qui diffusent en rotation constante les images enregistrées par les caméras de surveillance placées à l'extérieur du bâtiment et dans les zones stratégiques telles que les baies de déchargement, les couloirs, les ascenseurs, le hall d'entrée et toutes les portes de l'immeuble.

— Je sais qu'il y a des problèmes avec l'homme découvert dans le parc, ajoute Ron en regardant pardessus mon épaule en direction de Marino, comme s'il existait entre eux une sorte de connivence.

— Bien, vous savez où nous sommes. Merci, dis-je en ouvrant une nouvelle porte.

Un long couloir blanc carrelé de gris mène à une série de salles aménagées dans un ordre logique qui facilite le déroulement de nos interventions. La salle d'identification constitue le premier arrêt : les cadavres y sont photographiés, leurs empreintes relevées, et leurs effets personnels transmis par la police enlevés et conservés dans des casiers. Lui succède une salle de radiographie avec un appareil à rayons X grand champ, qui inclut le CT scanner, puis ensuite la salle d'autopsie, la salle de déchets, l'antichambre, les vestiaires, la salle des casiers, le laboratoire d'anthropologie, le laboratoire de confinement biologique de niveau 4 utilisé lors de suspicion de contamination ou d'infection. Le couloir forme un cercle qui se boucle là où il a débuté, à la baie de déchargement.

J'interroge Marino :

— Que sait la sécurité de notre patient de Norton's Woods ? Pourquoi Ron semble-t-il penser qu'il y a un problème ?

— Je lui ai rien dit.

— Là n'était pas ma question. Que sait-il ?

— Il était pas en poste quand nous sommes partis plus tôt. Je l'ai pas vu.

Je répète d'un ton patient, peu désireuse de me chamailler avec Marino devant les autres :

— Je me demande ce qu'on lui a raconté. La situation est évidemment très sensible.

— Avant de partir, j'ai donné l'ordre à tout le monde de se tenir sur ses gardes avec les médias, répond-il en ôtant son blouson de cuir alors que nous atteignons la salle de radiographie.

La lampe rouge au-dessus de la porte indique qu'on est en train d'utiliser le scanner. Anne et Ollie n'ont sûrement pas commencé sans moi. Cependant ils ont pour habitude de décourager les gens de pénétrer dans cette zone lorsque les niveaux de radiation sont beaucoup trop élevés pour des patients bien vivants.

— Et que Janelle et les autres travaillent chez eux, c'était pas non plus mon idée, ajoute Marino.

Je ne pose pas la question de savoir depuis combien de temps dure cette situation, ni qui sont les « autres ». Qui d'autre a travaillé à domicile ? Je me retiens de balancer que le Centre est une installation gouvernementale et paramilitaire, pas un pique-nique de bénévoles.

— Cet enfoiré de Fielding, marmonne alors Marino. Il est en train de tout foutre en l'air.

Je m'abstiens de répondre. Ce n'est pas le moment de discuter du niveau d'emmerdements dans lequel nous pataugeons.

— Vous savez où me trouver, déclare Lucy en s'éloignant en direction de l'ascenseur, avant d'actionner du coude un énorme bouton mains libres.

Elle disparaît derrière les portes coulissantes en acier, tandis que je passe mon pouce sur un autre senseur biométrique et que la serrure s'ouvre avec un déclic.

À l'intérieur de la salle de contrôle, le Dr Oliver Hess, le radiologue médico-légal, est assis devant une station de travail protégée d'une paroi de verre plombé. Il a l'air endormi, les cheveux gris indisciplinés, comme si je venais de le tirer du lit. Derrière lui, à travers une porte ouverte, j'entrevois le scanner Siemens Somatom Sensation couleur coquille d'œuf et j'entends l'écho du ventilateur de son système de refroidissement à eau. Il s'agit d'une version modifiée de l'appareil utilisé à Dover : il est équipé d'un support de tête particulier et de sangles de sécurité. Le câblage sous-jacent, le pupitre de commande ainsi que la table sont recouverts de lourdes housses de vinyle pour protéger l'appareil à plusieurs millions de dollars de contaminants tels que les fluides corporels. Légèrement incliné vers la porte pour faciliter le positionnement et l'enlèvement des corps, le scanner est prêt à l'utilisation, et la technicienne Anne Mahoney est en train de disposer des marqueurs à la peau radio-opaques sur l'homme de Norton's Woods. En me rapprochant, j'éprouve un sentiment étrange. Bien que je ne l'aie jamais vu auparavant, n'ayant aperçu que des fragments de lui sur des enregistrements vidéo, il me paraît familier.

Je reconnais la nuance un peu mate de sa peau, ses mains fines posées de part et d'autre de ses flancs par-dessus un drap bleu jetable, ses longs doigts effilés légèrement repliés rendus rigides par la *rigor mortis*.

Sur les fichiers vidéo, j'ai entendu sa voix, entrevu ses mains, ses boots, ses vêtements, mais je n'ai pas vu son visage. Je ne sais pas très bien ce que j'avais imaginé, mais ses traits délicats, ses longs cheveux bruns bouclés, les taches de rousseur légères qui constellent ses joues lisses me troublent vaguement. Je tire le drap et constate qu'il est très mince et très peu poilu. Il doit mesurer à peine un peu plus d'un mètre soixante-dix et peser soixante kilos. On pourrait aisément le prendre pour un adolescent de seize ans, et je repense à Johnny Donahue, qui n'est pas beaucoup plus âgé. Des gamins. Serait-ce là le dénominateur commun ? Ou bien Otwahl Technologies ?

Je m'adresse à Anne, une jeune femme d'une trentaine d'années plutôt quelconque aux cheveux bruns hirsutes et au tendre regard noisette.

— Quelque chose d'intéressant ?

Anne est probablement le meilleur élément de tout le personnel, capable d'entreprendre n'importe quoi, qu'il s'agisse des divers types d'imageries radio ou d'aider à la morgue ou sur une scène de crime. Toujours pleine de bonne volonté.

— Ceci, me répond-elle. Je l'ai découvert lorsque je l'ai déshabillé.

De ses mains gantées de latex elle agrippe le corps à la taille et aux hanches, le soulevant pour que je puisse distinguer un petit défaut sur le côté gauche du dos, au niveau des reins.

— Manifestement, personne ne l'a remarqué sur place parce que ça n'a pas saigné, ou en tout cas très peu. Vous êtes au courant de l'hémorragie, dont j'ai été témoin ce matin au moment où je me préparais à le passer au scanner ? Du fait qu'il a saigné en abondance de la bouche et du nez après avoir été placé dans la housse à cadavre et transporté ?

— Ça explique ma présence.

J'ouvre un tiroir pour prendre une loupe. Vêtu d'une blouse et d'un masque chirurgical, ganté, Benton fait son apparition à mon côté.

— Il présente une sorte de plaie, lui dis-je en me penchant sur le corps.

La blessure irrégulière ressemble à une boutonnière une fois grossie par la loupe. Je poursuis :

— On peut incontestablement exclure une blessure par balle. En revanche, j'opterais pour une plaie occasionnée par une arme blanche, une lame très étroite, un genre de couteau à désosser, mais avec deux bords effilés… Quelque chose comme un stylet, une dague.

— Un coup de stylet dans le dos l'aurait tué instantanément ? me demande Benton, le regard sceptique au-dessus de son masque.

— Non. Sauf si le coup a été porté à la base de la nuque et a tranché la moelle épinière.

Je repense à Mark Bishop et aux clous qui l'ont tué.

— J'l'ai déjà dit à Dover : on lui a peut-être injecté une saloperie, propose Marino, qui vient de rentrer, revêtu des pieds à la tête des vêtements de protection, y compris une charlotte et un écran facial, comme s'il redoutait des agents pathogènes ou des spores mortelles du genre anthrax. Peut-être une espèce d'anesthésiant. Une injection létale, quoi. Ça, ça vous ferait tomber raide.

— Premier point, un anesthésiant du genre thiopental sodique, bromure de pancuronium ou chlorure de potassium est administré en intraveineuse, dis-je en enfilant des gants d'examen. On ne les injecte pas dans le dos. *Idem* pour le mivacurium et la succinylcholine. Si vous voulez tuer quelqu'un rapidement et à coup sûr avec un bloquant neuromusculaire, vous avez intérêt à le faire par intraveineuse.

— Mais ça vous tuerait quand même si on vous l'injectait dans un muscle ? insiste Marino en ouvrant un placard dont il sort un appareil photo, puis en farfouillant dans un tiroir pour trouver une règle de plastique graduée de quinze centimètres qui va lui servir de point de référence. Quelquefois, pendant les exécutions capitales, l'injection rate la veine pour aller dans le muscle, et le condamné meurt quand même.

Je rétorque :

— Oui, mais d'une mort très lente et très douloureuse. Au dire de tous, celle de cet homme a été rapide, et quant à cette blessure, elle n'a pas été infligée par une aiguille.

— Je dis pas que les techniciens des prisons le fassent exprès, mais ça arrive. Enfin, si d'ailleurs, ils le font probablement exprès. Y en a qui refroidissent le cocktail létal pour être sûrs que le salopard la sente bien, l'étreinte glacée de la mort, ajoute-t-il au bénéfice d'Anne, passionnément opposée à la peine capitale.

La façon de flirter de Marino consiste à provoquer la jeune femme à la moindre occasion.

— Répugnant ! pointe-t-elle.

— Hé, eux, ils s'en foutaient pas mal, des gens qu'ils ont butés, d'accord ? Ils s'en foutaient qu'ils souffrent, d'accord ? Qui sème le vent récolte la tempête. Qui a planqué cette foutue étiqueteuse ?

— Moi, rétorque-t-elle. La nuit, je me retourne dans mon lit en inventoriant tous les moyens de me venger de vous.

— Ah ouais ? Et pourquoi ?

— Pour être ce que vous êtes.

Marino fouille dans un autre tiroir, dont il extrait l'étiqueteuse.

— Il a l'air sacrément plus jeune que ce qu'ont dit les secours. Quelqu'un d'autre que moi l'a remarqué ? Vous trouvez pas qu'il fait moins de vingt ans ? demande-t-il à Anne. Il a l'air d'un foutu gamin.

— À peine pubère, acquiesce-t-elle. Mais bon, tous les étudiants commencent à se ressembler pour moi. Ils ont l'air de bébés.

Je rappelle à tout le monde que nous ne savons pas s'il était étudiant.

Marino ôte l'adhésif au dos d'une étiquette qui comporte la date et le numéro du dossier, et colle celle-ci sur la règle en plastique.

— Je vais quadriller le quartier là-bas près du parc, voir si jamais un gardien d'immeuble le reconnaît, et je vais faire ça moi-même pour éviter que la machine à rumeurs se mette en branle. S'il vivait dans le coin, et on dirait bien que c'était le cas, d'après ce qu'on a vu sur les vidéos, quelqu'un doit se souvenir de lui et de son lévrier. Sock. Chaussette. C'est un nom de clébard, ça ? déblatère Marino.

— Il ne s'agit probablement pas de son nom entier, intervient Anne. Les chiens de courses ont de ces noms à rallonge enregistrés dans les élevages, du genre « Chaussette de l'archiduchesse ».

— J'arrête pas de lui dire qu'elle devrait se présenter à un jeu télé, commente Marino.

— Il est possible que son nom figure dans un registre, commenté-je. Quelque chose avec Sock dedans. À moins que nous ayons de la chance et qu'il porte une puce.

— Ouais, si on trouve ce foutu chien, rétorque Marino.

Benton détaille le corps avec une rare intensité. Il intervient, comme s'il était en train de lui parler :

— On va examiner ses empreintes et son ADN au plus vite, j'espère ?

— J'ai relevé ses empreintes ce matin, et pas de chance, y a rien dans IAFIS, le système de saisie et de reconnaissance des empreintes digitales. Rien non plus dans le fichier des personnes disparues ou non identifiées. On aura son empreinte ADN demain et on la passera dans CODIS, la base de données des profils ADN, répond Marino en plaçant la règle sous le menton de l'homme de ses grosses mains gantées. Pour le chien, c'est quand même bizarre, quelqu'un a bien dû le récupérer. J'me demande si on devrait pas faire une annonce dans les médias à propos d'un lévrier perdu, avec un numéro où appeler.

— Rien qui vienne de nous en tout cas, dis-je. Pour l'instant, nous nous tenons à l'écart des médias.

— Tout à fait, ajoute Benton. On ne veut pas que les méchants sachent qu'on est au courant au sujet du chien, et encore moins qu'on est à sa recherche.

— Les méchants ? répète Anne.

— Quoi d'autre ? dis-je en tournant autour de la table, effectuant ce que Lucy appelle une « reconnaissance poussée », scrutant le corps des pieds à la tête.

Marino prend des photos et me répond :

— Ce matin, avant qu'on le remette dans la chambre froide, j'ai examiné ses mains à la recherche d'indices et tout ramassé au préalable, y compris ses effets personnels.

— Vous ne m'aviez pas parlé d'effets personnels. Vous m'avez juste dit qu'il ne paraissait pas en avoir.

— Ben, si. Une bague avec des armoiries, une montre en acier. Des clés sur un porte-clés. Voyons voir, quoi d'autre ? Un billet de vingt dollars. Une petite boîte à shit en bois, vide, mais j'ai effectué un prélèvement pour voir si elle contenait de la drogue. C'est la boîte qu'on aperçoit sur les images. On le voit la tenir une seconde, juste après son arrivée à Norton's Woods.

— Où a-t-elle été retrouvée ?

— Dans sa poche.

— Il l'a donc sortie de sa poche dans le parc, puis remise dedans avant son décès, tenté-je de résumer.

Je me souviens de ce que j'ai vu sur l'iPad, une main gantée tenant la petite boîte.

— À mon avis, on devrait chercher plutôt un truc du genre à priser ou fumer. Je parierais pour de la marie-jeanne. J'sais pas si vous avez remarqué, ajoute Marino en s'adressant à moi, mais il avait une pipe en verre sur son bureau.

— On verra ce que donnent les résultats des examens toxicologiques. On demandera une alcoolémie et on accélérera la recherche de drogues. Ils ne sont pas trop submergés là-haut ?

— Je vais dire à Joe de placer le dossier sur le haut de la pile, assure Anne, faisant allusion à l'expert en toxicologie que j'ai amené avec moi de New York et volé sans vergogne aux labos de la police. Vous êtes la patronne. Alors exigez. Bon retour, conclut-elle en me regardant dans les yeux.

— Quelle sorte d'armoiries, et à quoi ressemble le porte-clés ? demande Benton à Marino.

— Un écu avec un livre ouvert et trois couronnes.

À l'évidence, Marino se délecte de voir Benton à son désavantage. Le Centre de sciences légales est son domaine. Le grand flic poursuit :

— Aucune inscription, pas de phrase en latin, rien du même tonneau. Je sais pas à quoi ressemblent les blasons d'Harvard et du MIT.

— À rien de ce que vous décrivez, répond Benton. Je peux utiliser ça ? demande-t-il en désignant un ordinateur posé sur un plan de travail.

— Le porte-clés, c'est un de ces anneaux en acier fixés à une boucle en cuir, du genre qu'on passe à sa ceinture, continue Marino. En plus, on sait tous ça : pas de portefeuille, même pas de téléphone portable. Plutôt inhabituel, non ? Qui se trimbale sans portable ?

— Il sortait son chien et écoutait de la musique. Il n'avait probablement pas l'intention de s'absenter très longtemps et ne voulait pas répondre au téléphone, dit Benton tout en tapant des mots clés sur le clavier.

Je bascule le corps sur son flanc droit et regarde Marino.

— Vous voulez bien m'aider ?

— Trois couronnes et un livre ouvert, intervient Benton. La City University of San Francisco. Une université en ligne, spécialisée dans les sciences de la santé. Vous croyez qu'une université en ligne distribue des chevalières ?

J'interroge Marino :

— Ses affaires se trouvent dans quel casier ?

— *Numero uno*. J'ai la clé, si vous la voulez.

— Tout à fait. Y a-t-il des choses que les labos doivent analyser ?

— Nan, pas de raison.

— Alors nous allons garder ses effets personnels jusqu'à ce que la famille ou les pompes funèbres les récupèrent, quand on aura découvert son identité.

— Il y a aussi Oxford, déclare Benton, qui poursuit ses recherches sur Internet. Toutefois, si la chevalière venait d'Oxford, *Oxford University* aurait été gravé dessus, et vous avez dit qu'il n'y avait aucune inscription ou devise.

— Nan, confirme Marino. Ça m'évoque un truc qu'on fait réaliser spécialement. Vous savez, une simple bague en or gravée, sans doute pas un bijou aussi officiel que ce qu'on commande à une école ou une université. Donc sans devise ni inscription.

— Peut-être. Mais si elle a été fabriquée sur mesure, j'ai du mal à envisager que cela ait pu être pour Oxford. J'aurais plutôt tendance à penser que si quelqu'un suit les cours d'une université en ligne, il va commander une chevalière chez un bijoutier, puisque c'est l'unique moyen de s'en procurer une. Si tant est qu'il ait envie d'informer le reste du monde qu'il est élève d'une université sur Internet. Voilà le blason de la City University of San Francisco, annonce-t-il en s'écartant pour que Marino puisse voir l'écran de l'ordinateur : des armoiries élaborées avec un lambrequin or et azur, une chouette d'or avec trois fleurs de lys d'or qui surmontent trois couronnes d'or, et au milieu un livre ouvert.

Marino, qui se tient de côté, plisse les yeux pour distinguer ce qui s'affiche sur l'écran, puis hausse les épaules.

— Ça pourrait être ça. Si la personne l'a fait graver spécialement, la bague serait peut-être pas aussi détaillée. Ouais, c'est peut-être ça.

Tandis que j'examine l'aspect extérieur du corps et prends des notes sur un bloc à pince, je promets à la cantonade de regarder la chevalière plus tard.

— On a aucune raison de penser qu'il y a eu lutte et qu'on peut récupérer l'ADN de l'agresseur ou quoi que ce soit d'autre sur la montre, nulle part. Mais vous me connaissez, dit Marino en revenant où nous en étions restés au sujet des affaires du mort. J'ai quand même effectué des prélèvements sur tout. Rien d'inhabituel m'a frappé, sauf que sa montre était arrêtée. Un de ces trucs à remontoir que Lucy adore, un chronographe.

— À quelle heure ?

— J'l'ai noté. Bloquée juste après quatre heures du matin. Environ douze heures après son décès. Bon, il se trimbale avec un 9 mm contenant dix-huit balles, mais pas de portable, poursuit-il. D'accord. Peut-être qu'il l'avait sur lui, et qu'en fait on lui a piqué ? En même temps que le chien, aussi. Ça arrête pas de tourner dans ma tête.

Je lui rappelle qu'il y avait un téléphone sur un bureau, sur les images que j'ai vues.

— Branché sur un chargeur près de l'un des ordinateurs portables, je crois. Près de la pipe de verre que vous avez mentionnée, précisé-je.

— On pouvait pas voir tout ce qu'il a fait dans l'appartement avant de sortir. J'me suis dit qu'il avait attrapé son portable en partant, conjecture Marino. Ou bien il en a peut-être plusieurs, qui sait ?

— On le saura une fois qu'on aura trouvé son appartement, déclare Benton en imprimant ce qu'il a découvert sur Internet. J'aimerais voir les photos de la scène du décès.

— Vous voulez dire : quand *je* trouverai l'appartement, rectifie Marino en reposant l'appareil photo sur un plan de travail. Parce que c'est moi qui vais aller fouiner dans les parages. Les flics sont plus bavards que les vieilles dames. Quand j'aurai trouvé où habitait le type, je vous demanderai de l'aide.

Chapitre 8

Je note sur un diagramme corporel qu'à vingt-trois heures quinze la rigidité cadavérique est totale et la température du corps aussi basse que celle de la chambre froide. Le schéma et le positionnement des zones rouge sombre et des lividités cadavériques indiquent qu'il est resté à plat sur le dos, les bras le long du corps, paumes vers le bas, entièrement habillé, avec une montre au poignet gauche et une bague au petit doigt de la main gauche pendant au moins douze heures *post mortem*.

L'hypostase, plus connue sous le nom de *livor mortis* ou lividités cadavériques, est un de mes outils d'étude favoris, bien qu'elle soit souvent mal interprétée, même par ceux qui devraient s'y connaître. Elle peut faire penser à des contusions conséquentes à un traumatisme, alors qu'en réalité elle est due au phénomène mécanique banal du sang qui stagne et s'accumule dans les vaisseaux sous l'effet de la gravité. Les lividités varient du rouge sombre au violacé, avec des zones de décoloration plus claires qui désignent les endroits du corps qui ont reposé sur une surface dure. Quoi qu'on puisse me dire des circonstances de la mort, le cadavre, lui, ne ment pas.

J'observe :

— Pas de trace de lividités secondaires, qui pourraient indiquer que le corps a été déplacé alors que la *livor mortis* se formait. Ce que je vois correspond à sa position dans une housse à cadavre, puis sur un chariot, sans aucun mouvement.

Je fixe un diagramme corporel sur un bloc à pince et y dessine les marques laissées par la taille d'un pantalon, une ceinture, un bijou, des chaussettes et des chaussures, les parties plus pâles de la peau révélant la forme d'un élastique, d'une boucle de ceinture, d'un tissu ou d'un tissage particulier.

— En tout cas, tout cela suggère qu'il n'a même pas remué les bras, qu'il ne s'est pas agité. Un soulagement, conclut Anne.

— Je veux ! S'il était revenu à lui, il aurait au moins bougé les bras. C'est un sacré bon point, acquiesce Marino.

Les touches du clavier cliquettent tandis qu'une image emplit l'écran de l'ordinateur sur le plan de travail.

Je note que l'homme ne porte ni piercings, ni tatouages, et qu'il est propre. Ses ongles sont soigneusement coupés et sa peau lisse trahit une personne qui ne pratique aucun travail manuel ou activité physique pouvant engendrer des cals sur les pieds et les mains. Je palpe son crâne, à la recherche d'anomalies, fractures ou autres blessures, sans aucun résultat.

Marino contemple les photos que lui a envoyées l'enquêteur Lester Law.

— La question, remarque-t-il, est de savoir s'il est tombé face contre terre. J'veux dire : est-ce qu'il est sur le dos sur ces photos parce que les ambulanciers l'ont retourné ?

— Ils ont bien dû le retourner pour pratiquer la réanimation, fais-je en me rapprochant pour regarder.

Marino clique sur plusieurs clichés qui représentent tous la même chose, mais selon des angles différents : l'homme sur le dos, son blouson vert et sa chemise en jean ouverts, la tête tournée sur le côté, les yeux en partie fermés. Un gros plan sur son visage, les déchets collés à ses lèvres, qui ressemblent à des débris de feuilles mortes, d'herbes et de gravillons.

— Zoomez là-dessus, dis-je à Marino, qui d'un clic de souris agrandit l'image, et le visage enfantin de l'homme emplit l'écran.

Je retourne au corps derrière moi et vérifie si son visage et sa tête portent des blessures. Je remarque une écorchure sous son menton. Je tire sa lèvre inférieure et découvre une petite lacération, sans doute provoquée par ses dents inférieures lorsqu'il est tombé et que son visage a heurté l'allée de gravier.

— Impossible que tout le sang que j'ai vu provienne de là, remarque Anne.

Je confirme :

— Non, impossible. Mais cela laisse à penser qu'il est tombé face la première, vraisemblablement comme une masse, sans même trébucher ou tenter d'amortir sa chute. Où se trouve la housse dans laquelle on l'a transporté ?

— Je l'ai étalée sur une table dans la salle d'autopsie, j'ai pensé que vous voudriez l'examiner, me dit Anne. Et ses vêtements sèchent là-bas. Lorsque je l'ai déshabillé, j'ai tout mis dans l'armoire séchante près de votre poste de travail. Le poste numéro 1.

— Bien. Merci.

— Quelqu'un lui a peut-être flanqué un coup de poing ? propose Marino. On a peut-être détourné son attention en lui donnant un coup de coude ou de poing dans la figure avant de le poignarder dans le dos ? Sauf que les images auraient probablement été enregistrées. On le verrait sur les fichiers.

— Si quelqu'un l'avait frappé d'un coup de poing sur la bouche, sa lèvre ne serait pas simplement lacérée. Si vous regardez les débris sur son visage et l'endroit où se trouve le casque, dis-je en cliquant sur les images, de retour devant l'ordinateur, il semble qu'il soit tombé à plat ventre. Le casque est loin par là, au moins à deux mètres sous un banc, ce qui indique qu'il s'est écroulé avec suffisamment de force pour l'expédier à bonne distance et le déconnecter de la radio satellite, qui était dans sa poche si je ne m'abuse.

— À moins que quelqu'un d'autre n'ait déplacé les écouteurs, en les écartant d'un coup de pied par exemple, suggère Benton.

— C'était mon autre hypothèse, répliqué-je.

— Vous voulez dire, quelqu'un qui essayait de l'aider ? intervient Marino. Plein de gens agglutinés autour de lui et, du coup, les écouteurs échouent sous un banc ?

— Ou bien ce quelqu'un a agi délibérément, dis-je tout en remarquant un autre détail.

Je fais défiler les photos et m'arrête sur un cliché du poignet gauche de la victime. J'effectue un zoom sur la montre à tachymètre en acier et son cadran en fibre de carbone. L'heure de la prise de vue effectuée par l'officier de police sur la photo indique dix-sept heures dix-sept, mais la montre de la victime affiche vingt-deux heures quatorze, cinq heures plus tard.

— Quand vous avez récupéré cette montre ce matin, dis-je en m'adressant à Marino, vous avez dit qu'elle semblait arrêtée. Vous êtes sûr qu'elle n'indiquait pas simplement une heure différente de l'heure locale ?

— Nan, elle était arrêtée. Comme je vous ai dit, c'est une de ces montres mécaniques, et elle est arrivée en fin de course tôt ce matin, vers quatre heures.

Je pointe du doigt le cliché.

— On dirait qu'elle était réglée cinq heures plus tard que l'heure normale de l'Est.

— D'accord. Alors elle a dû s'arrêter aux alentours de vingt-trois heures, heure d'ici. Elle était décalée dès le départ, puis elle s'est arrêtée.

— Sa montre était peut-être réglée sur un fuseau horaire différent du nôtre parce qu'il venait d'atterrir en provenance d'un autre continent, suggère Benton.

— Dès qu'on en a fini ici, je pars à la recherche de son appartement, déclare Marino.

Je vérifie les paramètres de contrôle de la qualité du scanner, pour m'assurer que la déviation standard est de zéro et que le niveau de bruit de fond de l'appareil reste dans les limites normales.

— Nous sommes prêts ? dis-je à la cantonade.

Je suis impatiente de passer au scanner. Je veux voir ce qui se trouve à l'intérieur de cet homme.

— On va faire le topogramme, puis procéder à l'acquisition des données avant de passer à la reconstruction tridimensionnelle, avec un chevauchement d'au moins cinquante pour cent, je précise à Anne tandis qu'elle presse un bouton pour faire glisser la couchette dans le scanner. Mais nous allons modifier le protocole et commencer par le thorax plutôt que la tête, sauf, bien sûr, pour ce qui est de la glabelle comme point de référence.

Je fais allusion à la saillie lisse entre les sourcils, au-dessus du nez, que nous utilisons pour la détermination spatiale.

Nous retournons dans la salle de contrôle tandis que je parcours ma liste :

— Une étude transversale de la poitrine, correspondant exactement à la région qui nous intéresse, que vous avez marquée. Une localisation *in situ* de la blessure, et nous allons isoler cette zone, ainsi que toute blessure associée, tout indice sur la trajectoire de la plaie.

Je m'assieds entre Anne et Ollie, puis Marino et Benton tirent des chaises derrière nous. Je vois les pieds nus de l'homme dans l'ouverture du tunnel du scanner à travers la vitre. Je donne mes instructions :

— Multi-tâches, bruit de fond index 18. Rotation à 0,5, configuration du détecteur à 0,625. Coupe très mince à résolution ultra-haute. Collimation à 10 mm.

Les pulsations électroniques résonnent tandis que les détecteurs entament leur rotation dans le tube à rayons X. Le premier scanner dure soixante secondes. Je regarde l'acquisition en temps réel sur un moniteur. Je ne suis pas sûre de ce que je vois, mais ce ne devrait pas être ça. Un dysfonctionnement de l'appareil ou bien un mauvais fichier, celui d'un autre patient ? *Qu'ai-je donc sous les yeux ?*

— Seigneur ! souffle Ollie en fronçant les sourcils devant les images qui s'affichent en quadrillage sur l'écran, des images étranges qui semblent indiquer une erreur.

J'ordonne :

— Orientez spatialement et au fur et à mesure, puis alignez la blessure d'arrière en avant, de gauche à droite, et vers le haut. Connectez les points pour obtenir la mesure de pénétration de la plaie… comme elle est là. Qu'est-ce que c'est ? La trajectoire a disparu ?

— Bordel, c'est quoi ce truc ? demande Marino, perplexe.

— Rien que j'aie jamais vu auparavant, et sûrement pas dans le cas d'une blessure à l'arme blanche !

— Eh bien, première chose, il y a de l'air, annonce Ollie. Ce qu'on voit, c'est une sacrée quantité d'air !

J'explique en montrant à Marino et Benton :

— Ces zones sombres, là et là. Au scanner, l'air apparaît en masse sombre, par opposition aux zones blanches lumineuses, qui indiquent une densité plus importante. Les os, la calcification sont lumineux. La densité des pixels permet de donner une assez bonne idée de la nature d'un élément.

Je manie la souris et place le curseur sur une côte, pour qu'ils comprennent ce que je veux dire.

— On est à 1151. Alors que cette partie plus foncée, dis-je en déplaçant la flèche sur une zone pulmonaire, plafonne à 40. Du sang. Ces zones sombres et ternes signent une hémorragie.

Ce que je vois me fait penser à des blessures par balle à haute vitesse, qui provoquent de formidables déchirements et écrasements des tissus, ou à celles causées par l'onde de choc d'une explosion. Mais nous n'avons pas affaire ici à une blessure par balle, ni à un engin explosif. Je ne comprends pas comment l'une ou l'autre hypothèse pourrait être la bonne. Je poursuis :

— Une sorte de lésion qui traverse le rein gauche, remonte à travers le diaphragme jusqu'au cœur, en provoquant sur son passage une profonde dévastation. Et tout ça…, dis-je en soulignant les zones d'ombre autour des organes internes déplacés ou arrachés.

Encore de l'air sous-cutané. De l'air dans la musculature paraspinale, de l'air dans la cavité péritonéale. Comment tout cet air est-il entré dans ce type ? Ici, et encore ici. Blessure à l'os. Fracture d'une côte, fracture de l'apophyse transverse d'une vertèbre. Hémopneumothorax, poumon contusionné, hémopéricarde. Et encore de l'air. Là, là et là, dis-je en montrant l'écran. De l'air autour du cœur et dans les chambres cardiaques, de même que dans les veines et les artères pulmonaires.

— Et tu n'as jamais rien vu de la sorte ? me demande Benton.

— Oui et non. J'ai constaté des ravages identiques créés par des fusils d'assaut, des canons antichars, certains semi-automatiques chargés de munitions haute vitesse à fragmentation extrême. Plus la vitesse est élevée, plus l'énergie cinétique se dissipe à l'impact et plus grands sont les ravages, surtout sur les organes creux, comme les poumons et les intestins, et les tissus non élastiques, tels que le foie et les reins. Mais dans ce cas-là on aurait une trajectoire distincte et un projectile, ou en tout cas des fragments. Rien à voir ici.

— Et l'air ? Dans ces cas-là, tu vois des poches d'air comme celles-ci ?

— Pas tout à fait. Une onde de choc peut provoquer une embolie gazeuse en forçant l'air à franchir la barrière air-sang, par exemple vers l'extérieur des poumons. En d'autres termes, l'air atterrit là où il ne devrait pas, mais ici ça fait vraiment un gros volume d'air !

— Une sacrée quantité, renchérit Ollie. Et comment une blessure par arme blanche peut-elle provoquer une onde de choc ?

— Pratiquez une coupe sur ces coordonnées, lui dis-je en indiquant la région qui nous intéresse, marquée par un cercle blanc vif, le marqueur à la peau radio-opaque placé à côté de la blessure sur le côté gauche du dos de l'homme. Démarrez ici et continuez cinq millimètres en dessous et cinq millimètres au-dessus de la zone délimitée par les marqueurs. Cette partie-là, voilà, celle-ci. Et reformatons en numérisation 3D volumétrique, de l'intérieur vers l'extérieur. Des coupes très, très fines d'un millimètre, et quelle augmentation entre chaque, à votre avis ?

— 0,75 par 0,5, ça ira.

— D'accord, allons-y. Voyons à quoi ça ressemble, si on suit virtuellement la trajectoire, en tout cas ce qu'il en reste.

L'image des os est aussi vivace que si nous les avions sous les yeux, et les organes ainsi que les autres structures internes apparaissent dans une bonne définition, en diverses nuances de gris, tandis que la partie supérieure du corps, le thorax de la victime, commence à pivoter lentement en trois dimensions sur le moniteur vidéo. À l'aide d'un logiciel conçu à l'origine pour les coloscopies virtuelles, et modifié en conséquence, nous pénétrons le corps par le minuscule orifice en forme de boutonnière, remontant à l'aide d'une caméra virtuelle, comme si nous nous trouvions dans une navette spatiale microscopique évoluant lentement à travers des nuages gris et troubles de tissus, dépassant un rein gauche pulvérisé comme un astéroïde. Une ouverture irrégulière s'ouvre grand devant nous, et nous traversons un large trou dans le diaphragme. Au-delà, il n'y a plus que contusions, lacérations, dévastation. *Que t'est-il arrivé ? Qu'est-ce qui a pu provoquer cela ?* Je n'en ai pas la moindre idée. Découvrir des dommages physiques qui semblent défier les lois de la physique, des effets sans cause, voilà qui engendre un sentiment d'impuissance. Il n'y a pas de projectile, pas de fragments, je ne distingue rien de métallique. Il n'existe pas d'orifice de sortie, uniquement la boutonnière d'entrée sur le côté gauche du dos. Je réfléchis à haute voix, répétant les points importants, pour être sûre que tout le monde comprenne bien l'incompréhensible.

— J'oublie toujours que rien ne fonctionne ici, remarque distraitement Benton en consultant son iPhone.

— Aucun projectile n'est ressorti, rien n'est apparu, conclus-je en songeant à l'étape suivante. Pas de trace de quoi que ce soit de ferreux, mais nous devons nous en assurer.

— Absolument aucune idée de ce qui a pu faire ça, assène Benton.

Il ne s'agit pas d'une question. Il se lève de son siège, dénoue sa blouse jetable dans une série de bruissements.

— Vous connaissez le proverbe, continue-t-il. Rien de nouveau sous le soleil. Eh bien, à l'instar de beaucoup de proverbes, il est faux.

— En tout cas, ça, c'est une première pour moi, dis-je.

Benton se penche et ôte ses protège-chaussures en commentant :

— Nous sommes confrontés à un homicide, c'est indéniable.

— À moins qu'il se soit envoyé de la bouffe mexicaine vraiment dégueulasse, jette Marino.

L'idée me traverse vaguement l'esprit que l'attitude de Benton est suspecte. Je me répète encore une fois :

— Identique à un projectile haute vitesse, sauf qu'il n'y a pas de projectile, et si celui-ci est sorti du corps, où se trouve l'orifice de sortie ? Bon sang, où est le métal ? Avec quoi a-t-il bien pu être abattu ? Une balle de glace ?

— J'ai vu un truc là-dessus dans *MythBusters*, l'émission qui démonte les rumeurs et les légendes urbaines. Ils ont prouvé que c'était pas possible, à cause de la chaleur, m'explique Marino, prenant mes paroles au pied de la lettre. Enfin, je sais pas... Qu'est-ce qui se passerait si on chargeait l'arme et qu'on la garde dans le congélateur jusqu'au moment de l'utiliser ?

— Si vous étiez *sniper* dans l'Antarctique, peut-être, se moque Ollie. D'où ça vient, d'ailleurs, cette idée de balle congelée ? De *Dick Tracy* ? Je pose une vraie question là.

— Je croyais que c'était un *James Bond*, mais je ne sais plus lequel.

— Peut-être la plaie de sortie n'est-elle pas évidente ? me fait remarquer Anne. Vous vous souvenez de ce type à qui on avait tiré dans la mâchoire, et la balle était ressortie par la narine ?

— Dans ce cas, où se trouve la trajectoire ? Il nous faudrait un meilleur contraste entre les tissus, nous devons être certains que rien ne nous échappe avant que je ne pratique l'autopsie.

— Si tu as besoin de moi, je peux appeler l'hôpital, propose Benton en ouvrant la porte.

Il est pressé, bien que je ne sache pas pourquoi. Il n'a pas de responsabilité dans ce dossier.

— Sinon, je vais jeter un œil à ce que Lucy a trouvé, poursuit-il. Regarder les fichiers vidéo, vérifier quelques petites choses. Ça ne t'embête pas si j'utilise un téléphone là-haut ?

— Je vais appeler l'hôpital, lui dit Anne tandis qu'il quitte la pièce. Je vais arranger ça avec le McLean et m'occuper du scanner.

En théorie, nous avons toujours envisagé que ce jour puisse arriver. Toutes les autorisations ont été obtenues du département de la Santé, d'Harvard et du McLean, qui lui est affilié, et qui dispose de quatre aimants de 1,5 à 9 teslas de puissance. Je me suis assurée, il y a déjà longtemps, que les protocoles pour la pratique d'IRM sur des cadavres au laboratoire d'imagerie cérébrale du McLean seraient en place. Anne travaille à temps partiel comme technicienne en imagerie par résonance magnétique pour les recherches en psychiatrie. C'est comme ça que je l'ai récupérée : Benton la connaissait et me l'a recommandée. Il est très bon juge et sait bien choisir les gens. Je devrais le laisser recruter mon foutu personnel. Je me demande à qui il va téléphoner et la raison de sa présence ici, en fin de compte.

— On peut y aller maintenant, si vous voulez, me dit Anne. Cela ne devrait pas poser de problème, il n'y aura personne. On fonce là-bas, on rentre et on sort.

À cette heure-ci, les patients psychiatriques du McLean ne se promènent pas dehors, ils ne risqueront pas de tomber sur un cadavre qu'on trimbale d'un labo à l'autre.

Comme pétrifié, Marino contemple le torse qui pivote sur l'écran, les côtes en trois dimensions, incurvées et d'une blancheur lumineuse.

— Et si quelqu'un lui avait tiré dessus avec un fusil à eau ? Sérieusement. J'ai toujours entendu dire que c'était le crime parfait. On remplit une cartouche avec de l'eau, et ça fait comme une balle quand ça transperce le corps. Sauf que ça laisse pas de traces.

— Je n'ai jamais eu de cas de ce genre !

— Mais ça pourrait se produire, persiste-t-il.

— En théorie. Cependant l'orifice d'entrée ne ressemblerait pas à celui-ci. Allons-y. Je veux qu'il soit installé et hors de vue avant que tout le monde n'arrive au travail.

Il est presque minuit.

Anne clique sur l'icône baptisée « Outils » pour prendre des mesures, et m'informe qu'avant de disparaître dans le diaphragme, la largeur de la blessure est de 0,77 à 1,59 centimètre, et sa profondeur de 4,2 centimètres.

— Donc je peux en conclure…

— Vous pouvez pas les donner en pouces ? râle Marino.

— … que nous avons affaire à un objet à double tranchant ou à une lame qui ne fait guère plus d'un centimètre – ou un demi-pouce, dis-je à l'adresse de Marino – de large. Une fois que l'objet a pénétré le corps sur une longueur approximative de quatre centimètres, soit un peu moins de deux pouces, il s'est produit un autre phénomène qui a créé de terribles ravages internes.

— La question que je me pose maintenant, c'est jusqu'à quel point ces anomalies pourraient être iatrogènes, provoquées par les soins que lui ont prodigués les secours pendant vingt minutes, remarque Ollie. C'est probablement la première question à laquelle nous devrons répondre et il nous faut garder l'esprit ouvert à toute possibilité.

— Non, inenvisageable, à moins que la réanimation n'ait été pratiquée par King Kong ! Il semble que l'objet avec lequel cet homme a été poignardé ait provoqué une formidable pression à l'intérieur de sa poitrine et une importante embolie gazeuse. Il aurait terriblement souffert et serait mort en l'espace de quelques minutes, ce qui est cohérent avec les descriptions des témoins, disant qu'il s'est agrippé la poitrine et s'est effondré.

— Pourquoi tout ce sang après coup ? demande Marino. Pourquoi l'hémorragie a pas été instantanée ? Bordel, comment ça se fait qu'il a commencé à saigner après avoir été déclaré mort, sur le chemin qui l'a amené ici ?

Je rétorque :

— Je n'ai pas de réponse pour l'instant, mais il n'est pas mort dans notre chambre froide.

Cela, au moins, j'en suis sûre, et je persiste :

— Il était mort avant d'arriver ici, probablement sur place.

— Mais il a commencé à saigner *après* sa mort et il faut démontrer comment c'est possible. Les morts saignent pas comme un foutu porc égorgé. Alors, comment qu'on prouve qu'il a claqué avant d'arriver ici ? insiste Marino.

— À qui avons-nous besoin de le prouver ? dis-je en le fixant.

— Je sais pas avec qui ce foutu Fielding a pu bavasser, vu qu'on ignore où il est. Et s'il en avait parlé à quelqu'un ?

Comme vous ! Je m'abstiens de formuler ma réflexion à haute voix et ajoute d'un ton parfaitement raisonnable :

— Voilà pourquoi il convient de rester très prudent dans la divulgation de détails lorsqu'on ne dispose pas de tous les éléments.

Mais Marino ne lâche pas prise :

— On a pas le choix, on doit prouver pourquoi un mort a commencé à pisser le sang.

Je récupère ma veste et donne mes instructions à Anne :

— D'abord un CT scan de tout le corps et de la tête. Et pour l'IRM, un examen complet, centimètre par centimètre, et téléchargez ce que vous trouvez. J'examinerai les résultats aussitôt.

— Je conduis, annonce Marino à Anne.

— D'accord, amenez un des fourgons dans la baie de déchargement pour le réchauffer.

— Non, on veut pas qu'il se réchauffe, le gars. En fait, je crois que je vais pousser l'air conditionné à fond.

— Dans ce cas, vous pouvez y aller tous les deux tout seuls ! Je vous rejoins là-bas.

— Sans blague ! S'il se réchauffe, il pourrait se remettre à saigner.

— Vous, vous avez trop regardé le *Saturday Night Live Show*.

— Hé, vous vous souvenez de Dan Aykroyd imitant Julia Child, la chef cuisinière qui animait des émissions télé ? Vous vous souvenez ? « Il vous faut un couteau très, très aiguisé… » Et le sang qui gicle partout !

Ils se mettent tous les trois à plaisanter :

— Hilarant !

— Les vieux sketchs sont les meilleurs.

— Je les ai tous en DVD.

Je les entends continuer à rire tandis que je m'éloigne.

Une fois mon pouce scanné, je pénètre dans la zone réservée au premier arrêt après la réception, où nous procédons aux identifications : une pièce blanche aux plans de travail gris, baptisée simplement « Identité ».

Sur un des murs s'alignent des casiers numérotés en métal gris destinés aux indices. J'utilise la clé que m'a remise Marino pour ouvrir le premier en haut sur la gauche, où les effets personnels du mort ont été soigneusement entreposés jusqu'à ce que nous les confiions à une entreprise de pompes funèbres ou à des membres de la famille, du moins lorsque nous connaîtrons enfin l'identité de l'homme. À l'intérieur se trouvent des sacs en papier et des enveloppes bien étiquetés, qui portent tous un formulaire que Marino a rempli et paraphé de ses initiales pour ne pas rompre la chaîne de conservation des indices. Je trouve la petite enveloppe de papier kraft qui contient la chevalière. J'appose à mon tour mes initiales sur le formulaire, ainsi que l'heure à laquelle j'ai inventorié le casier. Je consulte un journal de bord sur un poste informatique, où je rentre la même information, puis je pense aux vêtements de la victime.

Tant que je suis là, je ferais mieux de les examiner sans attendre l'autopsie, qui ne se déroulera pas avant plusieurs heures. Je veux voir le trou fait par la lame qui a pénétré le rein de l'homme et créé un tel chaos à l'intérieur. Je veux constater à quel point il a pu saigner. J'abandonne donc l'Identité pour revenir en arrière le long du couloir carrelé de gris. Je franchis la salle de radiologie, et par la porte entrouverte j'entrevois Marino, Anne et Ollie qui sont toujours là, en train de rire et de plaisanter tout en préparant le corps pour son transport au McLean. Je passe rapidement sans qu'ils me remarquent et j'ouvre les doubles portes en acier qui mènent à la salle d'autopsie.

C'est un vaste espace ouvert, recouvert de peinture époxy blanche et de carrelage de même couleur. Des rails en acier brillants qui diffusent une lumière froide filtrée sont fixés horizontalement sur toute la longueur du plafond. Onze tables d'acier sont installées près d'éviers également en acier, scellés aux murs. Chacun d'eux est équipé d'une commande du robinet au pied, d'une douchette haute pression, d'un broyeur, d'un égouttoir à échantillons et d'un collecteur à déchets médicaux.

Les postes de travail sur lesquels je me suis soigneusement documentée et que j'ai fait installer constituent de mini-environnements modulaires avec des systèmes de ventilation vers le bas qui renouvellent l'air toutes les cinq minutes. S'y trouvent des ordinateurs, des hottes aspirantes, des chariots d'instruments chirurgicaux, des lampes halogènes, des surfaces de dissection avec des planches à découper, des conteneurs de formaline munis de robinets, des étagères à tubes à essai et des flacons en plastique pour les examens d'histologie et de toxicologie.

Ma station de travail, celle du médecin expert en chef, est la première. L'idée qu'on l'a utilisée me traverse l'esprit et je me sens aussitôt ridicule. Bien sûr qu'on l'a utilisée durant mon absence. Fielding s'en est probablement servi, bien entendu. *Quelle importance, et qu'est-ce que cela peut me faire ?* me dis-je tandis que je remarque que les instruments de chirurgie du chariot ne sont pas alignés avec autant de soin qu'à mon habitude. Ils sont jetés en vrac sur une large planche de dissection en polyéthylène blanc, comme si quelqu'un les avait rincés à la va-vite. Je sors d'une boîte une paire de gants de latex que j'enfile. Il est exclu que je touche quoi que ce soit à mains nues.

En général, je ne me préoccupe pas de ce genre de choses, en tout cas pas autant que je le devrais, je suppose. En effet, j'appartiens à la vieille école des médecins légistes stoïques et blindés, qui prenaient un plaisir pervers à n'éprouver aucune répulsion, à n'avoir peur de rien. Ni des asticots, ni des fluides corporels ou de la chair en putréfaction, gonflée, verdâtre et glissante, ni même du sida… en tout cas aucun des soucis que nous avons aujourd'hui, où nous vivons submergés de phobies et de règlements fédéraux dès que nous levons le petit doigt. Je me souviens de l'époque où je me promenais sans vêtements protecteurs, fumant ou buvant un café, examinant les cadavres comme n'importe quel autre médecin de ville, ma peau nue contre la leur lorsque je procédais à l'examen d'une blessure ou d'une contusion, lorsque je relevais des mesures. En revanche j'ai toujours pris soin de mon poste de travail ou de mes instruments de chirurgie. Je n'ai jamais été négligente sur ce point.

Je n'aurais jamais reposé ne serait-ce qu'une aiguille histologique à dissection sur un chariot sans l'avoir au préalable lavée à l'eau savonneuse très chaude. Dans les morgues de mon passé, l'écho envahissant de l'eau chaude tambourinant dans les profonds éviers de métal rythmait chaque instant. En remontant aussi loin qu'à mon époque à Richmond – et même encore avant, quand je démarrais, au Walter Reed –, je savais déjà que l'ADN allait être admis comme preuve devant un tribunal et devenir l'étalon-or de la médecine légale. De ce jour-là, le moindre de nos gestes sur les scènes de crime, dans les salles d'autopsie et dans les laboratoires deviendrait sujet à questions, voire controverses dans le box des témoins. Le phénomène de la contamination allait constituer notre suprême

Némésis. Bien que les routines de travail au Centre de sciences légales n'incluent pas le passage systématique de nos instruments à l'autoclave, il est certain que nous ne nous contentons pas de les mettre sommairement sous le robinet avant de les jeter sur une planche de dissection qui, elle non plus, n'est pas propre.

Je ramasse un couteau de dissection de quarante-cinq centimètres de long et remarque une trace de sang séché sur le manche en inox entaillé. Au lieu d'être effilée et luisante comme de l'argent, la lame est éraflée, piquetée le long du tranchant et tachetée. Je repère encore du sang sur la lame dentée d'une scie à os, ainsi que sur une bobine de fil ciré cinq brins et sur une aiguille à suturer. L'état catastrophique des instruments que j'examine me consterne : pinces, ciseaux à lames droites ou anglées, cisailles de dissection, endoscope souple.

Je vais envoyer un message à Anne, lui demandant de passer mon poste de travail au jet et de laver tous les instruments avant que nous procédions à l'autopsie de l'homme de Norton's Woods. Je vais faire nettoyer l'intégralité de cette fichue salle d'autopsie du sol au plafond. Je décide que tous les systèmes seront inspectés avant la fin de ma première semaine de retour à la maison, tandis que j'enfile une paire de gants neufs et me dirige vers un comptoir au-dessus duquel est suspendu un dévidoir renfermant un grand rouleau de papier blanc, que nous appelons le « papier de boucherie ». J'en arrache un morceau, qui se déchire dans un grand bruit, et j'en couvre une table d'autopsie située à peu près au milieu de la salle et qui semble plus propre que la mienne.

J'enfile une blouse jetable par-dessus ma tenue de médecin expert de l'armée, sans me préoccuper de nouer les longs cordons du dos, puis regagne ma station de travail en désordre. Contre le mur est installée une grande armoire séchante blanche en polypropylène, montée sur des roulettes en caoutchouc dur, avec une double porte transparente en acrylique, que je déverrouille en tapant un code sur la serrure digitale. Un blouson de nylon vert sauge avec un col noir en polaire, une chemise en jean bleue, un pantalon de treillis noir et des boxers sont suspendus, chacun sur un cintre individuel en inox. Une paire de boots de cuir marron éraflé et, juste à côté, une paire de chaussettes de laine grise sont posées sur l'étagère du bas. Je reconnais certains des vêtements d'après les images que j'ai regardées et éprouve une curieuse impression en les contemplant. J'examine les chaussures et les chaussettes, les soulevant une par une, dans le ronronnement bas du ventilateur centrifuge et des filtres HEPA. Les boxers sont en coton blanc avec une ceinture élastique et une braguette, et je ne remarque rien d'anormal, ni taches ni défauts.

J'étale le blouson à plat sur la table recouverte du papier de boucherie et glisse les mains dans les poches pour vérifier que rien n'a été oublié dedans. Je récupère ensuite un diagramme à vêtements et un bloc, et jette des notes. Le col en laine synthétique épaisse est couvert de poussière, de sable et de brins de feuilles sèches marron qui s'y sont collés lorsque l'homme est tombé à terre. Les poignets en épais tricot sont également souillés.

Le matériau utilisé pour la confection du blouson vert semble imperméable et résistant à la déchirure. L'intérieur est doublé de *fiberfill* noir. À moins que la lame utilisée n'ait été solide et très tranchante, aucun des deux matériaux n'était facile à transpercer. Je ne trouve pas trace de sang à l'intérieur de la doublure, même pas autour de la petite fente présente dans le dos, mais les parties extérieures, les épaules, les manches, le dos, sont noires et raides du sang qui s'est accumulé au fond de la housse à cadavre après que l'homme a été enfermé à l'intérieur, puis transporté au Centre.

J'ignore pendant combien de temps il a perdu son sang alors qu'il se trouvait dans la housse, allongé dans la chambre froide, mais l'hémorragie ne provenait pas de sa blessure. Lorsque j'étale la chemise en jean à manches longues, taille homme *small*, dont se dégage encore une légère odeur d'eau de Cologne ou d'*aftershave*, je ne déniche qu'une tache de sang noir qui a séché autour de la fente pratiquée par la lame. Ce que m'ont rapporté Marino et Anne prend forme dans mon esprit : l'homme a commencé à saigner de la bouche et du nez alors qu'il se trouvait dans la housse à cadavre, encore tout habillé, la tête tournée sur le côté, probablement le même que tout à l'heure, lorsque je l'ai examiné dans la salle de radiologie. Le sang a dû goutter sans discontinuer de son visage dans la poche, s'y accumuler, puis fuir. Une hypothèse facile à imaginer lorsque je détaille ensuite la housse de taille adulte, typique de tous les services d'enlèvements de corps, noire avec une fermeture éclair en nylon. Sur les côtés se trouvent des poignées rivetées en forme de sangles, et c'est souvent là que se produisent les problèmes de fuites, pour autant que la poche soit intacte, sans déchirures ni défauts dans les coutures thermoscellées. Le sang s'échappe par les rivets, surtout si la poche est vraiment bon marché, et celle-ci ne vaut pas plus de vingt-cinq dollars de PVC résistant, sans doute acheté par cartons.

Je revois les images du CT scan. Les dégâts se sont produits très rapidement, lors de ce qui évoque une attaque éclair. Dans ces conditions l'hémorragie est incompréhensible, encore bien plus que lorsque Marino m'a conté les événements pour la première fois à Dover. La destruction massive des organes aurait eu pour conséquence une hémorragie pulmonaire et le sang se serait alors écoulé par le nez et la bouche. Mais le phénomène aurait dû se produire presque instantanément, et je ne comprends pas pourquoi il n'a pas saigné sur place. Lorsque les auxiliaires médicaux ont essayé de le ranimer, il aurait dû saigner du visage, indication incontestable qu'il n'était pas mort d'une arythmie.

Je quitte la salle d'autopsie pour monter aux étages supérieurs. Je revois les fichiers vidéo. Me revient une de mes questions au sujet de ses gants noirs : pourquoi les avait-il enfilés en pénétrant dans le parc ? Où sont-ils ? Je n'ai pas vu de gants. Ils ne se trouvaient ni dans le casier à indices ni dans l'armoire séchante, et j'ai vérifié les poches de son blouson sans rien découvrir. D'après les enregistrements clandestins effectués par ses écouteurs, il les portait au moment de sa mort. Je me remémore ce que j'ai vu sur l'iPad de Lucy dans la camionnette, sur le chemin du terminal de l'aviation civile. Une main gantée de noir a pénétré dans le champ. On aurait dit que l'homme écrasait quelque chose. Un bruit a suivi, comme si la main cognait contre son casque, en même temps qu'il lançait : « Mais qu'est-ce que ?... Hé !... » Puis les arbres nus qui tournoient dans tous les sens, des morceaux d'ardoise du chemin qui grossissent à toute vitesse, le choc sourd de sa chute et le bas d'un long manteau noir qui claque et disparaît. Le silence, puis les voix des gens qui l'entourent, qui crient qu'il ne respire plus.

La porte de la salle de radiologie est fermée lorsque je repasse devant. Je jette un œil à l'intérieur, mais tout le monde est parti. La salle de contrôle est déserte et silencieuse, et de l'autre côté de la vitre plombée le CT scan répand une lueur blanchâtre dans la pénombre. Je m'arrête pour téléphoner. J'espère qu'Anne va répondre sur son portable. Cependant, si elle se trouve déjà au McLean, dans le laboratoire d'imagerie médicale, il me sera impossible de la joindre, le signal ne franchissant pas l'épaisseur des murs de béton du bâtiment. À ma surprise, elle décroche.

— Où êtes-vous ? dis-je en entendant de la musique en arrière-fond.

— En train de nous garer.

Elle doit se trouver dans le fourgon avec Marino au volant, la radio allumée. Je lui demande :

— Quand vous l'avez déshabillé, avez-vous remarqué une paire de gants noirs ? Il portait peut-être de gros gants noirs.

Un silence. Je l'entends ensuite dire quelque chose à Marino. Je perçois sa voix à lui, mais ne comprends pas leur échange. Puis à nouveau Anne :

— Non. Et Marino affirme que quand il a vu le corps à l'Identité, il n'y avait pas de gants. Il n'en a aucun souvenir.

— Racontez-moi exactement ce qui s'est passé hier matin.

Je l'entends s'adresser à Marino :

— Restez assis une minute. Non, ils ne sont pas encore là, sinon ils sortiraient. Les types de la sécurité vont le faire. Attendez là, lui lâche-t-elle avant de revenir vers moi. D'accord. Hier matin, un peu après sept heures, le Dr Fielding nous a rejoints dans la salle de radio. Vous savez qu'Ollie et moi, on arrive tôt, vers sept heures... Fielding était inquiet à cause du sang. Il avait remarqué des gouttes sur le sol à l'extérieur de la chambre froide et également à l'intérieur, puis que le corps saignait, ou avait saigné. Il y avait une grande quantité de sang dans la housse à cadavre.

— Et le corps était encore habillé ?

— Oui. La fermeture du blouson était descendue et la chemise avait été découpée par les auxiliaires médicaux, mais il était habillé quand il est arrivé, et personne n'a touché à rien, jusqu'au moment où le Dr Fielding est allé là-bas pour nous le préparer.

— Comment ça, « pour nous le préparer » ?

Jamais je n'ai vu Fielding préparer un cadavre pour une autopsie, prendre véritablement la peine de le sortir de la chambre froide pour l'amener dans la salle d'autopsie ou de radio, en tout cas pas depuis l'époque de son internat. Il abandonne les tâches qu'il considère subalternes à ceux qu'il continue de baptiser *Diener*, le terme allemand pour « domestiques », qui pendant des années a servi à qualifier les assistants de morgue que j'appelle, moi, « techniciens d'autopsie ».

— Je sais seulement qu'il a découvert le sang, puis s'est précipité pour venir nous chercher, parce que c'est lui qui avait pris le coup de fil de la police de Cambridge. Comme vous le savez, on supposait une mort subite naturelle, une arythmie ou un anévrisme de Berry, un truc de ce genre.

— Et ensuite ?

— Ensuite Ollie et moi avons examiné le corps, nous avons appelé Marino et il a été décidé de ne pas le soumettre au scan et de retarder l'autopsie.

— Vous l'avez laissé dans la chambre froide ?

— Non. Marino voulait d'abord le passer à l'Identité, relever ses empreintes, effectuer les prélèvements, pour qu'on puisse lancer les recherches sur IAFIS et avec le profil génétique, bref tout ce qui pouvait nous permettre de déterminer son identité. Le point important, c'est qu'il n'y avait pas de gants à ce moment-là, parce que Marino aurait été obligé de les enlever pour prendre ses empreintes.

— Où sont-ils alors ?

— Marino ne sait pas, et moi non plus.

— Vous pouvez me le passer, s'il vous plaît ?

Je l'entends lui tendre le téléphone. La voix du grand flic résonne dans mon oreille :

— OK, j'ai ouvert la poche à cadavre, mais j'ai pas sorti le gars. Il y avait beaucoup de sang à l'intérieur, ça, vous le savez déjà.

— Qu'avez-vous fait exactement ?

— J'ai relevé ses empreintes alors qu'il se trouvait dans la poche, et s'il y avait eu des gants, c'est clair que je les aurais vus !

— Les secours pourraient-ils avoir retiré les gants sur la scène pour les glisser dans la housse à cadavre ? Du coup, vous ne les auriez pas vus et ils auraient ensuite été égarés.

— Nan. Comme j'vous ai dit, j'ai cherché tous les trucs personnels, la montre, la chevalière, le porte-clés, la boîte à shit, le billet de vingt dollars. J'ai pris tout ce qu'il y avait dans ses poches. Je regarde toujours à l'intérieur des housses à cadavre, exactement pour la raison que vous venez de citer : au cas où les secours ou les services d'enlèvement mettraient quelque chose dedans, genre un chapeau, des lunettes de soleil… Quant au casque et à la radio par satellite, on les avait fourrés dans un sac en papier et ils accompagnaient le corps.

— Et la police de Cambridge ? Je sais que l'enquêteur Lawless a apporté le Glock.

— Il l'a confié au labo de balistique vers dix heures ce matin, c'est tout ce qu'il a apporté.

— Et quand Anne a suspendu les vêtements de la victime dans l'armoire séchante, eh bien, en toute logique, elle n'avait pas les gants, puisque vous dites qu'ils n'y étaient pas, je résume.

Je l'entends parler, puis Anne reprend le téléphone :

— Non, je n'ai pas vu de gants quand j'ai dévêtu le corps pour le préparer en vue du scanner, peu de temps avant que vous n'arriviez, aux alentours de vingt et une heures, il y a presque quatre heures. Et j'ai nettoyé l'armoire pour m'assurer qu'elle était stérile avant d'y ranger les affaires de la victime.

— Ravie de constater qu'il y a au moins une chose de stérile ! À propos, il faut nettoyer mon poste de travail.

— D'accord, d'accord…, s'énerve Anne, mais s'adressant à Marino. Attendez… Bon sang, Pete ! Ne quittez pas.

La voix de Marino prend la suite :

— Y a eu d'autres cas.

— Je vous demande pardon ?

— Hier matin, on a eu d'autres affaires. Peut-être que quelqu'un a enlevé les foutus gants. Pourquoi ? J'en ai pas la moindre idée, à moins qu'ils aient été emportés par erreur.

— Qui s'est occupé des autres cas ?

— Le Dr Lambotte et le Dr Booker.

— Et Jack ?

— En plus du type de Norton's Woods, on a reçu deux corps. Une femme renversée par un train et un vieux qui avait pas de médecin. Jack a rien foutu, il avait disparu, poursuit Marino. Il s'est pas préoccupé d'aller examiner la scène. On a un macchabée qui se met à saigner dans le frigo, et maintenant faut qu'on prouve que le type était bien mort.

Chapitre 9

Les bureaux de la direction du « Centre de sciences légales et Dépôt mortuaire de Cambridge », sa dénomination officielle, se situent au dernier étage, et j'ai découvert qu'il pouvait s'avérer ardu d'indiquer aux gens comment vous localiser lorsqu'un immeuble est circulaire.

Lors des rares occasions où j'ai été présente, l'astuce que j'avais trouvée consistait à recommander aux visiteurs de sortir de l'ascenseur au sixième étage, de prendre à gauche et de chercher le bureau 111. C'est la porte qui succède au numéro 101, et comprendre que le 101 est le plus petit numéro à cet étage, tandis que le 111 est le plus élevé, demande un effort d'imagination certain. Si le bâtiment était pourvu d'angles et de longs couloirs, ma suite de bureaux occuperait en conséquence un angle à l'extrémité d'un long couloir. Tel n'est pas le cas : l'étage forme un cercle ponctué de six bureaux, d'une grande salle de réunion, de la salle de transcription pour les dictées et la reconnaissance vocale, de la bibliothèque, de la pièce de repos, avec au centre un bunker sans fenêtres où Lucy a choisi d'abriter le laboratoire d'informatique et les documents qui posent problème.

Je passe devant le bureau de Marino et m'arrête devant le 111, qu'il a baptisé POSTCOM, « Poste de commandement ». Je suis certaine qu'il a trouvé tout seul cette pompeuse appellation, non pas parce qu'il me considère comme son chef, mais plutôt parce qu'il s'imagine sous les traits d'un homme qui a obéi à un ordre patriotique supérieur, proche d'une vocation religieuse. L'adoration qu'il voue à tout ce qui touche au militaire est nouvelle chez lui. Encore un élément paradoxal... Et pourtant, Peter Rocco Marino n'avait vraiment pas besoin d'un nouveau paradoxe pour définir sa personnalité conflictuelle et contradictoire.

Je dois me calmer avec lui, me dis-je en déverrouillant ma lourde porte recouverte d'un vernis au titane. Il n'est pas si affreux et il n'a rien fait de si terrible. Marino est tellement prévisible que je ne devrais pas éprouver la moindre surprise. Après tout, qui le comprend mieux que moi ? La clé permettant de comprendre Marino n'est pas Bayonne, dans le New Jersey, où il a grandi en se battant dans les rues avant de devenir boxeur puis flic, et pas non plus son bon à rien de père alcoolique. Avant tout, c'est sa mère qui explique Marino, puis Doris, son amour de jeunesse, maintenant son ex-épouse : deux femmes en apparence douces, dociles et soumises, mais pas inoffensives. C'est le moins qu'on puisse dire.

J'actionne des interrupteurs pour allumer le lustre installé dans les supports du dôme de verre géodésique basse consommation qui me rappelle Buckminster Fuller à chaque fois que je lève les yeux. Si le célèbre architecte-*designer*, créateur du dôme géodésique, était encore de ce monde, il bénirait cet immeuble, peut-être même moi, mais sûrement pas notre morbide raison d'exister, je suppose. Encore que de mon côté, étant donné l'état actuel des choses, j'aurais à mon tour quelques différends avec lui. Je ne suis pas d'accord, par exemple, avec sa conviction que la technologie nous sauvera. Elle ne nous rend en tout cas pas plus civilisés, plutôt le contraire, à mon avis.

Je fais quelques pas à l'intérieur, foulant la moquette gris acier, puis m'immobilise comme si j'attendais la permission de pénétrer plus avant. À moins que je n'hésite parce que m'approprier cet espace implique d'adopter une existence que j'ai repoussée pendant presque deux ans. Pour être vraiment honnête, il y a des décennies que je la repousse, depuis mes premiers jours à Walter Reed, où je travaillais tranquillement dans mon coin, dans une pièce exiguë et aveugle au quartier général de l'Institut d'anatomopathologie de l'armée, lorsque Briggs est entré sans frapper et a jeté sur mon bureau une enveloppe grise 20 × 28 avec un tampon « secret-défense ».

4 décembre 1987. Je m'en souviens avec une telle précision que je peux encore décrire ce que je portais, le temps qu'il faisait et ce que j'avais mangé. Je sais que j'avais beaucoup fumé ce jour-là, ingurgitant plusieurs whiskies d'affilée à l'issue de la journée, dans un mélange d'excitation et d'horreur. Une affaire qui surpassait toutes les autres, et le département de la Défense voulait que je m'en occupe, m'avait choisie, moi, en particulier. Plus exactement, Briggs m'avait choisie. Au printemps de l'année suivante, j'étais libérée plus tôt que prévu de l'aviation – non pour bonne conduite, mais parce que l'administration Reagan ne voulait plus de moi –, et à certaines conditions honteuses qui, encore aujourd'hui, demeurent doulou-

reuses. Que je me retrouve dans un immeuble bâti en cercle doit revêtir une signification karmique. Rien dans ma vie n'a vraiment fini ou commencé. Ce qui était très loin est maintenant tout près. D'une certaine façon, j'en suis au même point.

Mon bureau, vide et désolé, contraste avec celui de mon administrateur Bryce, qui lui est adjacent, agréablement encombré. J'y vois le signe le plus flagrant de mon absence de six mois à un poste que je n'ai pas encore réellement occupé. On se sent seul et abandonné ici. Pas même une plante en pot sur ma petite table de réunion en acier brossé, alors que j'ai toujours semé des végétaux dans les espaces que j'occupais. Des orchidées, des gardénias, des plantes grasses, des arbustes d'intérieur, tels des arecas et des palmiers Sago, parce que je veux de la vie et des parfums. Mais ce qui se trouvait là lorsque j'ai déménagé est mort et bien mort, trop arrosé et trop engraissé. J'avais donné à Bryce des instructions détaillées et trois mois pour tout faire dépérir. Deux ont suffi.

Peu de choses s'empilent sur mon bureau, console modulaire de forme arrondie à la structure en acier de 0,8 millimètre et au plateau en mélamine noire, accompagnée d'un meuble de rangement assorti, combiné de tiroirs à dossiers suspendus et d'étagères ouvertes, placé entre de larges fenêtres surplombant la Charles River et la ligne des toits de Boston. Derrière mon fauteuil Aeron s'étire sur toute la longueur du mur un comptoir de granit noir sur lequel s'aligne mon système de microdissection laser Leica, avec ses écrans vidéo et tout son attirail. Non loin reposent mon fidèle Leica de sauvegarde pour tous les jours, un microscope de laboratoire plus basique que je peux manœuvrer d'une seule main, sans logiciel et sans séminaire de formation. Il n'y a pas grand-chose d'autre, aucun dossier, pas de certificats de décès ou de paperasse à relire ou à signer, pas de courrier, très peu d'objets personnels. Un bureau si parfaitement agencé et immaculé ne me paraît pas une bonne chose, je préférerais le voir enfoui sous les papiers. Que la vue d'un bureau vide provoque chez moi un sentiment d'accablement est bizarre, et tandis que je scelle la lettre d'Erica Donahue dans une pochette en plastique, je finis par comprendre pourquoi un monde qui se vide rapidement de toute trace de papier ne m'enthousiasme pas : j'aime voir l'ennemi, les piles dont je dois venir à bout, et je tire mon réconfort de pages et de pages amies.

Je suis en train de ranger la lettre dans un placard lorsque Lucy débarque silencieusement, telle une apparition, enveloppée dans la volumineuse blouse de labo blanche qu'elle porte à cause de sa chaleur, de ses grandes poches et de ce qu'elle peut dissimuler en dessous. La blouse trop grande la fait paraître trompeusement pacifique et plus jeune que son âge, sa petite trentaine, comme elle dit. Mais pour moi elle restera à jamais une fillette. Je me demande si les mères éprouvent toujours ce sentiment vis-à-vis de leurs filles, même quand celles-ci sont mères à leur tour, ou armées et dangereuses comme dans le cas de Lucy.

Elle a probablement un pistolet glissé dans son dos, dans la ceinture de son treillis, et je réalise à quel point je suis égoïstement ravie qu'elle soit de retour à la maison. Elle fait de nouveau partie de mon existence, elle ne se trouve pas à l'autre bout de la Floride ou avec des gens que je dois me forcer à aimer. Jaime Berger, le procureur de Manhattan, fait partie du lot. Je regarde ma nièce, mon unique substitut d'enfant, entrer dans mon bureau, et je ne peux éviter d'affronter une vérité que je ne lui confierai pas : je suis contente que Jaime et elle aient rompu, et voilà pourquoi je ne lui ai posé aucune question sur le sujet. Je l'interroge :

— Benton est toujours avec toi ?

— Il téléphone, répond-elle en fermant la porte.

— Et à qui parle-t-il à cette heure ?

Lucy tire une chaise et s'installe en remontant les jambes et en croisant les chevilles sur le siège.

— À des gens à lui, précise-t-elle comme s'il avait contacté des collègues du McLean.

Pourtant je sais qu'il ne s'agit pas de cela. Anne se débrouille avec l'hôpital, et Marino et elle s'y trouvent pour démarrer le scan. Pourquoi Benton aurait-il besoin de discuter avec eux ou avec qui que ce soit au McLean ?

— Alors il n'y a plus que nous trois dans l'immeuble, résumé-je d'un ton plein de sous-entendus. Enfin, on peut aussi compter Ron, je suppose. Mais si tu tiens à fermer la porte, c'est parfait.

C'est ma façon de lui faire comprendre que son comportement hyper-vigilant et cachottier ne m'a pas échappé, et que j'aimerais une explication. J'apprécierais qu'elle m'explique pourquoi elle éprouve la nécessité de se montrer évasive, pour ne pas dire ouvertement mensongère avec moi, sa tante, sa quasi-mère et aujourd'hui sa patronne.

— Je sais, déclare-t-elle en sortant un petit pilulier à indices de la poche de sa blouse.

— Tu sais ? Tu sais quoi ?

— Qu'Anne et Marino sont partis au McLean parce que tu veux une IRM. Benton m'a raconté. Pourquoi n'y es-tu pas allée ?

— Ma présence n'est pas nécessaire et je ne serais d'aucune aide particulière, puisque les examens d'imagerie par résonance magnétique ne sont pas ma spécialité.

Le Havre des morts de Dover ne dispose pas d'IRM. La majorité des corps atterrissant là-bas proviennent de militaires et renferment du métal. Je poursuis :

— J'ai préféré régler quelques petites choses, et lorsque je serai convaincue de savoir ce que je dois chercher, je procéderai à l'autopsie.

— Quand on y réfléchit, songe Lucy, son regard vert profond fixé sur moi, c'est une façon de considérer les choses à l'envers. Auparavant, tu faisais l'autopsie pour découvrir ce que tu cherchais. Aujourd'hui, il ne s'agit que de confirmer ce que tu sais déjà et de récolter des indices.

— Pas tout à fait. On peut encore avoir des surprises. Qu'y a-t-il dans la boîte ?

— En parlant de surprises…

Elle fait glisser la petite boîte blanche à travers la surface vide de mon bureau ridiculement net avant de poursuivre :

— … tu peux la sortir sans mettre de gants, mais fais attention en la manipulant.

À l'intérieur de la boîte, sur un lit de coton, repose un objet qui ressemble à une aile d'insecte, de mouche peut-être.

Les traits vibrant d'excitation, penchée en avant sur sa chaise, comme si elle me regardait en train d'ouvrir un cadeau, Lucy m'encourage :

— Vas-y, touche-la.

Je frôle une sorte de structure métallique rigide et une mince membrane transparente qui ressemble à du plastique.

— Artificiel ? Intéressant. Qu'est-ce que c'est exactement et où l'as-tu trouvée ?

— As-tu entendu parler des Flybot, le Graal de la recherche ?

— J'avoue mon ignorance.

— Des années et des années de travail. Des millions et des millions de dollars dépensés pour construire la parfaite Flybot.

— Je n'ai pas de connaissance particulière dans ce domaine. En réalité, je ne sais absolument pas de quoi tu parles !

— Un robot de reconnaissance en forme de mouche, *fly*, équipé de microcaméras et d'émetteurs pour la surveillance, pour espionner les gens. Ou bien pour détecter des explosifs, des produits chimiques, peut-être même des risques biologiques. Les recherches se poursuivent depuis longtemps à Harvard, au MIT, à Berkeley, un bon nombre d'endroits, ici et sur les autres continents, et cela avant même qu'on se soit intéressé aux organismes cybernétiques, les interfaces machine-insecte, ces insectes équipés de systèmes électromécaniques miniatures. Systèmes qu'on a ensuite étendus à d'autres créatures vivantes en greffant ces trucs merdiques sur des tortues ou des dauphins. Si tu veux mon avis, ce n'est pas le meilleur de ce que fait l'Agence de recherches avancées de la Défense.

Je repose l'aile sur son carré de coton en demandant :

— Revenons en arrière. Commence par me dire où tu as trouvé ça.

— Je suis inquiète.

— Eh bien, tu n'es pas la seule.

— Quand Marino a procédé à l'examen du type ce matin (Lucy parle de l'homme de Norton's Woods), je suis descendue, parce que je voulais lui parler du système d'enregistrement que j'avais découvert dans les écouteurs. Il était en train de relever les empreintes, et j'ai remarqué ce qui, au premier coup d'œil, avait l'air d'une aile de mouche collée au col du blouson, en même temps que d'autres débris, poussières, fragments de feuilles mortes récoltés dans sa chute.

— Les auxiliaires médicaux ne l'ont pas fait bouger en ouvrant son blouson ?

— Non, de toute évidence. Ce truc était accroché dans le col de fausse fourrure. Quelque chose m'a semblé bizarre, tu sais, j'ai éprouvé un drôle de sentiment et j'ai regardé de plus près.

Je sors une loupe du tiroir de mon bureau et allume une lampe d'examen : sous la lumière vive, l'aile agrandie ne paraît plus du tout naturelle. Ce que l'on pourrait prendre pour la base de l'aile, l'endroit où elle est reliée au corps, est en réalité une sorte de joint de flexion, et les veines qui courent sur le tissu de l'aile luisent à la manière de fils électriques.

— Elle est probablement en fibre de carbone, et il y a quinze joints sur chaque montant, ce qui est proprement ahurissant, dit Lucy en me décrivant ce que j'ai sous les yeux. L'aile elle-même est une structure en polymère électro-actif. Elle répond aux signaux électriques, qui font battre les ailes en accordéon aussi rapidement que celles d'une mouche ordinaire. Les drones miniatures à ailes battantes décollent verticalement, à l'instar d'un hélicoptère, et volent comme les anges. Un des plus gros handicaps de leur conception. Ça, ajouté au fait de mettre au point un système micromécanique autonome mais de taille réduite – bio-inspiré, en d'autres termes, pour qu'il dispose de la puissance nécessaire afin de se mouvoir sans contrainte, quel que soit l'environnement dans lequel on le lâche.

— Bio-inspiré, comme les inventions conceptuelles de Léonard de Vinci.

Je me demande si elle se souvient de l'exposition à laquelle je l'ai emmenée à Londres et si elle a remarqué l'affiche dans le salon de l'appartement du mort. Évidemment. Lucy remarque tout.

— L'affiche au-dessus du canapé, lâche-t-elle.

— Oui, je l'ai vue.

— Dans un des fichiers, au moment où il passe la laisse à son chien, reprend-elle. Si ça ne file pas la chair de poule, ça…

— Je ne saisis pas très bien pourquoi.

— Eh bien, j'ai eu l'opportunité d'examiner les enregistrements beaucoup plus soigneusement que toi.

De nouveau, cette attitude, ces subtilités dans son comportement que j'ai appris à identifier aussi sûrement que je détecte les modifications d'un tissu au microscope.

— L'affiche correspond à cette exposition que tu m'as emmenée voir à la Courtauld Gallery, elle est datée de cet été-là, énonce-t-elle d'un ton calme et avec une idée en tête. À supposer qu'il s'y soit rendu, nous aurions pu y être en même temps que lui.

Voilà donc son idée : un lien existerait entre le mort et nous.

— Certes, posséder l'affiche ne signifie pas pour autant qu'il ait vu l'exposition, j'en suis bien consciente, poursuit-elle. Ça ne tiendrait pas devant un tribunal, ajoute-t-elle avec un brin d'ironie.

On dirait une pique destinée à Jaime Berger. Je soupçonne de plus en plus qu'elles se sont séparées. Je me lance :

— Lucy, as-tu une idée de l'identité de cet homme ?

— C'est juste bizarre d'imaginer qu'il aurait pu se trouver dans ce musée en même temps que nous. Mais je ne prétends pas que tel est le cas. Pas du tout.

Elle pense le contraire, je le lis dans ses yeux, je l'entends dans sa voix. Elle soupçonne qu'il s'est peut-être trouvé là-bas lors de notre visite. Mais comment peut-elle envisager une seconde une telle hypothèse à propos d'un homme décédé dont nous ignorons le nom ?

— Tu n'as pas recommencé à hacker ? je lui demande sans prendre de gants.

On pourrait croire que je l'interroge sur sa consommation de tabac, d'alcool, ou toute autre habitude néfaste à sa santé.

J'ai songé à plusieurs reprises que Lucy avait peut-être trouvé le moyen de remonter la trace des fichiers vidéo enregistrés jusqu'à un ordinateur ou un serveur quelconque. Un pare-feu ou autre mesure de sécurité destinée à protéger des données personnelles ne représentent guère plus qu'un ralentisseur sur une route, quand Lucy a décidé d'obtenir ce qui l'intéresse.

— Je ne suis pas un *hacker*, répond-elle simplement.

Ce n'est pas une réponse, me dis-je intérieurement.

— Qu'il ait pu se trouver à la Courtaud Gallery en même temps que nous me semble une coïncidence incroyable, poursuit-elle. Il ne serait pas invraisemblable qu'il détienne cette affiche parce qu'il a un lien avec l'exposition. Elle n'est plus disponible à l'achat, j'ai vérifié. Qui aurait ça, sinon quelqu'un qui s'y est rendu personnellement ou un de ses proches ?

— En culotte courte alors, à moins qu'il ne soit beaucoup plus âgé qu'il n'en a l'air. L'exposition date de l'été 2001, objecté-je.

Sa montre indiquait cinq heures de décalage par rapport à notre heure locale. Elle était réglée sur l'heure britannique, et l'exposition avait eu lieu à Londres. Cela ne prouve rien. *Une cohérence ne vaut pas preuve.*

— Cette exposition était exactement le genre d'événement qu'un petit inventeur précoce aurait adoré, observe Lucy.

— Tout comme toi. Je crois que tu en as fait quatre fois le tour et tu étais tellement captivée que tu as acheté la série de conférences sur CD.

— C'est fou de penser à ça : un petit garçon dans ce musée au moment exact où nous y étions.

Je persiste :

— Tu énonces ça comme s'il s'agissait d'un fait avéré !

— Et presque dix ans plus tard, nous sommes toutes deux ici et son cadavre nous est confié. Les six degrés de séparation, parlons-en !

Je suis sidérée de l'entendre faire allusion à une chose qui m'a traversé l'esprit plus tôt. D'abord l'exposition de Londres, et maintenant, cette grande toile que nous constituons tous, la façon dont se rejoignent toutes les existences autour de la planète.

— Je ne m'y habituerai jamais vraiment, avoue-t-elle. Rencontrer quelqu'un qui va se faire assassiner plus tard… Non pas que je le voie comme un petit garçon dans un musée à Londres, je ne m'imagine pas un visage de gamin… Mais je me suis peut-être trouvée à côté de lui, je lui ai peut-être même adressé la parole. Rétrospectivement, il est toujours difficile de songer que si on avait su ce qui allait se produire, on aurait peut-être pu modifier le destin d'un individu. Ou le sien propre.

— C'est Benton qui t'a appris que l'homme de Norton's Woods avait été assassiné, ou bien tu le tiens de quelqu'un d'autre ?

— Nous nous sommes mutuellement tenus au courant.

— Et tu lui as parlé de la Flybot pendant que vous vous « teniez au courant » dans ton labo.

Il ne s'agit pas d'une question de ma part.

Je suis convaincue qu'elle a informé Benton de l'existence de cette aile de mouche robotisée, ainsi que de tout ce qu'elle juge important de lui communiquer. Un peu plus tôt, dans l'hélicoptère, Lucy a insisté sur le fait qu'à part moi, Benton est la seule personne à qui elle accorde sa confiance. Je ne le ressens pourtant pas ainsi. J'aimerais qu'elle ne me dissimule rien. Toutefois je suis convaincue qu'elle procède à un tri des informations et choisit précisément ce qu'elle me confie. J'aimerais qu'elle ne mente pas, ni ne se montre évasive. Mais s'il y a bien une chose que j'ai apprise avec ma nièce, c'est que les vœux sont inutiles. Je pourrais me mettre sur la tête, cela ne modifierait en rien son comportement. Cela ne changerait rien à ce qu'elle pense, ni à ce qu'elle fait.

J'éteins la lampe et lui rends la petite boîte blanche.

— Qu'est-ce que tu voulais dire par « voler comme les anges » ?

— Tu sais bien, la façon dont on représente le vol des anges dans les tableaux.

Elle attrape un bloc-notes et un stylo soigneusement alignés à côté du téléphone.

— Contrairement aux oiseaux et aux insectes, dont les corps sont en position horizontale lorsqu'ils volent, ceux des anges sont en position verticale, évoquant un individu équipé d'un réacteur dorsal. Ces petits drones à ailes battantes se déplacent verticalement, un de leurs défauts. Ça et leur taille. Le Graal dont je parlais consisterait à trouver la solution à ce problème, mais les plus brillants s'y sont cassé les dents pour l'instant.

Elle dessine une silhouette en bâtons qui ressemble à une croix volant dans les airs et poursuit :

— Si tu veux qu'un insecte quelconque se conduise vraiment à la manière d'une mouche en se posant sur un mur pour se livrer à une surveillance clandestine, il faut qu'il ait vraiment l'air d'une mouche, pas d'un truc minuscule droit debout avec des ailes. Si je me trouvais en Iran avec Ahmadinejad et que je voie une chose qui vole verticalement, puis se pose tout aussi verticalement sur un rebord de fenêtre comme une espèce de fée Clochette en miniature, je crois que je la remarquerais et que ça éveillerait légèrement mes soupçons.

Je rétorque :

— Si tu rencontrais Ahmadinejad, ça éveillerait légèrement mes soupçons, et pour un tas de raisons ! En laissant de côté le fait que mon patient portait cette aile sur le col de son blouson, et pour autant que celle-ci fasse partie d'une Flybot intacte…

Elle m'interrompt :

— Pas exactement une Flybot, pas nécessairement un engin de reconnaissance, ni d'espionnage. Voilà où je veux en venir. Je pense que nous avons affaire ici à ce fameux Graal.

— Quoi que ce soit, quelle peut bien être sa fonction ?

— Tout ce qui te passe par la tête ! Je pourrais t'établir une liste conséquente. Cependant, en me fondant sur une unique aile, et bien que j'en déduise des choses significatives, je ne peux pas avoir de certitudes. Je n'ai malheureusement pas retrouvé le reste.

— Tu veux dire sur le corps, sur son blouson ? Trouvé où ça ?

— Sur place.

— Tu t'es rendue à Norton's Woods.

— Bien sûr, dès que j'ai compris d'où provenait l'aile. Évidemment, j'ai foncé là-bas.

— Nous avons passé des heures ensemble ! m'exclamé-je pour souligner qu'elle aurait pu m'en parler avant. Toi et moi dans le cockpit, de Dover jusqu'ici !

— J'éprouve quelque chose de curieux à l'égard de l'interphone : même quand la communication avec l'arrière est coupée, je me méfie. Surtout lors d'une conversation que personne ne doit surprendre, en aucun cas. Marino ne doit rien savoir de ça, dit-elle en indiquant la petite boîte blanche dans laquelle repose l'aile.

— Pour quelle raison ?

— Crois-moi, tu n'as pas intérêt à ce qu'il apprenne quoi que ce soit de ce foutu truc ! Il s'agit d'une toute petite pièce appartenant à un puzzle bien plus grand, et de beaucoup de façons.

Elle continue en m'assurant que Marino ne sait rien de son expédition à Norton's Woods. Il ignore tout de la minuscule aile artificielle. Il n'a pas compris qu'il s'agissait d'une des raisons qui avaient poussé ma nièce à venir me chercher en sa compagnie à Dover plus tôt que prévu et à me ramener en hélicoptère, en toute sécurité. Elle m'explique qu'elle ne m'a rien révélé jusqu'à présent parce qu'elle ne fait pour l'instant confiance à personne. Sauf à Benton. Et à moi, ajoute-t-elle. Elle réserve certaines de ses conversations à des lieux qui garantissent leur confidentialité et nous devrions tous nous montrer prudents.

— À moins que la zone n'ait été déclarée sûre, souligne-t-elle, passée au peigne fin à la recherche de systèmes de surveillance.

Ce qui implique que mon bureau est sûr, sinon nous n'y aurions pas cet entretien.

— Tu as examiné mon bureau ?

Je n'en suis pas surprise. Lucy sait parfaitement ratisser un endroit à la recherche de micros dissimulés, l'espionnage faisant partie de ses talents. Les serruriers font toujours les meilleurs cambrioleurs.

— Et qui aurait intérêt à poser des micros dans mon bureau ?

— Je ne sais pas vraiment qui a intérêt à quoi, ou pourquoi.

— Pas Marino, lui dis-je alors.

— S'il s'amusait à ce genre de choses, ça se verrait comme le nez au milieu de la figure ! Bien sûr que non. Je ne pense pas une seconde qu'il puisse faire un truc pareil. En revanche, je m'inquiète du fait qu'il se montre incapable de tenir sa langue. En tout cas face à certaines personnes.

— Tu as fait allusion à MORT dans l'hélicoptère. Ni Marino ni l'interphone ne te préoccupaient.

— Rien à voir, absolument rien ! Aucune importance si Marino se répand auprès de certaines personnes à propos d'un robot présent dans l'appartement d'un type. Tu peux être sûre que ces personnes sont déjà au courant. En revanche, je ne peux pas me permettre que Marino bavarde à propos de ma petite copine, là, précise-t-elle en regardant la boîte blanche. Il ne penserait pas à mal, mais il n'a aucune conscience des réalités dès que certaines personnes sont concernées. Particulièrement le général Briggs et le capitaine Avallone.

— Je ne savais pas que tu la connaissais.

Je n'ai jamais mentionné Sophia Avallone à Lucy.

— Je l'ai rencontrée quand elle est venue ici. Jack lui a fait visiter les lieux. Marino l'a invitée à déjeuner, a ciré les pompes militaires de cette fille. Il ne comprend rien à ces gens-là, ni d'ailleurs à ce foutu Pentagone ou à ceux dont il pense bêtement qu'ils sont comme nous, fiables.

Je suis soulagée qu'elle ait senti cela. Néanmoins, je ne veux pas l'encourager à se défier de Marino, même un tant soit peu. Leurs relations ont été assez difficiles. Ils sont enfin redevenus amis, aussi proches que lorsqu'elle était enfant, qu'il lui apprenait à conduire son pick-up et à tirer, qu'elle l'exaspérait au-delà du raisonnable et qu'il le lui rendait bien. La science, Lucy l'a héritée de mes gènes, mais son affinité pour les « trucs de flic », comme elle dit, lui vient de Marino. Il a été le grand flic solide dans sa vie lorsqu'elle était le petit génie difficile et je-sais-tout, et il l'a adorée et détestée tout autant qu'elle l'a adoré et détesté. Maintenant, ils sont à nouveau amis et collègues et doivent le rester, quel qu'en soit le prix. Je réfléchis : *Fais attention à ce que tu dis. Il faut faire régner la paix.*

— J'en conclus donc que Briggs n'est pas au courant de ceci, dis-je en désignant la petite boîte blanche posée sur mon bureau. Et le capitaine Avallone non plus.

— Je ne vois pas comment ils pourraient l'être.

— Y a-t-il des micros dans mon bureau actuellement ?

— Notre conversation est protégée.

Ce n'est pas une réponse.

— Et Jack ? Pourrait-il connaître l'existence de ce drone miniature ? En tout cas, tu ne lui en as pas parlé.

— Sûrement pas !

— Donc, à moins que quelqu'un n'ait appelé pour s'enquérir d'une Flybot ou de son aile…

— Tu veux dire : si l'assassin avait téléphoné ici, à la recherche d'une Flybot perdue ? Je la baptise ainsi parce que c'est plus simple, bien que ce soit tout sauf un drone banal. Avoue que ce serait plutôt idiot. Cela signifierait que le correspondant a quelque chose à voir avec le meurtre du type.

— On ne peut rien exclure. Les assassins sont quelquefois idiots, surtout s'ils sont aux abois.

Chapitre 10

Lucy se lève et passe dans mon cabinet de toilette privé, où une machine à café individuelle trône sur un comptoir. Je l'entends remplir le réservoir au robinet, puis ouvrir le petit réfrigérateur. Il est presque une heure du matin et la neige ne s'est pas calmée. Elle tombe sans relâche à un rythme soutenu, et lorsque le vent rabat les flocons vers les fenêtres, on croirait entendre des rafales de sable jetées contre les vitres.

— Crème ou lait écrémé ? crie Lucy depuis ce qui est censé être mon vestiaire personnel, équipé d'une douche. Bryce est une épouse parfaite. Il a rempli ton réfrigérateur.

— Je n'ai pas changé, je le bois toujours noir.

J'ouvre les tiroirs de mon bureau, ne sachant trop ce que je cherche.

Je revois mon poste de travail sale et en désordre dans la salle d'autopsie. Je pense aux gens qui se servent là où ils ne devraient pas.

— Ah bon ? Alors pourquoi y a-t-il du lait et de la crème ? rétorque Lucy d'une voix forte. Du café Green Mountain ou du Black Tiger ? Il y a aussi du café à la noisette. Depuis quand bois-tu ça ?

La question est purement rhétorique puisqu'elle connaît la réponse. Je marmonne :

— Depuis jamais…

Mon regard balaye des crayons, des stylos, des Post-it, des trombones et, dans un tiroir en bas, un paquet de chewing-gums à la menthe.

Il est à moitié plein, et je ne consomme pas de chewing-gum. Qui aime le chewing-gum à la menthe et aurait une raison d'occuper mon bureau ? Pas Bryce. Il est beaucoup trop vaniteux pour mâchouiller du chewing-gum, et si je le prenais à faire ça, je lui ferais part de ma désapprobation. Je trouve ce comportement impoli devant d'autres personnes. De plus, Bryce n'irait pas fouiner dans les profondeurs de mon bureau, pas sans mon autorisation. Il n'oserait pas.

— Jack aime le café à la noisette, à la vanille, ce genre de merdes, et il le boit avec du lait écrémé, sauf quand il suit un de ses régimes hyper-protéinés, hyper-gras, me lance Lucy depuis le cabinet de toilette. Dans ces cas-là, il utilise de la vraie crème épaisse. Celle qui se trouve dans le réfrigérateur. Je suppose que si tu attendais des visiteurs, prévoir un peu de crème se justifierait.

— Pas de café aromatisé, s'il te plaît, et surtout, bien fort.

— Il est enregistré dans le système en tant que super-utilisateur, comme toi, remarque alors Lucy. Ses empreintes sont stockées sur toutes les serrures de cet endroit.

J'accueille le crachotement de l'eau bouillante dans la dosette de café comme une interruption bienvenue. Je refuse d'envisager l'idée pernicieuse que Jack Fielding ait pénétré dans mon bureau durant mon absence, qu'il se soit peut-être servi, qu'il ait bu du café, mâché du chewing-gum, que sais-je ? Lorsque je regarde autour de moi, la chose me paraît impossible. Mon bureau a l'air inhabité et je n'ai vraiment pas l'impression que quelqu'un y ait travaillé. Qu'aurait-on pu y fabriquer ?

— Je me suis rendue à Norton's Woods avant la police de Cambridge. Marino leur a demandé d'y retourner à cause du numéro de série effacé du Glock, mais je les ai devancés, crie Lucy depuis le cabinet de toilette. L'ennui, c'est que j'ignorais où, au juste, le type s'était écroulé. Enfin, où il avait été poignardé. Sans les photos de la scène de crime il est impossible de déterminer l'endroit exact, ça reste approximatif. J'ai donc ratissé chaque allée du parc.

Elle ressort avec deux cafés fumants, dans des tasses noires ornées des armes peu banales du bureau du médecin expert de l'armée : cinq cartes de poker, uniquement des as et des huit. Selon la légende, le jeu que Buffalo Bill aurait eu lorsqu'il a été abattu, baptisé la « main du mort ». Elle poursuit :

— Tu parles d'une aiguille dans une botte de foin ! Le drone n'est probablement pas plus grand qu'une moitié de trombone, de la taille de… eh bien, d'une mouche. Pas de chance.

Tandis qu'elle pose un café devant moi, je lui rappelle :

— Le fait que tu as découvert une aile n'implique pas que le reste du drone s'y trouvait.

— De toute façon, remarque-t-elle en se réinstallant sur sa chaise, si le reste est là-bas, il est abîmé maintenant. Enseveli sous la neige, à l'instant où nous parlons, et avec une aile manquante. Cela étant, si elle n'a pas subi davantage de dommages, il est fort possible que la Flybot soit encore vivante, surtout quand elle va se retrouver exposée à la lumière.

— Vivante ?

— Pas au sens propre, bien sûr. Selon toute probabilité, elle ne fonctionne pas avec une pile, qui serait déjà morte, mais avec des panneaux solaires microscopiques : un rayon de lumière et… abracadabra ! Tout va dans cette direction-là aujourd'hui. Et notre petite amie, quelle que soit sa nature, est futuriste, c'est un chef-d'œuvre de miniaturisation technologique.

— Comment peux-tu être aussi formelle alors que tu n'as trouvé qu'une aile ?

— Oui, mais pas n'importe laquelle ! La position des joints de flexion et leur conception sont ingénieuses et suggèrent un angle de vol différent. Pas celui d'un ange, mais le vol horizontal d'un véritable insecte. Quelles que soient la nature et la fonction de cette chose, nous avons affaire à une technologie extrêmement avancée, que je n'ai jamais vue. Rien n'a été publié à ce sujet, je le sais, car je reçois à peu près tous les journaux technologiques qui existent en ligne, et de plus j'ai effectué des recherches, sans résultat. Tout laisse à penser qu'il s'agit d'un projet ultra-confidentiel, *top secret*. J'espère vraiment que le reste du micro-appareil repose quelque part là-bas sur le sol, protégé sous sa couche de neige.

— Mais d'abord, qu'est-ce que cette Flybot fabriquait à Norton's Woods ?

Je revois la main gantée de l'homme pénétrant le champ de la caméra cachée, lorsque j'ai pensé qu'il écrasait quelque chose.

— Exactement. À qui appartenait-elle ? À lui ou à quelqu'un d'autre ? dit-elle en soufflant sur sa tasse de café qu'elle tient des deux mains.

J'en reviens à mes interrogations :

— Et quelqu'un est-il à sa recherche ? Quelqu'un pense-t-il que le drone est ici ou que nous savons où il se trouve ? As-tu appris que les gants de l'homme avaient disparu ? Aurais-tu remarqué ça quand tu es descendue et que Marino relevait les empreintes du mort ? D'après les enregistrements, la victime a enfilé une paire de gants noirs en pénétrant dans le parc, ce que j'ai trouvé curieux. Je suppose qu'il est mort avec ses gants, alors où sont-ils passés ?

— Intéressant, remarque-t-elle sans que je puisse deviner si elle connaissait déjà ce détail.

Impossible de savoir ce qu'elle sait, ni si elle ment.

— Ils ne se trouvaient pas là-bas hier matin, quand j'y suis allée, m'informe-t-elle. Si les secours, la police ou le service d'enlèvement avaient par hasard abandonné sur place une paire de gants noirs, je l'aurais vue. Évidemment, n'importe qui a aussi pu les ramasser dans l'intervalle…

— Sur le film, une personne vêtue d'un long manteau noir passe dans le champ tout de suite après la chute de l'homme. L'assassin aurait-il pu s'arrêter juste le temps de les récupérer ?

— Tu penses à des gants de données, des gants numériques, ceux qu'ils utilisent dans l'armée, avec des capteurs pour les systèmes informatiques intégrés, de la robotique intégrée ? traduit Lucy comme s'il s'agissait de la question la plus banale à se poser à propos de gants perdus.

— Je me demande simplement pourquoi ces gants valaient la peine d'être emportés, si tel est le cas.

— S'ils comportent des capteurs et si l'homme contrôlait le drone – en admettant qu'il s'agisse du sien –, alors les gants sont extrêmement importants !

— Quand tu t'es trouvée en bas avec Marino, tu ne t'es pas enquise des gants ? Tu n'as pas pensé à les examiner, ainsi que les autres vêtements, à la recherche de capteurs intégrés ?

— Avec les gants, j'aurais beaucoup plus de chances de retrouver la Flybot dans Norton's Woods, répond-elle. Mais je ne les ai pas, ni ne sais où ils se trouvent, si c'était ça la question.

— Si je te la pose, c'est que dans le cas contraire tu aurais falsifié les indices.

— Je t'assure que je n'ai rien fait. Je ne dispose d'aucune certitude sur la nature de ces gants. Mais si ce sont bien des gants de données, se dégage une certaine cohérence avec d'autres éléments. Par exemple, ce qu'il dit à l'image avant de mourir, ajoute-t-elle d'un air pensif.

Elle est en train d'assembler les pièces du puzzle, ou bien elle l'a déjà fait depuis longtemps, mais veut me faire croire que l'idée vient juste de germer dans son esprit.

— Il n'arrête pas de répéter « Hé, mon vieux ! », reprend ma nièce.

— J'ai pensé qu'il s'adressait à son chien.

— Peut-être. Peut-être pas.

Je me souviens :

— Il a prononcé d'autres paroles que je n'ai pas comprises. « Et pour toi… », « Tu envoies un… », ou quelque chose dans ce goût-là. Un robot en forme de mouche pourrait-il obéir à la commande vocale ?

— Tout à fait possible. Cette partie-là était étouffée. Moi aussi, je l'ai entendue et ne l'ai pas trouvée claire. À moins effectivement de croire qu'il contrôlait le drone. Il aurait pu s'agir de chiffres : « trois » au lieu de « toi », et de lettres : « et » pourrait être un *e*, pour

« est », le point cardinal. Je vais réécouter et optimiser davantage le son.

— Davantage ?

— Je l'ai déjà tenté, sans résultat exploitable. Il communiquait peut-être des coordonnées GPS au drone, une commande banale pour un appareil qui répond à la voix : tu lui indiques où aller, par exemple.

— Si tu découvrais les coordonnées GPS, tu pourrais retrouver l'endroit où se trouve l'objet.

— Sincèrement, j'en doute. Si la Flybot était manœuvrée par le truchement des gants, ou en tout cas partiellement par des senseurs installés à l'intérieur de ceux-ci, lorsque la victime a levé la main, sans doute à l'instant où elle a été poignardée, eh bien, à ce moment-là…

— Oui ? Quoi à ce moment-là ?

— Je ne sais pas. Mais je n'ai ni les gants, ni la Flybot, souligne Lucy en me regardant avec intensité, ses yeux verts rivés aux miens. Je ne les ai pas trouvés, et je le regrette amèrement.

— Marino t'a-t-il dit que nous pensons avoir été suivis, Benton et moi, après notre départ d'Hanscom ?

— Oui, on a cherché le gros SUV aux phares au xénon et aux feux de brouillard. Cela ne signifie peut-être rien, mais Jack possède un Lincoln Navigator bleu foncé. D'occasion, qu'il a acheté en octobre. Tu n'étais pas là, donc je suppose que tu ne l'as jamais vu.

— Pourquoi Jack nous suivrait-il ? Et j'ignorais qu'il avait acheté un Navigator. Je croyais qu'il conduisait une Jeep Cherokee.

— Il est passé à l'échelon supérieur, je suppose, remarque-t-elle en ingurgitant son café. Je n'ai pas dit qu'il aurait pu vous suivre ou qu'il l'a fait. Ni qu'il serait assez bête pour vous coller au pare-chocs. Sauf que dans le brouillard ou le blizzard, quand la visibilité est très réduite, un suiveur vraiment inexpérimenté approcherait sa cible de trop près s'il ignorait sa destination. D'un autre côté, pourquoi Jack ferait-il une chose pareille ? Il devait penser que tu étais en route pour le Centre, non ?

— Et qui pourrait avoir une raison de nous filer ? Tu as une idée ?

— Si quelqu'un sait que le drone a disparu, je peux t'assurer que lui, ou elle, est en train de le chercher frénétiquement, et ne reculera devant rien pour le retrouver avant que l'appareil ne tombe dans de mauvaises mains. Ou dans des bonnes, tout dépend de qui ou à quoi nous avons affaire. Voilà ce que je peux déduire en me fondant uniquement sur l'existence de cette aile. Si vous avez été suivis pour cela, je serais moins encline à penser que le meurtrier a retrouvé la Flybot. En d'autres termes, celle-ci serait toujours manquante. Inutile de te préciser, sans doute, qu'une invention technologique *top secret* de cet acabit peut valoir une fortune, surtout si on est capable de voler l'idée et de se l'approprier. Si cette personne est à la recherche de l'objet et a des raisons de craindre qu'il se soit retrouvé avec le corps, elle a peut-être voulu savoir où tu allais, quels étaient tes projets. Lui ou elle est peut-être convaincu que la Flybot se trouve ici, au Centre de sciences légales, ou que tu l'as mise à l'abri ailleurs, y compris chez toi peut-être.

— Pourquoi serait-elle chez moi ? Je n'y ai pas mis les pieds !

— Quand quelqu'un passe à la vitesse surmultipliée, la logique n'est plus de mise, répond-elle. Si j'étais à la place de cet individu, je pourrais imaginer que tu as demandé à ton mari, ancien du FBI, de dissimuler le drone chez vous. Plein d'autres choses aussi. Et si le drone est toujours dans la nature, je vais m'acharner à le chercher.

« Mais qu'est-ce que ?… Hé !… » Je me souviens de l'exclamation de l'homme, j'entends sa voix résonner dans ma tête. Peut-être sa réaction de surprise n'était-elle pas uniquement due à la vive douleur dans ses reins et à la formidable oppression de sa poitrine ? Peut-être quelque chose volait vers son visage ? Il portait peut-être des gants de données, et son geste de surprise a provoqué la destruction du drone à ailes battantes ? J'imagine un minuscule appareil en plein vol heurté par la main gantée de l'homme, et écrasé contre le col de son blouson.

Je demande à ma nièce :

— Si quelqu'un disposait des gants et a cherché le drone avant que la neige se mette à tomber, est-il concevable qu'il ne l'ait pas trouvé ?

— Bien entendu. Tout cela dépend d'un certain nombre de paramètres. À quel point le micro-appareil est-il endommagé, par exemple ? Après la chute de l'homme, il y a eu beaucoup d'activité autour de lui. Si la Flybot est tombée, elle a pu être écrasée, ou bien encore plus abîmée, ne répondant plus aux commandes. Ou alors elle se trouve sous quelque chose, un arbre, un buisson, n'importe où…

— Je suppose qu'un robot en forme d'insecte pourrait servir d'arme ? Je n'ai pas la moindre idée de la cause des blessures internes de cet homme. Il faut que j'envisage toutes les possibilités.

— Tout est là : aujourd'hui, presque tout ce qu'on peut imaginer est possible.

— Benton t'a-t-il raconté ce que nous avions découvert au CT scan ?

— Je ne vois pas comment un insecte mécanique miniature pourrait provoquer de tels dégâts, répond-elle. À moins que l'on n'ait injecté à la victime un microscopique dispositif explosif.

Ma nièce et ses phobies, son obsession des explosifs, sa profonde défiance à l'égard du gouvernement. Elle poursuit :

— Et, bon sang, j'espère bien que ce n'est pas le cas ! En fait, si une Flybot était impliquée, nous serions confrontés à des nano-explosifs.

Ma nièce et ses théories à propos de la nanothermite. Je me souviens d'une réflexion de Jaime Berger la dernière fois que je l'ai vue pour Thanksgiving. Nous étions tous à New York, en train de dîner dans son appartement au dernier étage. « L'amour ne triomphe pas de tout, avait-elle déclaré. C'est impossible. » Elle avait bu trop de vin et passé beaucoup de temps dans la cuisine à se disputer avec Lucy à propos du 11 Septembre, à propos d'une théorie sur des explosifs utilisés en démolition, des nanomatériaux peints sur des infrastructures, qui pourraient entraîner d'effroyables destructions sous l'impact de gros avions chargés de kérosène.

J'ai renoncé à essayer de raisonner ma nièce, phobique et cynique, trop intelligente pour son bien et qui n'écoute personne. Peu lui importe qu'il n'existe tout simplement pas assez de faits pour étayer ce qui l'a convaincue, rien de plus que des allégations à propos des résidus retrouvés dans la poussière juste après l'effondrement des tours jumelles. Des semaines plus tard, de nouveaux prélèvements de poussières ont montré les mêmes résidus d'aluminium et d'oxyde de fer, un nanocomposite hautement réactif utilisé en pyrotechnie et en explosifs. Je reconnais qu'il y a eu des articles crédibles publiés dans des revues scientifiques, mais pas suffisamment, et ils ne constituent pas le plus petit début de preuve que notre gouvernement ait participé à la conception du 11 Septembre, dans le but de provoquer une guerre au Moyen-Orient.

— Je connais ton opinion sur les théories conspirationnistes, me lance Lucy. C'est la grande différence entre nous. Moi, j'ai été témoin de ce dont sont capables les pseudo-gentils.

Elle ne sait rien de l'Afrique du Sud. Dans le cas contraire, elle comprendrait qu'il n'existe aucune différence entre nous. Je ne connais que trop bien ce que les prétendus gentils sont capables de faire. Mais pas le 11 Septembre. Je n'irai pas jusque-là. Je repense à Jaime Berger, et j'imagine à quel point être la compagne de Lucy peut se révéler difficile pour une femme puissante et installée, procureur de Manhattan. L'amour ne triomphe pas de tout. C'est tout à fait exact. Peut-être la paranoïa de Lucy à propos du 11 Septembre et du pays dans lequel nous vivons l'a-t-elle encouragée à se réfugier de nouveau dans cet isolement qu'elle n'a rompu qu'à fort peu de reprises au cours de son existence. Je m'étais véritablement convaincue que Jaime serait l'élue, que leur relation durerait. Je sens bien maintenant que tel n'est pas le cas. Je voudrais faire comprendre à Lucy que j'en suis désolée, que je suis toujours là pour elle, pour discuter de tout ce qu'elle veut, même si nos convictions divergent. Toutefois le moment est mal choisi.

— Et si nous avions affaire à un scientifique renégat, ou même plusieurs, qui ne nous préparent rien de bon ? Il s'agit là d'une hypothèse que nous devrions considérer, je crois, me déclare-t-elle alors. Je voudrais vraiment insister sur ce point. Et quand je dis rien de bon, je veux dire vraiment mauvais, tante Kay !

L'entendre m'appeler « tante Kay » me soulage. Quand c'est le cas, j'ai le sentiment que tout va bien entre nous. Cela ne se produit plus que rarement, et d'ailleurs je ne me souviens pas de la dernière fois qu'elle l'a fait. Lorsque je suis sa tante Kay, j'en arrive presque à demeurer indifférente à ce qu'est Lucy Farinelli, c'est-à-dire un génie légèrement sociopathe. Le diagnostic fait rire Benton, gentiment mais non sans sérieux. Légèrement sociopathe, comme légèrement enceinte ou légèrement mort, souligne-t-il. J'aime ma nièce plus que ma propre vie, mais j'ai fini par admettre que lorsqu'elle se conduit bien, il s'agit de sa part d'un acte tout à fait volontaire, ou qui la sert, rien d'autre. La morale n'a que très peu à voir là-dedans. En revanche, pour elle, la fin justifie les moyens.

Je l'étudie de près, même si je sais que je ne verrai rien de ce qui se cache derrière. Son visage ne trahit jamais d'informations qui pourraient lui nuire.

Je me décide :

— Il faut que je te pose une question.

— Tu peux m'en poser plus d'une !

Elle sourit, l'air inoffensif, sauf lorsqu'on remarque la force et l'agilité de ses mains calmes, et les modifications rapides de son regard, quand ses pensées se bousculent à toute vitesse dans son esprit.

— Quelle que soit cette histoire, tu n'as rien à voir là-dedans ?

Je parle de la petite boîte blanche et de l'aile de Flybot à l'intérieur. Je parle du mort qui passe un examen en imagerie par résonance magnétique au McLean – et dont nous avons peut-être croisé le chemin lors d'une exposition à Londres quelques mois avant le 11 Septembre, attentat dont Lucy est convaincue, d'ahurissante façon, qu'il a été orchestré au sein de notre propre gouvernement.

— Non, répond-elle avec simplicité, sans ciller ni avoir l'air le moins du monde mal à l'aise.

— Parce que la situation est différente aujourd'hui.

Je lui rappelle qu'elle travaille pour le Centre de sciences légales, c'est-à-dire pour moi, et que je suis responsable devant le gouverneur du Massachusetts, le département de la Défense, la Maison-Blanche. Je suis responsable devant beaucoup de gens.

— Je ne peux pas me permettre…

— Évidemment. Je ne vais pas t'attirer d'ennuis.

— Il ne s'agit plus seulement de toi…

— Cette conversation est inutile, m'interrompt-elle de nouveau, son flamboyant regard d'un vert qui paraît irréel. De toute façon, il ne porte pas de dommages thermiques, non ? Pas de brûlures ?

— Pas que j'ai pu constater.

— D'accord. Et si quelqu'un l'avait piqué avec un fusil de plongée modifié ? Tu sais, un de ces fusils pour la chasse sous-marine, avec une sorte de cartouche fixée à l'extrémité de la hampe ? Mais, dans ce cas, il s'agirait d'une charge absolument minuscule, contenant des nano-explosifs.

J'allume mon ordinateur de bureau.

— Cela ressemblerait alors à une plaie provoquée par une arme à feu à bout touchant, moins l'abrasion de forme particulière provoquée par la gueule de l'arme, et pas à ce que je viens d'examiner. Même en envisageant l'utilisation de nano-explosifs – par opposition à une munition normale terminant une hampe ou autre chose dans ce genre-là –, tu as raison, on constaterait un dommage thermique. Il y aurait des brûlures au point d'entrée et sur les tissus sous-cutanés. Tu suggères que quelque chose comme un drone à ailes battantes pourrait être utilisé pour relâcher des nano-explosifs, je suppose ? Tu crois que c'est le projet que ton scientifique renégat – ou plusieurs – est en train de mettre au point ?

— Relâcher, faire exploser… Des nano-explosifs, des drogues, des poisons… Je te l'ai déjà dit, avec un dispositif de cette sorte tu peux laisser libre cours à ton imagination.

— Il faut que je jette un œil aux enregistrements des caméras de surveillance, ce qu'elles pourraient avoir capté de la housse à cadavre qui a fui, dis-je en consultant les fichiers de mon ordinateur. Je ne vais pas avoir besoin de demander ça à Ron, n'est-ce pas ?

Lucy vient me rejoindre de mon côté du bureau et se met à pianoter sur mon clavier. Elle entre son mot de passe d'administrateur système, qui lui accorde l'accès complet à mon royaume.

— Les doigts dans le nez, dit-elle en enfonçant une touche pour ouvrir un fichier.

— Personne ne pourrait accéder à mes fichiers sans que tu le saches ?

— Pas dans le cyberespace. En revanche, si quelqu'un est venu dans ton espace physique, je ne peux pas être au courant, surtout que je ne suis pas là-haut tout le temps. En fait, la plupart du temps, dès que j'en ai la possibilité, je travaille à distance.

Dois-je vraiment la croire lorsqu'elle déclare qu'elle pourrait ne pas être au courant ? En fait, je suis persuadée du contraire.

— Mais que quelqu'un soit entré dans tes fichiers protégés ? Impossible !

Cela, j'en suis convaincue. Lucy ne le permettrait pas.

— Soit dit en passant, poursuit-elle, tu peux contrôler les caméras de surveillance de n'importe où, même depuis ton iPhone, si tu le souhaites. Tu n'as besoin que d'une chose, un accès à Internet. Voilà, j'ai trouvé ça un peu plus tôt et je l'ai enregistré en tant que fichier. Dix-sept heures quarante-deux, le moment précis où une caméra de surveillance de la zone de réception l'a capté.

Lucy clique sur *play* et monte le son. Je distingue deux employés en uniforme d'hiver qui poussent un chariot sur lequel repose une housse à cadavre noire le long du couloir carrelé de gris du niveau inférieur.

Les roues cliquettent lorsqu'ils immobilisent le chariot devant la chambre froide, et je vois maintenant Janelle, une petite brune trapue aux cheveux courts, l'air d'une dure, arborant un nombre de tatouages surprenant, autant que je me souvienne. C'est Fielding qui l'a embauchée.

Janelle ouvre la lourde porte en inox, et je perçois le souffle d'air.

— Mettez-le…

Elle désigne un endroit du doigt, et je remarque qu'elle porte une veste sombre au dos de laquelle s'étale en grosses lettres jaune vif « Médico-légal ». Elle a passé ses vêtements de scène de crime, y compris la casquette du Centre de sciences légales, comme si elle se préparait à sortir dans le froid où qu'elle en revenait tout juste.

— Ce plateau-là ? demande un des employés tandis que lui et son collègue soulèvent la housse du chariot.

La poche se plie sans résistance, le corps à l'intérieur aussi souple qu'il l'était dans la vie.

— Merde, ça fuit ! Putain ! Il a intérêt à pas avoir le sida ou un truc de ce genre. Sur mon pantalon, merde, mes godasses !

— Celui du bas.

Janelle leur indique un plateau à l'intérieur de la chambre froide en s'écartant du chemin. Le sang qui goutte de la poche à cadavre et tache le carrelage n'a pas l'air de l'intéresser. Elle ne semble même pas le remarquer.

— Janelle la magnifique, commente Lucy alors que l'enregistrement vidéo s'achève brusquement.

— Tu as le registre des enquêteurs médico-légaux ? Je veux vérifier à quelle heure l'enquêteur, Janelle donc, est arrivé et parti hier.

— Elle était de garde pendant la soirée ?

— Oh, c'est une petite abeille très besogneuse, elle a assuré une double garde dimanche, ironise Lucy. Elle a remplacé Randy, prévu pour les soirées du week-end, mais qui a appelé pour annoncer qu'il était malade. En d'autres termes, il est resté chez lui pour regarder le Super Bowl.

— J'espère bien que non !

— Et notre dandy de Randy n'est toujours pas là, cette fois en raison du mauvais temps. Il est, paraît-il, de garde depuis son domicile. C'est sympa d'avoir un SUV à sa disposition et d'être payé à rester chez soi…

Je sens le mépris dans le ton insensible et les traits durs de ma nièce.

— Je suppose que tu as compris que tu avais du pain sur la planche. Si tant est que tu cesses de trouver des excuses à tout le monde.

— Je n'en trouve pas dans ton cas.

— Parce qu'il n'y a pas à en trouver.

Je regarde le journal de bord que Janelle a rempli hier, un gabarit sur mon écran dont très peu de champs ont été complétés.

— Je ne veux pas enfoncer des portes ouvertes, mais tu ne sais vraiment pas grand-chose de ce qui se passe ici, poursuit ma nièce. Tu ne connais pas les subtilités de la vie quotidienne dans cet endroit, et, d'ailleurs, comment le pourrais-tu ?

Elle contourne mon bureau et récupère sa tasse de café, mais ne se rassied pas.

— Tu étais absente. Depuis le début des activités du Centre, tu n'as quasiment jamais été là.

Je m'étonne :

— C'est tout ? Il n'y a que cela dans le journal de bord pour toute la journée d'hier ?

— Tout à fait. Janelle est arrivée à seize heures, si on en croit ce qu'elle a signalé sur le journal.

Lucy se lève et boit son café en me fixant, avant de préciser :

— Et elle traîne avec une sacrée bande, soit dit en passant. Des copains du médico-légal avec lesquels elle baise de temps en temps. Presque tous des flics, et pas beaucoup du genre à remplir des registres de données et des trucs administratifs. Tous ceux avec qui elle peut se pousser du col, avoir l'air d'une héroïne. Tu sais qu'elle fait partie d'une équipe de ballon prisonnier ? Non, mais franchement, qui joue au ballon prisonnier ? Une femme pleine de finesse !

— Si elle est arrivée à seize heures, pourquoi la voit-on en tenue de scène de crime, y compris sa veste ? Comme si elle venait de l'extérieur ?

— « Si on en croit ce qu'elle a signalé sur le journal », ai-je souligné.

— David était de garde avant, et lui non plus n'a répondu à aucune arrivée ? Jack aurait pu l'envoyer à Norton's Woods. David était présent, pourquoi Jack ne l'a-t-il pas expédié là-bas ? C'est à peine à un quart d'heure !

— Mais ça non plus, tu n'en sais rien, rétorque Lucy en retournant dans le cabinet de toilette pour rincer sa tasse. Tu ignores si David était bien présent, déclare-t-elle en ressortant et en hésitant devant la porte de mon bureau fermée. Je ne veux pas être celle qui va te dire…

— Il semble que tu sois la seule à me dire quoi que ce soit ! Personne ne me transmet une seule foutue information. Bon sang, qu'est-ce qui se passe ici ? Les gens viennent quand ça leur chante ?

— À peu près. Qu'il s'agisse des autres médecins légistes, des enquêteurs médico-légaux, ça va, ça vient à la convenance de chacun, et tout se répercute en cascade depuis là-haut.

— Tu veux dire depuis Jack.

— De ton côté des choses en tout cas. Les labos, c'est une autre histoire, parce que ça ne l'intéresse pas, à l'exception de la balistique.

Elle s'appuie contre le battant de la porte close, les mains dans les poches de sa blouse de labo. Je proteste, sans pouvoir dissimuler mon indignation :

— En mon absence, il est censé être responsable. Jack est codirecteur de l'ensemble du Centre de sciences légales et Dépôt mortuaire de Cambridge !

— Les labos ne l'intéressent pas, et d'ailleurs les scientifiques ne lui prêtent aucune attention. Sauf pour la balistique, comme je te le disais. Tu connais Fielding et les armes à feu, les armes blanches, les arbalètes, les arcs. Il n'y a pas une arme pour laquelle il n'éprouve une fascination. Alors il se mêle de tout là-bas, dans le labo de balistique et celui de l'analyse des traces d'outils. Il a réussi à foutre le bordel là aussi, à emmerder Morrow jusqu'à ce qu'il soit sur le point de tout planter. Je sais qu'il cherche activement un autre poste, et il n'y a aucune raison valable pour que son labo n'ait pas fini de travailler sur le Glock du type de Norton's Woods. Le numéro de série effacé. Et merde ! Il a filé d'ici en quatrième vitesse, sans s'en occuper.

— Morrow a filé d'ici ?

— Il sortait en voiture quand je suis rentrée de Norton's Woods, vers dix heures trente.

— Tu lui as parlé ?

— Non. Il ne se sentait peut-être pas bien. Je ne sais pas, mais je ne comprends pas pourquoi il ne s'est pas assuré que quelqu'un s'occupait du Glock. De l'acide sur un numéro de série limé ? Ça prend combien de temps juste d'essayer ? Il devait bien savoir que c'était important.

— Peut-être pas. Si l'enquêteur de Cambridge est le seul à lui avoir parlé, pourquoi aurait-il pensé que le Glock avait une quelconque importance ? À ce moment-là, personne ne soupçonnait que l'homme de Norton's Woods avait été victime d'un homicide.

— Oui, l'argument est pertinent. Morrow ignore même probablement que nous sommes partis te chercher et que tu es de retour de Dover. Et Fielding aussi s'est évanoui dans la nature, alors qu'il savait foutrement bien qu'on avait sur les bras un problème majeur, dont la plupart des gens avec un peu de jugeote le tiendraient pour responsable. Qui a pris l'appel à propos de l'homme de Norton's Woods ? Lui. Qui ne s'est pas rendu sur place et n'a envoyé personne ? Lui. Tu veux savoir pourquoi Janelle est habillée comme pour sortir dans la toundra ? Selon moi et contrairement à ce qu'elle a inscrit sur le journal de bord, elle n'est pas arrivée à seize heures. Elle a débarqué ici juste à temps pour laisser pénétrer les employés, accuser réception du corps, puis repartir illico. Je peux m'en assurer. Il y aura une trace du moment où elle a désactivé l'alarme pour entrer dans l'immeuble. Tout dépend si tu veux étendre l'affaire à la juridiction fédérale.

— Je suis surprise que Marino ne m'ait pas mise au courant de l'étendue des problèmes.

Je ne trouve rien d'autre à dire. On dirait qu'un voile noir obscurcit mon esprit.

— Ah, l'éternelle histoire du gars qui criait au loup ! remarque Lucy.

Elle a raison. Marino se plaint à tout propos de tant de gens que je finis par ne plus l'entendre. Nous voilà revenues à mes échecs. Je n'ai pas prêté attention, je n'ai pas écouté ce qu'il me disait. D'ailleurs, peut-être n'aurais-je écouté personne.

— J'ai quelques petites choses à voir. Tu sais où me trouver, conclut Lucy en sortant et en laissant la porte ouverte derrière elle.

Je saisis mon téléphone et essaye de nouveau les divers numéros de Fielding. Cette fois-ci, je ne laisse pas de messages, et il me vient tout à coup à l'esprit que sa femme non plus ne répond pas. Elle doit bien voir s'afficher mon numéro de bureau et mon nom. Peut-être est-ce pour cela qu'elle ne décroche pas, parce qu'elle ne souhaite pas me parler. Ou bien la famille de Fielding n'est pas en ville. Bon Dieu, en pleine nuit, au beau milieu d'une tempête de neige, alors qu'il sait parfaitement que je suis rentrée précipitamment de Dover pour prendre en charge une urgence ?

Je sors et passe mon pouce sur le scanner de la porte voisine de celle de mon bureau. Je pénètre dans le bureau de mon adjoint et l'examine avec soin, à la manière d'une scène de crime.

Chapitre 11

C'est moi qui ai choisi cette pièce. J'ai insisté pour que Fielding dispose d'un bureau aussi agréable que le mien, d'une généreuse surface, avec une douche privée. Il jouit d'une vue sur la rivière et la ville, et pourtant ses stores sont baissés, ce que je trouve déconcertant. Il a dû les fermer alors qu'il faisait encore jour dehors. Pour quelle raison ? Sûrement pas une bonne. Quoi que manigance Jack Fielding, cela ne présage rien de bon.

Je manœuvre tour à tour chaque store. À travers les larges baies vitrées réfléchissantes teintées de gris, je distingue les lueurs floues du centre de Boston et les vagues tourbillonnantes d'humidité glacée, les griffures d'une neige gelée qui crépite contre les vitres. Le sommet des gratte-ciel, des tours Hancock et Prudential, est plongé dans l'obscurité, et au-dessus de ma tête résonnent les mugissements lugubres des rafales de vent qui fouettent le dôme. Plus bas, la circulation encombre Memorial Drive même à cette heure, et la Charles River se transforme en sombre ruban aux contours indéfinis. Je me demande quelle peut être maintenant l'épaisseur de la couche de neige et combien de temps elle va continuer de tomber avant de migrer vers le sud. Je me demande si Fielding remettra jamais les pieds dans cette pièce que j'ai conçue et meublée pour lui. Même si rien n'indique qu'il soit parti pour de bon, j'éprouve le sentiment diffus qu'il ne reparaîtra pas.

À la grande différence de mon espace de travail, les souvenirs de Fielding encombrent le sien : diplômes divers, certificats, éloges, collection d'objets sur des étagères, battes et balles de base-ball ornées d'autographes, trophées et coupes de taekwondo, maquettes d'avions de combat et fragment d'un véritable avion crashé. Je m'approche de son bureau et passe en revue ses reliques de la guerre de Sécession : une boucle de ceinture, une gamelle, une corne à poudre et quelques balles Minié, une collection réunie durant nos premières années en Virginie. Mais il n'y a pas de photos, du moins celles que je connaissais, ce qui m'attriste. Je repère des espaces vides sur le mur, des trous minuscules qu'il n'a pas pris la peine de reboucher après avoir ôté les crochets de suspension.

Avec un pincement d'amertume, je constate qu'il n'expose plus les clichés familiers pris à l'époque où il était mon interne en médecine légale, les instantanés nous montrant à la morgue ou sur des scènes de crime en compagnie de Marino, l'enquêteur principal du département des homicides de la police de Richmond à la fin des années 1980 et au début des années 1990, quand Fielding et moi débutions, de façons complètement différentes. Lui était le médecin séduisant en début de carrière, tandis que je bifurquais, amorçant ma transition du militaire au civil, au poste de médecin expert en chef, m'efforçant de mon mieux de ne pas jeter un regard sur le passé. Peut-être Fielding ne tient-il plus à se retourner sur le passé, mais j'ignore pourquoi. C'était le bon vieux temps. Pour lui du moins.

Lui n'a pas aidé à dissimuler un crime. Il n'a jamais eu à se cacher de quoi que ce soit de ce genre, pour autant que je sache. Ce qui ne m'empêche pas de devoir me poser la question puisque je ne sais plus rien.

Ce que je perçois, c'est qu'il s'est débarrassé de moi, et peut-être même de nous tous. Je sens qu'il a éjecté de sa vie plus de choses qu'il ne l'a jamais fait. J'en suis persuadée, sans savoir exactement pourquoi. Pourtant, ses affaires sont encore là : son équipement imperméable en Gore-Tex suspendu sur un cintre, ses cuissardes en Néoprène, son sac contenant son matériel de plongée et sa malette de scène de crime rangé dans un placard, sans oublier sa collection d'écussons de police et de médailles de défi de la police et de l'armée. Je l'avais même aidé à installer ses meubles. Nous avions grogné, ri, ronchonné en déplaçant le bureau, puis sa table de réunion, à de multiples reprises.

— Vous nous prenez pour Laurel et Hardy ? s'était-il moqué. Après, on fait grimper une mule dans les escaliers ?

— Vous n'avez pas d'escaliers.

— Je me disais que je pourrais acheter un cheval, avait-il déclaré tandis que nous arrangions de nouveau les sièges que nous venions d'installer. Il y a un élevage à un peu plus d'un kilomètre de la maison. Je pourrais le laisser en pension là-bas, et venir travailler ou me rendre sur les scènes de crime en chevauchant.

— Je vais ajouter ça au règlement intérieur : pas de chevaux.

Nous plaisantions, nous nous taquinions, et ce jour-là il avait l'air en pleine forme – bourré de vitalité, optimiste. Les manches courtes de sa tenue de labo avaient peine à contenir ses muscles. Il était alors incroyablement bâti et rayonnant de santé, avec son beau visage encore juvénile, sa chevelure blond foncé désordonnée et sa barbe de quelques jours. Il était drôle et sexy, et je me souviens des chuchotements et des gloussements de quelques femmes parmi le personnel qui s'inventaient des excuses pour passer devant son bureau ouvert afin de le contempler. Fielding paraissait alors tellement heureux d'être là avec moi, et je me souviens que nous avions accroché des photos en évoquant nos débuts ensemble – ces photos aujourd'hui disparues.

Elles ont été remplacées par d'autres, que je doute d'avoir jamais vues, installées bien en évidence sur les murs et les étagères. Il s'agit de poses officielles en compagnie de politiciens et de gradés de l'armée, notamment une avec le général Briggs et une autre avec le capitaine Avallone, sans doute prise lorsqu'il lui a fait visiter le Centre. Raide et figé, il a l'air de s'y ennuyer mortellement. Sur une autre photo, vêtu de son uniforme blanc de taekwondo, il expédie à un ennemi imaginaire un coup de pied aérien, le visage rouge et haineux, comme habité par la fureur. Je m'attarde ensuite sur des portraits de famille récents, et là non plus je ne lui trouve pas l'air heureux, même lorsqu'il tient ses deux petites filles ou qu'il entoure de son bras sa femme Laura, une blonde délicate dont la joliesse s'érode. Les stigmates d'une existence pénible semblent s'inscrire physiquement sur les traits de sa femme, creusant des rides et des sillons là où il n'y avait auparavant que surfaces lisses et élégantes.

Laura n'est jamais pour lui que la cinquième roue du carrosse. Sur la chronologie des moments capturés s'affiche la déchéance de Fielding. Lorsqu'il l'a épousée, il paraissait rempli d'énergie, sans aucune trace de rougeurs, sans plaques de calvitie naissante peu ragoûtantes. Je m'arrête, admirant cet homme jadis resplendissant, torse nu, en short, comme sculpté dans le marbre, en train de laver sa Ford Mustang Le Mans de 1967 rouge cerise, avec son capot rayé. Sur les clichés qui remontent à peine à cet automne, on ne voit plus que son ventre épaissi, sa peau rouge et constellée de taches, ses mèches de cheveux peignées en arrière et fixées avec du gel pour dissimuler son alopécie. Lors d'une compétition d'arts martiaux, il y a moins d'un mois, sanglé dans sa tenue de grand maître ceinture noire, sa forme physique et son équilibre mental se sont de toute évidence dégradés. Il ne semble puiser aucune joie dans la recherche de la perfection technique et de la beauté du geste. Pour un pratiquant de taekwondo, il n'a certainement pas l'air d'honorer les autres, de s'efforcer à la maîtrise de soi ou de respecter quiconque. Il paraît débauché, légèrement dérangé et parfaitement malheureux.

Pourquoi ? Je pose en silence la question à cet ancien portrait de lui avec sa précieuse voiture, lorsqu'il était renversant, qu'il paraissait insouciant et plein d'énergie, le type d'homme dont il serait facile de tomber amoureuse, à qui l'on confierait sa vie sans arrière-pensée, à qui l'on donnerait des responsabilités. *Qu'est-ce qui a changé ? Qu'est-ce qui t'a rendu si malheureux ? De quoi s'agissait-il cette fois ?* Il déteste maintenant travailler pour moi. Qu'il s'agisse de la dernière fois, à Watertown, où il n'est pas resté longtemps, puis aujourd'hui au Centre de Cambridge, qu'il déteste encore plus, je le parierais. Son apparence a commencé à s'altérer l'été dernier, lorsque nous avons enfin ouvert nos portes aux dossiers de justice pénale. Je ne me trouvais pas dans le Massachusetts à ce moment-là. Je ne suis rentrée qu'un week-end pour la fête du Travail. Cela ne peut pas être de ma faute. Et, en même temps, tout a toujours été de ma faute. J'ai toujours voulu porter la responsabilité des effondrements de Fielding, et il en a connu plus que je ne tiens à en dénombrer.

Je le récupère et il retombe, plus durement à chaque fois. Et à chaque fois plus lamentable et pathétique. Encore et encore. Comme un enfant incapable de marcher, ce que je refuse d'accepter, jusqu'à ce qu'il soit abîmé au-delà de tout espoir de récupération. Benton a parfaitement décrit cette tragédie qui s'achève toujours de façon prévisible. Fielding ne devrait pas être médecin légiste, et s'il l'est devenu, c'est à cause de moi. Il s'en serait probablement mieux sorti s'il ne m'avait pas rencontrée au printemps 1988, alors qu'il n'était pas sûr de ce qu'il voulait accomplir dans la vie. Je lui avais dit : « Je sais ce que vous devriez faire. Je vais vous montrer, je vais vous apprendre. » S'il n'était jamais venu à Richmond, s'il n'avait jamais fait ma connaissance, il aurait pu choisir une voie qui lui aurait convenu. Sa vie, sa carrière auraient dépendu de lui, et non de moi.

Là réside le fond du problème : il assure de son mieux dans un environnement totalement destructeur pour lui, puis lorsque, en définitive, il n'en peut plus, il décompense et se désagrège. À ce moment précis émerge à chaque fois la raison pour laquelle il est devenu ce qu'il est, et qui l'a formé. Je surgis telle une gigantesque présence dans sa misérable existence et la réponse à ses crises est toujours identique. Il disparaît. Du jour au lendemain il s'évanouit dans la nature et je ramasse les morceaux dans son sillage : des dossiers négligés et mal gérés, des mémos qui montrent ses erreurs de jugement et son manque de maîtrise, des messages vocaux blessants, qu'il n'a pas pris la peine d'effacer parce qu'il voulait que je les entende, des *mails* ou autres communications préjudiciables qu'il espérait que je trouverais. Installée dans son fauteuil, j'ouvre les tiroirs. Je n'ai pas à chercher longtemps.

La chemise, dépourvue d'étiquette, renferme quatre pages imprimées à huit heures trois hier matin, le 8 février. Il s'agit d'un discours, qui d'après les autres éléments fournis par l'en-tête et la fenêtre d'information, provient du site internet de l'Institut royal d'études pour la défense et la sécurité, le RUSI. L'institut en question est un groupe britannique de réflexion stratégique vieux d'un siècle, qui dispose de bureaux satellites en divers lieux importants du globe. Le RUSI se consacre aux innovations avancées en matière de sécurité nationale et internationale. Je ne vois pas une seconde en quoi cet institut peut intéresser Fielding. Je ne comprends pas en quoi un discours-programme de Russell Brown, secrétaire d'État à la Défense du cabinet fantôme, énonçant son point de vue à propos du « débat sur la défense », peut importer à mon adjoint. Je parcours les commentaires du parlementaire conservateur, guère innovants, sur le fait qu'il n'est pas acquis que le Royaume-Uni jouera toujours son rôle de partenaire d'alliance, et sur l'impact économique catastrophique de la guerre. Les allusions à une désinformation méthodiquement propagée sont nombreuses, mais le respectable parlementaire ne va pas plus loin, évitant d'accuser ouvertement les États-Unis d'avoir orchestré l'invasion de l'Irak et entraîné le Royaume-Uni dans son sillage.

Le discours est politique, ce qui n'est guère surprenant, comme à peu près tout ce qui se déroule en ce moment en Angleterre, à trois mois des élections parlementaires. Six cent cinquante sièges sont en jeu, et les plus de dix mille soldats britanniques qui combattent les talibans en Afghanistan constituent un des enjeux majeurs de la campagne. Fielding n'est pas militaire et n'a jamais accordé beaucoup d'attention aux élections ou à la politique étrangère. Je ne saisis donc pas en quoi ce qui se passe en Grande-Bretagne pourrait éveiller chez lui la moindre curiosité. Je n'ai même pas le souvenir qu'il ait jamais mis les pieds dans ce pays. Porter de l'intérêt à une élection générale là-bas, ou à l'Institut, ou à un quelconque groupe de réflexion ne lui ressemble pas. Le connaissant comme je le connais, je le soupçonne d'avoir volontairement cherché à me faire découvrir ce dossier. Que veut-il donc que je sache ?

Pourquoi cet engouement pour l'Institut royal d'études pour la défense et la sécurité ? Est-il tombé sur ce discours sur Internet ou quelqu'un le lui a-t-il envoyé ? Et si c'est le cas, qui a pu faire cela ? Je songe un instant à demander à Lucy de s'introduire dans la messagerie de Fielding, mais je ne suis pas encore décidée à avoir la main aussi lourde et je ne tiens pas à me faire surprendre. Je peux verrouiller la porte, mais mon adjoint, lui aussi super-utilisateur, pourrait quand même entrer. Je ne compte ni sur Ron ni sur personne d'autre pour contenir Fielding dans la zone de sécurité si jamais il débarquait. Je ne fais pas confiance à Ron, qui s'est montré peu cordial et ne semble guère avoir de considération envers moi, pour retenir Fielding ou essayer de me joindre afin de requérir mon autorisation de passage. Je doute que mon personnel me soit loyal, se sente en sécurité avec moi ou obéisse à mes ordres, et Fielding pourrait apparaître à n'importe quel moment.

Voilà qui lui ressemblerait tout à fait. S'éclipser sans prévenir, puis refaire surface de façon tout aussi inattendue et me prendre la main dans le sac, assise derrière son bureau, fouillant ses dossiers informatiques. Un élément de plus dont il se servirait contre moi, et il a déjà largement fait usage de ce procédé au fil des ans. À quoi a-t-il donc œuvré dans mon dos ? Voyons ce que je peux trouver d'autre, je saurai ensuite comment agir. Mon regard se pose de nouveau sur l'heure indiquée sur la feuille, et j'imagine Fielding installé ici même hier matin, en train d'imprimer ce discours, tandis que Lucy, Marino, Anne et Ollie, tout le monde était sur le pied de guerre à cause de l'homme dans la chambre froide.

Quelle chose étrange qu'il ait pu se trouver là-haut, ici, pendant que se déroulaient ces événements ! Je me demande si l'idée que l'homme ait été enfermé dans notre chambre froide encore vivant a inquiété Fielding un seul instant. Bien sûr que si, il s'en est alarmé. Comment imaginer le contraire ? Si le pire s'était vérifié à propos de l'homme de Norton's Woods, Fielding en aurait été tenu pour responsable. Certes, les médias se seraient focalisés sur moi et je me serais probablement retrouvée au chômage, mais mon adjoint n'aurait pas manqué de m'accompagner dans ma chute. Pourtant il était au sixième étage, dans son bureau, hors de la mêlée, comme s'il avait déjà pris sa décision. Mais sa disparition ne serait-elle pas liée à autre chose ? Je me laisse aller contre le dos de son fauteuil et jette un œil autour de moi. Un bloc-notes et un stylo à bille près de son téléphone attirent mon attention. Je remarque de légères indentations sur la feuille supérieure.

J'allume une lampe et m'empare du bloc que je positionne sous des angles variés. Je tente de déchiffrer l'écriture en creux, semblable à une empreinte de pas, qui subsiste lorsqu'on prend des notes sur une feuille de bloc arrachée ensuite. Fielding n'a jamais eu la main légère, qu'il s'agisse de manier le scalpel, de taper sur un clavier ou d'écrire. Il est étonnamment brutal pour un adepte des arts martiaux, s'énerve et s'échauffe très facilement. Il a une façon enfantine de tenir son crayon ou son stylo, deux doigts plaqués sur le dessus, comme s'il maniait des baguettes. Il passe son temps à casser les plumes ou les mines et à démolir les marqueurs.

Inutile d'utiliser la détection électrostatique ESDA, la Docustat, l'enceinte sous vide ou quelque autre technique de lecture des tracés en sillons pour déceler ce que je peux distinguer de mes propres yeux sous une lumière rasante, selon la bonne vieille méthode. Les gribouillis à peine lisibles de Fielding. On dirait deux notes distinctes. La première est un numéro de téléphone avec un préfixe de zone 508, suivi de « AAM18/8/UK Dép. de Déf. Journ.8/2 ». La seconde : « U. de Sheffield aujourd'hui @ Whitehall. *Over and out.* » Je relis pour m'assurer que j'ai correctement déchiffré les trois derniers mots. *Over and out.* « À vous. Terminé. » La fin d'une transmission radio, mais également les paroles d'une chanson d'un groupe de *heavy metal*, Pantera, que Fielding écoutait sans arrêt dans sa voiture à l'époque de Richmond. *« Over and out/Every dog has its day. »* « Au bout du compte, chacun aura son heure de gloire. » Ce qu'il me chantait quand il menaçait de tout laisser tomber ou quand il plaisantait, flirtait, faisant semblant d'en avoir par-dessus la tête. A-t-il écrit cet *over and out* en pensant à moi ou pour une autre raison ?

Je trouve un bloc de papier grand format dans un tiroir, sur lequel j'inscris ce que j'ai déchiffré, puis tente de comprendre de mon mieux ce que préparait Fielding. Que voulait-il que je découvre ? Si je venais fouiner ici, j'allais tomber sur la sortie d'imprimante et les notes en creux sur le bloc. Il me connaît. Il connaît sacrément bien la façon dont je raisonne. L'université de Sheffield est l'un des plus grands instituts de recherche au monde, et le siège de l'Institut royal d'études pour la défense et la sécurité se trouve à Whitehall, à l'endroit où s'élevait l'ancien palais, et au premier emplacement de Scotland Yard.

Je me connecte à Intelliquest, un moteur de recherche que Lucy a créé pour le Centre de sciences légales, je tape l'acronyme de l'Institut royal, RUSI, ainsi que la date, 8 février, et Whitehall. Apparaît le titre d'un discours, « Collaboration armée-civils », la conférence à laquelle devait faire allusion Fielding, qui a eu lieu à l'Institut royal à dix heures, heure anglaise, c'est-à-dire hier matin pour moi. L'intervenant était le Dr Liam Saltz, le Prix Nobel controversé dont les vues apocalyptiques sur la technologie militaire en font l'ennemi naturel de l'Agence de recherches avancées de la Défense. J'ignorais qu'il enseignait à l'université de Sheffield. Je pensais qu'il était à Berkeley. Je découvre sur Internet que tel a bien été le cas, mais qu'il réside maintenant à Sheffield, et je repense, médusée, à l'exposition de la Courtauld Gallery, ce fameux été avant le 11 Septembre, où Lucy et moi avions assisté à une conférence du même Dr Saltz. Quelque temps après, le Dr Saltz, tout comme moi, avait publiquement exprimé ses critiques à l'encontre de MORT.

Je considère le titre de la conférence que le Dr Saltz a donnée il y a à peine vingt-quatre heures : « Collaboration armée-civils ». La dénomination est bien fade pour un agitateur comme lui, dont les avertissements vous font bondir de votre fauteuil aussi violemment que des sirènes anti-aériennes. Il est convaincu que la dotation de plus de deux cents milliards de dollars consentie par l'Amérique à la recherche sur les systèmes de combat futurs – plus spécifiquement les véhicules de combat entièrement automatisés – nous mène droit à l'annihilation finale. Quand on envisage de les expédier sur le champ de bataille, les robots peuvent apparaître comme une solution sensée, mais qu'en sera-t-il lorsqu'ils reviendront comme des vieilles Jeep ou du matériel militaire usagé ? vitupère le Dr Saltz à qui veut l'entendre. Ils finiront par se retrouver intégrés à l'univers civil, et nous hériterons alors d'un monde de plus en plus axé sur la surveillance et le maintien de l'ordre, où il y aura toujours davantage de machines insensibles pour accomplir le travail des êtres humains, à ceci près que ces machines seront armées, et équipées de caméras et de systèmes d'enregistrement.

J'ai entendu le Dr Saltz, dans les médias, nous brosser des scénarios terrifiants, dans lesquels des « robots flics » répondront des scènes de crime, où des « véhicules robots » prendront en chasse les voitures pour infliger des procès-verbaux d'infraction aux règles de la circulation, récupéreront ceux contre qui pèsent des avis de recherche ou, pire encore, recevront de leurs capteurs un message leur intimant d'utiliser la force. Des robots qui utiliseront les pistolets Taser contre nous. Des robots qui nous abattront. Des robots semblables à d'énormes insectes qui traîneront nos blessés et nos morts hors des champs de bataille. Le Dr Saltz a témoigné devant la même sous-commission que moi au Sénat, mais pas au même moment. Nous avons tous les deux provoqué des ravages pour une entreprise technologique du nom d'Otwahl, que j'avais totalement oubliée jusqu'à aujourd'hui, il y a encore quelques heures de cela.

Je ne l'ai rencontré qu'une fois. Nous nous sommes croisés sur CNN, et il a déclaré d'un ton malicieux en pointant l'index vers moi :

— Autopbots.

— Je vous demande pardon ? ai-je répondu en ôtant mon micro alors qu'il pénétrait sur le plateau.

— Autopsies robotisées. Un jour, mon bon docteur, elles se substitueront à vous, et plus tôt que vous ne le pensez. Nous devrions prendre un verre après l'émission.

C'était un homme au regard étincelant, qui ressemblait à un vieux hippie avec sa longue queue de cheval grise et son visage émacié, dégageant autant d'énergie qu'une pile électrique. Il y a de cela deux ans. J'aurais dû accepter son invitation, l'attendre sur le plateau et prendre un verre avec lui. J'aurais dû en apprendre plus sur ses convictions, car elles ne sont pas complètement folles. Je ne l'ai pas revu depuis, bien qu'il soit difficile d'échapper à sa présence dans les médias, et je tente de me souvenir si j'ai jamais parlé de lui devant Fielding. Je ne crois pas. Je ne vois pas pourquoi je l'aurais fait. Des liens, des connexions. Quels sont-ils ? Je poursuis mes recherches.

L'université de Sheffield, dans le Yorkshire du Sud, dispose d'une excellente faculté de médecine, voilà ce que je sais déjà. Sa devise est *« Rerum cognoscere causas »*, « Découvrir la cause des choses »… Ironique, mais fort à propos. J'ai besoin de causes. Je clique sur la rubrique « Recherches » : réchauffement climatique, dégradation des sols, repenser l'ingénierie à l'aide de programmes informatiques pionniers, nouvelles découvertes dans les modifications génétiques des cellules souches embryonnaires humaines. Je retourne aux notes en creux sur le bloc.

« AAM18/8/UK Dép. de Déf. Journ.8/2. »

AAM est notre abréviation pour « accident automobile mortel ». J'initie une nouvelle recherche, me plongeant cette fois-ci dans la base de données du Centre. J'entre « AAM » et la date du « 18/8 », le 18 août dernier : un dossier apparaît, celui d'un Britannique de vingt ans du nom de Damien Patten, tué dans un accident de taxi à Boston. Ce n'est pas Fielding qui a pratiqué l'autopsie, mais un autre de mes médecins légistes, et je remarque dans le rapport que Damien Patten était un soldat de première classe du 14e régiment de transmissions. En permission, il se trouvait à Boston pour se marier lorsqu'il est mort dans cet accident de taxi. J'éprouve une curieuse sensation. Quelque chose fait tilt.

Je lance une nouvelle recherche à l'aide des mots clés « 8 février » et « journal département de la Défense UK ». J'atterris sur le blog d'information officiel du département, et une entrée du journal énumère les soldats anglais tués hier en Afghanistan. J'épluche la liste des victimes, à l'affût d'un détail qui présenterait une signification. Un soldat de première classe du 1er bataillon des Coldstream Guards. Un vice-sergent du 1er bataillon des Grenadier Guards. Un soldat du 2e bataillon du régiment du Duc de Lancastre. Vient ensuite un sapeur, ou soldat du génie, appartenant à la *task force* dédiée à la lutte contre les engins explosifs improvisés, mort dans les montagnes du nord-ouest de l'Afghanistan. Dans la province de Badghis. Là où mon patient, le soldat de première classe Gabriel, a été tué le dimanche 7 février.

J'effectue une nouvelle recherche, bien que j'aie déjà en ma possession un élément, le nombre de soldats de l'OTAN tués en Afghanistan le 7 février. C'est un élément dont nous avons toujours connaissance à la base de Dover. Une routine aussi banale que se préparer à une mauvaise tempête, un rapport affreusement morbide qui régit nos vies. Neuf victimes, dont quatre Américains tués par le même engin explosif improvisé qui a transformé l'Humvee du première classe Gabriel en une fournaise explosive. Mais tout cela se passait le 7, pas le 8. Peut-être que le soldat britannique mort le 8 a été blessé la veille ?

Je vérifie, et je ne me suis pas trompée. Le sapeur Geoffrey Miller, vingt-trois ans, marié depuis peu, a été blessé dans un bombardement sur le bord de la route dans la province de Badghis tôt le dimanche. Il est décédé le lendemain dans un centre médical militaire en Allemagne. Il est possible – et même probable – qu'il s'agisse du bombardement qui a tué les Américains dont nous nous sommes occupés à Dover hier matin. Je me demande si le sapeur Miller et le première classe Gabriel se connaissaient, et quel peut être le lien avec le Britannique mort dans un taxi, Damien Patten. Patten connaissait-il Miller et Gabriel en Afghanistan, et en quoi Fielding est-il concerné ? Quel peut être le lien entre le Dr Saltz, MORT ou l'homme de Norton's Woods, et ce lien existe-t-il ?

Poursuivant ma lecture, je découvre que le corps de Miller sera rapatrié ce jeudi et rendu à sa famille à Oxford, mais rien d'autre. Le cas échéant, je puis obtenir des précisions supplémentaires sur un soldat anglais décédé. Je peux appeler l'attaché de communication Rockman, ou Briggs, ce qui me rappelle que je *dois* l'appeler. Il m'a demandé – non, il m'a ordonné – de le tenir au courant de l'affaire de Norton's Woods, de le réveiller si nécessaire à la minute où je disposerais d'informations. Ce que je ne ferai pas. Pas question. Pas maintenant. J'ignore à qui je puis faire confiance, et tandis que cette idée s'attarde dans mon esprit, je mesure dans quel guêpier je me retrouve.

Quelle conclusion tirer du fait qu'on ne peut même pas demander de l'aide aux gens avec lesquels on travaille ? Voilà qui en dit long. J'ai le sentiment que la terre s'ouvre sous mes pieds, que je bascule dans l'inconnu, vers un univers froid, obscur et vide que j'ai déjà côtoyé. Briggs voulait foncer, usurper mon autorité et transférer le dossier Norton's Woods à Dover. En mon absence, Fielding a fourré son nez partout, s'est mêlé de choses qui ne le regardent pas, se servant même de mon bureau, et maintenant il m'évite. Rien de plus, je l'espère en tout cas. Mon personnel est en pleine mutinerie et de parfaits inconnus connaissent les détails de mon retour.

Il est presque deux heures de matin. J'ai la tentation de composer le numéro de téléphone gribouillé par Fielding, de surprendre celui ou celle qui répond, de le réveiller et peut-être de me forger une idée sur ce qui se passe. Au lieu de cela, je me contente d'une recherche informatique pour déterminer à qui appartient ce numéro précédé du code de zone 508. Le résultat me tétanise, et je reste un moment assise, immobile, essayant de garder mon calme. Je tente de repousser les vagues de confusion et de consternation qui menacent de m'engloutir.

Julia Gabriel, la mère du première classe Gabriel.

Sur l'écran devant moi s'étalent ses adresses personnelle et professionnelle, son statut marital, le salaire qu'elle gagne en tant que pharmacienne à Worcester, Massachusetts, le nom de son fils unique et l'âge de celui-ci, dix-neuf ans lorsqu'il est mort en Afghanistan ce dimanche. J'ai passé quasiment une heure au téléphone avec Mme Gabriel avant de pratiquer l'autopsie de son fils, essayant de lui expliquer avec ménagement l'impossibilité dans laquelle je me trouvais de collecter son sperme, tandis qu'elle haussait la voix, criait et m'accusait d'avoir procédé à des choix personnels qui ne m'appartenaient pas. Des choix que je n'avais pas faits et que je ne ferais jamais.

Collecter le sperme des morts pour inséminer les vivants ne me pose pas de dilemme moral. Je n'ai pas d'opinion personnelle sur un sujet à proprement parler médical et légal, et non religieux et éthique. Le choix appartient à ceux qui sont concernés, et certainement pas au praticien. À cause de la guerre, la procédure s'est répandue, et la seule chose qui m'importe se résume au fait qu'elle soit correctement et légalement appliquée. De toute façon, mon opinion supposée sur les droits de reproduction posthume n'avait aucune espèce d'importance dans le cas du première classe Gabriel. Son corps était brûlé et en état de décomposition, son pelvis tellement carbonisé que le scrotum n'existait plus, de même que le canal déférent qui contient le sperme, toutes choses que je n'allais sûrement pas confier à Mme Gabriel. Je m'étais montrée aussi douce et compatissante que possible, sans me sentir visée lorsqu'elle avait laissé libre cours à son chagrin et sa rage contre le dernier médecin qui s'occuperait de son fils.

Mme Gabriel avait poursuivi en m'expliquant que Peter fréquentait une jeune femme désireuse de porter ses enfants, exactement comme l'avait fait son ami, un pacte qu'ils avaient conclu. Je n'avais pas la moindre idée de ce dont elle parlait, ni de l'identité de cet ami. L'ami de Peter lui avait parlé d'un autre ami mort à Boston le jour de son mariage cet été, mais Mme Gabriel n'avait jamais cité le nom Damien Patten, l'Anglais tué dans un taxi le 18 août. « Ils sont morts tous les trois maintenant, trois beaux garçons, tous morts ! » avait martelé Mme Gabriel au téléphone, sans que je comprenne à quoi elle faisait allusion. Je pense le savoir désormais. Je suis quasiment certaine qu'elle parlait de Patten, l'ami de l'ami avec lequel le première classe Gabriel avait conclu un pacte. Je me demande si l'ami de Patten n'est pas cet autre soldat tué à qui Fielding semble m'avoir mené, le sapeur Geoffrey Miller.

« Morts tous les trois maintenant. »

Fielding a-t-il discuté de Patten avec Mme Gabriel ? Et à qui a-t-elle parlé en premier, Fielding ou moi ? Elle m'a appelée à Dover vers huit heures moins le quart. Je remplis toujours une feuille d'appel. Je me revois en train de noter l'heure, assise dans mon petit bureau du Havre des morts de la base, en train d'examiner des CT scans et leurs coordonnées, qui me permettraient de localiser avec une précision de GPS les éclats et autres objets inclus dans le corps affreusement brûlé de son fils. En me fondant sur ce qu'elle m'a dit, maintenant que j'essaye de reconstituer cette conversation, elle a probablement d'abord parlé à Fielding. Ce qui expliquerait ses allusions aux « autres cas ».

Quelqu'un lui avait fourré une idée dans la tête à propos de ce que nous pratiquions pour les « autres cas ». Elle avait la conviction qu'en règle générale nous prélevons le sperme sur les soldats tombés au combat, et que nous encourageons même la chose. Je me souviens de ma perplexité. En effet, la procédure doit être ratifiée et les risques de complications légales sont innombrables. Je n'ai pas compris d'où lui venait une telle certitude et lui aurais sans doute posé la question si elle n'avait été trop occupée à me critiquer et à m'injurier. Quelle sorte de monstre empêchait une femme d'accoucher des enfants de son petit ami tué ou la mère du défunt d'être grand-mère ? Vous le faites pour les autres, alors pourquoi pas mon fils ? pleurait-elle. « Je n'ai plus personne, avouez que ce ne sont que des histoires de bureaucratie de merde ! avait-elle hurlé. Bureaucratie de merde, pour dissimuler encore un crime raciste ! »

— Il y a quelqu'un ? demande Benton sur le pas de la porte.

Mme Gabriel m'avait traitée de militaire raciste : « Vous le faites pour les autres, pourvu qu'ils soient blancs. Ce n'est pas la règle d'or, mais la règle des Blancs ! Vous vous êtes occupée de cet autre garçon tué à Boston, même pas un soldat américain. Mais pas de mon garçon, mort pour sa patrie ! Je suppose que mon fils n'était pas de la bonne couleur ! » avait-elle poursuivi. De quoi parlait-elle, sur quoi se fondaient ses accusations ? Je n'en avais pas la moindre idée. Sur le moment, je n'avais pas cherché à comprendre, mettant tout cela sur le compte de l'hystérie, rien de plus, et je lui avais pardonné sur-le-champ. Pourtant j'avais été terriblement blessée. Je n'ai cessé de penser à cette scène depuis.

— Hello ? répète Benton en entrant.

« Encore un crime raciste, mais il sera démasqué, et les gens comme vous n'en seront pas récompensés cette fois-ci ! » Elle n'avait pas expliqué à quoi renvoyait une accusation aussi terrible, mais je ne lui avais pas demandé de détails. À ce moment-là, je n'avais pas accordé beaucoup d'importance à ses reproches furieux. Me faire insulter, menacer, traiter de tous les noms et même agresser par des gens civilisés et sains d'esprit en situation normale ne constitue pas une expérience nouvelle. Ce ne sont pas des attaques ou des crises de nerfs des défunts dont nous protègent les vitres blindées installées dans les halls et les salles de visite des instituts médico-légaux dans lesquels j'ai travaillé.

— Kay ?

Mon regard se focalise sur Benton, qui serre deux cafés entre ses mains, prenant garde de ne pas les renverser. Pourquoi Julia Gabriel aurait-elle appelé ici avant de me joindre à Dover ? Ou bien est-ce Fielding qui lui a téléphoné, et, dans un cas comme dans l'autre, pourquoi lui aurait-il parlé directement ? Me revient alors ce que Marino m'a dit à son arrivée : le première classe Gabriel était la première victime de guerre originaire de Worcester. Les médias ont contacté le Centre de Cambridge, persuadés que sa dépouille s'y trouvait, au lieu de Dover, et le lien avec le Massachusetts a provoqué un certain nombre d'appels. Peut-être est-ce de cette façon que Fielding a été mis au courant ? Cependant, pourquoi aurait-il eu au téléphone la mère du soldat tué, même en admettant qu'elle ait appelé ici par erreur, pour être renvoyée sur Dover ? Elle devait être informée. En effet, comment Mme Gabriel aurait-elle pu ignorer que son fils se trouvait à la base de Dover ? Je ne vois aucune raison valable à ce que Fielding se soit entretenu avec elle. D'autant qu'il ne pouvait rien lui communiquer d'utile. Et, de toute façon, comment a-t-il osé faire ça ?

Il n'est pas militaire, ni même consultant pour le bureau du médecin expert de l'armée. Fielding est un civil et n'a aucun droit d'enquêter sur des détails relatifs à des victimes militaires, à la sécurité nationale, aucun droit d'engager une conversation sur de tels sujets, qui sont clairement définis comme confidentiels. Le renseignement militaire et médical ne le concerne pas. L'Institut royal d'études pour la défense et la sécurité ne le concerne pas, et les élections au Royaume-Uni non plus. La seule chose qui devrait le concerner se résume à ce qu'il a ignoré dans les grandes largeurs : son énorme responsabilité ici, au Centre de sciences légales, et la fichue loyauté dont il devrait faire preuve à mon égard !

— C'est gentil, dis-je à Benton d'un ton détaché. J'ai bien besoin d'un café.

— Et où étais-tu donc à l'instant ? En plus de te bagarrer en imagination ? Tu as l'air sur le point de tuer quelqu'un.

Il se rapproche du bureau. Il a une façon particulière de m'observer lorsqu'il essaie de deviner mes pensées, déjà certain qu'il ne me croira pas. À moins qu'il ne sache que ce que j'ai à dire ne constitue qu'un début et que je n'ai pas la moindre idée de ce qui va suivre.

— Tu vas bien ? demande-t-il en posant les cafés sur le bureau et en rapprochant une chaise.

— Non.

— Que se passe-t-il ?

— Je crois que je viens de découvrir la signification de l'expression « atteindre sa masse critique ».

— Qu'est-ce qui ne va pas ?

— Tout. Rien ne va.

Chapitre 12

— Ferme la porte, s'il te plaît…

L'idée que je commence à me conduire comme Lucy me traverse l'esprit.

— … Je ne sais pas par où commencer, tant il y a de problèmes.

Benton referme la porte, et je remarque le simple anneau de platine à son annulaire gauche. Parfois notre statut conjugal provoque encore en moi un sursaut de surprise. Que nous ayons été ensemble ou séparés, notre relation dévorante a consumé la majeure part de nos existences, et nous étions toujours convenus que nous n'avions pas besoin d'en passer par là, par une cérémonie officielle et formelle, parce que nous sommes différents. Mais nous l'avons quand même décidé. La cérémonie, simple et sobre, s'apparentait moins à une célébration qu'à un serment. Lorsque nous avons prononcé « jusqu'à ce que la mort nous sépare », la signification était réelle. Après tout ce que nous avions traversé, le fait de l'énoncer dépassait les mots. Il s'agissait davantage d'un véritable engagement, d'une ordination, ou peut-être d'un résumé de ce que nous avions déjà vécu jusque-là. Je me demande s'il lui arrive de le regretter. À cet instant, par exemple, souhaiterait-il revenir en arrière, à la situation antérieure ? Je ne lui en voudrais pas de penser aux choses auxquelles il a renoncé, à ce qu'il rate et aux nombreuses complications dont je suis la cause.

Il a vendu sa maison de famille, une élégante demeure en grès brun du XIXe siècle donnant sur le jardin public de Boston, et il ne peut pas avoir aimé certains des endroits où nous avons résidé. Tout cela à cause de ma profession hors du commun et de ses préoccupations afférentes, d'une existence chaotique et lourde de conséquences, en dépit de mes meilleures intentions. Sa pratique de psychologue légal est demeurée stable, tandis que ces trois dernières années ma carrière n'a cessé de fluctuer, entre la fermeture d'un cabinet privé à Charleston, en Caroline du Sud, puis celle de mon bureau de Watertown à cause de la crise économique, mon départ à New York, puis Washington, puis Dover, et maintenant le Centre de Cambridge.

— Bon Dieu, qu'est-ce qui se passe ici ?

Je lui pose la question comme s'il possédait la réponse tout en ne voyant pas pourquoi il serait au courant. Pourtant je sens que c'est le cas, à moins qu'il ne s'agisse d'un vœu pieu de ma part, tant le désespoir m'envahit, une sensation de panique, celle de tomber en cherchant frénétiquement à quoi me raccrocher.

— Noir, bien serré, annonce-t-il en se rasseyant et en poussant la tasse de café vers moi. Et pas du noisette, ajoute-t-il. Bien que tu en aies une bonne réserve, à ce qu'on m'a dit.

— Jack a disparu et personne n'a de ses nouvelles, je suppose ?

— Il est incontestablement absent. Je pense que tu es tout autant à l'abri dans son bureau qu'il l'a été dans le tien.

Sa déclaration paraît truffée de sous-entendus, et je remarque alors la façon dont il est habillé.

Plus tôt dans la soirée, il portait sa veste de mouton. Dans la salle de radiologie il avait enfilé une blouse jetable, avant de monter au labo de Lucy, et je n'avais pas vraiment détaillé ses vêtements. Des rangers noires, un pantalon de treillis noir, une chemise de flanelle rouge foncé, une montre en caoutchouc étanche avec un cadran luminescent. Comme s'il prévoyait d'affronter le mauvais temps ou d'évoluer dans un endroit requérant une tenue résistante.

— Lucy t'a appris que Jack s'était sans doute installé dans mon bureau ? Dans quel but, je l'ignore. Mais tu le sais peut-être.

— Je n'ai eu besoin de personne pour comprendre qu'il règne dans cet endroit une mentalité de pillards. Comment Marino l'a-t-il baptisé déjà ? Le POST-COM ? À moins qu'il ne fasse uniquement référence au sanctuaire que ton bureau est censé représenter ? Quand il n'y a plus de capitaine pour tenir la barre du navire, tu sais ce qui se passe… On hisse le pavillon noir, les fous s'emparent de l'asile et les poivrots gèrent le bar… Pardon pour le joyeux mélange de métaphores !

— Pourquoi ne m'as-tu rien dit ?

— Je ne travaille ni au Centre, ni pour lui. Je ne suis qu'un invité convié à l'occasion.

— Ce n'est pas une réponse, et tu le sais. Pourquoi ne me protèges-tu pas ?

— Tu veux dire de la façon que tu souhaites ?

souligne-t-il, tant il est stupide d'insinuer qu'il ne me protégerait pas.

— Que s'est-il donc passé ici ? Si tu me le dis, je pourrai déterminer quelles mesures s'imposent. Je sais que Lucy t'a tenu au courant. Ce serait bien si quelqu'un agissait de même avec moi, se livrait avec franchise à une divulgation complète, détaillée.

— Je suis désolé de te voir en colère. Je suis désolé que tu trouves en rentrant une situation aussi pénible. Ton retour aurait dû être joyeux.

— Joyeux ? Bon Dieu, qu'est-ce que ça veut dire, « joyeux » ?

— C'est un mot, un concept. Comme « divulgation complète ». Je peux te raconter ce dont j'ai été le témoin direct, ce qui s'est déroulé lorsque j'ai assisté à des réunions ici, à plusieurs reprises, sur certains dossiers. Je suis intervenu sur deux d'entre eux, poursuit-il, le regard fixe. Le premier concernait le joueur de football du Boston College de l'automne dernier, peu de temps après que le Centre avait pris en charge les dossiers médico-légaux du Commonwealth.

Wally Jamison, vingt ans, joueur quart arrière vedette du Boston College. Trouvé flottant dans le port de Boston le 1er novembre à l'aube. Cause de la mort : exsanguination due à des contusions et coupures multiples. Une affaire traitée par Tom Booker, un de mes médecins légistes, et je rappelle à Benton :

— Jack n'a pas travaillé sur ce dossier.

— Eh bien, à l'entendre, tu n'en tirerais pas cette conclusion, m'informe-t-il. Jack a passé en revue le cas Wally Jamison comme s'il en était chargé. Le Dr Booker était absent. Cela se passait la semaine dernière.

— La semaine dernière ? Pourquoi ? Je ne suis pas au courant.

— Nous disposions de nouvelles informations et désirions discuter avec Jack. Il paraissait impatient de coopérer, d'offrir des tombereaux de renseignements.

— « Nous » ?

Benton récupère sa tasse de café, puis change d'avis et la repose sur le bureau en désordre de Fielding, jonché de ses objets de collection qui ne parlent que de lui.

— L'attitude de Jack n'indiquait pas nécessairement qu'il avait procédé à l'autopsie, mais c'est un point de détail. Un sélectionné potentiel de la Ligue de football était tout à fait dans les cordes de ton Ironman obsédé d'adjoint.

— « Ironman obsédé » ?

— Il n'a pas eu de chance d'être en déplacement lorsque Wally Jamison s'est fait tabasser et taillader à mort. Évidemment, Wally, lui, a eu encore moins de chance…

On pensait que Wally Jamison avait été enlevé et assassiné le jour d'Halloween. La scène du crime demeurait inconnue. Aucun suspect, aucun mobile, aucune hypothèse crédible. Juste une théorie, à propos d'un rite d'initiation satanique. Cibler un athlète vedette, le tenir prisonnier dans un endroit secret, puis le tuer sauvagement. Se répandre ensuite sur Internet et dans les médias. Des commérages qui deviennent paroles d'Évangile.

— Je me fous de ce que ressent Jack ou de ce qui est dans ses cordes ! assène froidement une partie de moi qui a la peau dure et zébrée de cicatrices, une partie de moi qui en a par-dessus la tête de Jack Fielding.

Il me rend furieuse. Je comprends brusquement qu'au cœur de notre relation malsaine se trouve un brasier de fureur.

— Suit Mark Bishop, également la semaine dernière. Le joueur de football, c'était mercredi. Le garçon jeudi, poursuit Benton.

— Un garçon dont le meurtre est peut-être lié à une sorte d'initiation, un gang, un culte, fais-je. Une théorie identique à celle de Wally Jamison.

— « Théorie », le mot clé. La théorie de qui ?

— Pas la mienne ! dis-je en pensant à Fielding avec colère. Je n'échafaude pas de théories, à moins de me trouver derrière des portes closes avec quelqu'un en qui j'ai toute confiance. Je me garde bien de lancer une hypothèse en l'air, au risque que la police et les médias s'en emparent et qu'avant d'avoir pu dire « Ouf ! » un jury en soit lui aussi convaincu !

— Schémas et similitudes…

— Serais-tu en train de lier les affaires Mark Bishop et Wally Jamison ? je demande, tant la chose me semble incroyable. À l'exception des théories échafaudées, j'ai peine à voir ce qu'elles ont en commun.

— Je suis passé ici la semaine dernière pour assister à des réunions concernant ces deux dossiers, poursuit Benton en soutenant mon regard. Où se trouvait Jack à Halloween ? Tu le sais vraiment ?

— Je sais où je me trouvais, moi, c'est à peu près ma seule certitude ! La durée de mon séjour à la base de Dover, c'est tout ce dont je suis sûre, et je n'étais pas censée en savoir plus. Je ne l'ai pas embauché pour être sa *baby-sitter*, bon sang ! Je n'en sais foutre rien, de l'endroit où il a passé Halloween ! Je suppose que tu vas maintenant m'apprendre qu'il n'escortait pas ses enfants de porte en porte pour qu'on les gave de bonbons ?

— Il était à Salem. Mais pas avec ses enfants.

— Pourquoi serais-je au courant ? Pourquoi le sais-tu et quelle importance ?

— L'importance n'a émergé que très récemment.

Je détaille de nouveau ses rangers, puis son treillis sombre doublé de flanelle, ses poches cargo et coupées destinées aux torches et aux chargeurs, le genre de pantalon qu'il porte lorsqu'il travaille sur le terrain, lorsqu'il se rend sur des scènes de crime ou sur les champs de tir et les chantiers de déminage avec la police, avec le FBI.

— Où étais-tu avant de venir me chercher à Hanscom ? Que faisais-tu ?

— Que de choses nous avons sur les bras, Kay ! Plus que je ne le pensais, j'en ai bien peur.

— Tu étais en tenue quand tu es venu me chercher à l'aéroport ?

À moins qu'il n'ait changé de vêtements depuis, s'il s'apprête à se rendre sur le terrain maintenant.

— Tu sais que je garde toujours un sac prêt dans la voiture, puisque je ne sais jamais quand je risque d'être appelé.

— Pour aller où ? Tu as été appelé quelque part ?

Son regard m'abandonne pour se diriger vers la fenêtre, vers l'extérieur. Derrière s'étire la ligne crayeuse des toits de la ville, dans la nuit enneigée.

J'insiste, essayant de lui extorquer une information que je crains de ne pas obtenir pour l'instant :

— Lucy m'a dit que tu étais au téléphone.

— Sans interruption. Tout ça recouvre plus de choses que je le pensais.

Il s'interrompt et n'en dira pas davantage. Il doit se rendre quelque part, dans un endroit déplaisant. Il s'est entretenu de sujets tout aussi déplaisants avec ses interlocuteurs, mais il ne m'en dira rien pour l'instant. « Joie », « divulgation complète ». Quand, par hasard, ces deux paramètres sont réunis dans notre existence, il s'agit à peine d'un avant-goût, d'une petite touche de ce qui nous échappe le reste du temps.

Je reviens à ce qui me préoccupe :

— Tu as discuté des dossiers Wally Jamison et Mark Bishop ici, au Centre, mercredi, puis jeudi. Je suppose que Jack participait également à la réunion concernant Mark Bishop ? Ou aux deux ? Et quand nous en avons parlé dans la voiture, il y a un petit moment, tu n'y as fait aucune allusion ?

— Le petit moment remonte à plus de cinq heures, et il s'est passé beaucoup de choses entre-temps. Depuis notre échange dans la voiture de nouveaux développements sont apparus. Le fait que nous sachions maintenant qu'il y a un autre meurtre n'est pas le moindre. Un troisième meurtre.

— Tu établis un lien entre l'homme de Norton's Woods, Mark Bishop et Wally Jamison.

— Très probablement. Je dirais même oui, tout à fait.

— Et les réunions de la semaine dernière ? Avec Jack ? Il était là, insisté-je.

— Oui. Mercredi et jeudi derniers. Dans ton bureau.

— Dans mon bureau ? Tu veux dire l'immeuble ? L'étage ?

— Ton bureau personnel, répond-il en désignant la pièce voisine.

— Jack a tenu des réunions dans mon propre bureau. Je vois.

— Les deux fois, autour de ta table de conférence.

Je souligne en contemplant le meuble ovale laqué de noir entouré de six chaises ergonomiques que j'ai récupérées lors d'enchères fédérales :

— Il a pourtant la sienne.

Benton ne répond pas. Il sait tout aussi bien que moi que cette décision déplacée de la part de Fielding n'a rien à voir avec le mobilier. Je repense à Lucy, à ses allusions à la « sécurité de mon bureau », aux systèmes de surveillance qui auraient pu être installés à mon insu. À aucun moment elle n'a directement mentionné l'identité de ceux qui se livreraient à un tel espionnage, ni même s'il s'agissait d'une simple précaution. Le candidat le plus plausible à ladite installation de micros, et le plus susceptible de s'en tirer sans se faire prendre, serait ma nièce. Sans doute légitimée par le fait qu'elle savait que Fielding s'arrogeait ce qui ne lui appartenait pas. Je me demande si ce qui s'est déroulé dans mon bureau au cours de mon absence a été secrètement enregistré.

Je poursuis :

— Et tu ne m'en as jamais parlé à ce moment-là ? Tu aurais pu me le dire aussitôt, tu aurais pu me révéler qu'il utilisait mon foutu bureau comme s'il était médecin expert en chef et directeur de ce foutu endroit !

— Je ne l'ai appris que la semaine dernière, lorsque je l'ai rencontré. Bien sûr, je ne dis pas que je n'avais pas eu vent de rumeurs à son propos et à propos du Centre…

— J'aurais apprécié être au courant de ces rumeurs !

— Il ne s'agissait que de bruits, de bavardages, rien de concret, Kay.

— Alors tu aurais dû m'avertir la semaine dernière, quand tu as eu du concret ! Le mercredi où s'est déroulée la première réunion et où tu as découvert qu'elle se tenait dans mon bureau, que Jack n'a pas le droit d'utiliser ! Quelles autres choses ne m'as-tu pas dites ? À quels nouveaux développements fais-tu allusion ?

— Je te confie autant d'éléments que possible, et quand je peux. Je sais que tu comprends.

— Non, je ne comprends pas. Tu aurais dû me tenir au courant tout du long. Lucy aurait dû, de même que Marino.

— Ce n'est pas si simple.

— Trahir est très simple.

— Personne ne te trahit. Ni Marino, ni Lucy, et certainement pas moi.

— Sous-entendu : il y a bien quelqu'un qui me trahit. Simplement, aucun de vous trois.

Il demeure silencieux.

— Benton, nous nous parlons tous les jours, toi et moi. Tu aurais dû me le dire.

— Voyons, quand ? Quand aurais-je pu t'inonder de tous ces renseignements et tant d'autres, à Dover ? Quand tu appelais à cinq heures du matin avant de te rendre au Havre des morts pour prendre soin de nos héros décédés ? Ou bien à minuit, quand tu finissais par déconnecter ton ordinateur ou que tu cessais de préparer ta spécialisation ?

Il s'exprime sans aigreur ni méchanceté, et son argument fait mouche. Il est dénué de subtilité, mais justifié. Je me montre injuste et hypocrite. Qui a décidé que, compte tenu du peu de temps dont nous disposions l'un pour l'autre, nous devions nous abstenir de nous appesantir sur le travail ou les menus détails domestiques, à défaut de quoi il ne nous resterait plus rien ? Je suis toujours prompte à exposer mes brillantes analogies médicales et mes analyses pénétrantes, alors que c'est lui le psychologue, lui qui dirigeait l'unité de profilage du FBI à Quantico, lui qui travaille au département de psychiatrie de la faculté d'Harvard. C'est moi, avec ma sagesse et mes exemples pleins de pertinence, qui ai comparé le travail, les détails insignifiants de la vie quotidienne et les blessures émotionnelles à des cancers, des nécroses, des mutilations, pronostiquant que si nous n'y prenions pas garde, un jour il ne resterait plus de tissus sains et que la mort s'ensuivrait. Je me sens gênée, futile.

— En effet, je n'ai pas abordé certains sujets avant notre trajet en voiture, et je t'en dis davantage maintenant, du moins ce que je peux.

Benton s'exprime avec un calme stoïque, comme s'il s'agissait d'une séance et qu'il s'apprêtait à m'annoncer que nous devons nous interrompre.

Je dois connaître certains éléments et je ne lâcherai pas. Il faut qu'il me révèle différentes choses. Les notions d'injustice sont dépassées. Il s'agit de survie, et je m'aperçois que je ne suis pas sûre de Benton, comme si je ne le connaissais plus aussi bien. C'est mon mari, et j'ai brusquement le sentiment d'un changement imperceptible chez lui. On dirait qu'une nouvelle composante vient de s'ajouter à un ensemble familier.

De quoi s'agit-il ?

J'essaye d'étudier ce que je ressens intuitivement, espérant percevoir ce qui a changé.

Benton poursuit, sur ses gardes, pesant le moindre de ses mots comme si quelqu'un nous écoutait ou qu'il doive rapporter notre conversation à une tierce personne :

— L'interprétation des blessures de Mark Bishop par Jack me paraissait sujette à caution et je t'ai fait part de mon inquiétude. Eh bien, d'après ce que tu as décrit des marques de marteau sur la tête du petit garçon, l'interprétation de Jack se révèle sacrément fausse, on ne peut plus erronée, ainsi que je l'ai soupçonné lorsqu'il a passé le dossier en revue avec nous. J'étais sûr qu'il mentait.

— « Nous » ?

— Des rumeurs me sont venues aux oreilles, mais, honnêtement, je n'ai pas fréquenté Jack.

— Pourquoi dis-tu « honnêtement » ? Par opposition à « malhonnêtement » ?

— Je suis toujours honnête avec toi, Kay.

— Bien sûr que non, mais c'est un autre sujet.

— Effectivement. Je sais que tu comprends, renchérit-il en soutenant mon regard un long moment.

Il me supplie de laisser tomber.

— D'accord. Je suis désolée.

Je vais laisser tomber, mais contre mon gré.

— Je n'avais pas rencontré Jack depuis des mois, reprend-il, et ce que j'ai vu de mes propres yeux... Eh bien, au cours de ces discussions la semaine dernière, il est devenu évident qu'il ne tourne pas rond, et sérieusement ! Il n'avait pas l'air bien. Son discours s'éparpillait dans tous les sens. Il s'est montré logorrhéique, extravagant, hypomaniaque, agressif, le visage écarlate, sur le point d'exploser. De fait, j'ai pensé qu'il ne disait pas la vérité, qu'il nous induisait volontairement en erreur.

— Que veux-tu dire par « nous » ?

Les signaux que je perçois commencent à prendre une signification.

— A-t-il jamais fait un séjour en hôpital psychiatrique, suivi un traitement ? Lui aurait-on diagnostiqué un trouble de l'humeur ?

Je trouve la façon dont Benton m'interroge inattendue et déconcertante. J'ai ressenti la même impression dans la voiture, lors de notre trajet vers le Centre, mais cette fois-ci le phénomène est plus prononcé, plus identifiable.

Il se comporte comme lorsqu'il était encore agent, lorsque sa mission, confiée par le gouvernement fédéral, consistait à maintenir la loi et l'ordre. Je décèle en lui une autorité et une confiance qu'il n'a pas manifestées depuis des années, une assurance qui lui manquait quand il a émergé de l'existence que lui avait imposée le programme de protection des témoins. Lorsqu'il a refait surface, il s'est senti perdu, faible, un universitaire, rien de plus, se plaignait-il souvent. « Émasculé », disait-il. « Le FBI dévore ses enfants, et il m'a dévoré, déclarait-il. Voilà ma récompense pour avoir pourchassé un cartel criminel. J'ai fini par récupérer ma vie, mais je ne veux pas de ce qu'il en reste. C'est une enveloppe vide, je ne suis plus qu'une enveloppe vide. Je t'aime, mais je t'en prie, comprends bien que je ne suis plus ce que j'étais. »

— Jack s'est-il jamais montré violent ou délirant ? me demande Benton.

Il ne s'exprime pas uniquement en clinicien et je me sens soumise à un interrogatoire.

— Il devait bien s'attendre à ce que tu m'apprennes qu'il s'appropriait mon bureau. Ou que je le découvrirais d'une façon ou d'une autre, dis-je.

Je repense à Lucy, à l'espionnage et aux enregistrements clandestins. Benton continue :

— Je sais qu'il se met facilement en colère, mais je parle de violence physique éventuellement accompagnée de fugue dissociative, une disparition pendant des heures, des jours, des semaines, accompagnée d'une amnésie quasi complète. Des phénomènes que l'on rencontre chez certains de ceux qui reviennent de la guerre, des disparitions et amnésies déclenchées par des traumatismes sévères et souvent pris pour de la simulation. Identique à ce dont souffre Johnny Donahue, sauf que dans le cas de ce pauvre garçon je me demande à quel point on ne le lui a pas rentré dans le crâne. Je me demande d'où lui est venue cette idée, si quelqu'un la lui a suggérée.

Pourtant son ton indique qu'il ne se pose pas vraiment la question. Il insiste :

— Aussi loin que l'on remonte, Jack a toujours été connu pour ses talents de simulateur et pour son aptitude à se soustraire aux responsabilités.

C'est moi qui ai créé Fielding.

— Kay, y a-t-il quelque chose que tu ne m'aies pas confié à son sujet ?

J'ai fait de Fielding ce qu'il est, ma créature monstrueuse.

— A-t-il un dossier psychiatrique ? D'accès totalement réservé, même pour moi ou le FBI ? Je pourrais le savoir, mais je ne franchirai pas cette limite, précise mon mari.

Benton et le FBI. De nouveau unis corps et âme. Impossible d'envisager qu'il soit redevenu agent de terrain. En revanche, analyste criminel, analyste en renseignement criminel, analyste en contre-espionnage ? Le département de la Justice dispose de tellement d'analystes, d'agents qui offrent une combinaison de formations universitaires et tactiques. Si vous échouez en prison ou si vous vous faites abattre, autant que le responsable soit un flic bardé de diplômes…

— Que pourrais-tu connaître au sujet de ton protégé Jack que j'ignore ? En dehors du fait qu'il s'agit d'un enfoiré de malade ? Parce que c'est ce qu'il est. Quelque part, tu le sais très bien, Kay.

Je suis la créature de Briggs, et Fielding est la mienne. Depuis si longtemps.

— Je suis parfaitement au courant de l'abus sexuel, déclare Benton d'un ton plat.

On pourrait croire que ce qui est arrivé à Fielding enfant lui importe peu, qu'il s'en fiche royalement.

Je suis certaine à cet instant qu'il ne s'exprime pas en tant que psychologue. Les flics, les agents fédéraux, les procureurs, ceux dont le rôle est de protéger et de punir, sont imperméables aux excuses. Ils jugent les « sujets » et les « individus incriminés » sur leurs actes, et non sur ce qu'ils ont subi. Les gens tels que Benton se fichent pas mal du pourquoi, ou de savoir si l'acte répréhensible est la conséquence d'une pulsion irrépressible, et peu importe les définitions, les condensés, les pronostics qu'il exprime avec tant d'habileté et de talent. Au fond de lui-même, Benton n'éprouve nulle compassion pour les gens haïssables et nuisibles, et ses années en tant que clinicien et consultant lui ont été pénibles. Il m'a avoué à plusieurs reprises à quel point elles lui paraissaient fausses et frustrantes.

— La chose est de notoriété publique puisque l'affaire a été jugée, souligne-t-il.

Benton éprouve le besoin de me parler d'un sujet que je n'ai jamais abordé avec Fielding.

Je ne me souviens plus ni quand ni comment j'ai entendu parler pour la première fois de l'école « spéciale » dans laquelle Fielding avait été scolarisé près d'Atlanta. Grâce à certaines de ses allusions concernant un « épisode » de son passé, je sais que ce qu'il a vécu avec une « conseillère » lui rend toute tragédie impliquant des enfants, surtout s'ils ont été abusés, presque impossible à affronter. Je suis sûre de ne l'avoir jamais poussé à me fournir des détails. Surtout à cette époque-là, je ne lui aurais jamais posé de questions.

— 1978, poursuit Benton. Jack avait quinze ans, enfin, douze au début des faits, et la chose s'est poursuivie plusieurs années, jusqu'au jour où ils ont été surpris en plein acte sexuel à l'arrière de son break à elle, garé au bord du terrain de football. À croire qu'elle cherchait à se faire prendre. Elle était enceinte. Encore une histoire pathétique de pensionnat… Celui-ci, Dieu merci, n'était pas catholique. Il s'agissait d'un de ces établissements pour adolescents à problèmes, un de ces centres de soins privés baptisés « instituts » ou « académies » de quelque chose… Et ce dont la thérapeute s'est rendue coupable, pour être condamnée sur les dix chefs d'inculpation pour agression sexuelle sur mineur, paraît au-delà de ce que tu m'as tu au sujet de Jack.

Je finis par lui répondre :

— Je ne suis pas au courant de tous les détails, loin s'en faut. Je ne me souviens pas du nom de la femme, si je l'ai même jamais su, et j'ignorais qu'elle était enceinte. De lui ? Elle a accouché ?

— J'ai épluché les transcriptions de l'affaire. Oui, elle a accouché.

— Je n'aurais eu aucune raison de voir ces transcriptions.

Je ne lui demande pas quelle pouvait être sa raison, à lui. Il ne me le révélera pas maintenant, peut-être même jamais. Je poursuis en commentant :

— Quel dommage qu'il y ait dans ce monde un autre enfant que Jack aura mal élevé ou pas élevé du tout ! Quelle tristesse !

— La vie de Kathleen Lawler non plus n'a pas vraiment été agréable, rétorque Benton.

Je répète :

— Quelle tristesse !

— La femme condamnée pour agression sexuelle sur Jack. Je ne sais rien de l'enfant, une petite fille née en prison et confiée à l'adoption. Probablement en prison, elle aussi, ou morte, étant donné son héritage génétique. Sa mère, Kathleen Lawler, n'a cessé d'accumuler les problèmes. Elle se trouve aujourd'hui à Chatham, une prison pour femmes à Savannah, en Géorgie, condamnée à vingt ans pour homicide involontaire aggravé par l'alcool. Jack est en relation avec elle. Il est correspondant, ces gens qui écrivent aux prisonniers, sous pseudonyme, et ce n'est pas non plus une des informations que tu me cachais, parce que je doute que tu sois au courant. J'en suis même tout à fait sûr.

— Qui d'autre se trouvait à ces réunions la semaine dernière ?

J'ai si froid que mes ongles ont pris une couleur bleutée et je regrette de ne pas avoir emmené ma parka. Je remarque une blouse de laboratoire accrochée au battant de la porte de Fielding.

— Cela m'a traversé l'esprit lorsque nous étions en réunion dans ton bureau, déclare Benton, l'ex-agent du FBI, l'ex-témoin protégé et maître de la dissimulation, qui a cessé de se conduire comme un ex-quoi que ce soit.

Il se conduit à la manière d'un enquêteur et plus seulement d'un consultant. Je suis maintenant certaine que mes soupçons étaient fondés. Il a rejoint les fédéraux. Les choses se terminent où elles avaient commencé et recommencent où elles avaient cessé.

— Un désordre affectif. J'y ai longuement réfléchi, essayant de me remémorer Fielding autrefois. J'ai beaucoup repensé à cette époque, précise mon mari.

Il parle d'un ton neutre, dépourvu d'émotions à propos de ce qu'il me dévoile ou ce dont il m'accuse.

— Je veux dire que Jack n'a jamais été normal, persiste-t-il. Il est affecté d'une pathologie sous-jacente significative. C'est la raison pour laquelle il a été expédié dans ce pensionnat : pour apprendre à maîtriser sa colère. À six ans, il a poignardé un petit garçon dans la poitrine avec un stylo à bille. À onze ans, il a assené un coup de râteau sur la tête de sa mère. On l'a ensuite placé dans cet établissement près d'Atlanta, où sa colère n'a fait que grandir.

Je réponds :

— Je n'ai pas la moindre idée de ce qu'il a fait dans sa jeunesse. La vérification poussée des antécédents des médecins que l'on est susceptible d'embaucher n'est pas une pratique très répandue. On n'y avait jamais recours lorsque j'ai débuté, lorsqu'il a commencé sa carrière. (Je souligne lourdement :) Je ne suis pas agent du FBI, je ne cherche pas le moindre détail à propos des gens, je ne questionne pas les voisins auprès desquels ils ont grandi. Je n'interroge pas leurs professeurs et je ne suis pas sur la piste de leurs correspondants.

Je me lève du bureau de Fielding et continue :

— J'aurais sans doute dû le faire, évidemment, et peut-être vais-je m'y résoudre à partir d'aujourd'hui.

Mais je n'ai jamais tenté de dissimuler ses erreurs. Je ne l'ai jamais protégé de cette façon. Je reconnais m'être montrée trop indulgente, avoir réparé les catastrophes qu'il avait provoquées, ou en tout cas fait de mon mieux pour y parvenir. Mais je n'ai jamais couvert quelque chose qui n'aurait pas dû l'être, si c'est ce que tu insinues. Je ne ferais jamais rien de contraire à l'éthique, ni pour lui, ni pour personne d'autre.

J'ajoute intérieurement : *Plus maintenant*. Je l'ai fait une fois, mais plus jamais, et jamais pour Jack Fielding. Même pas pour moi d'ailleurs, mais pour la plus haute instance de ce pays.

Glacée, épuisée, honteuse, je traverse la pièce et décroche la blouse de labo de Fielding suspendue derrière la porte fermée.

— Benton, tu sembles penser qu'il y a une chose que je ne t'ai pas dite, mais laquelle ? Je ne sais pas ce que fabrique Jack, ni avec qui. J'ignore tout de ses délires, ses états dissociatifs ou ses absences, qui ne se sont pas produits en ma présence. Et si ces informations sont exactes, il ne les a jamais partagées avec moi.

J'enfile la blouse de labo, immense, et décèle un vestige de l'odeur puissante de l'eucalyptus, comme du Vicks ou du Bengay.

Benton continue comme si je n'avais rien dit :

— Il s'agit peut-être d'un trouble de l'humeur avec une pointe de narcissisme et des explosions de colère intermittentes. À moins que ce ne soit les médicaments, ces foutus produits d'amélioration des performances dont il est friand, pauvre abruti. Je m'en veux de formuler l'euphémisme du siècle, mais Fielding ne représente certes pas la vitrine idéale pour le Centre de sciences légales, ce qui n'a pas échappé à Douglas et

David. Début novembre, lorsqu'ils ont été impliqués dans l'enlèvement et le meurtre de Wally Jamison, le Centre a démarré du mauvais pied à cause de Jack. Tu peux imaginer ce qui a pu remonter jusqu'à Briggs et les autres ! Jack est à un cheveu de tout foutre en l'air, et les opportunistes s'engouffrent dans la brèche. Une mentalité de pillards, je me répète.

Je m'immobilise devant une fenêtre et contemple en contrebas la rue sombre et enneigée, espérant presque y trouver un indice qui me rappelle qui je suis. Une chose qui me donne de la force, dans laquelle puiser un réconfort.

La voix de Benton s'élève derrière moi :

— Il a occasionné beaucoup de dégâts. Était-ce intentionnel ? Pour une part. En tout cas je le pense, à cause de la relation compliquée qu'il entretient avec toi.

Le vent propulse la neige selon un angle improbable. Elle frappe la fenêtre presque à l'horizontale, avec un bruit sec qui m'évoque un tapotis d'ongles, un geste de nervosité et d'agitation. Fixer les flocons qui heurtent la paroi de verre, puis baisser les yeux vers la rue me donne le vertige.

— Il s'agit donc de cela, Benton ? De ma relation compliquée avec lui ?

— J'ai besoin de savoir. Et mieux vaut que je te pose la question, plutôt que n'importe qui d'autre.

— Tu veux dire que tout est abîmé, saccagé à cause de ma relation avec Fielding ? Notre relation est à la racine de tout ce qui ne va pas ? dis-je sans me retourner, fixant toujours l'extérieur, jusqu'à ce que je n'en puisse plus de contempler les flocons de glace voltigeant dans les airs, la rue en contrebas, la rivière obscure et la nuit menaçante. C'est ce que tu crois.

Je veux qu'il confirme ses paroles. Je veux savoir si ce qui a été abîmé et saccagé pendant mon absence inclut l'autre relation, celle qui me lie à Benton.

Au lieu de cela, il me répond :

— J'ai simplement besoin que tu me dises ce que tu ne m'as pas révélé jusqu'ici.

Tandis que mon pouls s'accélère, je grince :

— Bien entendu, toi et les autres avez besoin de savoir ?

— Je comprends que le passé ne se dénoue pas facilement. C'est quelquefois compliqué.

Je me retourne et soutiens son regard. Ce que j'y lis dépasse les dossiers, les morts, mon service en mutinerie, mon adjoint déséquilibré. J'y déchiffre sa défiance vis-à-vis de moi et de mon passé. Je le vois douter de ma personnalité et de ce que je représente à ses yeux.

— Je n'ai jamais couché avec Jack, si c'est ce que tu essayes de découvrir, pour épargner à quelqu'un d'autre l'embarras de me poser la question. À moins que ce ne soit mon embarras qui te préoccupe tant ? Je n'ai jamais eu ce genre de relation avec Jack, et aucun élément ne sortira, parce qu'il n'y en a pas. Voilà ma réponse, si c'était ça ta question. Tu peux la transmettre à Briggs, au FBI, au procureur général, à qui tu veux, bon sang !

— Je comprendrais tout à fait qu'il se soit passé quelque chose entre vous à l'époque où il était ton interne, lorsque vous débutiez tous les deux à Richmond…

— Je m'efforce de m'abstenir de relations sexuelles avec les gens auprès de qui je joue les mentors, dis-je, poussée par une surprenante bouffée d'irritabilité. J'aime à penser que je n'entretiens aucune ressemblance avec… comment s'appelle-t-elle, déjà ? Lawler, l'ancienne thérapeute enfermée en Géorgie !

— Jack n'avait pas douze ans lorsque tu l'as rencontré.

— Il ne s'est jamais rien passé entre nous. Je ne me conduis pas de cette façon lorsque j'assume le rôle de mentor.

— Et lorsque d'autres jouent les mentors auprès de toi ?

Benton me lance un regard soutenu, tandis que je me tiens devant la fenêtre. Je rétorque avec colère :

— Le problème entre Briggs et moi n'a rien à voir avec ça !

Chapitre 13

Je regagne le bureau de Fielding et m'assieds dans son fauteuil, tout en effleurant du doigt un objet léger et gras abandonné au fond d'une de ses poches de blouse. J'extrais un carré de plastique transparent guère plus épais qu'une feuille de papier.

— Pour un premier contact, le Centre de sciences légales aurait vraiment pu se passer de produire une mauvaise impression sur les fédéraux. Mais je suis convaincu que tu vas remédier à tout cela, déclare Benton.

On dirait qu'il regrette la question qu'il vient de me poser, qu'il est navré de ce qu'il a été contraint de m'imposer dans le cadre de son travail.

Je hume ce que Fielding a dû décoller d'un patch antidouleur parfumé à l'eucalyptus et songe avec ressentiment : *C'est ça, vraiment, les fédéraux... Je suis ravie de pouvoir modifier l'opinion qu'ont de moi les fédéraux !*

— Je ne tiens pas à ce que tu aies l'impression que tout va mal ici, cela n'aiderait pas, poursuit Benton. Il y a beaucoup à faire, mais on y arrivera, je le sais. Je suis désolé que notre conversation ait dû emprunter certains chemins, vraiment, je regrette que nous ayons été obligés de remuer tout ça.

Je reviens sur les noms qu'il a cités quelques instants auparavant :

— Parlons de Douglas et David. Qui est-ce ?

— Tu vas surmonter tout cela, j'en suis sûr, faire fonctionner cet endroit, remplir l'objectif qui lui était assigné, un objectif de rayonnement unique au monde. Tu vas surpasser ce qu'ils font en Australie, en Suisse, tous les endroits où ces procédures sont à l'œuvre, y compris Dover, n'est-ce pas ? Kay, j'ai une absolue confiance en toi, ne l'oublie jamais.

Plus Benton m'assure de sa confiance et moins j'ai tendance à le croire. Il ajoute :

— Tout le monde te respecte, l'armée, les forces de l'ordre.

J'en doute également. Éprouverait-il le besoin de le formuler, si tel était le cas ? *Et alors ?* me dis-je avec une flambée d'agressivité difficile à justifier. Je n'ai pas besoin que les gens m'aiment ou me respectent, il ne s'agit pas d'un concours de popularité ! N'est-ce pas ce que serine toujours Briggs ? « Colonel, nous ne sommes pas en lice pour le prix de bonne camaraderie ! » Parfois, lorsqu'il se laisse aller à plus de cordialité, il remplace le « colonel » par « Kay ». Un sourire désabusé joue sur ses lèvres, une étincelle de malice pétille dans son regard d'acier. Lui n'en a rien à foutre que personne ne l'aime, d'ailleurs, au contraire, cela lui réussit, et je vais suivre son exemple. Qu'ils aillent tous au diable ! Je sais ce que je dois faire, c'est déjà un bon point. Oh, oui, je vais prendre des mesures, ça, c'est sûr ! Ils pensaient que j'allais revenir et simplement encaisser, ne pas bouger, laisser n'importe qui agir à sa guise ? Eh bien, sûrement pas ! Cela ne se passera pas comme ça et ceux qui ont pu le penser ne savent pas à qui ils ont affaire.

Je réitère ma question sur un ton hargneux :

— Qui sont Douglas et David ?

— Douglas Burke et David McMaster.

— Je ne les connais pas. Quel rapport ont-ils avec toi ?

Cette fois-ci, c'est moi qui mène l'interrogatoire.

— Le bureau local du FBI de Boston, la Sécurité intérieure de l'agglomération de Boston. Tu n'as pas encore fait la connaissance des représentants locaux, les plus importants en tout cas, mais cela ne tardera pas. Y compris les gardes-côtes. Si tu es d'accord, je vais t'aider à rencontrer tout le monde ici. Pour une fois, je peux t'être utile. Te rendre service m'a manqué. Je sais que tu es contrariée.

— Pas du tout !

— Tu es toute rouge, Kay. J'aurais préféré m'abstenir de t'interroger là-dessus, je m'en excuse. Toutefois je devais parvenir à une certitude, et pour plusieurs raisons.

— Es-tu satisfait ?

— Ta position et ta personnalité revêtent une importance cruciale dans tout cela.

Je contemple la pellicule de plastique mince, un carré à peu près de la taille d'un paquet de cigarettes.

Je la soulève pour la regarder dans la lumière et distingue sur le film transparent les grandes empreintes de Fielding, ainsi que de plus petites, qui doivent être les miennes. Fielding se froisse très régulièrement les muscles, il est toujours à vif et courbatu, surtout lorsqu'il abuse des stéroïdes anabolisants. Quand il replonge dans ses sales tours, il répand une odeur puissante qui m'évoque celle d'une pastille mentholée pour la toux.

— Quel peut-être le rapport entre notre discussion et la Sécurité intérieure ou les gardes-côtes ? contré-je.

J'ouvre successivement les tiroirs, à la recherche de Baume du tigre, de patchs de Bengay, d'ibuprofène, quoi que ce soit qui confirme mes soupçons.

— Le corps de Wally Jamison flottait dans le port, à proximité de la base de commandement intégré des gardes-côtes, juste sous leur nez. Tout à fait délibéré, à mon avis, répond Benton en m'observant.

J'assène d'un ton sarcastique, mauvais :

— Cela étant, le quai là-bas est désert à la nuit tombée, ça peut être intéressant pour un criminel. Et c'est un des rares quais des alentours sur lesquels on peut s'avancer en voiture. Je connais les lieux, et pas qu'un peu ! Tout comme toi. Certaines des personnes qui travaillent là-bas nous reconnaîtraient sans doute : nous nous y sommes tant baladés, juste à côté de cet endroit où nous nous arrêtons de temps en temps, quand nous avons le loisir de nous échapper, de nous retrouver seuls et de nous conduire de façon civile l'un envers l'autre !

— L'accès au quai est réservé au personnel autorisé. Je peux te demander ce que tu cherches ? La chose doit sûrement se trouver sous ton nez.

— Je suis dans l'un de mes bureaux ! Tout cet endroit m'appartient et je cherche ce que bon me chante, sous mon nez ou pas !

Je me sens agitée, mon cœur bat à cent à l'heure.

— Le quai n'est pas ouvert au public. N'importe qui ne peut pas l'emprunter en voiture, précise Benton en m'observant soigneusement, l'air inquiet. Je ne voulais pas te mettre dans cet état.

— Nous allons là-bas très souvent et personne ne nous a jamais demandé nos pièces d'identité. Le quai n'est pas protégé par des pistolets mitrailleurs, c'est une zone touristique !

Je me montre raisonneuse et combative, bien que n'en ayant nulle envie.

— La base de commandement des gardes-côtes n'a rien d'une zone touristique. Pour accéder au quai, on doit franchir un poste de garde, rétorque Benton d'un ton très calme et raisonnable.

Il continue de consulter son iPhone, son regard passant de moi à l'appareil.

Je me comporte de façon effroyable et tente d'adopter un ton affable :

— Si on allait passer quelques jours là-bas ? Tous les deux tout seuls ? Ça me manque.

— On ira, bientôt. Nous parlerons, nous mettrons tout à plat.

Avec une précision saisissante, je me représente notre suite préférée au Fairmont Hotel, qui s'avance sur la mer, sur Battery Wharf, juste à côté de la base des gardes-côtes. Je revois l'eau moutonnante vert foncé du port, je l'entends clapoter contre les pilotis aussi distinctement que si j'y étais. Je perçois le craquement des planches des docks, le claquement des câbles contre les mâts, les tons de basse des sirènes des grands navires avec tant de netteté que les sons pourraient provenir du bureau de Fielding.

— Et nous ne répondrons pas au téléphone. Nous irons nous promener, nous nous ferons monter des plateaux-déjeuner, et nous contemplerons par la fenêtre les grands bateaux, les remorqueurs et les tankers.

Mon ton est insistant et amer, désagréable.

— Faisons ça ce week-end si tu veux. Si c'est possible, propose-t-il tout en lisant sur son iPhone un document qu'il fait défiler de son pouce.

Je jette, incapable de retenir mon reproche :

— Tu passes ton temps à consulter ton téléphone, c'est insupportable ! Tu sais à quel point je déteste ça quand nous sommes en pleine conversation.

— Impossible à éviter pour l'instant, réplique-t-il sans lever les yeux.

Je reprends mon argumentation :

— On sort de la 93, on prend Commercial Street et on y est. Très pratique pour se débarrasser d'un cadavre. On va jusque-là en voiture, puis on balance le corps dans le port. Nu de préférence, ainsi la mer se charge de nettoyer les indices, ceux provenant d'un coffre de voiture par exemple.

Je referme un tiroir du bas. Les paroles qui sortent de moi me paraissent bizarres. Je marmonne d'un air distrait :

— Aucun patch antidouleur. Et je n'en ai pas vu non plus dans mes tiroirs. Uniquement du chewing-gum. Je n'ai jamais aimé le chewing-gum. Enfin, sauf quand j'étais petite, pour Halloween, le Dubble Bubble à l'emballage en papier jaune vif ciré, tortillé aux deux extrémités.

Je le revois. Je le sens, j'en ai l'eau à la bouche. Je poursuis sur ma lancée :

— Je vais t'avouer un secret que je n'ai jamais confié à personne. Je faisais du recyclage. Je le mâchais, puis le remballais, pendant des jours, jusqu'à ce qu'il n'ait plus aucun goût.

Je salive de gourmandise et déglutis à plusieurs reprises.

— J'ai arrêté de mâcher du chewing-gum quand j'ai cessé de fêter Halloween. Tu vois, tu as fait remonter ces souvenirs… Un détail auquel je n'ai pas pensé depuis si longtemps que j'ai du mal à croire qu'il m'ait traversé l'esprit. J'oublie quelquefois que j'ai été enfant. Jeune, stupide et confiante.

Mes mains tremblent.

— Mieux vaut ne pas aimer quelque chose qu'on ne peut pas se payer. C'est pour cela que je ne me suis jamais vraiment mise au chewing-gum.

Je tremble de tout mon corps. Je persiste :

— Mieux vaux ne pas donner l'impression qu'on a eu une enfance pauvre, surtout si c'est le cas. Quand m'as-tu jamais vue mastiquer du chewing-gum ? Jamais de la vie. Ça fait bas de gamme.

— Il n'y a rien de « bas de gamme » chez toi.

Benton me détaille avec attention, prudemment, et je lis dans son regard que je lui fais peur.

Mais je suis incapable de m'arrêter :

— J'ai travaillé sacrément dur pour ne pas avoir l'air de sortir des classes populaires. Tu ne m'as pas connue à mes débuts, à l'époque où je n'avais aucune idée de la véritable nature des gens. Ceux qui disposent d'un pouvoir entier sur toi, ceux pour lesquels tu éprouves une véritable vénération. Jusqu'où ils sont capables de t'entraîner, te faire accomplir des choses qui entament à jamais l'image que tu as de toi-même. Ce secret, tu l'enterres, comme dans *Le Cœur révélateur* d'Edgar Poe, ce cœur sous le plancher, dont tu sais qu'il est toujours là… Et tu ne peux en parler à personne, alors même qu'il t'empêche de dormir la nuit. Tu ne peux même pas en parler à la personne la plus proche de toi, lui dire que sous le plancher repose ce cœur froid et mort, et que c'est de ta faute s'il est là.

— Kay, bon sang !

— Étrange : tout ce que nous aimons semble toujours voisiner avec la mort et la haine… Enfin, non, pas tout.

— Tu vas bien ?

— Ça va. Juste un peu stressée, et, bon Dieu, qui ne le serait à ma place ? Notre maison est à un jet de pierre de Norton's Woods, où un homme a été assassiné hier. Ce même homme se trouvait peut-être à la Courtauld Gallery en même temps que Lucy et moi l'été précédant le 11 Septembre, attentat dont elle pense que nous sommes responsables, soit dit en passant. Liam Saltz était également présent au musée, un des conférenciers. Je ne l'ai pas rencontré à l'époque, mais Lucy a acheté le CD de son intervention. Je ne me souviens plus sur quel sujet.

— Qu'est-ce qu'il vient faire là-dedans ?

— Un lien sur un site internet que Jack a consulté, je ne sais pour quelle raison.

Benton ne dit rien, mais ne me quitte pas des yeux. Je continue, sans parvenir à nouer le fil de mes pensées :

— Toi et moi nous rendons au Biscuit lorsque je suis là le week-end, et nous y avons peut-être croisé Johnny Donahue et son amie du MIT. Nous adorons Salem, les huiles et les bougies qu'on trouve là-bas dans les boutiques. Ils vendent également des clous d'acier, des os du démon. Notre refuge favori à Boston est situé juste à côté de l'endroit où on a retrouvé le corps de Wally Jamison le lendemain d'Halloween. Quelqu'un nous surveille-t-il ? Quelqu'un nous suit-il à la trace ? Que fabriquait Jack à Salem pour Halloween ?

— Le corps de Wally a été acheminé là-bas par bateau, pas par le quai, déclare Benton, et je me demande d'où il sort cette information.

— Tous ces points communs ! On pourrait croire que nous vivons dans une bourgade.

— Tu n'as pas l'air bien.

— Tu es sûr que c'était par bateau ? J'ai l'impression d'avoir une bouffée de chaleur, dis-je en pressant ma main contre ma joue. Seigneur ! Voilà ce qui m'attend. Que de choses palpitantes en perspective...

Benton suit le moindre de mes mouvements et précise :

— Plus pertinent me paraît le fait qu'on a délibérément jeté le corps là où sont amarrées les vedettes de trente mètres avec des gardes à bord. Et dès que le jour se lève, les équipes de plateau, le personnel, tout le monde arrive au travail, le quai se transforme en parking. Tous ces gens descendent de leurs voitures et découvrent un corps mutilé flottant dans l'eau. Culotté. Assassiner un petit garçon dans sa propre cour tandis que ses parents sont dans la maison, très téméraire aussi. Tuer un homme le dimanche du Super Bowl dans Norton's Woods, alors qu'il s'y déroule un mariage de VIP, c'est culotté. Et faire tout ça dans nos quartiers, oui, c'est risqué.

— D'abord, tu sais que c'est par bateau. Ensuite, tu sais qu'il s'agit d'un mariage de VIP, pas n'importe quelle cérémonie.

Je ne pose pas de question, j'affirme. S'il n'était pas sûr de ses informations, il n'aurait rien mentionné.

— Pourquoi Jack se trouvait-il à Salem ? Qu'y faisait-il ? On ne peut même pas y dénicher une chambre d'hôtel pour Halloween, et il y a tellement de monde qu'il est impossible de s'y déplacer en voiture !

— Tu es sûre que tu te sens bien ?

— Existerait-il dans tout cela un rapport personnel avec nous ?

L'idée que nous évoluons dans un monde grand comme un mouchoir de poche m'obsède.

— Je rentre à la maison, et voilà comment je suis accueillie. Mort, tromperie, trahison, saletés, on me déverse tout ça quasiment sur les genoux !

— Dans une certaine mesure c'est exact, reconnaît Benton.

— Eh bien, grand merci !

— J'ai dit « dans une certaine mesure ». Pas pour tout.

— Tu viens d'admettre que c'était personnel. Je veux savoir comment, dans le détail.

— Essaye de te calmer. Respire lentement.

Il cherche à me prendre la main, mais je ne veux pas qu'il me touche.

— Du calme, Kay, du calme.

Je me dégage de son étreinte et il repose sa main sur ses genoux, sur son iPhone qui clignote en rouge toutes les trois secondes lorsque des messages atterrissent. Je refuse qu'il me touche, j'ai l'impression de ne plus avoir de peau.

— Il y a de quoi grignoter ici ? Je peux envoyer chercher quelque chose. C'est peut-être de l'hypoglycémie. Quand as-tu mangé ?

— Non, je serais incapable d'avaler quoi que ce soit. Ça va aller. Pourquoi as-tu dit « de VIP » ? m'entends-je demander.

Il consulte de nouveau son téléphone, avec son minuscule signal d'alerte rouge.

— Anne, commente-t-il en déchiffrant un nouveau texto. Elle est en route, elle devrait arriver d'ici quelques minutes.

— Quoi d'autre ? Je peux télécharger le scan ici, jeter un œil.

— Elle ne l'a pas envoyé. Elle a essayé de te joindre, mais comme tu n'es pas dans ton bureau…

Des agents de surveillance étaient postés à ce fameux mariage, en mission de protection d'une personnalité, m'apprend Benton. De toute évidence, ladite personnalité n'en avait pas besoin. En revanche, nul ne s'intéressait à la victime. Nous ne savions pas qu'il se trouverait là.

Je prends une profonde inspiration, j'essaye de diagnostiquer s'il pourrait s'agir d'une crise cardiaque.

— Les agents ont-ils été témoins de ce qui s'est passé ?

L'hôpital le plus proche serait Mont Auburn, mais je ne veux pas m'y rendre. Benton explique :

— Ceux qui se trouvaient en faction près des portes extérieures ne regardaient pas dans la direction de la victime et n'ont rien vu. Ils ont aperçu des gens se précipiter vers elle lorsqu'elle s'est effondrée. L'homme ne présentait *a priori* aucun intérêt, ils n'ont donc pas quitté leurs postes. Ils ne le pouvaient pas, au cas où il se serait agi d'une manœuvre de diversion. Lorsqu'on est détaché en protection, on reste en faction. On ne dévie de la procédure qu'à de très rares exceptions.

Je me concentre sur la gêne que je ressens au centre de la poitrine et sur mon souffle heurté. Je transpire, la tête me tourne, mais je ne ressens aucune douleur dans les bras, ni dans le dos, ni dans la mâchoire. Pas de douleurs irradiantes, et les crises cardiaques ne provoquent pas de troubles du raisonnement. J'examine mes mains, je les tiens devant moi comme si je pouvais deviner ce qu'il y a dessus.

Je demande à Benton :

— Quand tu as vu Jack la semaine dernière, il sentait le menthol ? Où est-il ? Qu'a-t-il fait exactement ?

— Le menthol ? Pourquoi ça ?

— Les patchs d'ibuprofène extra-fort, ou de Bengay, quelque chose dans ce genre-là, dis-je en me levant du bureau. Quand il les porte en permanence, qu'il pue le menthol, l'eucalyptus, c'est généralement le signe qu'il se mortifie physiquement, qu'il se défonce au gymnase, dans ses tournois de taekwondo. Il souffre de douleurs musculaires et articulaires aiguës ou chroniques. Les stéroïdes. Quand Jack est shooté aux stéroïdes, eh bien… il s'agit toujours d'un prélude à autre chose.

— En me fondant sur ce que j'ai vu la semaine dernière, il est shooté à quelque chose, c'est clair.

J'ôte la blouse de Fielding, que je plie soigneusement au carré et pose sur son bureau.

— Tu pourrais t'allonger quelque part, suggère Benton. Je crois que ce serait préférable. La chambre de garde en bas est équipée d'un lit. Ou bien je peux te conduire à la maison. Tu ne peux pas rester ici dans cet état, et je ne veux pas que tu sortes de cet immeuble sans moi.

— Je n'ai pas besoin de m'allonger, ça ne servira à rien. Cela ne fera qu'empirer les choses.

Je pénètre dans le cabinet de toilette de Fielding et tire un sac-poubelle d'une boîte rangée sous le lavabo.

Benton me surveille, debout, l'œil rivé sur moi tandis que je fourre la blouse de labo pliée dans le sac-poubelle, puis retourne au cabinet de toilette. Je me récure les mains et le visage à l'eau chaude savonneuse. Je lave le moindre centimètre carré de peau qui aurait pu se trouver en contact avec la pellicule plastique extraite de la blouse de Fielding.

Je m'assieds de nouveau et décrète :

— C'est… je ne sais pas, un médicament peut-être.

Benton regagne son siège avec appréhension, comme s'il n'allait pas tarder à en bondir. Je lâche :

— Une préparation transdermique, et sûrement pas de l'ibuprofène ! Je ne sais pas ce que c'est, mais je vais trouver.

— Tu parles du morceau de plastique que tu as touché ?

— À moins que tu n'aies empoisonné mon café.

— Peut-être un patch de nicotine ?

— Tu ne m'empoisonnerais pas, n'est-ce pas, Benton ? Il y a des solutions plus simples si tu ne tiens plus au mariage.

— Je ne vois pas pourquoi Jack utiliserait des patchs de nicotine. Pour l'effet stimulant ? Oui, évidemment, un truc dans ce genre…

— Oh non ! J'ai vécu de patchs de nicotine et je n'ai jamais rien ressenti de similaire, même quand j'allumais une cigarette alors que je portais un timbre de vingt et un milligrammes ! Une vraie accro, voilà ce que je suis. Mais jamais aux médicaments, à une chose comme ça… Qu'a-t-il donc bien pu faire ?

Benton fixe sa tasse de céramique noire vernie, suivant du doigt les contours des armes du bureau du médecin expert de l'armée. Son silence confirme ce que je soupçonne. Quelle que soit la situation à laquelle est mêlé Fielding, elle s'emboîte dans tout le reste : moi, Benton, Briggs, un joueur de football assassiné, un petit garçon mort, l'homme de Norton's Woods, les soldats tués, l'Anglais et celui de Worcester. Des aéronefs illuminés dans l'obscurité, connectés à une tour de contrôle, reliés par un schéma, par moments immobiles dans les ténèbres. Pourtant ils viennent tous de quelque part, pour se diriger vers un autre point, des forces individuelles au milieu d'un ensemble plus vaste, gigantesque, au-delà de l'imagination.

— Tu dois me faire confiance, déclare doucement Benton.

— Briggs a été en contact avec toi ?

— Il se passe certaines choses depuis un moment. Tu te sens bien ? Je ne partirai pas avant d'être rassuré.

— C'est donc pour cela que j'ai suivi cette formation, que j'ai tant sacrifié ?

Je prends la décision d'accepter la situation, il me sera ainsi plus facile d'adopter une ligne de conduite.

— Six mois loin de toi, loin de tous, six mois de renoncement complet. Puis rentrer et découvrir « les choses qui se passent depuis un moment ». Un plan.

Je manque d'ajouter : *Comme au tout début*, à l'époque où, tout jeune médecin légiste, j'étais trop naïve pour avoir la moindre idée de ce qui se tramait autour de moi. À l'époque où j'étais prompte à saluer l'autorité, pire, à lui faire confiance, et pire encore, à l'admirer. Pire que tout, prête à aduler John Briggs au point d'accomplir tout ce qu'il voulait, absolument tout. Sans savoir comment, je me suis débrouillée pour me retrouver aujourd'hui dans la même situation. Au centre d'un plan ourdi par d'autres. Des mensonges, toujours des mensonges, sans oublier des innocents dont l'existence peut être sacrifiée. Des crimes commis de sang-froid, tels que je n'en ai jamais vu. Joanne Rule et Noonie Pieste m'apparaissent clairement, avec plus de netteté et de réalité que jamais.

Je les vois étendues sur leurs chariots cabossés, aux soudures rouillées et aux roues chuintantes. Mes pieds collaient au vieux carrelage blanc impossible à garder propre. La morgue du Cap était toujours ensanglantée, avec des cadavres parqués dans tous les coins. Au cours de la semaine que j'y ai passée, j'ai été témoin de cas aussi extrêmes dans leur incongruité que ce continent l'est dans sa beauté majestueuse. Des gens écrasés par des trains, sur l'autoroute, des overdoses et des violences domestiques dans les bidonvilles, une attaque de requin dans False Bay, un touriste mort dans une chute sur Table Mountain.

J'éprouve le sentiment totalement irrationnel que si je descendais dans la chambre froide, les corps de ces deux femmes assassinées seraient là, m'attendant, comme ce matin de décembre, après un vol de dix-neuf heures sur un petit siège en classe touriste qui me conduisait jusqu'à elles. À ceci près qu'à mon arrivée elles avaient déjà été examinées. J'aurais eu beau traverser la planète en Concorde à Mach 2 ou me trouver à un pâté de maisons lors de leur assassinat, je n'aurais rien pu y changer. Impossible d'arriver assez vite jusqu'à elles. Leurs cadavres avaient été mis en scène au point qu'on aurait pu se croire sur un plateau de cinéma. Deux jeunes femmes innocentes massacrées pour faire la une, pour satisfaire le pouvoir, pour influencer les votes… Et je suis demeurée impuissante.

Non seulement je n'ai rien pu empêcher, mais j'y ai contribué. J'ai rendu cette chose possible, et je me remémore ce que la mère du première classe Gabriel m'a jeté au visage à propos des crimes racistes et de leurs récompenses. Mon bureau à la base de Dover était immédiatement voisin du poste de commandement de Briggs. Un souvenir me revient : durant ma conversation avec cette mère dévastée, quelqu'un est passé à plusieurs reprises devant ma porte close, s'immobilisant devant au moins deux fois. Sur le moment, j'ai pensé qu'on voulait peut-être entrer, mais qu'on hésitait à m'interrompre tant que j'étais au téléphone. L'hypothèse la plus plausible, c'est qu'on m'écoutait. Briggs, ou un de ses alliés, a mis un processus en branle, et Benton a raison, cela dure depuis un moment. Je résume :

— Ces six derniers mois n'ont donc été rien de plus qu'une manœuvre politique. Quelle tristesse, quelle déception, quelle sordide constatation !...

Je m'exprime d'une voix ferme, calme, le comportement que j'adopte lorsque je m'apprête à agir.

— Tu vas mieux ? Dans ce cas nous devrions descendre, parce que Anne est de retour. Il serait souhaitable de lui parler, et puis je dois y aller.

Debout près de la porte, Benton m'attend, le téléphone à la main.

Les battements de mon cœur se sont ralentis, ma nervosité est tombée, mon organisme fonctionne à nouveau normalement et je continue sur ma lancée :

— Laisse-moi deviner. Briggs a tout fait pour que j'obtienne ce poste, pour pouvoir le confier ensuite à celui ou celle qu'il a en tête. Je devais garder la place au chaud. À moins que je n'aie servi d'excuse pour pouvoir faire construire cet endroit, pour rameuter le MIT, Harvard, tout le monde, et justifier les trente millions de subventions ?

Benton déchiffre quelque chose sur son téléphone, tandis que les messages continuent de se succéder.

— Il aurait pu s'épargner beaucoup d'embêtements, dis-je en me levant.

— Tu ne vas pas laisser tomber, jette Benton, les yeux rivés sur son écran. Ne leur donne pas cette satisfaction.

— « Leur » donner ? Il n'est donc pas seul ?

Il continue de taper avec ses pouces sans répondre.

— Bah, de toute façon, il y en a toujours eu pléthore. Le choix est vaste, lancé-je alors que nous quittons la pièce.

— Si tu démissionnes, tu leur offres exactement ce qu'ils veulent.

— Les gens comme eux ignorent ce qu'ils veulent. Ils croient le savoir, c'est différent, rectifié-je en refermant la porte du bureau de Fielding derrière nous et en m'assurant qu'elle est bien verrouillée.

Nous descendons dans les entrailles de mon bâtiment en forme de balle, qui les jours moroses et les nuits sans lune prend la couleur du plomb.

Je raconte à Benton l'inscription en creux découverte sur un bloc-notes près du téléphone de Fielding, tandis que l'ascenseur que j'ai soigneusement sélectionné parce qu'il permet d'économiser cinquante pour cent d'énergie glisse vers le sol. Que Fielding se soit intéressé à un discours que le Dr Liam Saltz vient de donner à Whitehall ne peut relever de la coïncidence. Les chiffres défilent sur l'écran à affichage digital pendant que nous franchissons étage après étage dans la douce lueur des diodes électroluminescentes de mon monte-charge respectueux de l'environnement. D'après la rumeur, aucune des personnes qui travaillent ici ne l'apprécie et on se plaint surtout de sa lenteur.

— L'Agence de recherches avancées de la défense et le Dr Saltz se situent aux deux extrêmes, et ce qui est sûr, c'est que ni l'une ni l'autre ne détient la vérité absolue.

Je décris le Dr Saltz à Benton : un chercheur en informatique, un ingénieur, un philosophe, un théologien, un homme dont la guerre n'est assurément pas le sport ou l'art favori. Il déteste les guerres et ceux qui les mènent.

— Oh, je sais tout de lui et de son art, remarque Benton d'un ton acerbe, alors que nous nous arrêtons sans un à-coup et que la porte d'acier coulisse dans un glissement silencieux. Je me souviens très bien de ce truc sur CNN, quand toi et moi nous sommes pris le bec à cause de lui.

— Ça ne me rappelle rien.

De retour dans la zone de réception, nous retrouvons Ron toujours vigilant derrière sa vitre, exactement comme nous l'avons laissé des heures plus tôt.

Sur ses écrans vidéo de surveillance, j'aperçois des voitures garées sur le parking derrière l'immeuble, des SUV aux feux allumés et dont la carrosserie ne porte aucune trace de neige. Probablement des agents ou des policiers en planque. Je me souviens des fenêtres encore éclairées dans les bâtiments du MIT qui se dressent au-dessus de la clôture du Centre de sciences légales. J'ai remarqué ce détail lorsque Benton nous a conduits ici, et j'en comprends à l'instant la raison. Le Centre est placé sous surveillance, et le FBI ou la police ne font maintenant plus mystère de leur présence. J'ai l'impression que le Centre fait l'objet de mesures de confinement.

Depuis ma sortie de la base de Dover, on m'a accompagnée en permanence ou enfermée à l'intérieur d'un immeuble sécurisé. La raison qu'on m'a donnée n'est qu'un prétexte, en tout cas pas la seule. Ce n'est pas à cause d'un cadavre présentant une hémorragie dans une chambre froide que l'on m'a rapatriée ici le plus vite possible. Une priorité peut-être, mais sûrement pas la plus importante. Certains se sont servis de cette excuse pour m'escorter, par exemple ma nièce, armée, qui jouait en réalité les gardes du corps. Et quoi qu'il ait pu savoir à ce moment-là, je suis convaincue que Benton était partie prenante de cette décision.

— Tu te souviens peut-être qu'il t'a draguée, grince-t-il tandis que nous longeons le couloir gris.

— Tu as l'air de penser que je couche avec tout le monde !

— Pas tout le monde.

Je souris et manque même de rire.

— Tu te sens mieux, remarque-t-il en me pressant le bras avec tendresse.

Quelle qu'ait été la nature du phénomène qui s'est emparé de moi, ses effets se sont dissipés. Je regrette que l'heure soit aussi affreusement matinale, car j'aimerais bien qu'il y ait quelqu'un au labo d'analyse des traces, que nous jetions un œil à la pellicule plastique à laquelle j'ai été exposée. En essayant d'abord le microscope à balayage électronique, puis la spectroscopie à infrarouges par transformation de Fourier ou tout autre moyen de détection qui permette de découvrir ce qui se trouve sur les patchs analgésiques de Fielding. N'ayant jamais pris de stéroïdes anabolisants, j'ignore ce que l'on ressent, mais je doute que cela ressemble à ce que je viens de subir. Pas aussi vite.

De la cocaïne, de la méthamphétamine, du LSD, quelque chose qui pénétrerait instantanément par voie transdermique ? Rien de tout cela, espérons-le, mais que pourrais-je bien savoir des effets qu'on expérimente avec ces substances ? Sûrement pas un opioïde comme le fentanyl, le narcotique le plus communément administré par patch. Un analgésique aussi puissant que le fentanyl n'aurait pas provoqué ce genre de réactions, mais encore une fois je n'en suis pas sûre. Je n'ai jamais été traitée au fentanyl. Chacun réagit différemment aux médicaments, et des substances non contrôlées peuvent être contaminées par des impuretés ou dosées erratiquement.

— Vraiment, tu parais de nouveau toi-même, répète Benton en me touchant. Comment te sens-tu ? Tu es sûre que ça va ?

— L'effet de cette substance s'est dissipé. Dans le cas contraire, même si je me sentais un tant soit peu diminuée, je ne pratiquerais pas l'autopsie.

J'ajoute, puisque c'est là que nous nous dirigeons :

— Je suppose que tu m'accompagnes dans la salle d'autopsie ?

Mais il en revient au Dr Liam Saltz :

— Un verre, ben voyons ! Il te croise sur CNN et t'invite à boire un verre à minuit. Ce n'est pas tout à fait normal.

— Je ne sais pas au juste comment je dois prendre ta remarque, mais je ne me sens pas flattée.

— Sa réputation vis-à-vis des femmes n'a rien à envier à celle de certains politiciens que je ne nommerai pas. Comment dit-on déjà de nos jours ? Une addiction au sexe ?

— Ma foi, tant qu'à en avoir une…

Nous dépassons la salle de radiologie, dont la porte est fermée et le voyant rouge éteint, puisque le scanner ne fonctionne pas. Le silence règne au niveau inférieur, désert, et je me demande où se trouve Marino. Peut-être avec Anne ?

— Il a été en contact avec toi depuis ? C'était quand déjà ? Il y a deux ans, à peu près ? Ou bien avec certains de tes compatriotes à Walter Reed ou à Dover ?

— Pas avec moi en tout cas. Quant aux autres, je ne me prononcerai pas. Sauf qu'aucun militaire ou proche de l'armée n'éprouve de véritable passion pour le Dr Saltz. On ne le considère pas comme un patriote, ce qui est d'ailleurs injuste si on analyse bien ses déclarations.

— Le problème, c'est que plus personne ne semble comprendre ce que dit l'autre. Les gens n'écoutent pas. Saltz n'a rien d'un communiste, ni d'un terroriste. Il n'a commis aucun acte de trahison. Simplement, il ne sait pas contenir sa fougue et museler sa grande gueule. Mais le gouvernement ne s'intéresse pas à lui. Enfin, ne s'intéressait pas, rectifie-t-il.

— Les choses auraient donc changé ?

Je suppose qu'il va m'en dire un peu plus. Il m'annonce :

— Saltz ne se trouvait pas à Whitehall hier, ni même à Londres.

Benton a attendu jusqu'à maintenant pour me fournir cette information. Nous nous arrêtons devant la double porte en acier verrouillée de la salle d'autopsie.

— Ça, tu ne l'as sûrement pas trouvé sur Internet, quand tu tentais de découvrir la signification des gribouillis de Jack, ajoute-t-il d'un ton plein de sous-entendus mêlé d'une nuance d'hostilité dirigée contre Fielding, pas contre moi.

— Comment sais-tu où se trouvait ou ne se trouvait pas Liam Saltz ?

À l'instant où je pose la question, je repense à une réflexion de Benton là-haut, en dépit du brouillard qui régnait dans mon esprit à ce moment-là : il a fait allusion à Norton's Woods et à un mariage de VIP, avec un service de sécurité. Des agents en mission de surveillance, m'a-t-il précisé.

— Son discours, il l'a fait par satellite, sur un grand écran. Et le public de Whitehall était bien présent, explique Benton comme s'il avait été témoin de l'événement. Saltz a eu des complications, un problème de famille, et a dû quitter le pays.

Je repense à l'individu qui repose derrière ces portes d'acier fermées. Un homme dont la montre indiquait peut-être l'heure anglaise au moment de sa mort. Un homme avec dans son appartement un vieux modèle de robot, baptisé MORT, ce même modèle contre lequel Liam Saltz et moi-même avions témoigné, persuadant les gens au pouvoir d'en bannir l'utilisation.

— Tu crois que c'est pour cette raison que Jack effectuait des recherches à son sujet, se renseignait sur l'Institut, ou je ne sais trop quoi, hier matin ?

J'actionne la serrure de la salle d'autopsie. Benton me répond :

— Je me demande ce qui a pu se passer. Fielding a-t-il reçu un coup de fil et a-t-il ensuite lancé des recherches sur Saltz ? À moins qu'il n'ait appris, pour une raison quelconque, que le Nobel se trouvait à Cambridge ? Je me pose des tas de questions, et j'espère qu'elles vont bientôt trouver des réponses ! Ce que je sais, c'est que le Dr Saltz était ici pour le mariage. Celui de la fille de son actuelle femme. Le père biologique était censé conduire sa fille à l'autel, mais il a attrapé la grippe H1N1.

Enveloppée dans une combinaison bleue, Anne travaille sur un ordinateur enfermé dans une enceinte en acier inoxydable étanche, et dont le clavier scellé est installé à une hauteur adéquate pour taper debout.

— Je vous ai envoyé un texto, m'annonce-t-elle.

Derrière elle, sur la table d'autopsie du poste de travail numéro 1, maintenant rutilant et immaculé, est allongé l'homme de Norton's Woods.

— Désolée, réponds-je distraitement, tandis que je songe au Dr Liam Saltz et à son lien éventuel avec le mort, au-delà des robots, particulièrement MORT. Mon téléphone est resté dans mon bureau, et je n'y suis pas retournée.

Je me tourne ensuite vers Benton :

— Il a d'autres enfants ?

— Il séjourne au Charles Hotel et quelqu'un est en route pour l'interroger. Mais pour répondre à ta question, oui, il a un certain nombre d'enfants et de beaux-enfants, issus de plusieurs mariages.

— Je voulais juste vous prévenir que ça ne me rassurait pas de télécharger ses scans pour vous les expédier par *e-mails*, m'explique Anne. On ne sait pas à quoi on a affaire, j'ai pensé qu'il valait mieux prendre le plus de précautions possible. Si vous restez dans les parages, il faut vous couvrir, conseille-t-elle à Benton. Je ne sais absolument pas à quoi ce type a pu être exposé, mais en tout cas aucune alarme ne s'est déclenchée : au moins, il n'est pas radioactif. Dieu merci, quoi qu'il puisse avoir à l'intérieur, aucune trace de radioactivité.

— Non, je ne reste pas, lui dit Benton. Je suppose que tout s'est bien passé à l'hôpital. Aucun incident ?

— La sécurité nous a escortés à l'aller et au retour, et nous n'avons vu personne d'autre – ni patient, ni personnel, en tout cas.

Je lui demande :

— Vous avez trouvé quelque chose à l'intérieur du corps ?

— Des traces de métal.

Les mains gantées d'Anne voltigent sur le clavier et cliquent sur la souris, tous deux récemment recouverts d'une couche de silicone industrielle. Plus rien de la présence négligée de Fielding ne subsiste dans la salle d'autopsie. Dans l'évier du poste numéro 1, le mien, de l'eau et une grosse éponge. Les instruments de chirurgie sont luisants de propreté, rangés avec soin sur la planche de dissection. Je remarque une serpillière qui n'était pas là tout à l'heure et une meule à affûter sur un plan de travail.

— C'est ahurissant ! lui dis-je en regardant autour de moi.

— Ollie, annonce-t-elle en continuant de cliquer sur la souris. Je l'ai appelé, il est revenu et a tout astiqué.

— Vous plaisantez ?

— Ce n'est pas faute d'avoir essayé durant votre absence. Mais Jack a utilisé ce poste de travail et nous avons appris à ne pas nous en mêler.

— Des traces de métal ? Comment se fait-il qu'on ne les ait pas détectées au CT scan ? demande Benton.

Il la regarde pendant qu'elle fait défiler les dossiers qu'elle a créés au labo de neuro-imagerie, à la recherche de certaines images.

Je lui explique :

— Si les traces sont vraiment minuscules, en deçà d'un seuil de 0,5 millimètre, je doute que le CT scan détecte le métal. Voilà pourquoi nous tenions à utiliser l'IRM, pour écarter complètement l'hypothèse, et apparemment nous avons bien fait !

— Enfin, s'il avait été en vie, ç'aurait été une autre histoire, remarque Anne en cliquant sur un dossier. Un objet ferromagnétique chez un individu bien vivant va subir un mouvement de torsion, se déplacer. Des gens exposés par le biais de leur profession à ce genre de choses peuvent par exemple avoir dans les yeux des particules de métal dont ils ignorent l'existence. Jusqu'au passage de l'IRM. Ensuite, je peux vous assurer qu'ils le savent ! Et comment ! Ou lorsqu'ils ont des piercings qu'ils ont oublié de mentionner, ce qui nous est arrivé assez souvent, poursuit-elle à l'adresse de Benton. Ou un pacemaker, Dieu nous en garde ! Le métal se déplace et se réchauffe.

Incapable d'imaginer une arme ou des circonstances capables d'engendrer le chaos qui vient de remplir l'écran vidéo, j'interroge Anne :

— Vous avez des hypothèses ?

— Je n'en sais pas plus que vous !

Nous examinons les images en haute résolution des dommages internes : des pertes de signal formant une zone sombre déformée qui débute juste à l'intérieur de la blessure en boutonnière, puis de moins en moins prononcées au fur et à mesure de la pénétration dans les organes et les tissus mous de la poitrine.

— Même en cas de particules incroyablement minuscules, avec le champ magnétique on retrouve les artefacts. Là, dis-je en soulignant du doigt les zones à Benton. Ces endroits noirs et déformés où le signal n'a pas pénétré. Il a été annihilé par le métal, et tu retrouves cet artefact en expansion le long de la blessure – enfin, ce qui en reste. Cet homme renferme des corps étrangers ferromagnétiques, c'est sûr et certain.

— Qu'est-ce qui pourrait provoquer ça ? demande-t-il.

— Je vais devoir en récupérer des fragments, puis les analyser, avant de te répondre.

Les propos de Lucy sur la thermite me reviennent. Tout autant que les balles, la thermite serait ferromagnétique, les deux métaux composites ayant en commun l'oxyde de fer.

— 0,5 millimètre ? Comme de la poussière ? suggère Benton, le regard distrait par d'autres pensées.

— Un peu plus gros, rectifie Anne.

Je précise :

— À peu près la taille de résidus de tir, de grains de poudre non brûlés.

— Un projectile comme une balle pourrait se trouver réduit à des fragments pas plus gros que des grains de poudre, réfléchit Benton.

Je comprends qu'il relie mes paroles à un autre élément. Je repense à Lucy et me demande ce qu'elle lui a exactement rapporté quand ils se trouvaient ensemble un peu plus tôt dans son labo. Les armes pour la chasse au requin, les nano-explosifs, me reviennent à l'esprit, mais il n'y a ici aucune brûlure, aucun dommage thermique. Cela n'aurait aucun sens.

— Je n'ai jamais vu aucun projectile de ce genre, affirme Anne, ce à quoi j'acquiesce. On en sait un peu plus sur son identité ? demande-t-elle à propos de l'homme sur la table. Je ne veux pas écouter aux portes !

— Bientôt, nous l'espérons, répond Benton.

— Vous avez une idée derrière la tête, remarque-t-elle.

— Le fait qu'il est apparu à Norton's Woods au moment où le Dr Saltz se trouvait à l'intérieur du bâtiment constitue notre premier indice. Les intérêts communs que pourraient partager ces deux personnes nous encouragent à vérifier cette piste.

Je suppose qu'il fait allusion aux robots.

— Euh… je crois que je ne sais pas qui est le Dr Saltz, lui précise Anne.

— Un scientifique, lauréat du prix Nobel, qui s'est expatrié.

Je les observe tous les deux et me rappelle qu'ils sont collègues et amis. Benton la traite avec une tranquille familiarité, une confiance dont il ne fait preuve qu'envers très peu de gens. Il a un geste en direction du mort :

— Et s'il était au courant de la venue du Dr Saltz à Cambridge, la question est de savoir comment.

Je m'enquiers :

— On en est sûrs ?

— Pour l'instant non, c'est une piste.

— Le Dr Saltz assistait peut-être à un mariage, mais celui-ci, souligne Anne en indiquant le corps nu sur la table, n'était pas vraiment équipé pour la circonstance ! Il promenait son chien et il portait une arme.

— Ce que je sais à l'heure actuelle, c'est que la mariée est issue d'une autre union, explique Benton comme si ce détail avait été soigneusement vérifié. Le père de la mariée, censé l'accompagner, est tombé malade. Elle a donc demandé à son beau-père, le Dr Saltz, de le remplacer à la dernière minute. Impossible pour celui-ci de se trouver physiquement à deux endroits en même temps ! Il est arrivé à Boston par avion le dimanche, et sa conférence à Whitehall a été retransmise par satellite. À mon avis, il s'agissait d'un gros sacrifice de sa part : la dernière chose dont il devait avoir envie, c'est de revenir aux États-Unis pour se montrer à Cambridge.

— Les agents de surveillance lui étaient destinés ? Pourquoi ? Je sais qu'il a des ennemis, dis-je, mais pourquoi le FBI offrirait-il une protection à un scientifique civil du Royaume-Uni ?

— Ironie de la chose, commente Benton. La sécurité n'était pas pour lui, mais pour les invités au mariage, essentiellement des Anglais, la famille du marié, David, le fils de Russell Brown. David et Ruth, la belle-fille de Liam Saltz, sont tous deux étudiants à la faculté de droit d'Harvard, une des raisons pour lesquelles le mariage a été célébré ici.

Russell Brown. Le secrétaire d'État à la Défense du cabinet fantôme, dont je viens de lire le discours sur le site de l'Institut royal d'études pour la défense et la sécurité.

Je me rapproche de la table en inox.

— Notre victime débarque à un événement de cet ordre, armé d'un pistolet au numéro de série effacé ?

— Exactement. Pourquoi ? Pour se protéger, ou bien était-il au contraire un agresseur potentiel ? Une mesure de protection en réponse à une menace sans rapport avec le mariage et les gens auxquels je viens de faire allusion ? s'interroge Benton.

Je suggère :

— Des recherches technologiques ultra-secrètes dans lesquelles il était impliqué ? Une technologie d'une énorme valeur marchande, pour laquelle quelqu'un serait susceptible de tuer ?

— Et a peut-être tué, souligne Anne en regardant le jeune homme.

— Avec un peu de chance nous le saurons bientôt, assure Benton.

Je contemple le corps, qui repose sur le dos, rigide, les doigts repliés. En dépit des déplacements, des scans, ses bras, ses jambes, ses mains, sa tête n'ont pas changé de position. La rigidité cadavérique est complète. Cependant, étant mince, il ne me résistera pas trop. Ses fibres musculaires ne sont pas assez abondantes. Relativement peu de calcium ionisé s'y est trouvé piégé après que les neurotransmetteurs se sont taris. Je peux facilement le briser, le plier à ma volonté.

— Il faut que j'y aille, m'annonce Benton. Je sais que tu veux en finir avec ça. J'aurai besoin de ton aide lorsque tu seras prête, mais tu ne pars pas seule ! Assurez-vous qu'elle m'appelle, lance-t-il à Anne, en train d'étiqueter des tubes à essai et des boîtes à échantillons. Appelle-moi, ou bien Marino, une heure avant de partir.

— Marino sera avec toi ?…

Benton m'interrompt :

— Nous travaillons sur quelque chose. Il est déjà là-bas.

Je ne pose plus de questions sur ce fameux « nous » auquel Benton fait référence, et il me jette un dernier regard. Ses yeux s'accrochent aux miens, une caresse persistante et intime, puis il quitte la salle d'autopsie. L'écho de son pas vif diminue au fur et à mesure qu'il s'éloigne dans le couloir carrelé, puis je perçois sa voix et celle de quelqu'un d'autre, peut-être Ron. Je ne distingue pas un mot de ce qu'ils disent, mais leur ton est sérieux, concentré. Ensuite, le silence retombe brusquement. J'imagine que Benton a quitté la zone de réception et son image sur un écran me fait sursauter. Suivi par les caméras de surveillance, il traverse la baie en remontant la fermeture éclair de son manteau de *shearling*, celui que je lui ai offert il y a si longtemps que je ne me souviens même plus quand. Mais je sais que nous étions à Aspen, où il possédait un appartement.

Sur l'écran de surveillance en circuit fermé, je le vois ouvrir la porte juste à côté de celle de la baie, énorme, puis une autre caméra le suit à l'extérieur du bâtiment. Il dépasse son SUV vert garé sur mon emplacement et monte dans un autre véhicule utilitaire sport, massif et de couleur foncée. La neige barre le faisceau des puissants phares allumés, les essuie-glaces balaient le pare-brise, et je ne distingue pas le conducteur. Sur le parking couvert de neige, je regarde le SUV manœuvrer en marche arrière, puis repartir, s'arrêter un instant tandis que la barrière s'ouvre, puis disparaître dans le mauvais temps, à quatre heures du matin, avec mon mari à la place du passager. Peut-être le conducteur est-il son ami du FBI Douglas et sont-ils en route vers une destination dont j'ignore pourquoi on ne me l'a pas communiquée ?

Chapitre 14

Dans l'antichambre, je me prépare pour la bataille comme à mon habitude, enfilant une armure de papier et de plastique.

Lorsque je m'apprête à procéder à un examen *post mortem*, je n'éprouve jamais le sentiment d'être médecin, ni même chirurgien. Selon moi, seuls les gens dont le métier est de côtoyer les morts peuvent saisir ce que j'entends par là. Au cours de mes différents internats, j'étais semblable aux autres médecins, je soignais les malades et les blessés, aux urgences et dans les autres services, j'aidais en salle d'opération. Inciser des corps chauds dotés d'une pression sanguine et dont la vie est en jeu, je sais ce que cela signifie. Mais ce que je me prépare à faire est à cent lieues. La première fois que j'ai inséré une lame de scalpel dans une chair froide et insensible, que j'ai pratiqué ma première incision en Y sur un patient décédé, j'ai renoncé à quelque chose pour le perdre à jamais.

J'ai abandonné toute idée d'être héroïque, surpuissante, plus douée que le commun des mortels. J'ai renoncé au fantasme de pouvoir guérir les créatures vivantes, moi incluse. Aucun médecin ne dispose du pouvoir de faire coaguler le sang, de régénérer les tissus ou les os, de réduire les tumeurs. Nous ne créons rien, nous nous contentons d'entraîner les mécanismes biologiques à fonctionner convenablement ou non de leur propre chef. De ce point de vue-là, les médecins sont plus limités qu'un mécanicien ou un ingénieur, qui, lui, crée véritablement quelque chose à partir de rien. Le choix que j'ai fait de ma spécialité, que ma mère et ma sœur persistent à trouver morbide et anormal, m'a probablement rendue plus honnête que la plupart des médecins. Lorsque j'offre aux morts le secours de mon art, moi et mes manières les laissons de marbre. Ils demeurent aussi morts qu'auparavant. Ils ne disent pas merci, n'envoient pas de cartes postales de vacances, ni ne baptisent leurs enfants de mon prénom. Bien entendu, je savais tout cela lorsque j'ai opté pour la médecine légale. Néanmoins, c'est un peu comme prétendre connaître le combat en s'engageant dans les Marines, avant même d'avoir été déployé en Afghanistan… Tant qu'on ne s'y trouve pas confronté, on ne connaît jamais vraiment les choses.

Comme j'étais naïve de penser que la dissection d'un cadavre donné à la science à des fins d'enseignement pouvait ressembler à l'examen d'une personne non embaumée, dont on doit déterminer la cause de la mort ! L'odeur âcre, grasse et piquante du formaldéhyde non tamponné me le rappelle toujours. J'ai pratiqué ma première autopsie à la morgue de l'hôpital Johns Hopkins. Un endroit rudimentaire, comparé à ce qui s'étend au-delà de la pièce dans laquelle je me trouve, pliant mon uniforme du bureau du médecin expert de l'armée, que je pose sur un banc. À cette heure-ci, inutile de se préoccuper de pudeur et d'aller au vestiaire. La femme dont je n'ai jamais oublié le nom n'avait que trente-trois ans. Décédée de complications postopératoires à la suite d'une appendicectomie, elle laissait derrière elle deux petits enfants et un mari.

Encore aujourd'hui, je regrette de l'avoir eue pour sujet d'examen. Je regrette qu'elle soit devenue le projet d'études de n'importe quel interne en médecine légale. À l'époque, l'absurdité de ce sort m'avait frappée : qu'un être humain jeune, en bonne santé, puisse succomber à une infection conséquente à l'ablation d'une excroissance du cæcum plutôt inutile, en forme de ver. J'aurais voulu améliorer son état. Alors que je travaillais sur elle, que je m'entraînais sur elle, j'aurais souhaité qu'elle revienne à elle, qu'elle descende de cette table éraflée en inox, plantée sur son pied central au milieu d'un carrelage minable, dans cette triste pièce souterraine qui sentait la mort. J'aurais voulu que cette femme soit en pleine forme, et penser que j'y avais une part de responsabilité. Je ne suis pas chirurgien. Je ne fais que fouiller et mettre au jour pour pouvoir asseoir mon argumentation, lorsque je pars en guerre contre des tueurs ou – scénario moins dramatique et plus habituel – contre des avocats.

Anne a été assez prévenante pour dénicher une tunique et un pantalon médicaux fraîchement sortis de la blanchisserie, taille *medium*, et du vert réglementaire auquel je suis habituée. Après les avoir enfilés, j'endosse par-dessus une blouse jetable, que j'ajuste soigneusement dans le dos, avant de tirer d'un distributeur une paire de protège-chaussures dont je recouvre les sabots de caoutchouc médicaux qu'Anne a dégotés quelque part. Ensuite viennent les manches protectrices, une charlotte, un masque, un écran facial, et enfin j'enfile une double épaisseur de gants.

— Vous pouvez peut-être prendre les notes pour moi, dis-je à Anne en entrant dans la salle d'autopsie.

Nous ne sommes que trois, inclus mon patient sur la première table, dans cette immense perspective vide, rutilante de blanc et d'acier. J'ajoute :

— Au cas où je n'aurais pas le loisir de dicter mes constatations juste après, puisqu'il semble que je doive partir.

— Pas toute seule, me rappelle-t-elle.

Je précise :

— Benton a pris les clés de la voiture.

— Ce n'est pas ça qui vous arrêterait puisque nous avons d'autres véhicules, alors n'essayez pas de m'avoir ! Quand il sera temps, je l'appellerai. Pas de discussion.

Anne a l'art de pouvoir dire à peu près n'importe quoi sans paraître irrespectueuse ou grossière.

Elle prend des clichés tandis que je prélève des échantillons sur la plaie au bas du dos. Ensuite, j'effectue des prélèvements aux divers orifices, si jamais cet homicide impliquait une agression sexuelle. Même si je ne vois pas très bien comment la chose serait possible, d'après toutes les descriptions. Mais j'explique, en scellant les prélèvements anaux et oraux dans des enveloppes en papier que j'étiquette et paraphe :

— Puisque nous sommes à la recherche du mouton à cinq pattes… Ce n'est pas un client banal, et je vais exclure tous les *a priori*, d'autant plus que je n'ai pas vu la scène de crime.

— Personne ne s'y est rendu, c'est dommage.

— Même dans le cas contraire, je chercherais quand même le mouton à cinq pattes !

— Vous avez raison, approuve Anne. Je ne croirais à rien de ce qu'on me raconte si j'étais vous.

— Si vous étiez moi ?

J'insère une lame neuve dans un scalpel pendant qu'elle remplit de formol un bocal de plastique étiqueté.

— À moins que je sois votre interlocutrice, répond-elle sans me regarder. Je ne suis pas du genre à mentir, à tricher ou à me servir de ce qui ne m'appartient pas. Jamais je ne considérerais que cet endroit est à moi… Enfin, ça ne fait rien. Je ne devrais pas me lancer là-dedans.

De fait, je n'y tiens pas. Il est inutile de la placer dans cette position, l'obliger à trahir les gens qui m'ont trahie. Je sais ce que l'on ressent à se retrouver dans ce genre de situation. Une des pires sensations qui soient, qui entraîne le mensonge, ouvert ou par omission, et ce sentiment-là aussi, je le connais. Une contre-vérité, qui se niche intacte au cœur de vous-même. Impossible de s'en débarrasser sans aller l'arracher jusque dans les profondeurs. Je ne suis pas sûre d'en avoir le courage, quand je pense aux marches de bois usées qui mènent au sous-sol de la maison à Cambridge. Je pense aux murs de pierre brute, au coffre de sept cents kilos avec sa porte de cinq centimètres d'épaisseur de métal composite et sa triple serrure.

— Lorsque vous étiez au McLean avec Marino, on ne vous a pas donné de détails sur le fait que tout le monde paraît s'être volatilisé ?

J'entame l'incision en Y, découpant d'abord d'une clavicule à l'autre, puis vers le bas sur toute la longueur avec un léger détour autour du nombril, jusqu'à l'os pubien dans le bas-ventre. Je poursuis :

— Avez-vous une idée de l'identité des gens sur le parking et de ce qui se passe ? Puisqu'il semble que je sois aux arrêts pour des raisons que personne n'a semblé disposé à m'expliquer.

— Le FBI.

Anne ne m'apprend rien. Elle se dirige vers le mur où des tablettes presse-papiers à pince sont suspendues à des crochets, à côté d'étagères plastique contenant des diagrammes et des formulaires vierges.

— Il y a au moins deux agents sur le parking, explique-t-elle, et l'un d'entre eux nous a suivis. Enfin, quelqu'un en tout cas.

Elle réunit les formulaires nécessaires et choisit une tablette à pince, après avoir vérifié que le stylo à bille qui y est attaché par une ficelle a encore de l'encre.

— Un enquêteur ou un agent. Je ne sais pas qui nous a suivis jusqu'à l'hôpital. N'empêche que la sécurité avait été avertie de notre arrivée. Quand nous avons atteint le laboratoire de neuro-imagerie, explique-t-elle en regagnant la table d'autopsie, trois types de la sécurité du McLean étaient présents. Ils n'avaient pas vu autant d'agitation depuis des années. Et il y avait cette personne dans un SUV, un Ford bleu foncé, un Explorer ou un Expedition.

Peut-être le véhicule dans lequel est parti Benton. Je lui demande :

— Lui ou elle est-il sorti du SUV ? Je suppose que vous n'avez pas adressé la parole à cette personne ?

Je repousse les tissus mous. L'homme est tellement mince que la couche adipeuse jaune, extrêmement fine, cède vite la place au tissu rouge vif.

— Difficile à voir, et je n'allais pas aller me planter sous son nez. Quand nous sommes repartis, l'agent se trouvait toujours dans le SUV et il nous a de nouveau suivis jusqu'ici.

Elle s'empare de cisailles de dissection sur le chariot d'instruments et m'aide à ôter le sternum, exposant les organes et une hémorragie significative. Le début de l'autolyse est perceptible. Il flotte déjà une odeur qui va devenir putride et viciée. Peu de remugles sont aussi désagréables que ceux exhalés par un corps humain en décomposition. Rien à voir avec un oiseau, un opossum ou le plus gros mammifère qu'on puisse imaginer. Nous sommes aussi différents des autres créatures dans la mort que dans la vie, et je reconnaîtrais n'importe où l'odeur de chair humaine putréfiée.

— Comment voulez-vous que nous procédions ? En bloc ? On s'occupera du métal après avoir sorti les organes sur la planche de dissection ? s'enquiert Anne.

— Je crois que nous devrions synchroniser la procédure, centimètre par centimètre, étape par étape. Comparer les choses avec les scans du mieux possible, parce que je ne suis pas sûre de réussir à distinguer ces fichus corps étrangers ferromagnétiques, à moins de les avoir sous le nez, et à l'aide d'une loupe !

J'essuie mes mains ensanglantées sur une serviette et me rapproche du moniteur, qu'Anne a divisé en quadrants pour m'offrir une sélection d'images issues de l'examen IRM.

— La répartition est très similaire à celle de poudre de tir, précise-t-elle. Bien que nous ne puissions pas proprement distinguer les particules de métal parce qu'elles ont oblitéré le signal.

— Exact. Davantage de perte de signal et d'artefact en expansion au début qu'à la fin. Et la plus grande partie juste à l'entrée, dis-je en pointant mon doigt ganté ensanglanté sur l'écran.

— Mais aucun résidu, de quoi que ce soit, à la surface ! C'est la grande différence avec une plaie de contact par arme à feu.

— Tout ici est différent d'une blessure par arme à feu.

— On peut déterminer que, quelle que soit la nature de cette substance, elle démarre là, dit-elle en indiquant l'orifice d'entrée dans le bas du dos. Mais pas à la surface, juste en dessous, à peine un centimètre en dessous, ce qui est très bizarre. Quand j'essaye d'imaginer à quoi ça pourrait être dû, je n'arrive à rien. Si on avait pressé une arme contre son dos et qu'on ait tiré, il y aurait des résidus de tir sur les vêtements, sur la plaie d'entrée, pas uniquement à un centimètre à l'intérieur, puis au-delà.

— J'ai examiné ses vêtements tout à l'heure.

— Aucune brûlure, aucune suie, pas trace de résidus de tir, résume-t-elle.

Je rectifie :

— En apparence.

En effet, ce n'est pas parce que nous ne voyons aucun résidu de tir qu'il n'y en a pas.

— Tout à fait. Mais à l'œil nu, rien.

— Et Morrow ? Je suppose qu'il n'est pas descendu hier, pendant que Marino relevait les empreintes et réunissait les vêtements du mort à l'Identité ? Personne n'a dû penser à lui demander d'effectuer un test de réaction aux nitrites sur les vêtements, puisque nous ne savions pas à ce moment-là qu'il pouvait y avoir des résidus de tir ou même un orifice d'entrée correspondant aux déchirures dans les vêtements.

— Pas à ma connaissance. Et Morrow est parti tôt.

— C'est ce que j'ai appris, dis-je. Enfin, nous pouvons toujours pratiquer le test, mais je serais très surprise que ce qu'on distingue à l'IRM soit du résidu de poudre. Quand Morrow arrivera, ou bien Phil, qu'ils procèdent à un test de Griess, uniquement pour satisfaire ma curiosité, avant que nous passions à autre chose. Je parie qu'il s'avérera négatif, mais il n'est pas destructeur, donc nous n'avons rien à y perdre.

Il s'agit d'une procédure simple et rapide, qui utilise du papier photographique développé et fixé sans avoir été exposé à la lumière, traité avec une solution d'acide sulfanilique, d'eau distillée et d'alpha-naphtol dans du méthanol. Lorsque le papier est pressé sur le morceau de vêtement en question, puis exposé à la vapeur, les résidus de nitrites prennent une couleur orange. J'ajoute :

— Évidemment, nous pratiquerons les techniques SEM-EDX, la microscopie électronique à balayage et la spectrométrie dispersive en énergie à rayons X. De nos jours, il vaut mieux en faire trop que pas assez, puisque, lentement mais sûrement, le plomb disparaît des munitions. Or la plupart de ces examens ont pour objet de rechercher le plomb, toxique pour l'environnement. Il nous faut commencer à vérifier aussi le zinc et les alliages d'aluminium, sans oublier divers stabilisants et plastifiants ajoutés au cours de la fabrication de la poudre. Ici, aux États-Unis, en tout cas. Pas tant que ça dans les conflits, puisqu'on considère qu'empoisonner l'environnement avec des métaux lourds en plus du reste est une bonne idée. Le but consiste à créer des bombes sales. Et plus elles sont sales, mieux c'est !

— J'espère que cela ne fait pas partie de nos objectifs.

— Non, pas des nôtres.

— Je ne sais jamais à quoi m'en tenir sur le sujet.

— Moi, je sais, du moins dans certains domaines. Je vois ce que nous récupérons lorsque nos militaires sont rapatriés à Dover. Je sais ce qu'on retrouve ou pas dans leurs dépouilles. Je sais ce qui ressort de notre fabrication et de celle des autres, insurgés irakiens, talibans, Iraniens. Une de nos tâches consiste à analyser des matériaux, à déterminer qui fabrique ou fournit quoi.

— Alors, quand j'entends parler de ces bombes ou de ces armes produites en Iran…

— Voilà comment les États-Unis sont au courant. Il s'agit des renseignements prélevés sur nos morts, et de ce qu'ils nous révèlent.

Nous mettons un terme à cette conversation sur le conflit, à cause de cette autre guerre qui a fauché l'existence d'un homme trop jeune pour mourir. Un homme qui est parti se promener avec un lévrier rescapé dans le monde civilisé de Cambridge et a échoué entre mes mains.

Les résidus de tir sont un sujet moins risqué, et j'y reviens :

— Au Texas, ils ont développé une technologie très intéressante, j'aimerais qu'on y jette un œil. Ça combine micro-extraction en phase solide et chromatographie en phase gazeuse avec un détecteur thermoionique.

— Normal, puisqu'au Texas la loi veut que tout le monde soit armé ! À moins que ce ne soit parce que c'est déductible des impôts, comme l'agriculture et l'élevage ici ? commente Anne.

— Pas tout à fait... Mais il faudrait voir si nous ne pouvons pas lancer quelque chose de similaire au Centre : à mon avis, c'est ici, avant tout autre endroit, que nous allons assister à l'augmentation des munitions « vertes ».

— Évidemment ! Tirer sur quelqu'un depuis une voiture en mouvement, pas de problème, pourvu qu'on ne pollue pas l'environnement..., grince Anne.

— Ce que les chercheurs ont mis au point à l'université Sam Houston permet de détecter une unique particule de poudre. Peu d'incidence dans notre cas, puisque nous savons que cet homme a du métal dans le corps, à l'état quasi microscopique mais en quantité. De toute façon, Marino aurait dû employer le kit de détection de résidus de poudre à l'examen préliminaire, ne serait-ce que sur les mains, puisque l'homme était armé.

— Oh, il l'a fait avant de relever ses empreintes, dit-elle. À cause du pistolet, même s'il ne semblait pas avoir servi. Quand je suis allée à l'Identité, à un moment j'ai vu Marino tamponner les mains de la victime.

— Mais aucun prélèvement n'a été effectué sur la blessure, puisque vous l'avez découverte plus tard.

— En effet, et dans le cas contraire je n'aurais rien fait. Cela ne relève pas de mes compétences.

— Bien. Je m'en occuperai le moment venu, quand nous le retournerons. Ôtons le bloc des organes, que je puisse tout collecter sur les surfaces à vif de la trajectoire. Je vais me servir de l'IRM à la manière d'une carte pour me guider, et ramasser le plus possible d'éléments métalliques, même si nous ne pouvons pas les distinguer. Nous savons qu'il s'agit de métal. La question est : quelle sorte de métal et d'où sort-il ?

Tandis qu'Anne soulève le bloc des organes hors du corps et le dépose sur la planche de dissection, je déniche une boîte de papier buvard dans un placard en inox suspendu, fermé par des portes vitrées.

Elle ramasse des fragments d'organes restés dans la cage thoracique béante et vide, dans laquelle les côtes brillent translucidement à travers les tissus rouge vif, et remarque :

— Ces temps-ci, ça pose un sacré problème, les gens qui ont du métal à l'intérieur du corps, je ne vous raconte pas ! Y compris de vieilles munitions, et pas du tout du genre écolo. Quand l'hôpital lance une annonce pour des volontaires, on récupère de fichus sujets de recherche… Et je parle là de gens normaux, hein ? Des gens qui débarquent, soi-disant comme vous et moi, sans rien de spécial à déclarer. C'est ça ! Se trimbaler avec une vieille balle dans le corps, rien de plus normal !

Comme si elle assemblait un puzzle, elle dispose sur la planche des fragments du rein gauche, du poumon gauche et du cœur dans leur position anatomique adéquate.

— C'est plus fréquent qu'on ne pourrait le penser, poursuit-elle. Enfin, pas pour quelqu'un comme vous, puisqu'on voit des trucs comme ça tous les jours à la morgue. Et puis on vous sort la vieille rengaine, les balles sont en plomb, le plomb n'est pas magnétique, donc pas de problème pour scanner la personne. En général, c'est un des psychiatres qui balance ça, qui n'y connaît rien et qui oublie une fois sur l'autre que non, grave erreur. Plomb, fer, nickel, cobalt. Tous les plombs, toutes les balles sont ferromagnétiques, et je me fiche pas mal qu'elles soient soi-disant « vertes », parce que sous le champ magnétique elles subiront un mouvement de torsion. Et si un fragment se trouve à proximité d'un organe ou d'un vaisseau sanguin, la personne en question pourrait avoir un grave problème ! Si un pauvre type s'est fait tirer une balle dans la tête il y a des lustres, la seule chose à espérer, c'est qu'il ne lui reste pas un morceau dans le cerveau ! Ce n'est pas le Paxil, le Neurontin ou quoi que ce soit d'autre qui vont arranger les troubles de l'humeur du type si une vieille balle se déplace au mauvais endroit...

Elle rince un fragment de rein et le place sur la planche de dissection.

J'examine la déchirure que j'ai constatée dans le diaphragme quelques heures auparavant au cours du CT scan, quand j'ai suivi la trajectoire de la blessure.

— Il faut mesurer la quantité de sang dans le péritoine, dis-je. À mon avis, au moins trois cents millilitres en provenance du diaphragme lacéré et au moins cinquante millilitres dans le péricarde. L'importance de l'hémorragie laisserait supposer un intervalle relativement long avant la mort. Toutefois, si on considère la gravité de ces blessures, similaires à un résultat d'explosion, il n'aurait pas survécu longtemps, juste le moment nécessaire à l'arrêt cardiaque et respiratoire. Si j'étais disposée à utiliser le qualificatif de « mort instantanée », cet homme en serait l'exemple parfait.

— Voilà qui est inhabituel, lâche Anne en me tendant un minuscule bout de rein, foncé et dur, présentant une décoloration brun-roux et des bords rétractés. Qu'est-ce que ça peut être ? On dirait presque qu'il a été cuit ou pétrifié.

Il y a plus encore. En rapprochant une lampe et en scrutant le bloc d'organes, je remarque des fragments du lobe inférieur du poumon gauche et du ventricule gauche durs et desséchés. À l'aide d'un gobelet en acier, je ramasse du sang provenant d'un hématome dans le médiastin, la partie médiane de la cage thoracique, et découvre d'autres fragments, ainsi que de minuscules caillots solides et irréguliers. À l'examen attentif du rein gauche déchiqueté, je note une hémorragie péri-rénale et un emphysème interstitiel. Les mêmes modifications anormales des tissus sont encore plus évidentes dans les zones proches de la trajectoire de la blessure, les plus susceptibles d'être altérées par une explosion. Mais quelle explosion ?

J'étiquette des feuilles de papier buvard, leur attribuant les abréviations correspondant à la localisation de l'échantillon. LIG pour lobe inférieur gauche, RG pour rein gauche, VG pour ventricule gauche. Je remarque :

— On dirait des tissus desséchés par une congélation poussée.

En dépit du puissant éclairage du scialytique et du grossissement d'une loupe manuelle, je parviens à peine à distinguer des grains couleur argent foncé du matériau que l'on a fait exploser à travers cet homme lorsqu'on l'a poignardé dans le dos. Je vois des fibres et des débris divers, qui ne seront identifiables qu'à l'examen au microscope. La situation me paraît encourageante. Quelque chose s'est sans doute déposé à l'insu du coupable, des indices qui pourraient me renseigner sur la nature de l'arme et sur la personne qui l'a utilisée. J'allume la hotte aspirante au plus bas, pour provoquer une simple ventilation, et commence à éponger doucement à l'aide de buvard.

J'applique le papier stérile sur les surfaces de tissus déchirés et les bords des blessures, puis dépose les feuilles une à une sous la hotte, où la faible circulation de l'air facilitera l'évaporation et le séchage du sang, sans déranger ce qui peut y adhérer. Je récolte des échantillons de tissus qui paraissent congelés, que je conserve dans des boîtes en carton plastifié et dans de petits flacons de formol. J'avertis Anne que nous aurons besoin de nombreuses photographies. En effet, j'ai l'intention de soumettre à des collègues les clichés pris des dégâts internes et du tissu brun-roux rigidifié pour savoir s'ils ont jamais rencontré des manifestations similaires. Mais en même temps que je parle, je me demande à qui je peux bien faire appel. Sûrement pas Briggs, puisque je ne me risquerais pas à lui expédier quoi que ce soit. Sûrement pas Fielding, ni quiconque travaillant ici. Personne qui me vienne à l'esprit, sinon Benton et Lucy, dont l'opinion ne m'aidera guère. Que cela me plaise ou non, le problème me reste sur les bras. Je décide :

— Retournons-le.

Vidé de ses organes, sa tête paraît lourde par rapport au torse léger.

Je mesure l'orifice d'entrée, décris exactement son apparence et sa localisation. Ensuite, j'examine la trajectoire à travers le bloc d'organes et détermine chaque zone transpercée par une lame, dont je suis à présent certaine qu'elle était à double puis simple tranchant.

J'explique à Anne :

— Regardez la blessure. On distingue clairement les deux extrémités bien nettes, les deux angles de la boutonnière faits par deux bords effilés.

— Je vois, déclare-t-elle, le regard dubitatif derrière ses lunettes en plastique.

Je poursuis en rapprochant la lampe et en lui tendant une loupe :

— Mais regardez là, où la trajectoire s'achève dans le cœur. Vous voyez, les deux angles sont identiques et très aigus.

— Légèrement différent de la blessure dans le dos, admet-elle.

— Oui. Parce que lorsque la lame a achevé sa course dans le muscle cardiaque, seule la pointe est entrée, elle n'a pas pénétré sur toute la longueur. À l'opposé de ces autres blessures, dis-je en les lui désignant. La pointe s'est enfoncée, suivie de la longueur de la lame, et comme vous pouvez le voir, l'angle de l'extrémité est moins aigu et peu étiré. On le voit surtout là, à la pénétration du rein gauche, puis audelà.

— Je crois que je vois ce que vous voulez dire.

— Un couteau papillon, un couteau à désosser, une dague, tous à double tranchant, munis d'une lame aussi affûtée du manche jusqu'à la pointe, ne nous donneraient pas ça. Ceci évoque plutôt le fer d'un épieu ou d'une lance – avec une lame tranchante des deux côtés à la pointe, mais ensuite avec un seul tranchant. J'ai déjà vu cela sur certains poignards de combat, et plus particulièrement les couteaux Bowie ou les baïonnettes : là, la pointe de la lame a été affûtée des deux côtés pour rendre la pénétration plus efficace en cas d'attaque. Nous avons donc un orifice d'entrée d'un tout petit peu moins d'un centimètre. Les deux extrémités sont effilées, l'une un peu plus émoussée que l'autre. Et la largeur augmente jusqu'à un peu plus d'un centimètre et demi.

Anne reporte sur un diagramme corporel ce que je viens de mesurer.

— La lame fait donc 0,95 centimètre à la pointe et 1,58 dans sa section la plus large. C'est drôlement étroit. Presque un stylet.

— Mais la lame d'un stylet est à double tranchant sur toute la longueur.

— Une arme artisanale ? Une lame qui injecte un produit explosif ?

— Sans provoquer de dommages thermiques ni de brûlures ? En réalité, ce que nous avons sous les yeux correspond plutôt à des gelures, avec des tissus durcis, portant des décolorations.

Je mesure la distance entre la plaie dans le dos et le sommet du crâne :

— Soixante-six centimètres, et cinq centimètres à gauche par rapport au centre de la colonne vertébrale. Orientation ascendante, vers la face antérieure. Considérables emphysèmes sous-cutanés et des tissus le long de la trajectoire. Perforation de l'apophyse transverse au niveau de la douzième côte gauche. Perforation des muscles para-vertébraux, de la graisse péri-rénale, de la surrénale gauche, du rein gauche, du diaphragme, du poumon gauche et du péricarde, s'achevant dans le cœur.

— De quelle longueur devrait être la lame pour transpercer tout cela ?

— Au minimum douze centimètres et demi.

Anne branche la scie d'autopsie et nous retournons le corps pour le placer sur le dos. Je glisse un repose-tête sous la nuque, puis incise le cuir chevelu d'une oreille à l'autre, en suivant la ligne de la naissance des cheveux, de façon à ce que les sutures ne soient plus visibles ensuite. Je repousse le cuir chevelu, et le sommet du crâne apparaît, blanc comme un œuf. Lorsque je tire ensuite sur le visage, ses traits s'effondrent. Le masque semble se mettre à pleurer, envahi d'une infinie tristesse.

Chapitre 15

Par-delà les grandes baies vitrées, un ciel bleu dégagé m'accueille lorsque je pousse la porte de mon bureau. Je ne me rends compte qu'à cet instant que le jour s'est levé et que le front froid s'est éloigné vers le sud.

Je regarde six étages plus bas. Quelques voitures évoluent lentement sur le blanc sillon glacé que forme la route. Dans l'autre sens, un camion chasse-neige à la lame jaune relevée telle une pince de crabe fonce à la recherche de l'endroit propice, abat ensuite sa lame dans un claquement métallique que je ne peux percevoir de si haut, puis racle la chaussée, sans parvenir complètement à ses fins à cause de la glace.

Le rivage est tout blanc, et la Charles River, ridée par le courant, d'un bleu grisé. Au-delà, dans le lointain, le jour levant frappe la ligne de toits de Boston, où la tour John Hancock s'élance loin au-dessus des autres gratte-ciel, robuste et impérieuse, m'évoquant une colonne solitaire dressée au milieu des ruines d'un temple antique.

Une soudaine envie de café me vient, et je pénètre dans mon cabinet de toilette. Mon regard s'attarde sur la cafetière près du lavabo et sur les boîtes de dosettes, notamment à la noisette.

J'ai depuis longtemps dépassé le cap où un stimulant pourrait me faire du bien. Seul mon estomac, vide et irrité, serait capable de percevoir la caféine. Une vague nausée m'envahit par intermittence, puis j'ai faim, puis plus rien. Ne me reste que la peu plaisante sensation de légèreté engendrée par le manque de sommeil et la persistance d'un début de migraine qui paraît relever davantage du souvenir que de la réalité. Les yeux me brûlent, et mes pensées progressent avec lenteur mais obstination pour revenir sans cesse sur les mêmes questions sans réponses et les tâches à accomplir. Si j'ai le choix, je n'attendrai personne. Je ne peux pas attendre et je n'ai pas le choix. Si besoin est, j'outrepasserai les bornes. Et pourquoi pas ? Celles que j'avais instaurées ont été allégrement franchies et piétinées par d'autres. Ce que je sais faire, je le réaliserai moi-même. Je suis seule, encore plus seule que je ne l'étais auparavant, car j'ai changé. Mon séjour à Dover m'a modifiée. Je ferai ce qui doit être fait, sans doute pas ce qu'espéraient les gens.

Il est sept heures et demie. J'ai passé tout ce temps en bas. Anne et moi nous sommes occupées des autres affaires, après avoir conclu l'autopsie de l'homme de Norton's Woods. Nous n'avons pas avancé d'un pouce en ce qui concerne son identité. Son nom a peut-être été découvert, mais je n'en ai pas été informée. Je connais maintenant des détails intimes à son sujet, détails qui auraient dû me rester inconnus, mais pas le plus important : qui il est, qui il était et espérait devenir, ses rêves, ce qu'il aimait, ce qu'il détestait.

Installée à mon bureau, je passe en revue les notes qu'Anne a prises en bas, et en ajoute quelques-unes de mon cru. Je tiens à me souvenir qu'il avait mangé peu de temps avant sa mort un aliment renfermant des graines de pavot et du fromage à pâte cuite. La quantité de sang et de caillots accumulée dans l'hémithorax gauche s'élevait à mille trois cents millilitres, et le cœur était fragmenté en cinq morceaux irréguliers encore reliés au niveau des valves.

J'insisterai sur ces éléments face au ministère public, car pour moi tout finit devant le tribunal, en tout cas pour l'aspect civil de mon existence. J'imagine le procureur, usant d'un langage incendiaire que je ne peux employer, exposant au jury que ce pauvre homme a mangé du fromage et un *bagel* aux graines de pavot avant d'emmener promener son chien sauvé de l'abandon, et que son cœur a éclaté en morceaux, provoquant en l'espace de quelques minutes une hémorragie le vidant d'un peu moins du tiers de son sang. L'autopsie n'a pour l'instant pas révélé la raison à l'origine de sa mort, mais la cause, elle, en est simple. Je la note distraitement, l'esprit occupé à méditer et échafauder des plans :

Perforation/coup de couteau atypique dans le bas du dos.

Un diagnostic pathologique qui peut sembler banal après ce que je viens de voir. Si je tombais dessus par hasard, je marquerais un temps d'arrêt. Je le trouverais sibyllin, presque évasif et pince-sans-rire. Une mauvaise plaisanterie lorsqu'on connaît la suite : la destruction massive des organes, évoquant une explosion, et le fait qu'il s'agit d'un homicide brutal et prémédité. Je revois le bas d'un long manteau noir flottant rapidement à travers le champ de vision, et j'imagine ce qui a dû se passer quelques secondes avant que la personne portant ce vêtement ne plonge une lame dans le bas du dos de la victime. L'espace d'un instant, il a ressenti le choc physique, la douleur, lorsqu'il s'est exclamé « Hé !… », puis s'est agrippé la poitrine, avant de s'effondrer sur le sentier semé d'éclats d'ardoise.

J'imagine l'individu au manteau noir qui se baisse rapidement pour s'emparer des gants noirs de la victime, puis s'éloigne d'un pas vif, glissant la lame dans une de ses manches ou dans un journal replié, que sais-je encore ? Au fur et à mesure de cette reconstitution, je me convaincs que la personne au manteau noir est le tueur, et qu'elle a été enregistrée à la dérobée par les écouteurs. Une autre insistante question me traverse l'esprit : qui pratiquait la surveillance ? L'assassin a-t-il installé des systèmes d'enregistrement dans le casque pour pouvoir suivre la victime ? Je visualise une silhouette en long manteau noir qui se déplace rapidement dans l'ombre des arbres, surprenant l'homme par-derrière. La musique des écouteurs a empêché celui-ci d'entendre quoi que ce soit. Poignardé dans le dos, il s'est écroulé trop rapidement pour pouvoir se retourner. Je me demande s'il est mort sans savoir qui l'a frappé. Et ensuite ? La théorie de Lucy tient-elle la route ? Au vu des enregistrements, la personne au manteau noir a-t-elle décidé qu'il n'était pas nécessaire de les effacer depuis le site de la webcam et qu'il s'avérait même plus intelligent de ne pas y toucher ?

Toute chose a une raison, me dis-je. Vérité irréfutable qui pourtant se dérobe quand je me débats au milieu d'un problème. Les réponses existent et je vais les trouver. Même si le moyen physique ayant occasionné la blessure mortelle peut paraître difficile à deviner, je me persuade que le meurtrier a dû abandonner des traces derrière lui. Les empreintes relevées sur du papier buvard vont me permettre de remonter la piste jusqu'à l'assassin, ainsi que le feraient des empreintes de pas. M'adressant à la personne en manteau noir, je promets : *Tu ne t'en tireras pas. Et j'espère que, qui que tu sois, tu n'as aucun rapport avec moi, que tu n'es pas quelqu'un à qui j'ai enseigné l'habileté et la méticulosité.* Jack Fielding est en fuite ou en détention provisoire, ai-je fini par conclure. L'éventualité de sa mort m'a même traversé l'esprit. Cependant je suis épuisée, en manque de sommeil, et mon cerveau ne se montre pas aussi discipliné qu'à l'habitude. Fielding ne peut pas être mort. Pourquoi le serait-il ? J'ai vu les corps allongés en bas et il n'en faisait pas partie.

Mes autres patients du matin étaient assez simples et n'ont pas exigé beaucoup d'efforts. Un accident de voiture : il sentait l'alcool et sa vessie était pleine, comme s'il avait bu jusqu'au moment de s'installer au volant, en plein milieu d'une tempête de neige qui l'avait propulsé dans un arbre. Une fusillade dans un motel minable : les piqûres d'aiguille et les tatouages de prison d'un autre être mort comme il avait vécu. Une asphyxie provoquée par un sac en plastique de blanchisserie noué autour du cou d'une vieille veuve à l'aide d'un ancien ruban de satin rouge, peut-être un souvenir de vacances, vestige de temps meilleurs : elle avait l'estomac plein de comprimés blancs dissous et, près de son lit, un flacon vide de benzodiazépine prescrite contre l'insomnie et l'angoisse.

Aucun message sur mes divers téléphones, portable et de bureau, pas d'*e-mails* revêtant une quelconque importance à cette heure-ci, compte tenu des circonstances. Lucy était absente lorsque j'ai jeté un œil dans son labo, et quand j'ai vérifié le poste de la sécurité, j'ai constaté que Ron était parti, remplacé par un vigile qui m'est inconnu. Dégingandé, les oreilles aussi décollées que celles d'Ichabod Crane, le héros de *Sleepy Hollow*, il s'appelle Phil, m'informe que la voiture de Lucy n'est pas sur le parking et qu'il a reçu des instructions bien précises : personne ne pénètre dans l'immeuble, ni par le hall principal, ni par l'arrière, sans que j'aie au préalable donné mon accord.

— Impossible. Les employés devraient arriver d'une minute à l'autre, et je ne peux pas monter la garde en permanence. Laissez entrer ceux dont la présence dans le bâtiment est légitime, lui dis-je avant de remonter. À l'exception du Dr Fielding.

Je constate que la précision était superflue. Phil le vigile sait parfaitement que Fielding ne débarquera pas : il n'a pas intérêt à se montrer ou en est empêché. En plus, le FBI règne sur mon parking. Dans le jour froid et lumineux, les SUV des agents sont parfaitement visibles sur l'écran vidéo de mon bureau.

Je fais pivoter mon siège jusqu'au plan de travail de granit noir poli installé derrière moi, devant mon arsenal de microscopes et matériel divers. Une fois enfilé une paire de gants, j'ouvre une des enveloppes blanches que j'ai scellées en bas avec du papier collant. J'en extrais une feuille de papier buvard maculée d'une large tache de sang séché provenant de la partie du rein gauche sur laquelle j'ai décelé une quantité importante de corps étrangers métalliques à l'IRM. J'allume mon microscope en lumière polarisée – un Leica qui me sert depuis des années – et dispose avec précaution la feuille sur la platine. J'incline les oculaires selon l'angle le plus confortable pour mon cou et mes épaules, et me rends compte instantanément que les réglages ont été modifiés pour s'adapter à quelqu'un de bien plus grand que moi, droitier de surcroît. Quelqu'un qui doit boire du café avec de la crème et mâcher du chewing-gum à la menthe. La focale et l'écartement des objectifs ne sont également plus les mêmes.

Je bascule sur une manipulation pour gaucher et ajuste la hauteur. Je démarre sur un grossissement de cinquante. D'une main je manipule la molette de mise au point, tandis que de l'autre je déplace la feuille de buvard, parcourant la tache de sang jusqu'à trouver ce que je cherche : des éclats et écailles d'un blanc argenté brillant, au milieu d'une constellation d'autres particules si minuscules que lorsque je règle sur un grossissement de cent, je ne parviens pas à déterminer leurs caractéristiques. Je ne distingue que les stries, les éraflures et les bords flous des particules les plus grosses. On dirait des copeaux de métal, travaillés par une machine ou un outil. Rien de ce que j'ai sous les yeux n'évoque les résidus de tir, ni ne ressemble, de près ou de loin, aux disques ou billes que j'associe à la poudre, aux particules irrégulières d'un projectile ou de sa chemise.

Plus intrigants encore, les autres débris mêlés au sang, et ses éléments usuels : les confettis colorés de la poussière banale mêlés aux globules rouges empilés comme des pièces, des granulocytes rappelant des amibes comme pris dans la glace, tout cela flottant et cabriolant en compagnie d'un pou et d'une puce. Leur taille exagérée par le microscope me rappelle pourquoi le Londres du XVIIe siècle fut pris de panique lorsque Robert Hooke publia *Micrographie*, qui révélait les pinces et les mâchoires des monstres infestant chats et matelas. J'identifie des moisissures et des spores qui ressemblent à des éponges et à des fruits et des insectes, des fragments épineux de pattes et des oothèques qui ont l'aspect de délicates coquilles de noix ou de boîtes sphériques sculptées dans du bois poreux. Au fur et à mesure du déplacement du papier sur la platine, je trouve davantage d'appendices hirsutes de monstres microscopiques morts depuis longtemps, des moucherons, des mites, les larges yeux à facettes d'une fourmi décapitée, une antenne duveteuse qui a peut-être appartenu à un moustique, sans oublier les cuticules à longues écailles d'un poil animal, peut-être un cheval, un chien ou un rat, et des mouchetures orange rouge qui pourraient être de la rouille.

Je m'empare du téléphone et appelle Benton. Lorsqu'il décroche, je perçois des voix en arrière-fond. La connexion est mauvaise.

Tout en démarrant une recherche Internet sur mon ordinateur, en entrant les mots clés « couteau » et « gaz explosifs », j'annonce sans préambule :

— Un couteau affûté ou taillé sur quelque chose ressemblant à un tour, une machine peut-être rouillée, dans un atelier ou un sous-sol, éventuellement une vieille cave à légumes semi-enterrée où l'on trouve des moisissures, des insectes, des légumes en décomposition et probablement un tapis humide.

— Qu'est-ce qui est affûté ? demande Benton, qui s'adresse ensuite à quelqu'un d'autre, à qui il dit « besoin des clés » ou « besoin de garder », avant de revenir vers moi. Je suis en mouvement, je ne capte pas bien.

— L'arme avec laquelle il a été poignardé. Un tour, une meule, peut-être ancienne ou mal entretenue, avec des traces de rouille, d'après les particules très fines et les éclats de métal que je peux voir. Je pense que la lame a été affilée pour aiguiser l'extrémité sur les deux tranchants, la transformer en un fer de lance, il faut donc chercher un instrument qui a pu servir à ça, une lime, une râpe…

— Tu veux dire un outil électrique vieux et rouillé. Beaucoup de rouille ?

— Un outil pour travailler le métal, pas nécessairement électrique. Je ne suis pas en mesure d'être aussi précise. Je ne suis pas experte en la matière. Impossible de déterminer la quantité de rouille. J'ai simplement trouvé des éclats qui y ressemblent.

« Intestins explosés », « Comment nettoyer vos bougies », « Gaz ordinaires associés au travail du métal et aux couteaux artisanaux »… Je déchiffre en silence ce qui défile sur mon écran, puis poursuis :

— Je ne prétends pas être une spécialiste des traces, mais au microscope elles me paraissent familières. Simplement, je n'ai jamais vu ça pulvérisé dans un corps. Remarque, je n'ai jamais vraiment regardé, faute de raisons ! Je n'ai pas l'habitude d'avoir recours au buvard sur les organes internes en cas de plaie à l'arme blanche. Quand quelqu'un est poignardé, abattu, empalé, Dieu sait quoi encore, je suppose que des tas de particules ou débris invisibles se trouvent projetés à l'intérieur.

Je tape « couteau à injection » dans le champ de recherche. En même temps que je m'entends parler, me viennent à l'esprit les projecteurs hypodermiques, les fusils avec une cartouche de gaz CO_2 qui projettent une fléchette-seringue destinée à la tranquillisation à distance. Pourquoi le même système ne serait-il pas applicable à un couteau, qui disposerait d'un mécanisme de propulsion et d'un étroit canal creusé dans la lame avec une ouverture près de l'extrémité ?

— Je vais à la voiture, précise Benton. Je serai là dans trois quarts d'heure, une heure, si la circulation n'est pas trop dense. Les routes ne sont pas mauvaises, dont la 128.

Je souffle :

— Mince… ce n'était pas difficile…

J'éprouve une curieuse sensation : dénicher un objet au potentiel aussi létal ne devrait pas se révéler aussi facile.

— Qu'est-ce qui n'est pas difficile ? demande Benton.

Ahurie, je contemple la photo d'un couteau de combat en acier dans une mallette en plastique à l'intérieur en mousse thermoformée. L'arme est dotée d'une poignée en Néoprène et, à l'extrémité de la lame, d'un orifice destiné à laisser échapper un gaz.

Je parcours le texte à haute voix :

— « Une cartouche de CO_2 se visse dans la poignée… Plongez la lame de treize centimètres en acier inoxydable dans votre cible, et d'une pression du pouce actionnez le bouton de la garde… »

— Kay ? Il y a quelqu'un avec toi ?

— « Le bouton libère une quantité de gaz réfrigérant de la taille d'un ballon de basket, c'est-à-dire cent centimètres cubes, à environ cent cinquante kilos de pression par centimètre carré. »

Je poursuis, consultant les photos présentées par ce site détaillé. Combien de gens sont susceptibles de détenir une arme de ce type chez eux, dans leur voiture, leur équipement de randonnée, ou se baladent avec ce truc à la ceinture ? Je dois reconnaître que c'est ingénieux, sans doute une des choses les plus effrayantes que j'aie jamais vues.

— « Un coup suffit à se défaire d'un gros mammifère… »

— Kay ? Tu es seule ?

— « … Congèle instantanément les tissus, retardant donc l'hémorragie et l'arrivée d'autres prédateurs. Par exemple, si vous devez vous défendre contre un grand requin blanc, il ne perdra pas son sang dans l'eau, et le temps qu'il attire d'autres requins, vous aurez évacué les lieux. »

Je survole, résume. Tout cela me rend malade.

— Ça s'appelle un « couteau guêpe », et tu peux l'ajouter à ton panier pour moins de quatre cents dollars.

— Discutons-en quand je te verrai, temporise Benton.

— Je n'en avais jamais entendu parler.

J'en apprends encore un peu plus sur ce couteau à injection de gaz comprimé, que je peux commander immédiatement si j'ai plus de dix-huit ans.

— … Recommandé pour les commandos, les brigades d'intervention, les pilotes coincés en haute mer, les plongeurs. Apparemment mis au point pour tuer les grands prédateurs marins – requins, mammifères du genre baleines et même peut-être ceux revêtus de combinaisons de plongée…

— Kay ?

Je dissimule ma colère derrière un ton sarcastique :

— Ou des grizzlys, pourquoi pas, au cours d'une petite randonnée sympa en montagne ! Et les militaires, bien sûr, encore que je n'en aie pas vu parmi les victimes…

Benton m'interrompt :

— Je suis sur mon portable. Je préférerais que tu ne le mentionnes à personne. Tu es seule dans ton bureau ? À moins que tu n'en aies déjà parlé ?

— Pas encore.

— Tu es seule ? répète-t-il une nouvelle fois.

Pourquoi ne serait-ce pas le cas ? Mais je réponds :

— Oui.

— Tu peux peut-être l'effacer de ton historique, vider ta mémoire cache, au cas où quelqu'un se mettrait en tête de consulter tes recherches récentes.

— Je ne peux pas empêcher Lucy de coller son nez dans mon ordinateur.

— Je me fiche pas mal que Lucy le fasse ! s'exclame Benton.

— Elle a disparu. Je ne sais pas où elle est partie.

— Moi, je le sais.

De toute évidence, il ne me dira pas où elle se trouve, ni elle, ni les autres.

— Bien, d'accord. Je vais passer en revue les indices, régler le plus de choses possible, et je descendrai te rejoindre derrière quand tu arriveras, dis-je.

Je raccroche en tentant de trouver une logique à ce qui vient de se dérouler. J'essaye de ne pas me sentir blessée par le comportement de mon mari.

Il n'a pas eu l'air particulièrement surpris ou inquiet. Ce n'est pas l'objet de ma trouvaille qui l'a alarmé, mais le fait même que je l'ai découvert, et l'éventualité que j'aie pu en discuter avec quelqu'un. Ce que je ressens depuis mon retour de Dover se confirme de plus en plus. Et si je ne découvrais rien ? Si, au contraire, j'étais la dernière à apprendre ce qui se passe puisque personne ne semble tenir à ce que mes déductions progressent ? Situation difficile et inattendue, mais pas sans précédent. Je vide la mémoire cache et nettoie mon historique, ainsi que Benton me l'a conseillé. Les recherches que j'ai effectuées sur Internet sont devenues invisibles à qui fouinerait dans mon ordinateur. Mais qui me l'a véritablement demandé : mon mari ou le FBI ? Qui vient de me donner des instructions, comme si j'étais assez bête pour ne pas prendre de précautions ?

Il est presque neuf heures et la majeure partie du personnel est déjà là, en tout cas ceux qui n'ont pas pris la neige comme prétexte pour rester chez eux ou aller se promener ailleurs, faire du ski dans le Vermont par exemple. J'ai vu sur les écrans de surveillance les voitures se garer sur le parking, des gens entrer par-derrière, mais la plupart pénètrent par l'entrée civilisée du rez-de-chaussée, par le hall de pierre avec ses sculptures impressionnantes et ses drapeaux. Ils préfèrent éviter le triste domaine des morts du niveau inférieur. Les scientifiques ont rarement besoin de rencontrer les patients dont ils testent les fluides corporels, les possessions et autres traces. À cet instant, j'entends mon administrateur, Bryce, ouvrir la porte de son bureau, adjacent au mien.

Je scelle le papier buvard dans une enveloppe neuve et déverrouille un tiroir pour en retirer des objets que j'ai gardés soigneusement à l'abri. La signification de ce que je viens de découvrir sur un site Web, cette capacité des êtres humains à échafauder les moyens les plus insensés pour éliminer d'autres créatures, tout cela me plonge dans de sinistres pensées. Au nom de la survie, songé-je, pour rectifier aussitôt : non, ces actes sont rarement la résultante de l'instinct de survie, mais plutôt de la volonté de s'assurer que quelqu'un d'autre va mourir. Quelle horreur, quelle épouvante, ce vertige du pouvoir qu'ils éprouvent à maîtriser, mutiler, tuer ! Je n'ai plus aucun doute sur ce qui est arrivé à l'homme de Norton's Woods : quelqu'un a surgi derrière lui et l'a poignardé avec un couteau à injection, faisant exploser du gaz comprimé dans ses organes vitaux. S'il s'agissait de gaz carbonique, ou dioxyde de carbone, aucun test ne pourra nous le confirmer car le dioxyde de carbone est présent dans l'air que nous respirons. Je revois les images du CT scan, les sombres poches de gaz dans sa poitrine, et imagine ce qu'il a dû ressentir… Comment répondrai-je à la question que l'on me pose toujours ?

A-t-il souffert ?

En vérité, à part le mort, personne ne peut répondre, mais j'affirmerais le contraire, assurant qu'il n'a pas souffert. Je dirais qu'il l'a senti. Il a su qu'une catastrophe s'abattait sur lui. Il n'est pas demeuré conscient assez longtemps pour souffrir durant ses ultimes instants d'agonie. Cependant il a dû ressentir comme un coup de poing dans le bas du dos et, en même temps, une formidable pression dans la poitrine, à l'instant où ses organes ont été lacérés. C'est la dernière chose qu'il a dû percevoir, à l'exception peut-être d'une lueur, d'un flash, la pensée terrifiante qu'il allait mourir… Mais ressasser, tenter d'élaborer plus avant est inutile et complaisant, improductif et paralysant. Je ne peux aider cet homme si je suis bouleversée.

Si mes sentiments prennent le dessus, je ne suis d'aucune utilité à personne. Exactement comme à l'époque où je prenais soin de mon père et où je suis devenue experte dans l'art de refouler au plus profond les émotions qui menaçaient de me submerger. « Ma petite Katie, ça m'inquiète, tout ce que tu as dû apprendre » : mon père m'avait dit cela lorsque j'avais douze ans et qu'il n'était plus qu'un squelette, allongé dans la chambre du fond. Celle où l'air était toujours trop chaud, où régnait l'odeur de la maladie et où la lumière filtrait faiblement à travers les stores bateau que j'ai gardés presque entièrement fermés les derniers mois de son existence. « Tu as appris des choses que tu n'aurais jamais dû apprendre, surtout à ton âge, ma petite Katie », ajoutait-il tandis que je refaisais le lit sans qu'il bouge. J'avais appris à le laver avec soin afin qu'il ne soit pas rongé d'escarres, à changer ses draps souillés sans déplacer son corps, ce corps qui paraissait vidé de l'intérieur et mort, à l'exception de la chaleur de sa fièvre.

Je basculais doucement mon père, le maintenant d'un côté, puis de l'autre, le penchant contre moi, parce que, à la fin, il ne pouvait plus se lever, ni même s'asseoir. Au cours de ce que le médecin avait baptisé « la phase de transformation blastique de sa leucémie myéloïde chronique », mon père était devenu trop faible pour m'aider à le déplacer. Quelquefois, lorsque je suis au travail devant la table en acier, enveloppée dans mes vêtements et mes lunettes de protection, je le revois, je sens son poids contre moi.

Je remplis les formulaires de demandes d'analyses de laboratoire qui devront être signés par chaque scientifique auquel je vais remettre divers items. Ainsi la chaîne des indices demeurera intacte. Puis je me lève de mon bureau.

Chapitre 16

Après avoir frappé, j'ouvre la porte qui donne sur le bureau de Bryce.

Cette porte de communication est située exactement en face de celle de mon cabinet de toilette. J'ai pris l'habitude de garder cette dernière légèrement entrouverte, car lorsque les deux battants métalliques gris sont fermés, j'ai tendance à me tromper, à débouler chez Bryce quand je veux un café ou, à l'inverse, à tendre de la paperasse au lavabo et aux toilettes. Sa chaise repoussée en arrière, il est installé derrière son bureau. Il a ôté son manteau, drapé sur le dossier du siège, mais il arbore encore ses grosses lunettes de soleil de *designer*, qui paraissent ridiculement lourdes et comme dessinées d'un trait de crayon marron foncé. Il se débat avec une paire de bottes de neige L.L. Bean, qui dépare avec sa tenue toujours mûrement réfléchie. Aujourd'hui, il a revêtu un blazer bleu marine en cachemire, un jean noir étroit, un col roulé de même couleur et une ceinture de cuir ouvragé avec une grosse boucle en argent en forme de dragon.

On pourrait presque penser que je ne suis jamais partie et qu'il m'a vue tous les jours depuis six mois lorsque je lui annonce :

— Je vais être pendue au téléphone et je ne veux pas être dérangée. Ensuite, je dois m'en aller.

Il lève la tête vers moi, le regard masqué par ses grosses lunettes noires.

— Quelqu'un va-t-il me dire ce qui se passe ici ? À propos, bon retour, patronne ! Je suppose que les voitures banalisées sur le parking n'ont rien à voir avec une surprise-partie, parce que je n'en ai pas organisé. Peut-être le ferai-je un jour, mais qui que soient ces gens, ils ne sont pas là pour mes beaux yeux. Quand j'ai demandé à l'un d'entre eux d'avoir l'amabilité de me donner une explication et de bouger son cul pour que je puisse me garer sur ma place de parking, il s'est montré, disons... *irrité* ?

— L'affaire d'avant-hier matin.

— Oh, nous y voilà ! Eh bien, pas étonnant ! s'exclame-t-il, le visage illuminé, au point qu'on pourrait croire que je viens de lui annoncer une réjouissante nouvelle. Je le savais, je savais que ce serait important ! Mais, par pitié, dites-moi qu'il n'est pas vraiment mort ici ? Vous n'avez rien trouvé qui confirme un tel scandale, sinon je vais de ce pas chercher un autre boulot et dire à Ethan que, finalement, on n'achètera pas ce bungalow qu'on a visité. Vous connaissant, je sais que vous avez déjà dû découvrir ce qui s'est passé, sûrement en cinq minutes, pas davantage !

Il enlève sa deuxième botte, et range les deux sur le côté. Je remarque qu'il a rasé la moustache et la barbe qu'il portait la dernière fois que je l'ai vu, et a opté pour une coiffure un peu hérissée. Bryce est petit mais fort, de carrure compacte, avec une joliesse d'enfant de chœur blond, pour utiliser un cliché tout à fait approprié. Il ne se ressemblait pas avec sa barbe et sa moustache, ce qui était probablement le but. Il voulait donner l'image d'un homme viril et redoutable comme James Brolin, ou bien être pris aussi au sérieux que Wolf Blitzer, le journaliste de CNN, deux de ses héros. Il en a beaucoup, des héros, mon administrateur en chef et bras droit, une foule de célébrités, amis imaginaires dont il parle avec énormément de familiarité, comme si le fait de les voir ou de les enregistrer sur l'un de ses grands écrans de télévision les rendait aussi réels que des voisins de palier.

Extrêmement compétent, diplômé de justice pénale et de l'administration, Bryce Clark, au premier coup d'œil, ne paraît pas à sa place. Qu'il donne l'impression de débarquer du plateau d'*E !*, l'émission consacrée aux *people*, m'a beaucoup servi au fil des ans. Les gens de l'extérieur, et même certains qui travaillent ici, ne réalisent pas toujours qu'il ne faut pas traiter à la légère mon chef d'état-major ex-mormon, bavard compulsif et obsédé par la mode. Il est cancanier au possible et adore me « mettre au parfum », selon son expression. Il n'aime rien tant que glaner des informations, comme une pie, et les ramener au nid. S'il vous déteste, il peut devenir dangereux, mais vous ne vous en apercevrez probablement pas. Le plus menaçant se dissimule derrière son badinage et ses affectations délibérées. De ce point de vue, il me rappelle Rose, mon ancienne secrétaire. Ceux qui commettaient l'erreur de la traiter comme une vieille femme idiote se retrouvaient un jour ou l'autre cloués au pilori.

En chaussettes, assis dans son fauteuil, Bryce se penche pour ouvrir un sac de sport en nylon et demande :

— Le FBI ? La Sécurité intérieure ? Je n'en ai jamais vu aucun auparavant.

— Sans doute le FBI…

Mais il ne me laisse pas finir :

— En tout cas, celui qui s'est montré si grossier jouait son rôle à la perfection, très pro, avec son costume gris et son manteau en poil de chameau. Quand les gens prennent un millimètre de graisse, je crois que le FBI les vire. Et bonne chance pour retrouver du boulot en Amérique ! Je dois reconnaître qu'il était beau à tomber raide. Vous l'avez vu là-bas ? On connaît son nom ou à quel bureau il appartient ? Ce n'est pas quelqu'un de Boston, à moins qu'il ne soit nouveau.

— Qui ça ?

Mon cerveau semble se heurter à un mur.

— Seigneur, vous êtes fatiguée ! Cet agent dans l'énorme Ford Expedition noire, inquiétante, le portrait craché du footballeur dans *Glee*… Ah non, c'est vrai, vous ne regardez sûrement pas ça non plus, c'est pourtant la meilleure série TV du moment, et je suis sûr que vous adorez Jane Lynch… Enfin, sauf que vous ne la connaissez pas, puisque vous n'avez sûrement pas regardé *The L Word*, mais peut-être *Best in Show* ou *Talladega Nights* ? Seigneur, quelle rigolade ! Le type dans la Ford noire ressemble exactement à Finn…

— Bryce…

— Quoi qu'il en soit, j'ai vu tout le sang. Affreux ! J'ai vu le volume de sang accumulé dans la housse à cadavre du gars de Norton's Woods, et je me suis dit : *Ça y est, on est cuits, c'est la mort de cet endroit !* Marino avait la fumée qui lui sortait par les oreilles, sur le point de tout casser, et il nous a fait une crise – une grosse crise à la Marino – au sujet de ce type arrivé ici vivant et qui avait claqué dans la chambre froide. Alors j'ai dit à Ethan qu'il valait peut-être mieux qu'on mette nos sous de côté parce que je risquais de me retrouver au chômage. Le marché du travail aujourd'hui ? Dix pour cent de chômage ou un pourcentage aussi cauchemardesque… Je doute que le Dr G m'embauche, parce que tous les assistants de morgue de la planète ne rêvent que d'une chose, faire partie de son émission de reconstitutions d'autopsies. Bon, mais si jamais cet endroit est condamné à disparaître, je vous demanderai une faveur : prendre votre téléphone pour me recommander. Pourquoi on ne ferait pas une émission de téléréalité, comme elle, le Dr G ? Je parle sérieusement ! Il y a quelques années, vous aviez votre propre émission sur CNN. Pourquoi on ne pourrait pas faire un truc ici ?

— Il faut que je vous parle de…

Mais quand Bryce se met dans cet état, inutile d'essayer de l'arrêter.

— Je suis ravi que vous soyez là, mais désolé que vous ayez dû rentrer pour un truc aussi affreux ! Je n'ai pas dormi de la nuit, à me demander ce que j'allais dire aux journalistes. Quand j'ai vu ces SUV derrière, j'ai cru que c'était les médias, je m'attendais à des camions de la télévision…

— Bryce, calmez-vous ! Commencez par ôter ces lunettes de soleil…

— À ma connaissance, il n'y avait rien aux infos, pas un seul journaliste ne m'a appelé, ni laissé de message…

Je l'interromps :

— S'il vous plaît, nous devons discuter d'un certain nombre de points, et il serait souhaitable que vous vous taisiez !

— Je sais.

Il ôte ses lunettes et chausse une *sneaker* noire montante.

— Je suis juste un peu à cran, docteur Scarpetta, et vous savez comment je deviens dans ces cas-là !

— Vous avez eu des nouvelles de Jack ?

— Ah, où est la fameuse Bouche de la vérité quand on en a besoin ? soupire-t-il en nouant les lacets de ses *sneakers*. Ne me demandez pas de faire semblant. Je solliciterai respectueusement de vous que vous l'informiez que je ne m'en remettrai plus directement à lui, maintenant que vous êtes revenue, Dieu merci !

— Pourquoi dites-vous cela ?

— Parce qu'il me traite comme si je travaillais au guichet du McDrive ! Il ne sait qu'aboyer et perdre ses cheveux. Je me demande toujours s'il ne va pas tomber à bras raccourcis sur quelqu'un, moi peut-être, ou l'étrangler avec sa ceinture noire de je ne sais plus quel putain de degré, pardonnez-moi l'expression ! La situation n'a fait qu'empirer et nous n'étions pas censés vous déranger à Dover. J'ai donné la consigne à tout le monde de vous ficher la paix. Ils se sont tous passé le mot, de vous laisser tranquille, sinon, ils auraient eu affaire à moi. Je viens juste de comprendre que vous n'avez pas dormi de la nuit. Vous avez une mine épouvantable.

Son regard bleu m'examine des pieds à la tête, étudiant ma tenue. Je porte le même pantalon de treillis kaki et polo noir aux armes du bureau du médecin expert de l'armée depuis mon départ de la base.

Je parviens enfin à glisser un mot :

— Je suis venue directement et je n'ai pas de vêtements de rechange. Je ne vois vraiment pas pourquoi vous vous êtes donné la peine de remplacer vos bottes L.L. Bean par une vieille paire de Converse qui vous restait de votre stage de basket.

— Vous êtes bien plus observatrice que ça, ne me racontez pas d'histoires… En plus, vous savez très bien que tous les étés j'allais en camp de musique, et pas de basket. Ce sont des Hugo Boss, à moitié prix sur Endless.com, pas de frais de livraison, ajoute-t-il en se levant. Je vais faire du café, vous en avez besoin. Et non, je n'ai pas eu de nouvelles de Jack, et j'ai compris – inutile de me faire un dessin – qu'il y a un problème, sans doute en rapport avec ces agents sur notre parking, des types de toute évidence affectés de troubles de la personnalité. Je ne comprends pas pourquoi ils ne peuvent pas faire un effort d'amabilité. Si je me baladais avec un gros flingue et que je puisse arrêter les gens, je serais charmant avec tout le monde, je sourirais tout le temps… Pourquoi pas ?

Il me passe devant, pénètre dans mon bureau et disparaît dans mon cabinet de toilette.

— Si vous voulez, je peux faire un saut chez vous et prendre quelques vêtements. Dites-moi. Un tailleur de travail ou une tenue plus relax ?

— Si je suis coincée ici…

Je songe que je vais peut-être accepter sa proposition.

— Il faudrait vraiment qu'on vous arrange une espèce de placard… Un brin de haute couture au quartier général, n'est-ce pas ? Oooh, une garde-robe ! fait-il d'une voix chantante en préparant le café. Si on faisait notre propre show, on aurait ça, sans oublier des perruques, du maquillage, jamais vous ne traîneriez dans les mêmes vêtements sales, avec cette odeur de mort. Enfin… non que j'insinue que vous… Bon, laissons tomber. Le mieux, ce serait que vous rentriez chez vous et que vous alliez directement vous coucher, conclut-il tandis que l'eau chaude siffle bruyamment dans la tasse-dosette. Ou alors je pourrais aller vous chercher un truc à grignoter. Moi, quand je suis fatigué et que je manque de sommeil…, fait-il en émergeant du cabinet de toilette avec deux cafés. Un machin gras. Il y a un temps et un lieu pour chaque chose. Qu'est-ce que vous diriez du croissant œuf-saucisse du Dunkin' Donuts ? Peut-être même deux ? Vous êtes vraiment mince. La vie militaire ne vous réussit pas, chère patronne.

Je regagne mon bureau avec un café dont je ne suis pas sûre que je doive le boire. J'ouvre un tiroir, à la recherche d'Advil. Un flacon se cache peut-être quelque part. Je lui demande :

— Êtes-vous au courant d'un appel passé par une certaine Erica Donahue ?

— Tout à fait. Elle a téléphoné plusieurs fois, répond-il en sirotant son café avec précaution, appuyé contre le chambranle de la porte de communication.

Il ne fournit guère d'autres détails, j'insiste donc :

— Quand ?

— Juste après que l'affaire à propos de son fils a été relayée par les médias. Il y a à peu près une semaine, il me semble, quand il a avoué le meurtre de Mark Bishop.

— Vous lui avez parlé ?

— Les dernières fois je me suis contenté de la renvoyer de nouveau sur Jack, alors qu'elle cherchait à vous joindre.

— « De nouveau » ?

— C'est lui que vous devriez interroger là-dessus. J'ignore les détails.

Bryce se montre brusquement prudent, alors que ce n'est guère son habitude avec moi.

— Mais Jack lui a parlé ?

— Attendez, c'était..., fait-il en levant les yeux vers la verrière, comme si la réponse se trouvait là-haut, une de ses techniques dilatoires favorites. Jeudi dernier.

— Et vous l'avez eue au téléphone avant de passer l'appel à Jack.

— Je l'ai essentiellement écoutée.

— Quel était son comportement et qu'a-t-elle dit ?

— Très polie, s'exprimant comme la femme intelligente de la grande bourgeoisie qu'elle est, à ce que j'en sais. Je veux dire : il y a des tonnes de trucs sur la famille Donahue et Johnny junior... Il est presque aussi célèbre qu'Hinckley, après avoir tenté d'assassiner Reagan. Mais vous ne lisez probablement pas toutes ces conneries sur « Faits divers morbides », « Notes de la Crypte » ou autres sites de ce genre... Moi, ça fait partie de mon boulot d'être au courant de ce qui se raconte dans le fabuleux cyberespace adorateur du péché.

Il est de nouveau très à l'aise et ne se montre réticent que lorsque je l'interroge sur Fielding. Il poursuit :

— Dans une vie antérieure, maman a été une pianiste presque célèbre qui jouait dans un orchestre symphonique, celui de San Francisco, je crois. J'ai vu passer des trucs sur Twitter, que Yundi Li aurait été son professeur. Mais je doute que Yundi Li donne des cours, et en plus il n'a que vingt-huit ans, donc je n'y crois pas une seconde. Évidemment, elle se retrouve au milieu d'une vraie tempête, vous imaginez ? On dit que son fils est un homme de science avec des capacités bizarres, du genre reconnaître toutes les empreintes de pneus… L'enquêteur de Salem, Saint Hilaire, un sacré numéro, mais vous ne le connaissez pas encore, en a parlé. Il semble que Johnny Donahue soit capable de regarder une empreinte de pneu dans la poussière sur un parking et de vous sortir : « C'est un pneu avant de motocyclette, un Bridgestone Battle Wing. » Je vous dis ça parce que c'est ce qu'Ethan a sur sa BMW, et je préférerais qu'il ne l'aime pas autant, sa bécane, parce que pour moi ce n'est que du matériau à morgue ! Il paraît que Johnny peut résoudre des problèmes de maths de tête. Je ne parle pas de trucs comme combien coûte un régime de six bananes si une banane coûte quatre-vingt-neuf *cents*, mais plus du genre Einstein, neuf fois cent trois racine carrée de sept, ça fait combien ? Mais vous devez sûrement être au courant. Je suis sûr que vous avez suivi le dossier.

— De quoi voulait-elle m'entretenir ? Elle vous l'a dit ?

Je connais Bryce. Il est bien trop fouineur et avide de bavardages pour se débarrasser de quelqu'un comme Erica Donahue sans l'avoir au préalable encouragée à la conversation, jusqu'à ce qu'elle soit à court de paroles ou gagnée par l'exaspération.

— Eh bien, d'abord, bien entendu, il n'est pas coupable, et si quelqu'un voulait bien examiner les faits au lieu d'avoir des idées préconçues, on remarquerait toutes les discordances, les contradictions, répond Bryce en soufflant sur son café sans me regarder.

— Quelles contradictions au juste ?

— Elle affirme qu'elle a parlé à son fils le jour du meurtre vers neuf heures du matin, avant qu'il parte pour ce café à Cambridge, devenu tellement célèbre du jour au lendemain, juste au coin à côté de chez vous. Le Biscuit ? Il y a la queue jusque sur le trottoir avec toute cette publicité… Rien de tel qu'un meurtre pour amener des clients ! Enfin, d'après maman, il ne se sentait pas bien ce jour-là. Il a des allergies terribles, un truc dans ce goût-là, il se plaignait que les comprimés ou les piqûres ne marchaient plus, il avait sacrément augmenté les doses et se sentait « merdique », c'est le terme qu'elle a employé. Du genre : si un type a le nez qui coule et les yeux qui piquent, il ne va pas aller tuer quelqu'un. Je me suis abstenu de souligner que je doutais qu'une tactique de défense fondée sur les éternuements impressionne favorablement un jury…

Je l'interromps avant qu'il ne poursuive ses digressions jusqu'au soir :

— Je dois passer un coup de fil, et ensuite faire ma tournée. Pouvez-vous vérifier si Evelyn est arrivée au labo des traces ? Si c'est le cas, dites-lui que j'ai des éléments urgents à lui confier. C'est elle qui doit commencer, ensuite ces éléments passeront aux empreintes, au labo ADN, puis en toxicologie. Un item en particulier remontera au labo de Lucy. Il n'y avait personne là-bas la dernière fois que j'ai vérifié. Et Shane, il est prévu qu'il vienne ? Je vais avoir besoin d'une expertise sur un document.

— Pour l'amour du ciel, nous ne sommes pas une équipe de rugby prise dans le blizzard tout en haut des Andes, à qui il ne reste plus que le cannibalisme pour survivre !

— C'était une sacrée tempête, qui a duré toute la nuit.

— Vous êtes restée trop longtemps dans le Sud, vous. Il y a quoi ? Vingt centimètres de neige ? Et un peu de verglas ? Pas grand-chose pour le coin.

Je me souviens brusquement de la blouse de labo pliée dans la corbeille et décide de ne pas attendre davantage.

— En fait, pourriez-vous plutôt demander à Evelyn de monter immédiatement et la conduire dans le bureau de Jack ?

Je lui décris ce que j'ai trouvé dans la poche. Je voudrais un examen au microscope électronique à balayage et une analyse chimique non destructrice.

— Faites très, très attention de ne pas ouvrir le sac et de ne toucher à rien, lui dis-je. Et dites à Evelyn qu'il y a des empreintes sur le film transparent, donc de l'ADN.

Une fois mon administrateur hors de portée et silencieux de l'autre côté de notre porte de communication fermée, je décide de patienter avant de téléphoner à Erica Donahue. Je dois réfléchir à la situation, à la conduite à tenir.

Je tiens à relire sa lettre et à passer en revue mes intentions. Le regard perdu vers le lumineux ciel bleu de ce début de matinée, je retourne dans ma tête tous les événements qui se sont succédé depuis mon départ de Dover. Je suis encore assommée par ma conversation avec la dernière mère à laquelle j'ai eu affaire. Le souvenir de Julia Gabriel au téléphone, tandis que quelqu'un rôdait derrière ma porte au Havre des morts, m'empoisonne l'existence. Ses accusations, les qualificatifs cinglants et cruels dont elle m'a gratifiée ne m'ont véritablement atteinte, dans toute leur force, que lorsque la réalité m'est apparue dans le bureau de

Fielding. Depuis, une ombre glaciale assombrit mes pensées et mon humeur. Que dit-on de moi, que décide-t-on à mon propos ? Je l'ignore. On dirait qu'une chose malfaisante vient d'être ressuscitée, une chose jamais véritablement morte et qui se déploie aujourd'hui.

Quels dossiers a-t-on retrouvés, dépouillés ? Ce que j'ai redouté en secret toutes ces années, et tout à la fois oublié ? Pourtant la vérité a toujours été là, comme un objet rangé dans un placard. Un objet que je ne cherche pas, mais dont je connais l'existence, parce qu'on ne l'a jamais jeté ou rendu à son propriétaire légitime, ce que je n'étais pas. Mais le hideux dossier m'a été confié comme s'il m'appartenait, et laissé en suspens. Lorsque j'ai regagné le Centre Walter Reed après avoir travaillé sur ces deux assassinats, le message qu'on m'a transmis m'assurait que je n'aurais aucun problème, tant que ce qui avait été accompli en Afrique du Sud demeurait enseveli dans mon placard. On m'a remercié pour le service accompli à l'Institut d'anatomopathologie de l'armée, dans l'aviation. J'étais libre de quitter l'armée plus tôt, ma dette soldée. Ils disposaient pour moi du poste idéal en Virginie, où je pourrais m'épanouir aussi longtemps que je demeurais loyale et embarquais mon linge sale avec moi.

Le même processus s'est-il reproduit ? Briggs m'a-t-il joué le même tour et va-t-il de nouveau exiger que je plie bagage ? Pour où cette fois ? L'idée d'une retraite prématurée m'effleure l'esprit. Les horreurs ne font que s'accumuler. Impossible d'y survivre, me dis-je, parce que rien d'autre ne me vient à l'esprit. Briggs a tout raconté à quelqu'un, qui l'a raconté à Julia Gabriel, qui m'a accusée de racisme, de haine, d'insensibilité, de malhonnêteté. Ces miasmes toxiques, ainsi que la fatigue, imprègnent toutes les décisions que je vais prendre, je dois m'en souvenir. *Sois extrêmement prudente. Fais marcher ta tête. Ne te laisse pas influencer par tes émotions, c'est simple comme bonjour.* Tout cela flotte dans mon esprit, et je pense brusquement à la remarque de Lucy sur les enregistrements de vidéosurveillance. Je décroche mon téléphone et appelle Bryce.

— Oui, patronne ! fait-il avec entrain, comme si nous n'avions pas bavardé depuis des jours.

— Je veux les enregistrements de toutes les caméras du circuit de télésurveillance. Quand a eu lieu la visite du capitaine Avallone, de Dover ? J'ai cru comprendre que Jack lui avait fait visiter le Centre ?

— Oh, mon Dieu, ça remonte à un moment. En novembre, je crois…

— Elle passait la semaine chez elle dans le Maine pour Thanksgiving. Je me souviens très bien qu'elle était absente de la base cette semaine-là, puisque nous étions en sous-effectif et que j'ai dû rester sur place, dis-je.

— Oui, ça m'évoque quelque chose. Il me semble qu'elle est passée le vendredi.

— Vous les avez accompagnés pour ce tour du propriétaire ?

— Non, je n'ai pas été invité. Et pour votre gouverne, Jack a passé beaucoup de temps en sa compagnie dans votre bureau, avec la porte fermée. Ils ont déjeuné là, à votre table.

— Rendez-moi service, Bryce. Mettez la main sur Lucy, envoyez-lui un texto, n'importe quoi, et dites-lui que je veux visionner tous les enregistrements concernant Jack et Sophia, y compris ceux de mon bureau.

— De votre bureau ?

— Depuis combien de temps Jack l'utilise-t-il ?

— Eh bien…

— Bryce, depuis quand ?

— Eh bien, presque depuis le début. Quand il veut impressionner les gens. Je veux dire : il ne l'utilise pas très souvent pour le travail concret, mais plutôt pour la montre…

— Prévenez Lucy que je veux les enregistrements de mon bureau. Elle saura exactement à quoi je fais allusion. Je veux voir de quoi parlaient Jack et le capitaine Avallone.

— J'adore ça ! Je m'en occupe tout de suite.

— Je vais passer un coup de fil important, ne me dérangez pas.

Je raccroche et me rends compte que Benton ne va pas tarder.

Mais je résiste à la tentation de me presser. Il est plus sage de prendre mon temps, de laisser réflexions et perceptions se clarifier, d'aspirer à la simplification. *Tu es fatiguée. Fais preuve de prudence, joue finement, n'oublie pas ton état d'épuisement. Il n'y a qu'une façon de bien gérer tout ça, pas deux, et tu risques de commettre une erreur de stratégie si tu as l'esprit confus et si tu es crispée.* Je tends la main pour prendre ma tasse de café et me ravise. Au point où j'en suis, cela ne fera que me rendre encore plus nerveuse et me nouer l'estomac. J'extirpe une nouvelle paire de gants d'examen d'une boîte posée sur mon plan de travail et extrais le document du sac en plastique dans lequel je l'ai scellé.

Je glisse les deux feuilles de papier rigide hors de l'enveloppe que j'ai ouverte dans le SUV de Benton. Il me semble que notre voyage dans le blizzard remonte à une éternité, mais quelques heures seulement se sont écoulées. À la lumière du jour, et après tout ce qui vient de se passer, il apparaît encore plus étrange que cette pianiste classique, que Bryce a décrite comme une femme intelligente et raisonnable, ait utilisé du ruban adhésif usagé sur son superbe papier à lettres gravé. Pourquoi cette horrible bande large de couleur gris plombé, au lieu d'un Scotch transparent normal ? Pourquoi ne pas simplement signer ou tracer ses initiales sur le rabat une fois collé, ainsi que je procède lorsque j'adresse un mémo privé dans une enveloppe ? Que craignait Erica Donahue ? Que son chauffeur éprouve le besoin de lire ce qu'elle avait écrit à quelqu'un du nom de Scarpetta, dont il ignorait visiblement tout ?

Je lisse les feuilles de ma main gantée de coton. Je tente de deviner à l'intuition ce que la mère d'un étudiant qui s'est accusé d'un meurtre a fait passer par les touches de sa machine à écrire. Toutefois ses sentiments et ses convictions, au moment où elle a composé sa supplique, n'ont rien d'un produit chimique dont l'absorption me permettra de pénétrer dans son esprit. Au fond, c'est la pellicule plastique trouvée dans la blouse de Fielding qui engendre une telle analogie dans mon esprit. Des heures après cette troublante expérience d'intoxication, je me rends compte de son intensité. Je n'étais plus moi-même avec Benton, et il a dû se sentir terriblement mal à l'aise. Peut-être est-ce la raison pour laquelle il se montre si secret et me sermonne au sujet d'une hypothétique divulgation d'informations à des tiers. Adressée à moi, une telle recommandation devient ahurissante ! Peut-être ne fait-il pas confiance à mon jugement, à ma maîtrise, peut-être craint-il que les horreurs de la guerre ne m'aient transformée ? Peut-être n'est-il pas sûr que la femme rentrée de la base de Dover soit celle qu'il connaît ?

Je ne suis plus celle que tu connaissais. La phrase flotte dans mon esprit. Un murmure lui fait écho : *Je ne suis pas sûre que tu aies jamais su qui j'étais.* Je déchiffre les lignes bien nettes de caractères avec un blanc d'espacement. Il n'y a pas une seule erreur ou rature sur deux pages, ce qui est remarquable. Je ne distingue aucune trace de blanc en flacon ni de ruban correcteur, pas de faute d'orthographe ou de grammaire. Je repense à la dernière machine à écrire que j'ai utilisée, une IBM Selectric vieux rose que j'avais à Richmond les premières années. Je me souviens de mes énervements chroniques sur les rubans qui se déchiraient, la boule en forme de balle de golf qu'il fallait changer pour obtenir d'autres polices, le rouleau encreur qui laissait des taches sur le papier, sans parler de mes propres doigts pressés frappant les mauvaises touches. De plus, même si je suis bonne en orthographe et en grammaire, je ne suis pas infaillible.

Lorsqu'elle déboulait avec à la main mes efforts les plus récents en matière de frappe sur cette fichue machine, Rose, ma secrétaire, avait l'habitude de déclarer : « Et ça, vous l'avez déniché à quelle page du *Bescherelle* ? À moins que ce ne soit dans le *Bled*, et que je ne l'aie pas trouvé ? Je vais le refaire, mais à chaque fois que vous tapez quelque chose vous-même… » Et elle agitait la main d'un geste caractéristique qui signifiait : « À quoi bon ? » J'arrête, le souvenir de Rose m'attriste. Il n'y a pas un jour où elle ne m'ait manqué depuis son décès, et si elle était là aujourd'hui, nul doute que les choses seraient différentes. En tout cas, elles apparaîtraient sous un jour différent. Rose était pour moi la clarté. Pour elle, j'étais sa vie. Les êtres tels que Rose ne devraient jamais disparaître. D'ailleurs je n'y crois toujours pas. Ce n'est pas le moment de penser au jeune homme blond en *sneakers* noires montantes assis dans le bureau voisin, à sa place. J'ai besoin de me concentrer. Concentre-toi sur Erica Donahue. Quelle attitude adopter ? Je vais agir, mais je dois me montrer perspicace.

Elle a dû taper cette lettre à plusieurs reprises, autant de fois que nécessaire pour la rendre impeccable. Je me souviens que lorsque le chauffeur est arrivé dans la Bentley, il ne semblait pas savoir que le destinataire de l'enveloppe scellée avec de l'adhésif était une femme. Au contraire, il s'est dirigé vers l'homme aux cheveux argentés, Benton. La mère de Johnny Donahue ne paraissait pas non plus savoir que le psychologue légal chargé de l'évaluation de son fils, ce même homme aux cheveux argentés, est mon mari. Contrairement à ce qu'elle indique dans sa lettre, il n'y a pas au McLean de service réservé aux « tueurs psychopathes ». Au demeurant, Johnny n'a pas été affublé de cette dénomination, un terme juridique, pas un diagnostic. De surcroît, d'après Benton, elle a commis plusieurs autres erreurs.

Elle a confondu des détails qui pourraient desservir son fils, en démolissant un alibi, son plus gros atout potentiel. En prétendant qu'il a quitté le Biscuit à Cambridge à treize heures au lieu de quatorze, ce que le jeune homme maintient, elle rend crédible le fait qu'il a pu trouver un moyen de transport pour se rendre à Salem et tuer Mark Bishop à seize heures cet après-midi-là. Il y a ensuite son allusion au fait que son fils adore romans et films d'horreur et de violence, ce qu'elle dit de Jack Fielding, d'un pistolet à clous et d'un culte satanique, alors que rien de tout cela n'est exact et encore moins prouvé.

D'où sort-elle ces détails dangereux ? D'où en vérité ? S'il est vrai que Fielding est celui qui répand ces rumeurs, celui qui ment, ce que semble croire Benton, je suppose qu'il a pu lui mettre ce genre d'idées en tête lorsqu'il l'a eue au téléphone. En dépit de ce qu'a fait ou non Fielding, de ses vérités ou mensonges, de ses motivations, mes questions me ramènent à la mère de Johnny Donahue. Incapable de découvrir une logique à tout cela, je m'oblige à en revenir à elle. Quelque chose cloche au sujet de cette lettre, quelque chose me déroute.

Cette femme fait preuve d'une rare méticulosité en matière de typographie et de style, sans parler de l'attention qu'elle doit prêter à sa musique. Comment alors justifier son imprécision lorsqu'elle en vient aux aveux de son fils, pour un crime qui compte parmi les plus immondes de ces dernières années ? Dans un cas de ce genre, chaque détail importe. Comment une femme intelligente et raffinée, disposant d'avocats hors de prix, pourrait-elle l'ignorer ? Pourquoi iraitelle divulguer quoi que soit à une complète étrangère, moi, surtout par écrit, alors que son fils court le risque de se retrouver interné à vie dans un établissement psychiatrique comme Bridgewater ? Ou, pire encore, en prison, où un tueur d'enfant affecté du syndrome d'Asperger, un soi-disant savant capable de résoudre de tête des problèmes mathématiques ardus, mais diminué pour ce qui est des relations sociales de base, n'a guère de chances de survivre très longtemps ?

Tout en me remémorant ces faits et points pertinents, je m'aperçois que je me comporte comme s'ils revêtaient une importance à mes yeux, ce qui ne devrait pas être le cas. Je suis censée demeurer objective. Je me répète avec sévérité : *Tu ne prends pas parti, et ton travail ne consiste pas à t'intéresser à Johnny Donahue ou à sa mère d'une façon ou d'une autre, tu n'es ni enquêtrice, ni agent du FBI. Tu n'es ni l'avocat ni le thérapeute de Johnny, et tu n'as pas à te mêler de tout cela.* Je me morigène d'autant plus que je peine à me convaincre. Je me débats au milieu de pulsions qui ont gagné en puissance, dont je ne sais comment les réprimer, ni d'ailleurs si je le dois ou le veux vraiment.

À la base de Dover, et aussi sur des affaires étrangères au combat mais dépendantes du bureau du médecin expert de l'armée, je me suis habituée à l'essence de la fonction de médecin légiste fédéral, bien trop compatible avec ma vraie nature. Je ne tiens plus à retourner à la banalité de mon ancienne façon de travailler. Je suis à la fois militaire et civile. J'ai fait la navette de Washington, vécu sur une base de l'armée de l'air. Ces derniers mois, on m'a régulièrement envoyée en mission de récupération sur des accidents ou des crashs survenus pendant des exercices d'entraînement, des décès sur des installations militaires, impliquant les forces spéciales, le Service secret, un juge fédéral et même un astronaute, une multitude de situations sensibles dont je ne peux parler. Ce que je ressens n'a rien à voir dans l'histoire. Je ne remplis plus une seule fonction bien déterminée. Je ne suis plus disposée à demeurer dans les limites qui me sont imparties, à rester sans rien faire au prétexte que cela n'est pas de mon ressort.

En tant qu'officier impliqué dans le renseignement médical, on attend de moi que j'aille bien au-delà des déterminations cliniques habituelles. Je dois également m'impliquer dans l'investigation de ce qui entoure la vie et la mort. Les matériaux extraits des corps, le type de blessures, la balistique, les forces et les faiblesses des équipements blindés, les infections, les maladies, les lésions, qu'elles proviennent de parasites ou de puces de sable, l'extrême chaleur, la déshydratation, l'ennui, la dépression, les drogues, tout cela concerne la sécurité et la défense nationale. Les données que je recueille ne sont pas uniquement destinées aux familles, et rarement à un tribunal pénal, mais peuvent avoir un impact sur la stratégie du conflit et sur la sécurité de notre propre sol. On attend de moi que je pose des questions, que je suive des pistes, que je transmette des informations au chef des services de santé de l'armée, au département de la Défense, que je me montre intensément travailleuse et proactive.

Aujourd'hui, tu es rentrée. Tu ne tiens pas à te conduire comme un colonel ou un commandant, tu ne tiens sûrement pas à passer pour une diva. Tu ne veux pas qu'une affaire puisse être rejetée par le tribunal, ou une procédure abandonnée, à cause de ton comportement. Tu ne tiens pas à créer d'ennuis. N'y en a-t-il pas déjà suffisamment ? Pourquoi aller en chercher davantage ? Briggs ne veut pas de toi ici. Fais très attention à ne pas donner prise à son argumentation. Ton propre personnel n'a pas l'air de vouloir de toi, ne sait même pas que tu es là. Ne leur facilite pas la tâche. En appelant Erica Donahue, tu n'as qu'un but légitime : lui demander avec tact de ne plus te contacter, toi ou ton service, dans son propre intérêt, pour sa propre protection.

Je décide d'employer précisément ces mots-là, et je suis quasiment convaincue de ma motivation lorsque je compose le numéro de téléphone tapé à la fin de sa lettre.

Chapitre 17

La personne qui décroche ne semble pas comprendre ce que je dis, et je dois m'y reprendre à deux fois : j'explique que je suis le Dr Kay Scarpetta, que je réponds à une lettre que j'ai reçue d'Erica Donahue, et est-elle disponible, s'il vous plaît ?

— Je vous demande pardon ? Qui êtes-vous ? demande la voix bien modulée.

Je suis quasiment certaine qu'il s'agit d'une femme, bien que la voix soit basse, presque une voix de ténor, et puisse appartenir à un jeune homme. Je perçois un solo de piano en arrière-fond.

— Vous êtes Mme Donahue ?

Un sentiment de malaise m'envahit déjà.

— Qui êtes-vous et quel est l'objet de votre appel, madame ?

La voix s'est durcie, le ton se faisant vif.

Je me répète, tout en reconnaissant une étude de Chopin. Je me souviens d'un concert de Mikhaïl Pletnev, à Carnegie Hall, éblouissant dans sa maîtrise technique d'une composition très difficile à interpréter. Le choix de la musique indique une personnalité minutieuse, méticuleuse et qui apprécie que son environnement soit de même. Quelqu'un qui ne commet pas d'erreurs, ne se conduit pas de façon irréfléchie.

Quelqu'un qui n'irait jamais gâcher une belle enveloppe gravée en collant dessus du grossier ruban adhésif. Quelqu'un de très posé, certainement pas impulsif.

— J'ignore qui vous êtes au juste, articule la voix, dont je pense maintenant qu'il s'agit de celle de Mme Donahue, une voix plate dans laquelle transparaissent pourtant douleur et méfiance. Et je ne sais pas comment vous vous êtes procuré ce numéro sur liste rouge. S'il s'agit d'une plaisanterie, elle est absolument scandaleuse et vous devriez avoir honte...

Je l'imagine écoutant Chopin, Beethoven, Schumann, rongée d'inquiétude à propos de son fils, qui depuis sa naissance n'a cessé de lui causer des angoisses, et je l'interromps avant qu'elle ne raccroche :

— Je vous assure qu'il ne s'agit pas d'une plaisanterie. Je suis la directrice du Centre de sciences légales de Cambridge, le médecin expert en chef du Massachusetts, annoncé-je d'un ton autoritaire mais calme, celui que j'emploie avec des familles sur le point de perdre leur contrôle, la voix que je réserverais à Julia Gabriel, prête à m'incendier. J'ai été absente, et lorsque je suis arrivée à l'aéroport, votre chauffeur se trouvait là, porteur de votre lettre, que j'ai lue avec une grande attention.

— C'est absolument impossible. Je n'ai pas de chauffeur et je ne vous ai écrit aucune lettre. Je n'ai écrit à personne de votre service et n'ai aucune idée de ce que vous me racontez. Qui êtes-vous ? Réellement ? Que me voulez-vous ?

— J'ai la lettre en face de moi, madame Donahue.

Je lisse de nouveau avec soin la feuille dépliée sur le plateau de mon bureau. L'envie me travaille de lui parler de Fielding, de lui demander pourquoi elle l'a appelé et ce qu'il lui a dit. L'idée qu'elle puisse me haïr, penser que je suis insensible ou malhonnête me tourmente. Fielding m'a peut-être dénigrée auprès d'elle, puisque je suis certaine qu'il ne s'est pas gêné auprès de Julia Gabriel. Je suis sur le point de lui poser ma question, mais me retiens. Qu'a-t-on fait croire à Erica Donahue, que lui a-t-on dit ? Pas maintenant. Je me répète : *Garde ton self-control.*

— Et que raconte cette lettre que j'ai prétendument écrite ? s'indigne Mme Donahue.

— Un papier à lettres coton couleur crème, filigrané.

Je déplace la première feuille sous ma lampe de bureau, que j'incline pour que la lumière éclaire directement à travers le papier, révélant clairement le filigrane, que je décris :

— Un livre ouvert avec trois couronnes.

Le choc me pétrifie à l'instant où je prononce ces mots, mais je me garde de laisser transparaître ma surprise. Elle ne doit à aucun prix sentir ce qui se bouscule dans ma tête, tandis que je poursuis la description de ce que j'ai sous les yeux, tel un hologramme : un livre ouvert entre deux couronnes, une troisième au-dessous, et au-dessus trois quintefeuilles. Ces quintefeuilles que Marino a oublié de mentionner. Leur présence implique qu'il ne s'agit ni des armoiries d'Oxford, ni de celles de l'université de San Francisco. Ce que Benton a découvert sur Internet tôt ce matin, tandis que nous étions réunis en salle de radiologie, n'a rien à voir avec ce que je contemple. Le filigrane est identique aux gravures de la chevalière en or du mort que j'ai récupérée dans l'armoire à indices. J'ouvre la petite enveloppe en papier kraft et fais tomber la bague dans la paume de ma main gantée. Sur le coton blanc, l'or étincelle sous la lampe pendant que je retourne le bijou dans tous les sens. Je remarque que le métal est éraflé et que l'usure a rendu plus mince le bas de l'anneau. La chevalière me paraît ancienne.

— Eh bien, je reconnais que cela ressemble à mon papier à lettres et à mes armoiries, me dit Mme Donahue.

Je lui lis ensuite l'adresse de Beacon Hill gravée sur l'enveloppe, dont elle confirme également qu'il s'agit bien de la sienne.

— Mon papier à lettres personnel ? Comment est-ce possible ?

Sa voix a pris des accents de colère, cette colère qui dissimule la peur.

— Que pouvez-vous me confier au sujet de vos armoiries ? Voudriez-vous me les expliquer ?

J'examine les armoiries identiques gravées sur la chevalière en or jaune que je tiens maintenant sous une loupe. Les trois couronnes et le livre ouvert apparaissent énormes, et la gravure a par endroits disparu, surtout les quintefeuilles, les feuilles à cinq pétales. Étant donné l'ancienneté du bijou, abondamment porté par une ou plusieurs personnes, dont l'homme de Norton's Woods, qui l'avait glissé au petit doigt de sa main gauche lorsqu'il a été assassiné, seuls de légers sillons rappellent la profonde sculpture initiale. La chevalière est arrivée avec le corps, aucun doute à ce sujet. Ni la police ni un hôpital ou service de pompes funèbres n'ont pu commettre d'erreur. La chevalière se trouvait là lorsque Marino a ôté les effets personnels de l'homme, les a enfermés et a gardé la clé jusqu'au moment où il me l'a confiée.

— Mon nom de jeune fille est Fraser, explique Mme Donahue. Il s'agit des armoiries familiales, et plus particulièrement du blason de Jackson Fraser, un arrière-grand-père qui en a, semble-t-il, modifié le dessin pour y incorporer des éléments tels que bandé d'azur, à la bordure or, et une troisième couronne de gueules. À moins que vous n'ayez sous les yeux des armoiries avec les couleurs, comme ce qui se trouve dans ma salle de musique, vous ne les distinguerez pas. Vous voulez dire que quelqu'un a écrit une lettre sur mon papier personnel et vous l'a fait remettre en mains propres par un chauffeur ? Comment cela est-il possible ? Je ne comprends pas ce que ça signifie, ni la raison pour laquelle on ferait une chose pareille. De quelle voiture s'agissait-il ? Nous n'avons pas de chauffeur en tout cas. Je possède une vieille Mercedes et mon mari conduit une Saab, mais de toute façon il se trouve à l'étranger pour l'instant et nous n'avons jamais eu de chauffeur. Nous n'y avons recours que lorsque nous voyageons.

— Vos armoiries se trouvent-elles ailleurs que sur le mur de votre salle de musique, brodées, gravées quelque part, n'importe où ? Sont-elles connues, publiées, quelqu'un a-t-il pu mettre la main dessus ?

Quelle que soit la formulation, l'interroger sur ce sujet paraît étrange.

— Mettre la main dessus pour en faire quoi ? Dans quel but ?

— Votre papier à lettres, par exemple. Partons de là et de l'objectif qui pourrait se dissimuler derrière tout cela.

— S'agit-il de gravure ou d'impression sur le papier que vous avez ? me demande-t-elle alors. Vous pouvez faire la différence ?

Je réfléchis : *Tu ne sais pas qui est la victime. L'homme mort avec cette bague au doigt pourrait être un membre de la famille, un parent, tu n'en sais rien.* Benton m'a appris que Johnny Donahue a un frère aîné qui travaille à Langley. Peut-être séjournait-il à Cambridge hier, dans un appartement près d'Harvard, l'appartement d'un ami dans lequel est remisé un robot tactique obsolète, un ami propriétaire d'un lévrier, qui travaille peut-être dans un labo de robotique ? Et si le frère aîné, ou un homme important aux yeux de Mme Donahue, venait de rentrer d'Angleterre, de façon imprévue, qu'il soit mort et qu'elle n'en sache rien, que la famille Donahue l'ignore ? À quoi ressemble le frère de Johnny ?

Ne lui pose pas la question.

Je réponds à Mme Donahue :

— Le papier est gravé.

Et s'il existait un lien entre la famille et Liam Saltz ou un des invités au mariage de sa belle-fille dimanche ? Les Donahue auraient-ils un lien avec un membre du Parlement anglais du nom de Brown ?

Ne t'en mêle pas.

— On ne peut imprimer du papier à lettres gravé d'un coup de baguette magique, déclare Mme Donahue, le faire fabriquer en cinq minutes.

Je scrute l'enveloppe, le ruban adhésif que j'ai pensé à conserver et que je n'ai pas coupé. Elle ajoute :

— Surtout si on ne dispose pas des plaques de cuivre.

En médecine légale, nous utilisons en permanence du ruban adhésif, pour récolter des traces sur les tapis, le mobilier, recueillir des fibres, des éclats de peinture, des fragments de verre, des résidus de poudre, des minéraux, y compris des empreintes et de l'ADN, sur tous les types de surfaces, même le corps humain.

N'importe qui sait ça. Il suffit de regarder la télévision, de taper sur Google « techniques d'investigation et équipement de scènes de crime ».

— Quelqu'un aurait pu s'emparer des plaques de cuivre ? Mais qui ? Qui ça ? proteste-t-elle. Sans ces plaques, il faudrait des semaines ! Et si vous demandez un bon à tirer, ce que je fais, bien entendu, vous pouvez ajouter quelques semaines supplémentaires. Tout ça n'a aucun sens.

Erica Donahue ne collerait pas un grossier ruban adhésif au dos de son élégante enveloppe gravée. Pas cette femme fière et précise, qui écoute des études de Chopin. S'il s'agissait de quelqu'un d'autre, alors je pourrais avoir une idée du pourquoi. Surtout si ce quelqu'un me connaît ou sait la façon dont je raisonne.

— C'est vrai, un certain nombre d'objets portent ces armoiries. Elles sont dans ma famille depuis des siècles, ajoute-t-elle.

Elle a envie de parler. Tant d'émotions se bousculent en elle qu'elle a besoin de les évacuer.

Laisse-la faire.

— D'ascendance écossaise, mais vous l'avez deviné au nom, poursuit-elle. Elles sont encadrées dans ma salle de musique, comme je l'ai déjà précisé, gravées sur une partie de l'argenterie de famille. Une gouvernante a volé de l'argenterie il y a de cela des années. Nous l'avons licenciée, mais elle n'a jamais été poursuivie. Nous ne disposions pas d'éléments suffisamment probants pour la police de Boston. Je suppose que mon argenterie de famille a pu échouer quelque part chez un prêteur sur gages. Mais je ne vois pas le rapport avec mon papier à lettres. Vous avez l'air de supputer que quelqu'un aurait pu faire graver du papier à l'identique et se faire passer pour moi. À moins qu'on ne l'ait volé ? Vous pensez à une usurpation d'identité ?

Que dire ? Jusqu'où puis-je aller ?

— Aurait-on pu subtiliser un autre objet avec vos armoiries ?

Je m'interdis de lui poser une question directe au sujet de la chevalière.

— Pourquoi ? Il y a autre chose ?

Au lieu de lui répondre, je répète :

— J'ai là une lettre censée provenir de vous. Tapée sur une machine à écrire.

— Je me sers encore d'une machine à écrire, confirme-t-elle, déroutée. Mais en règle générale mes lettres sont manuscrites.

— Avec quoi écrivez-vous ?

— Un stylo, bien sûr. Un stylo plume.

— Et la police de votre machine à écrire ? Quelle sorte de machine ? Mais peut-être ne connaissez-vous pas la police, peu de gens s'en préoccupent.

— Une petite Olivetti portable que je traîne depuis une éternité. Avec une police cursive, qui ressemble à une écriture manuscrite.

— Une machine manuelle, sans doute assez ancienne, dis-je en examinant les vieux caractères produits par des bras de métal frappant un ruban encré.

— Elle appartenait à ma mère.

— Madame Donahue, savez-vous où se trouve votre machine à écrire ?

— Je vais chercher dans le placard de la bibliothèque, où elle est rangée quand je ne l'utilise pas.

Je l'entends se déplacer dans une autre partie de la maison, et, au son, j'ai l'impression qu'elle a dû poser un téléphone sans fil sur une surface dure. Puis une série de portes se ferme, peut-être des portes de placard. Quelques instants plus tard, elle revient et déclare, le souffle heurté :

— Elle a disparu ! Elle n'est plus là.

— Vous vous souvenez de la dernière fois que vous l'avez vue ?

— Euh… Il y a quelques semaines. Au moment de Noël, je crois. Je ne sais plus au juste.

— Elle pourrait se trouver ailleurs ? Vous l'avez peut-être déplacée, ou bien quelqu'un l'a empruntée ?

— Non ! C'est affreux. On l'a subtilisée, en même temps que mon papier à lettres sans doute. La même personne qui vous a adressé cette lettre en se faisant passer pour moi. Je ne vous ai jamais écrit, je peux vous le certifier.

La première personne qui me vient à l'esprit est son fils Johnny. Mais celui-ci se trouve au McLean. En aucun cas il n'aurait pu emprunter la machine à écrire, le stylo, le papier à lettres de sa mère, avant d'engager un chauffeur et une Bentley pour me porter une missive. Si tant est qu'il ait pu savoir quand je rentrais à bord de l'hélicoptère de Lucy. Ça non plus, je n'en parlerai pas à Mme Donahue. Plus je lui pose de questions, plus je donne d'informations.

— Qu'y a-t-il dans cette lettre ? insiste-t-elle. Qu'a-t-on écrit à ma place ? Qui a pu s'emparer de ma machine à écrire ? Devrions-nous appeler la police ? Qu'est-ce que je raconte ? Vous êtes la police.

Je rectifie d'un ton très neutre, tandis que le tempo de Chopin s'accélère et que je reconnais une autre étude :

— Je suis médecin légiste. Je n'appartiens pas à la police.

— Mais si ! Les médecins dans votre genre enquêtent comme la police, se conduisent comme la police et disposent de pouvoirs dont ils peuvent abuser comme la police. J'ai parlé à votre assistant, le Dr Fielding, à propos de l'accusation portée contre mon fils. Je sais que vous êtes parfaitement au courant, vous devez savoir que j'ai appelé votre bureau et pourquoi. Comprenez à quel point tout cela est inadmissible. Vous me paraissez une femme juste. Je sais que vous étiez absente, mais je dois dire que, même de loin, il me paraît incompréhensible d'avoir fermé les yeux là-dessus !

Je pivote sur mon fauteuil pour faire face au mur incurvé derrière moi, une immense baie vitrée. Mon bureau a exactement la même forme que l'immeuble si on l'allongeait sur le flanc, cylindrique et arrondi à une extrémité. Le ciel est d'un bleu vif que Lucy baptiserait « visibilité illimitée », et je remarque un mouvement sur l'écran de télésurveillance, un SUV noir qui se gare sur le parking.

Je ne peux pas lui dire ce qui bouillonne en moi et menace de déborder : qu'est-ce qui n'est pas juste ? Sur quoi ai-je fermé les yeux ? Comment sait-elle que j'étais absente ? Je me contente donc de :

— On m'a dit que vous aviez cherché à joindre Jack Fielding. Je comprends votre inquiétude, mais…

Mme Donahue me coupe la parole :

— Je ne suis pas une ignorante ! Je sais pertinemment comment me comporter dans ces cas-là, même si je n'avais jamais été mêlée à quelque chose d'aussi affreux. Le Dr Fielding n'avait aucune raison de se montrer aussi grossier avec moi. J'avais parfaitement le droit de lui poser ces questions. Je ne comprends pas comment vous avez pu laisser passer cela. Mais peut-être n'est-ce pas le cas ? Peut-être ignorez-vous tout de cette pagaille sordide ? Comment serait-ce possible ? C'est vous la responsable, et maintenant que je vous tiens au téléphone, peut-être pouvez-vous m'expliquer en quoi il est juste, convenable et même légal que quelqu'un dans sa position soit mêlé à tout ça et qu'on lui laisse un tel pouvoir ?

Le mot *Attention !* clignote dans mon esprit, tel un inquiétant signal d'alarme.

Consciente du terrain glissant sur lequel j'évolue, je m'efforce à la prudence :

— Je suis navrée que vous ayez pu penser qu'il se montrait grossier ou peu serviable. Vous comprendrez que nous ne pouvons discuter des affaires avec…

— Docteur Scarpetta… (Des accords aigus du piano semblent lui répondre, à moins que ce ne soit l'inverse.) Jamais je ne ferais une chose pareille, et je ne l'ai assurément pas faite ! déclare-t-elle avec émotion. Vous m'excusez une seconde, que j'aille baisser le son ? Vous ne connaissez probablement pas Valentina Lisitsa. Si seulement je pouvais simplement écouter, sans avoir l'esprit encombré de toutes ces horreurs ! Mon papier à lettres, ma machine à écrire… Mon fils ! Oh, mon Dieu, mon Dieu ! répète-t-elle tandis que la musique s'interrompt. Je n'ai pas posé de questions indiscrètes au Dr Fielding à propos d'une victime d'assassinat, et d'autant moins qu'il s'agissait d'un enfant. S'il vous a dit que j'avais appelé pour cela, c'est totalement faux. Je l'affirme tout net : c'est un mensonge. Un foutu mensonge ! Mais cela ne m'étonne pas.

À l'exception de ses déclarations à Bryce à propos de l'innocence de Johnny et de ses allergies, je n'en sais pas beaucoup plus. Visiblement, elle ignore totalement que je n'ai pas parlé à Fielding, que personne ne lui a parlé d'ailleurs. Plus je minimiserai ses déclarations, allant même jusqu'à les ignorer, plus elle va s'énerver et me fournir d'informations. Je lui réponds donc :

— Vous avez cherché à me joindre.

— En fin de semaine dernière, assène-t-elle avec énergie. Parce que vous êtes la responsable et que je n'arrivais à rien avec Fielding. Bien entendu, vous comprenez ma préoccupation : tout cela est inacceptable, pour ne pas dire criminel. Je voulais donc me plaindre. Je suis désolée que vous vous trouviez confrontée à ce genre de situation dès votre retour. Quand j'ai compris qui vous étiez, qu'il ne s'agissait pas d'une mauvaise plaisanterie, j'ai d'abord cru que vous appeliez au sujet de la plainte que je veux déposer contre votre service. Enfin, pour l'instant ce n'est pas officiel, même si notre avocat est au courant, ainsi que le conseil juridique du Centre de sciences légales. Peut-être n'aurai-je pas besoin de porter plainte. Tout dépend si nous arrivons à nous entendre.

Nous entendre sur quoi ? Mais je ne pose pas la question. Elle était au courant de mon retour, ce qui ne correspond pas avec ce qu'elle est censée m'avoir écrit. En revanche, c'est parfaitement cohérent avec la présence du chauffeur à Hanscom Field.

— Qu'y a-t-il dans cette lettre ? Vous pouvez me la lire ? Pourquoi ne pouvez-vous pas ? répète-t-elle.

— Un membre de votre famille aurait-il pu m'écrire sur votre papier à lettres en empruntant votre machine ?

— Et il aurait signé de mon nom ? argumente-t-elle.

Je ne réponds rien.

— Je suppose que je suis censée avoir signé ce que vous avez entre les mains. Sinon, à l'exception de l'adresse gravée, vous n'auriez aucune raison de penser que cette lettre émane de moi. L'adresse pourrait renvoyer à mon mari, qui se trouve au Japon pour affaires depuis vendredi. Un voyage inévitable, malheureusement le moment ne s'y prête guère. De toute façon il ne ferait pas une chose pareille, bien sûr que non.

— Tout dans cette lettre indique qu'elle provient de vous.

Je m'abstiens de lui préciser qu'elle est signée « Erica », au-dessus de son nom tapé en cursive, et que l'enveloppe est libellée d'une écriture très ornée, manuscrite, à l'encre noire d'un stylo à plume.

— C'est si pénible ! Je ne comprends pas pourquoi vous ne voulez pas m'en lire le contenu. J'ai le droit de savoir ce que quelqu'un a écrit en se faisant passer pour moi ! Je suppose qu'en fin de compte notre avocat va devoir entrer en contact avec vous. L'avocat qui représente Johnny, car cette lettre, ce faux, le concerne sans doute. Encore un sale tour de ceux qui sont derrière tout ça, probablement ! Jusqu'à son départ là-bas, Johnny allait très bien. Il s'est ensuite transformé en Mr Hyde, une chose terrible à dire de son propre fils. Mais c'est la meilleure comparaison qui me vienne à l'esprit pour vous faire comprendre à quel point son état s'est altéré. Il ne peut s'agir que d'une drogue, même si les résultats des examens sont négatifs d'après notre avocat, et jamais Johnny n'aurait touché à ça. Il sait à quoi s'en tenir. Il n'ignore pas qu'il avance en permanence sur une corde raide à cause de son comportement insolite. Je ne vois pas ce que cela pourrait être, à l'exception d'un produit pharmacologique. On lui a administré une substance qui l'a modifié, qui a eu sur lui un effet terrible, pour le coincer, délibérément détruire son existence…

Elle continue de parler sans s'arrêter, de plus en plus bouleversée. On frappe à la porte de mon bureau, quelqu'un manœuvre la poignée, et au même moment Bryce pousse la porte de communication. *Pas maintenant*, lui fais-je en secouant la tête. Il me murmure que Benton est là. Peut-il entrer ? J'acquiesce, il referme sa porte tandis que l'autre s'ouvre.

Je branche le haut-parleur.

Benton repousse le battant derrière lui et je brandis la lettre pour lui indiquer l'identité de mon interlocutrice. Il approche une chaise à mon côté pendant que Mme Donahue continue de parler, et je griffonne sur un bloc : « Dit qu'elle ne l'a pas écrite – pas son chauffeur, pas sa Bentley. »

— … dans cet endroit.

La voix de Mme Donahue résonne comme si elle se trouvait dans mon bureau.

Le visage pâle, épuisé, Benton demeure assis sans réagir. Il n'a pas l'air dans son assiette et sent le feu de bois.

— Je n'y suis jamais allée, parce qu'ils n'autorisent pas les visites, à moins d'un événement particulier pour le personnel…, poursuit la voix de Mme Donahue.

Benton prend un stylo et écrit sur le même bloc : « Otwahl ? » Mais la question paraît de pure forme, il ne semble pas particulièrement curieux.

— … Ensuite, il faut franchir des systèmes de sécurité aussi draconiens que ceux de la Maison-Blanche, peut-être même davantage, continue Mme Donahue. Je le tiens de mon fils. Il était effrayé, une véritable loque, les derniers mois de son séjour là-bas. En tout cas depuis l'été.

— À quel endroit faites-vous allusion ? demandé-je tandis que je griffonne un autre message à l'adresse de Benton.

« Machine à écrire disparue de chez elle. »

Il me lit et fait un signe d'assentiment, comme s'il savait déjà que la vieille Olivetti manuelle d'Erica Donahue a disparu et a peut-être été volée, si elle m'a dit la vérité. À moins qu'il ne soit déjà au courant de notre conversation. Il me vient à l'esprit que mon bureau est probablement truffé de micros. Que Lucy m'ait avertie qu'elle avait vérifié la présence éventuelle de systèmes de surveillance clandestins signifie sans doute que c'est elle qui les y a installés. Mon regard balaie la pièce, à la recherche de minuscules caméras ou micros cachés dans les livres, les stylos, les presse-papiers ou le combiné téléphonique dans lequel je parle. Ridicule. Si Lucy a caché des micros, je ne risque pas de les trouver. Et Fielding encore moins. J'espère le découvrir en train de bavarder avec le capitaine Avallone, sans que ni l'un ni l'autre n'aient conscience d'être enregistrés clandestinement. J'espère les prendre sur le fait, plongés dans leur complot destiné à me casser les reins, à me chasser du Centre de sciences légales.

— Là où il a effectué son stage de formation. Cette entreprise technologique qui fabrique des robots et des choses que personne n'est censé connaître…

J'observe Benton, qui croise les mains sur ses genoux, feignant la placidité, alors qu'il est tout sauf calme et détendu. Je connais son langage corporel, sa façon de s'asseoir, ses regards. Sous la quiétude de son corps et de son humeur, je perçois son énervement. Il est épuisé, stressé, et autre chose encore. Un événement est survenu.

— … Johnny a été obligé de signer des contrats, toutes ces clauses de confidentialité promettant qu'il ne parlerait pas d'Otwahl, même pas de la signification de ce nom. Vous vous rendez compte ? Même pas ça, ce que veut dire « Otwahl » ! Rien d'étonnant, avec tout ce que nous font ces gens-là. D'énormes contrats secrets avec le gouvernement, et surtout l'avidité, une cupidité incommensurable. Et cela vous surprend, que des objets disparaissent, qu'on se fasse passer pour quelqu'un d'autre, qu'on usurpe des identités ?

Je n'ai aucune idée de ce que signifie « Otwahl ». J'ai toujours été convaincue qu'il s'agissait d'un nom de famille, le nom du fondateur de l'entreprise. Machin Otwahl. Je lance un regard à Benton. Il contemple la pièce d'un air absent et écoute Mme Donahue.

— … Absolument rien de rien, sûrement pas ce qui s'y passe, bien sûr, et tout ce qu'il a fait là-bas leur appartient. Rien n'en sort. (Son débit s'est accéléré. Sa voix, grave au début, a tourné à l'aigu.) Je suis terrifiée. Qui sont ces gens et qu'ont-ils fait à mon fils ?

— Qu'est-ce qui vous amène à croire qu'ils ont fait quelque chose à Johnny ? je lui demande, pendant que Benton écrit calmement sur le bloc, sa bouche ne formant plus qu'un long trait mince et dur.

— Il ne peut pas s'agir d'une coïncidence… (Son ton m'évoque la police cursive de sa vieille Olivetti, une chose élégante qui s'abîme petit à petit, de moins en moins distincte, de plus en plus floue.) Mon fils allait bien, puis son état s'est détérioré, et le voilà enfermé dans un hôpital psychiatrique, après avoir avoué un crime qu'il n'a pas commis. Et aujourd'hui, achève-t-elle d'une voix rauque, en s'éclaircissant la gorge, ceci : une lettre tapée sur mon papier à lettres, en tout cas cela y ressemble, dont je ne suis bien entendu pas l'auteur. Je n'ai pas la moindre idée de qui a pu vous la donner, et ma machine a écrire a disparu…

Benton fait glisser la feuille de notes vers moi et je déchiffre son écriture précise : « Nous sommes au courant. »

Je le regarde en fronçant les sourcils, sans comprendre.

— Pour quelle raison voudraient-ils faire accuser faussement mon fils, et quel lavage de cerveau a-t-il subi pour en arriver à se convaincre qu'il a tué cet enfant ? Une drogue, quoi d'autre ? répète Mme Donahue. L'un d'eux a peut-être assassiné ce petit garçon et ils cherchaient un bouc émissaire. Et mon pauvre Johnny se trouvait là, lui qui est tellement crédule, qui ne saisit pas les situations. Quoi de mieux qu'un adolescent avec un syndrome d'Asperger ?…

Je fixe les mots de Benton : « Nous sommes au courant. » Comme si, à force de les relire, j'allais entrevoir ce qu'il sait, ou ce que lui et ces invisibles, ces entités baptisées « nous », savent. Assise là, concentrée sur les paroles de Mme Donahue, essayant de décrypter ce qu'elle veut faire passer tout en lui extorquant des informations avec précaution, j'éprouve le sentiment que Benton n'écoute pas vraiment. D'habitude attentif, il ne manifeste que peu d'intérêt. Je sens qu'il voudrait que j'abrège cette conversation pour partir avec lui. J'en viendrais presque à croire que quelque chose s'achève, qu'il ne reste plus qu'à boucler un dossier, régler les derniers détails. Me reviennent des souvenirs d'affaires ayant occupé toute son énergie pendant des mois ou des années. Dès qu'elles étaient résolues, ou abandonnées, ou qu'un jury avait rendu son verdict, bref que tout s'arrêtait brusquement, il se comportait ainsi : tendu, mais déprimé et vidé.

Néanmoins, je ne laisserai pas tomber maintenant, quoi que sache Benton, quel que soit son état d'esprit. Je poursuis à l'adresse de Mme Donahue :

— Quand avez-vous constaté l'altération du comportement de votre fils ?

— En juillet, août. Septembre, sûr et certain. Il a démarré son stage chez Otwahl en mai.

— Mark Bishop a été assassiné le 30 janvier.

Je ne m'aventure pas plus loin dans l'expression de l'évidence : continuer d'affirmer qu'il s'agit d'un coup monté contre son fils n'a aucun sens, la chronologie des événements ne correspond pas.

En admettant que la personnalité de Johnny se soit modifiée l'été dernier, alors qu'il travaillait chez Otwahl, et puisque Mark Bishop n'a été tué que le 30 janvier, cela impliquerait que Johnny a été « programmé » pour endosser la responsabilité d'un meurtre qui n'avait pas encore eu lieu et ne se déroulerait que des mois plus tard. Or, le meurtre de Mark Bishop ne présente pas les caractéristiques d'une action méticuleusement planifiée, mais bien plutôt d'une agression sadique et insensée contre un petit garçon qui jouait dans sa cour un week-end en fin d'après-midi, alors que la nuit tombait et que personne ne se trouvait aux alentours. Selon moi, il s'agit d'un crime destiné à procurer des sensations fortes, guidé par l'opportunité, le jeu diabolique d'un prédateur qui a peut-être des tendances pédophiles. Il ne s'agit pas d'un assassinat sur commande, de l'opération d'un commando terroriste. Je ne crois pas que sa mort ait été préméditée et exécutée dans un but précis, politique, économique ou de sécurité nationale.

— Les gens qui ne comprennent pas le syndrome d'Asperger sont convaincus qu'un comportement violent, presque inhumain, fait partie des symptômes. Ils pensent que ces sujets ne sentent rien, ou bien pas la même chose que les autres. Ils croient toutes sortes de choses, à cause de ce côté *insolite*, ni une maladie, ni une aliénation mentale, juste un comportement insolite. C'est le gros désavantage.

Le débit de Mme Donahue est toujours précipité, et ses pensées se bousculent, désordonnées. Elle continue :

— Quand vous soulignez des changements comportementaux inquiétants, les gens décident que Johnny est coupable, uniquement à cause de son côté bizarre, comme s'il avait besoin de ça ! Mais ça n'a rien à voir avec sa différence. Quelque chose d'affreux s'est mis en branle quand il est allé là-bas, chez Otwahl, en mai dernier…

Benton a fait allusion plus tôt au fait que la mort de Mark Bishop pouvait être liée aux autres : le joueur de football retrouvé dans le port de Boston en novembre et l'homme de Norton's Woods. S'il ne se trompe pas, cela sous-entendrait que Johnny Donahue est impliqué dans les trois meurtres. Impossible. Par exemple, lorsque le crime de Norton's Woods a eu lieu, Johnny était interné au McLean. Il n'aurait pas pu le commettre. À moins qu'il n'ait quitté l'hôpital armé d'un couteau à injection, je ne vois pas comment on aurait pu élaborer ce coup monté pour le faire plonger.

« Il faut y aller », m'écrit alors Benton en soulignant sa phrase. Je demande :

— Mme Donahue, votre fils est-il sous traitement ?

— Pas vraiment.

Je commence à perdre patience et fournis des efforts pour me renseigner sans paraître insistante :

— Des médicaments sur ordonnance ou peut-être en vente libre ? Pouvez-vous me dire s'il prenait quoi que ce soit avant d'être hospitalisé, ou m'informer de tout autre problème médical qu'il présenterait ?

J'ai failli dire « qu'il aurait présenté », comme s'il était mort.

— Eh bien, un spray nasal, surtout ces derniers temps.

Benton lève les mains, paumes en l'air, signifiant : *Ce n'est pas une nouveauté !* Il est au courant, et lui aussi perd patience. Son exaspération commence à transparaître à travers son armure d'insensibilité. Il veut que je raccroche et que nous partions immédiatement.

— Pourquoi ces derniers temps ? Il avait des problèmes respiratoires ? Des allergies ? De l'asthme ? demandé-je tout en sortant une paire de gants du distributeur, que je tends à Benton avant de lui donner l'enveloppe de papier kraft qui contient la chevalière.

— Squames, pollens, poussière, gluten, tout ce que vous voulez. Il est allergique et a été traité pour cela presque toute sa vie. Jusqu'à l'été dernier tout se passait bien, et puis d'un seul coup plus rien ne paraissait marcher. C'est la pire saison pour les pollens, le stress ne fait qu'empirer les choses, et il était de plus en plus tendu. Il a recommencé à utiliser un spray avec de la cortisone, j'ai oublié le nom…

— Des corticostéroïdes ?

— Oui, c'est cela. Je me suis demandé si ce médicament n'affectait pas son humeur, son comportement.

Des hauts et des bas, de l'insomnie, une irritabilité devenue extrême, comme vous le savez. Tout cela a culminé en amnésies, délires et, pour finir, son hospitalisation.

— Vous avez dit qu'il avait « recommencé » ? Il avait déjà utilisé ce spray auparavant ?

— Bien entendu, au fil des ans. Toutefois pas depuis qu'il suivait un nouveau traitement. Il n'avait plus besoin d'injections, et pendant un an j'ai cru à un traitement miracle. Tout allait bien. Puis son état s'est de nouveau détérioré et il a repris le spray nasal.

— Parlez-moi de ce nouveau traitement.

— Je suis sûre que vous connaissez les gouttes sous la langue.

L'immunothérapie sublinguale n'a pas encore été avalisée par la FDA, je lui demande donc :

— Votre fils participait-il à des essais cliniques ?

J'écris de nouveau à l'adresse de Benton : « Spray et gouttes au labo, de toute urgence », en soulignant « de toute urgence ».

— Oui, par l'intermédiaire de son allergologue.

Je regarde Benton pour voir s'il est au courant. Il jette un œil à ma note en enfilant les gants, puis consulte sa montre. Il ne va examiner la chevalière que parce que je le lui ai demandé. On dirait qu'il l'a déjà vue ou qu'elle n'est d'aucune importance, qu'il a déjà son idée sur la question. Il s'est passé quelque chose, un dossier est clos.

— Ce qu'on appelle un protocole d'essai, avant autorisation de mise sur le marché, sous la supervision de son médecin. De cette façon, il n'avait plus besoin de se rendre au cabinet pour ses injections hebdomadaires.

Parler des allergies de son fils plutôt que de toute autre chose semble apaiser momentanément Mme Donahue. Sa souffrance connaît une rémission, mais cela ne durera pas.

Que quelqu'un ait trafiqué les médicaments de Johnny pourrait expliquer pourquoi ses allergies ont repris. Les gouttes sublinguales ou le spray nasal ont pu rendre son traitement inefficace, et même extrêmement dangereux, si leur composition chimique était modifiée. Le visage totalement dénué d'expression, Benton scrute la chevalière. Je brandis une feuille du papier à lettres afin qu'il puisse distinguer le filigrane. Il demeure impassible et je remarque une toile d'araignée dans ses cheveux. Je tends la main pour la lui ôter et il range le bijou dans l'enveloppe. Puis il croise mon regard et écarquille les yeux comme il le fait dans les dîners ou les soirées pour me transmettre le message *Allons-y !*

— Johnny prend plusieurs gouttes tous les jours sous la langue et les résultats ont été excellents pendant un moment. Puis les effets se sont atténués et il se sentait très mal par moments. En août, il a repris le spray nasal, mais la situation n'a fait qu'empirer, en même temps qu'il manifestait de très perturbants troubles de la personnalité. Beaucoup de gens l'ont remarqué, il s'est attiré des ennuis lors de passages à l'acte. Comme vous le savez, il a été expulsé de ce cours, mais il n'aurait jamais fait de mal à cet enfant. Johnny n'avait même aucune idée de son existence, à mon avis. Pourquoi aurait-il fait quoi que ce soit ?…

Benton jette dans la poubelle les gants qu'il vient de retirer. Je désigne l'enveloppe du doigt et il secoue la tête. *Ne pose pas de questions sur la chevalière*. Il ne veut pas que j'en parle. Peut-être est-ce superflu à cause de ce qu'il sait déjà. Je remarque alors ses rangers noires. Elles sont devenues grises d'une poussière qui ne s'y trouvait pas lorsque nous avons discuté dans le bureau de Fielding. Son pantalon de treillis noir est également poussiéreux et les manches de son manteau sales. On dirait qu'il s'est frotté contre quelque chose.

Mme Donahue enchaîne :

— Il s'agissait de l'essentiel de ma question, plutôt un problème d'ordre personnel, le concernant en tant que professeur d'arts martiaux, un homme censé obéir à un code de l'honneur…

La déclaration de Mme Donahue retient de nouveau mon attention. L'aurais-je mal comprise ? Impossible, cela ne se peut.

— … Une interrogation de cet ordre, pas du tout ce que vous pensiez ou ce qu'il a prétendu. Je suis certaine qu'il a menti. S'il affirme que je l'ai appelé pour poser des questions au sujet de ce pauvre enfant, il raconte des histoires. Je n'ai rien demandé à propos de Mark Bishop, je vous le promets, et d'ailleurs nous ne le connaissions pas personnellement. Nous n'avons fait que l'entrevoir là-bas quelquefois. Je n'ai pas cherché à obtenir des informations sur lui…

— Madame Donahue ? Je suis désolée, la ligne est mauvaise, je ne vous entends pas bien.

Faux prétexte, mais il faut qu'elle me répète ce qu'elle vient de dire et me fournisse des éclaircissements.

— Ah, ces téléphones sans fil… C'est mieux là ? Je suis désolée, j'arpente la maison tout en parlant.

— Merci. Pourriez-vous répéter vos dernières paroles ? À propos d'arts martiaux ?

J'éprouve un nouveau sursaut d'incrédulité lorsqu'elle réitère : son fils Johnny connaît Jack Fielding par l'intermédiaire du taekwondo. Elle paraît certaine que je suis au courant. C'est pour ça qu'elle a appelé le bureau plusieurs fois afin de joindre Fielding, et finalement se plaindre à moi. Fielding était le professeur de Johnny au Cambridge Taekwondo Club. Et celui de Mark Bishop, puisqu'il s'occupait d'un cours réservé aux enfants. Mais Johnny ne connaissait pas Mark et ils n'assistaient pas aux mêmes classes. Mme Donahue est catégorique sur ce point. Je lui demande quand Johnny a commencé à prendre des leçons. Je lui explique qu'il me faut vérifier avec elle quelques détails et qu'un récit précis me permettra de gérer sa plainte envers mon assistant de façon juste et appropriée.

— Johnny a débuté en mai…

Mes idées ricochent dans tous les sens pendant que je l'écoute :

— … Vous comprenez pourquoi mon fils, qui n'a jamais vraiment eu d'amis, se laisserait très facilement influencer par quelqu'un qu'il adore et respecte…

— Vous parlez du Dr Fielding ?

— Sûrement pas, rétorque-t-elle d'un ton acide, laissant supposer qu'elle le déteste souverainement. Son amie pratiquait déjà depuis un moment. Apparemment, pas mal de femmes se lancent sérieusement dans le taekwondo, et lorsqu'elle a commencé à travailler avec Johnny, qu'ils sont devenus amis, elle l'a encouragé à prendre des cours. J'aurais préféré qu'il ne suive pas ses conseils. Entre ça et Otwahl, cet endroit et tout ce qui doit s'y passer, regardez où nous en sommes ! On peut comprendre pourquoi Johnny a pu éprouver l'envie de se protéger, de se sentir puissant, moins seul et sujet au harcèlement. L'ironie étant bien entendu que cette époque-là était pour lui révolue. Il n'avait jamais été maltraité à Harvard…

Elle continue sur sa lancée, désormais moins autoritaire et cassante. Son désespoir est presque palpable dans mon bureau. Je me lève de mon fauteuil.

— … Comment ose-t-il ? Si ce n'est pas une violation de son serment d'Hippocrate, ça ! Comment ose-t-il continuer à s'occuper du cas de Mark Bishop, étant donné la vérité que nous connaissons tous ?

— À quelle vérité faites-vous allusion, madame Donahue ? Pouvez-vous être plus précise ?

Mon regard se perd au-delà des baies vitrées, dans le matin éblouissant. Le soleil est si aveuglant que les larmes me montent aux yeux. Sa voix résonne derrière moi dans le haut-parleur :

— Sa partialité. Il n'a jamais apprécié Johnny, ne s'est jamais montré gentil avec lui. Il lui faisait des commentaires désobligeants devant les autres élèves. Du genre : « Regarde-moi quand je te parle, au lieu de contempler ce foutu interrupteur ! » Vous savez bien, j'en suis sûre, que des objets qui paraissent anodins aux autres retiennent l'attention de Johnny. Il éprouve de grandes difficultés à regarder quelqu'un dans les yeux et peut se montrer offensant. C'est la façon dont fonctionne son cerveau, rien d'autre, mais les gens ne le comprennent pas. Vous connaissez un peu le syndrome d'Asperger, ou bien votre mari a-t-il…

— Je ne sais pas grand-chose.

Je n'ai nulle intention de lui confier ce que Benton m'a révélé ou pas.

— Eh bien, Johnny va se focaliser sur un détail qui n'a de signification que pour lui et le fixer alors que vous lui parlez. Pendant que je lui dis quelque chose d'important, il scrute la broche ou le bracelet que je porte, il rit ou sort un commentaire inapproprié. Le Dr Fielding l'a réprimandé pour des rires intempestifs, il l'a rabaissé devant tout le monde. C'est là que Johnny a essayé de lui donner un coup de pied. Ce type, ceinture noire avec je ne sais combien de *dan*, et mon fils, qui pèse soixante-trois kilos tout habillé, qui essaie de le frapper ! Il a été obligé de quitter définitivement la classe. Le Dr Fielding lui a interdit de revenir et l'a menacé de le blackbouler s'il tentait de suivre des cours ailleurs.

— À quel moment cela s'est-il produit ? m'entends-je demander, avec l'impression que ma voix ne m'appartient plus.

— La deuxième semaine de décembre. J'ai la date exacte. Je note tout.

Six semaines avant le meurtre de Mark Bishop. Je suis abasourdie, assommée. Je m'adresse au téléphone sur mon bureau comme si je regardais Mme Donahue et qu'elle puisse me voir :

— Et vous avez suggéré au Dr Fielding…

— Plutôt deux fois qu'une ! s'exclame-t-elle d'un ton de défi. Quand Johnny s'est mis à déblatérer ces bêtises, sur le fait qu'il avait tué ce gamin pendant un épisode amnésique et que leur professeur de taekwondo avait pratiqué l'autopsie ! Vous imaginez ma réaction ?

Leur professeur de taekwondo ? De qui parle-t-elle ? L'amie du MIT de Johnny ou encore un autre ? À qui d'autre Fielding a-t-il pu donner des cours ? Pour quelle raison Johnny Donahue a-t-il avoué un meurtre dont Benton le croit innocent ? Pourquoi Johnny irait-il imaginer qu'il a commis un acte aussi effroyable pendant une prétendue amnésie ? Qui a pu exercer sur lui une influence telle qu'il a reconnu le crime et ajouté des détails, dont le pistolet à clous, alors que je sais parfaitement qu'il ne s'agit pas de l'arme du crime ? Mais je ne vais pas pousser davantage Mme Donahue sur la voie des confidences. Je suis allée trop loin. Tout est allé trop loin. Je lui ai posé plus de questions que je n'aurais dû, et Benton dispose déjà de toutes les réponses à celles que je pourrais imaginer. Rien qu'à la façon dont il est assis, fixant le sol du regard, les traits durs et figés, je le sais.

Chapitre 18

Je raccroche et demeure plantée devant ma baie vitrée incurvée. Un patchwork de toits d'ardoise enneigés ponctué de clochers d'églises s'étire devant moi, depuis mon royaume du Centre de sciences légales.

Je patiente, attendant que le rythme de mon cœur s'apaise, que le flot de mes émotions se tarisse. Je déglutis avec peine, pour ravaler ma colère et ma souffrance, et tente de me distraire avec le panorama du MIT et, au-delà, d'Harvard. Dans cet empire bardé de fenêtres, où je suis censée gérer le pire de ce qui arrive aux êtres, je comprends tout, enfin. Je comprends la raison du comportement de Benton. Je comprends ce qui a pris fin. Jack Fielding.

Peu de temps après son déménagement de Chicago, j'ai le vague souvenir qu'il m'avait annoncé être devenu professeur dans un club de taekwondo. Il m'avait prévenu qu'il ne serait pas toujours disponible pour travailler le week-end ou faire des heures supplémentaires, tant il se consacrait à l'enseignement de ce qu'il avait baptisé son art, sa passion. Il m'avait dit qu'il s'absenterait de temps en temps pour des tournois et qu'il espérait qu'une certaine « flexibilité » lui serait accordée. Me remplaçant pendant mes longues absences, il attendait en retour de la « flexibilité », avait-il répété, me faisant presque la leçon. La même souplesse dont je disposerais si j'étais là, avait-il souligné. À croire que je jouis d'horaires de complaisance.

Les exigences de Fielding m'avaient déconcertée. Après tout, il avait postulé pour ce travail au Centre, et le poste que je lui avais bêtement attribué surpassait de très loin tout ce qu'il avait pu connaître jusque-là. Son statut à Chicago n'était guère important, un des six médecins légistes en place, sans aucune promotion en perspective, m'avait confié son médecin expert lorsque nous avions discuté de l'éventualité que je l'embauche. Il s'agissait d'une fabuleuse opportunité professionnelle, et personnellement cela lui ferait beaucoup de bien de se retrouver dans un environnement familial, avait ajouté son patron. Que Fielding me considère comme faisant partie de la famille m'avait profondément touchée. J'étais ravie de lui avoir manqué et qu'il soit désireux de revenir dans le Massachusetts travailler avec moi, comme au bon vieux temps.

L'ironie, ce qui aurait dû me rendre furieuse au point d'en faire état, au lieu de lui céder à mon habitude, c'était cette notion de flexibilité. Au point qu'on aurait pu croire que j'allais et venais à ma guise, prenais des vacances pour participer à des tournois ou disparaissais plusieurs week-ends par mois à cause d'une espèce d'art ou de passion en sus de ma profession, en sus de ce que je pratique tous les foutus jours de la semaine. Ma passion se résume à ce que je vis quotidiennement, aux morts dont je prends soin chaque jour, à leurs proches soudain abandonnés par l'être cher, et comment ils s'en sortent, et comment je les aide à surmonter cette épreuve. Je m'entends, et je me rends compte soudain que je viens de déverser tout cela à voix haute. Benton se tient derrière moi. Je sens ses mains sur mes épaules tandis que j'essuie les larmes qui coulent de mes yeux. Il pose le menton sur ma tête et m'enveloppe de ses bras.

— Qu'ai-je donc fait ?

— Tu as supporté beaucoup de choses de sa part, Kay, beaucoup trop, mais tu n'es coupable de rien. Je ne sais pas à quoi il était shooté, et qu'il dealait probablement... Enfin, tu as eu une petite expérience de la chose, tu peux imaginer.

La drogue dont Fielding imprégnait ses patchs anti-douleur, et la drogue qu'il a vendue, voilà à quoi fait allusion Benton. Je demande :

— Tu l'as retrouvé ?

— Oui.

— Il est en garde à vue ? Arrêté ? Ou vous vous contentez de l'interroger ?

— Nous l'avons, Kay.

— Tout est pour le mieux, je suppose.

Je ne sais pas quoi demander d'autre, sinon comment il va, ce à quoi Benton ne répond pas.

Fielding a-t-il dû être entravé ou placé en cellule capitonnée ? Je ne peux pas l'imaginer une seconde en captivité. En prison. Il ne durera pas. Il se tapera la tête contre les barreaux à la manière d'un papillon de nuit affolé, à moins qu'il ne se fasse tuer avant. L'idée qu'il est mort me traverse l'esprit. Et puis la certitude m'envahit. Je suis hébétée, comme si on venait de m'administrer une puissante anesthésie. J'entends Benton :

— Il faut y aller. Je t'expliquerai du mieux possible ce que nous savons. C'est compliqué et pesant.

Il s'éloigne, ses bras s'éloignent. J'ai la sensation que plus rien ne me retient, que je vais m'envoler par la fenêtre. Pourtant je me sens si lourde, semblable à du métal ou de la pierre, sans plus rien d'humain ou de vivant.

— Tout n'est pas encore clair… Quand la situation a commencé à se dessiner, je ne pouvais pas t'informer. Kay, je suis désolé lorsque je dois te dissimuler des choses.

— Pourquoi aurait-il ?… Lui ou qui que ce soit d'autre, pourquoi ?…

Il n'existe pas de réponses satisfaisantes à mes questions, celles que je n'ai cessé de poser toute ma vie. Pourquoi les gens sont-ils cruels ? Pourquoi tuent-ils ? Pourquoi prennent-ils plaisir à détruire leurs semblables ?

Benton me donne toujours la même réponse :

— Parce qu'il le pouvait.

— Mais pourquoi faire ça ?

Fielding n'est pas comme ça. Il n'a jamais été démoniaque. Immature, égoïste, dysfonctionnel, oui. Pas mauvais. Il ne tuerait pas un gamin de six ans pour s'amuser et faire accuser ensuite un adolescent présentant un Asperger. Orchestrer de sang-froid un jeu mortel de ce genre ne fait pas partie de ce qu'il est.

— L'argent. Le pouvoir. Ses addictions. Redresser des torts qui remontent à la nuit des temps, à son enfance. Puis la décompensation psychique. Au bout du compte, il a fini par se démolir. C'est cela qu'il recherchait en détruisant les autres.

Benton a tout compris. Tout le monde a tout compris, sauf moi.

Je marmonne « Je ne sais pas », tout en m'adjurant d'être forte. Je dois régler cette situation. Je serai incapable d'aider Fielding, ou qui que ce soit, si je ne me montre pas forte.

Je m'éloigne de la fenêtre et Benton ajoute :

— Il ne dissimulait pas très bien ses agissements. Une fois que nous avons compris où chercher, la situation s'est peu à peu éclaircie.

Un individu qui monte une machination, qui tire les ficelles, qui en fait accuser d'autres. Voilà pourquoi les choses ne sont pas très bien dissimulées. Voilà pourquoi tout paraît évident. Ça doit l'être afin de nous persuader de la véracité de certains mensonges. Tant que je ne l'aurai pas constaté de mes propres yeux, je refuserai de croire que Fielding est derrière tout cela. *Sois forte. Tu dois t'en occuper. Ne pleure pas sur lui, ne pleure sur personne. Tu n'en as pas le loisir.*

— Que dois-je emporter ? dis-je en prenant ma parka militaire de Dover, décidément pas assez chaude.

— Tout est sur place. Juste tes papiers, au cas où quelqu'un les demanderait.

Bien entendu, ils ont tout là-bas. Tout et tout le monde s'y trouvent, sauf moi. Je récupère mon sac en bandoulière suspendu derrière le battant de la porte en demandant :

— Quand as-tu compris ? Assez compris pour lancer des mandats de recherche, enfin ce qu'il fallait pour le retrouver ?

— Lorsque tu as découvert que la mort de l'homme de Norton's Woods était un homicide, tout a changé, c'est le moins qu'on puisse dire. Fielding se retrouvait associé à un nouveau meurtre.

— Je ne vois pas comment.

Nous quittons mon bureau et je n'avertis pas Bryce de mon départ. À cet instant, je préfère ne voir personne. Je ne suis pas d'humeur à bavarder, à faire preuve de cordialité, à me montrer un tant soit peu civilisée.

— Parce que le Glock a disparu du labo de balistique. On ne t'a pas informée. Mais très peu de gens étaient au courant, précise Benton.

Les remarques de Lucy à propos de Morrow me reviennent : elle l'a vu hier matin vers dix heures et demie sur le parking, environ une demi-heure après que le pistolet lui avait été remis au labo. D'après Lucy, il avait autre chose à faire que de s'en occuper. Si elle était au courant de la disparition du Glock, elle a dissimulé cette information cruciale. Je demande à Benton si elle m'a délibérément menti, à moi, sa patronne.

— Elle travaille pour moi, souligné-je tandis que nous attendons l'ascenseur coincé en bas, comme si quelqu'un maintenait les portes ouvertes, ce que font parfois les employés quand ils chargent ou déchargent. Elle travaille pour moi et ne peut se livrer à de la rétention d'informations. Elle ne peut pas me mentir.

— Elle n'a pas eu connaissance du fait sur le moment. Seuls Marino et moi le savions, et nous ne lui avons pas communiqué.

— Et tu savais pour Jack, Johnny et Mark. Les cours de taekwondo.

J'en suis certaine. Même chose pour Marino.

— Oui, nous avons surveillé Jack, remué pas mal de choses. Depuis la semaine dernière, quand Mark a été assassiné et que j'ai découvert que Jack était son professeur et celui de Johnny.

Je repense aux photographies manquantes dans le bureau de Fielding, aux minuscules trous laissés par les crochets arrachés.

— Que Jack prenne en charge certains dossiers a semblé soudain logique. L'affaire Mark Bishop par exemple, alors qu'il déteste s'occuper des enfants, poursuit Benton, qui jette un coup d'œil aux alentours pour s'assurer qu'on ne peut surprendre notre conversation. Quelle magnifique occasion de dissimuler ses propres crimes !

Ou ceux de quelqu'un d'autre. Fielding serait du genre à protéger une autre personne. Il éprouve un besoin désespéré de pouvoir, de se conduire en héros. Mais je dois cesser de le défendre. *Pas tant que tu n'en as pas la preuve*. Quelle que soit la vérité, je l'accepterai. Peut-être les photos manquantes dans le bureau de Fielding étaient-elles des photos de groupe ? Un vague souvenir me revient, j'ai l'impression de les revoir. Peut-être des classes de taekwondo, des clichés sur lesquels se trouvaient Johnny et Mark.

Est-ce Benton ou Marino qui a enlevé ces photos ? Je ne poserai pas la question. Fielding est allé très loin dans la manipulation, continue de m'expliquer mon mari, pour convaincre tout le monde que Johnny avait tué Mark Bishop. Fielding a utilisé un adolescent vulnérable, d'une sensibilité anormale, comme bouc émissaire. Ses manœuvres n'ont fait que redoubler une fois qu'il a abattu l'homme de Norton's Woods. *Abattu*. Le terme qu'utilise Benton. Fielding l'a abattu, puis a appris l'existence du Glock trouvé sur le corps et a compris qu'il avait commis une sérieuse erreur de stratégie. Tout s'écroulait autour de lui. Il a perdu les pédales, décompensé, exactement comme Ted Bundy juste avant sa capture, affirme Benton.

— L'erreur fatale de Fielding a été de s'arrêter au labo de balistique hier matin et d'interroger Morrow à propos du Glock. Un peu plus tard, l'arme a disparu, de même que Jack : un mouvement impulsif et imprudent, complètement stupide. Il aurait mieux valu laisser remonter la trace jusqu'à lui et prétendre qu'il avait perdu l'arme ou qu'on la lui avait volée. N'importe quoi d'autre aurait été préférable. Subtiliser ce foutu pistolet au labo montre à quel point il avait perdu tout contrôle.

— Attends… Le Glock de l'homme de Norton's Woods appartenait à Jack ?

— Oui.

— Pas de doute ? insisté-je tandis que l'ascenseur s'est ébranlé pour s'arrêter presque à chaque étage durant son ascension.

Je réalise que c'est l'heure du déjeuner. Le personnel se rend dans la salle de repos ou bien sort de l'immeuble.

— Aucun. Une fois le numéro de série effacé passé à l'acide, on a pu faire le lien entre l'arme et Fielding.

Il m'apparaît clairement que Benton connaît l'identité du mort. Je demande :

— Ce n'est pas ici qu'on a procédé à cet examen ?

Je refuse de penser qu'un autre événement s'est produit dans cet immeuble sans que j'en sois au courant.

— Oh non ! Il y a des heures, sur place. Nous nous sommes occupés de l'identification là-bas.

— Tu veux dire le FBI.

— Il était important que nous sachions immédiatement à qui appartenait l'arme, Kay. Pour confirmer nos soupçons. Ensuite, elle a été apportée ici et mise à l'abri, enfermée au labo de balistique pour examen ultérieur.

— Mais si Jack est le meurtrier, il aurait dû prendre la mesure du problème posé par le Glock dès qu'il a été appelé pour cette affaire le dimanche après-midi, non ? Et pourtant il a attendu jusqu'au lundi matin pour se préoccuper d'une arme dont il savait qu'elle pouvait mener jusqu'à lui ?

— Afin de ne pas éveiller les soupçons. S'il avait commencé à poser des tas de questions à propos du Glock à la police de Cambridge avant le transport du corps au Centre, ou exigé que l'arme soit apportée immédiatement alors que les labos étaient fermés, cela aurait paru bizarre, aurait éveillé l'attention. Il a dormi là-dessus. Lundi matin, il a probablement perdu son contrôle, s'interrogeant sur la marche à suivre une fois l'arme sur place. Il s'en emparerait et s'enfuirait. N'oublie pas qu'il ne se conduit plus de façon vraiment rationnelle. Sa toxicomanie a entamé ses facultés cognitives, garde ça à l'esprit, réplique Benton.

J'imagine la chronologie des événements et retrace l'itinéraire de Fielding hier matin, en me fondant sur les informations trouvées dans le tiroir de son bureau et les notes prises sur le bloc près du téléphone. Il semble qu'il se soit entretenu avec Julia Gabriel vers sept heures, avant qu'elle ne me joigne à la base de Dover. Environ une demi-heure plus tard il a pénétré dans la chambre froide, et quelques minutes après il a prévenu Anne et Ollie de l'inexplicable hémorragie du corps de Norton's Woods. Il paraît logique d'envisager que Fielding ait reconnu le mort à ce moment-là et compris qu'on allait remonter jusqu'à lui par l'intermédiaire du Glock que la police avait mentionné. S'il n'a reconnu l'homme que lundi matin, cela implique qu'il ne l'a pas tué, dis-je à Benton, qui me rétorque

que Fielding avait un mobile qui ne peut m'avoir effleurée.

Benton m'apprend que Liam Saltz était le beau-père du mort, un fait qui a été confirmé il y a peu de temps, lorsque le FBI s'est rendu au Charles Hotel et a montré à Saltz un cliché de la victime pris par Marino. Il s'agit d'Eli Goldman, vingt-deux ans, étudiant au MIT et employé d'Otwahl Technologies. Il y travaillait sur des projets spéciaux de micromécanique. La trace des fichiers vidéo provenant du casque d'Eli a été remontée jusqu'à une webcam sur le serveur d'Otwahl, m'informe-t-il, sans préciser qui a procédé à cette recherche, s'il s'agit de Lucy.

L'ascenseur finit par atteindre notre étage et les portes s'ouvrent. Je demande :

— C'est lui qui avait équipé ses écouteurs ?

— Il semble bien. Il adorait bricoler.

Je balance d'un ton sarcastique :

— Et MORT ? Comment se l'est-il procuré ? Dans quel but ? Toujours du bricolage ?

Je sais quand les gens ont des idées bien arrêtées sur un sujet. Mais je ne suis pas disposée à me laisser convaincre aussi facilement. Rien ne devrait être conclu si vite.

— Une réplique, une maquette qu'il a construite quand il était enfant, m'explique Benton. En s'appuyant sur des photos que son beau-père avait prises du véritable robot il y a huit ou neuf ans, quand celui-ci faisait campagne contre son utilisation, à l'époque où le Dr Saltz et toi avez témoigné devant la sous-commission du Sénat. De toute évidence, Eli inventait des mécanismes et fabriquait des maquettes de robots depuis le berceau.

Nous plongeons lentement d'étage en étage, et je demande pourquoi Otwahl aurait embauché le beau-fils d'un de ses plus ardents détracteurs, le Dr Liam Saltz. Je tiens également à savoir ce que veut dire « Otwahl », puisque Mme Donahue a laissé entendre que ce nom possédait une signification particulière.

— Un jeu de mots à partir du nom du fondateur, Wahl. « O.T. Wahl » : *On The Wall*, « sur le mur », une mouche posée sur un mur. Et le nom de famille d'Eli n'est pas Saltz, ajoute Benton comme si je n'avais pas entendu, mais Goldman.

Je souligne qu'Otwahl a pourtant dû mener une enquête sur ses antécédents. Même avec un nom de famille différent, ils devaient connaître l'identité de son beau-père.

La porte de l'ascenseur s'ouvre au rez-de-chaussée et Benton précise :

— L'histoire de MORT remonte à loin et, selon moi, Otwahl n'avait pas la moindre idée du fait qu'Eli et son beau-père partageaient des convictions philosophiques communes.

— Depuis combien de temps Eli y travaillait-il ?

— Trois ans.

— À cette époque, Otwahl n'avait peut-être pas lancé de projets qui auraient pu préoccuper Eli ou son beau-père ?

Nous parcourons le couloir carrelé de gris, et Phil, le vigile, nous observe derrière sa vitre. Je ne lui fais pas signe, n'étant pas d'humeur à me montrer aimable.

— Eli était inquiet, et cela depuis plusieurs mois, déclare Benton. Il s'apprêtait à faire à son beau-père la démonstration d'une technologie que celui-ci n'allait sûrement pas approuver : un robot en forme de mouche, une mouche sur un mur capable d'espionner, de détecter des explosifs, ou bien au contraire d'en libérer, de libérer des drogues, des poisons, Dieu sait quoi encore.

Des nano-explosifs ou des drogues dangereuses relâchés par un objet aussi petit qu'une mouche. Je ressasse cette idée tandis que nous dépassons des employés que je n'ai pas vus depuis des mois, mais je ne m'arrête pas pour bavarder. Pas de salut, pas de bonjour, je ne les regarde même pas et commente :

— Il meurt très opportunément au moment où il s'apprête à confier à son beau-père des informations de cette importance.

— Exactement. Voilà le mobile auquel je faisais allusion. La drogue, répète Benton.

Il m'en apprend davantage, me transmet les détails que le FBI a obtenus de Liam Saltz quelques heures plus tôt.

La tristesse m'envahit de nouveau quand je pense à ce jeune homme fasciné par son beau-père au point qu'à chaque fois qu'ils prévoyaient de se retrouver, Eli réglait sa montre sur la zone horaire du Dr Saltz dans l'attente de leur rendez-vous. Une manie née de son pathétique passé de foyers brisés et de figures parentales toujours absentes et adorées de loin. Je me souviens d'Eli et Sock se dirigeant vers Norton's Woods, sur les images que j'ai visionnées. J'imagine ensuite le Dr Saltz sortant du bâtiment à la nuit tombante, après un mariage auquel Eli n'était pas convié. Le Prix Nobel examine les lieux, se demandant où se trouve son beau-fils, sans se douter du terrible événement. Mort, enfermé dans une housse à cadavre, non identifié. Un jeune homme, à peine plus qu'un gamin. Quelqu'un dont Lucy et moi avons peut-être croisé le chemin lors d'une exposition à Londres à l'été 2001.

Nous traversons la baie de déchargement vide. Le fourgon du Centre n'est pas là. Je demande :

— Qui l'a tué et pourquoi ? Je ne vois pas en quoi ce que tu me racontes implique que Jack ait assassiné Eli.

— Tous les éléments pointent dans la même direction. J'en suis désolé, mais c'est ainsi.

— Je ne comprends tout simplement pas pourquoi, ni dans quel but.

J'ouvre la porte qui donne sur l'extérieur. Le temps est si beau et ensoleillé qu'on a du mal à croire que la température puisse être polaire.

— Je sais que c'est dur à accepter, souligne Benton pendant que nous progressons sur la neige verglacée.

— Des gants de données ? Une mouche micromécanique ? Qui l'a poignardé avec un couteau à injection et pourquoi ?

Benton en revient toujours à la même chose :

— La drogue. D'une façon ou d'une autre, Eli a eu le malheur de se retrouver impliqué avec Jack – à moins que ce ne soit l'inverse – dans un trafic de substances très dangereuses, d'amplificateurs de force. Jack était probablement utilisateur et dealeur. Eli, ou quelqu'un chez Otwahl, s'était improvisé fournisseur. Nous l'ignorons. Cependant, qu'Eli ait été tué là-bas, alors qu'il détenait une Flybot et se préparait à rencontrer son beau-père, ne relève pas de la coïncidence. Voilà le mobile, c'est là que je veux en venir.

— Pourquoi Jack s'intéresserait-il à une Flybot ou à un rendez-vous ?

Nous avançons très lentement, pas à pas, mes semelles manquent de déraper à chaque instant. Je rouspète :

— Quelle fichue patinoire !

Personne n'a dégagé la neige et le parking a besoin d'être sablé. Cet endroit n'a décidément pas été géré comme il convenait.

— Désolé, nous sommes assez loin, de l'autre côté, annonce Benton tandis que nous nous dirigeons avec prudence vers la clôture du fond. Mais il ne s'agissait que de cela : le trafic de drogue. Je ne te parle pas des drogues de consommation courante, celles de la rue. Nous parlons d'Otwahl. De sommes phénoménales. De la guerre, de violence potentielle à une échelle massive, internationale.

— Dans ce cas, cela impliquerait que Jack espionnait Eli, avait installé des systèmes de surveillance dans ses écouteurs et l'a suivi à Norton's Woods. Ce serait logique si le meurtre devait empêcher Eli de montrer le robot à son beau-père ou de le lui remettre. Sinon, comment Jack aurait-il su ce que s'apprêtait à faire Eli ? Lui ou quelqu'un d'autre devait surveiller Eli.

— À mon avis, Jack n'a rien à voir avec le casque, admet Benton.

— C'est exactement ce que je veux dire ! Jack serait incapable d'utiliser une telle technologie. Cela ne l'intéresse pas, non plus qu'une entreprise du genre d'Otwahl. Tu ne parles pas du Jack que je connais. Il est beaucoup trop soumis à ses émotions, trop impatient, trop simple pour faire ce que tu viens de décrire.

Je manque d'ajouter *primitif*, une composante de son charme. Son côté très physique, son hédonisme, sa façon linéaire d'affronter les événements. Je persiste :

— Les écouteurs ne riment à rien et m'encouragent à penser que quelqu'un d'autre est impliqué.

— Je comprends ce que tu ressens et pourquoi tu souhaites t'en convaincre.

— Le Dr Saltz savait-il que son adorateur de beau-fils était mêlé à des histoires de drogue et possédait une arme illégale ? A-t-il fait allusion au casque ou à certaines personnes avec lesquelles Eli aurait pu être en rapport ?

— Il ne savait rien du casque et peu de choses de la vie personnelle d'Eli. Simplement qu'Eli était inquiet pour sa propre sécurité. Depuis des mois, ainsi que je te l'ai dit. Je me doute que cela doit t'être pénible, Kay.

— Plus particulièrement inquiet de quoi ?

Nous marchons très lentement. Quelqu'un va finir par se blesser ici, glisser, se casser quelque chose et faire un procès au Centre de sciences légales. Il ne manquerait plus que ça !

— Eli participait à des projets dangereux, au milieu de gens néfastes. Voilà les termes exacts du Dr Saltz, précise Benton. Les explications sont complexes, loin de ce que tu pourrais imaginer.

Je répète ma question :

— Il savait que son beau-fils détenait une arme illégale ?

— Non. Je suppose qu'Eli ne lui en aurait pas parlé.

— On dirait que tout le monde passe son temps à échafauder des suppositions !

Je m'arrête pour regarder Benton. Nos souffles se métamorphosent en panaches de vapeur dans le froid et l'air vif. Nous voilà parvenus au fond du parking, près de la clôture, ce que j'appelle l'« arrière-pays ».

— Eli connaissait la position du Dr Saltz sur les armes. Jack lui a probablement vendu ou donné le Glock, suppute mon mari.

— Ou quelqu'un d'autre ! De la même façon qu'une tierce personne a pu lui donner la chevalière avec les armoiries Donahue. Eli n'avait rien à voir avec le taekwondo ?

Tout autour de nous sont garés des SUV qui n'appartiennent pas au Centre, mais je ne jette pas un regard aux agents derrière les volants. Je me protège les yeux du soleil, sans prêter attention à personne.

— Non. Le footballeur non plus, Wally Jamison. Mais il s'entraînait dans le gymnase où ont lieu les cours de taekwondo, le même que Jack. Peut-être Eli l'a-t-il aussi fréquenté.

— Eli n'avait rien d'un sportif ! Sa musculature était inexistante, rétorqué-je, tandis que Benton pointe un porte-clés sur un Ford Explorer noir qui ne lui appartient pas et dont les portières se déverrouillent avec une stridulation. Et si Jack l'a tué, pour quelle raison ?

Je me répète, parce cela me paraît incompréhensible. Peut-être suis-je épuisée. Le manque de sommeil, des événements traumatisants, je suis trop fatiguée pour comprendre la plus simple des choses.

— À moins que le lien soit avec Otwahl, Johnny Donahue et les autres activités illégales de Jack que tu ne vas pas tarder à découvrir. Ce qu'il fabriquait au Centre pendant ton absence, comment il gagnait sa vie, poursuit mon mari d'une voix dure tandis qu'il m'ouvre la portière. Nous en savons largement assez, mais pas tout, et tu avais raison de te demander à quoi jouait Mark Bishop dans sa cour lorsqu'il a été tué. Je n'en croyais pas mes oreilles quand tu m'as posé la question, mais je ne pouvais rien te confier. Ainsi que l'a souligné Mme Donahue, Mark faisait partie d'une des classes de Jack, pour les petits de trois à six ans. Il avait débuté les cours en décembre et pratiquait le taekwondo dans sa cour lorsque quelqu'un est apparu. Je crois que nous savons de qui il s'agit, et tu avais encore une fois probablement raison sur le déroulement des événements.

Il contourne la voiture pour se mettre au volant. Je farfouille dans mon sac à la recherche de mes lunettes de soleil, énervée et impatiente. Du rouge à lèvres, des stylos et un tube de crème pour les mains se répandent sur le tapis de sol en plastique. J'ai dû abandonner mes lunettes de soleil quelque part. Peut-être dans mon bureau à Dover, encore que je me souvienne à peine de celui-ci. Il y a une éternité. À cet instant, je suis écœurée au-delà de tout, et m'entendre dire que j'avais raison à propos de quoi que ce soit ne me ravit pas. Je me fiche pas mal de qui a raison. Je voudrais simplement que quelqu'un voie juste, or je crois qu'ils se trompent tous. Leur version ne me convainc pas – un point, c'est tout.

Benton démarre le moteur et continue :

— Une personne dont Mark n'avait aucune raison de se méfier. Son professeur par exemple, qui l'a attiré dans une sorte de jeu de rôles, de fantasme, et qui l'a assassiné, puis a ensuite conçu un plan de toutes pièces dans le but de faire accuser Johnny.

— Je n'ai pas dit ça, rectifié-je en fourrant les objets ramassés dans mon sac.

J'attrape la ceinture de sécurité, l'attache, puis décide d'ôter ma veste et la déboucle.

— Ça, quoi ? demande Benton en entrant une adresse sur le GPS.

— Je n'ai jamais dit que Jack avait conçu un plan pour persuader Johnny qu'il avait enfoncé des clous dans la tête de Mark Bishop.

Je ne sais pas d'où Benton a ramené le SUV, mais la chaleur règne encore dans l'habitacle et le soleil chauffe à travers les vitres.

J'ôte ma parka et la balance à l'arrière, où repose une grande boîte ornée d'une étiquette « FedEx ». J'ignore à qui elle est destinée et cela ne m'intéresse pas. Sans doute une connaissance de Benton, un agent, le fameux Douglas… Je le découvrirai bien assez tôt. Je boucle de nouveau ma ceinture de sécurité, avec tant d'efforts que j'en ai pratiquement le souffle coupé. Mon cœur bat la chamade.

— Ce n'est pas ce que je voulais dire. Nombre de questions demeurent et nous avons besoin de toi pour y apporter le plus de réponses possible.

Nous faisons marche arrière pour sortir du parking et attendons l'ouverture de la barrière. J'ai l'impression d'être manipulée, traitée avec ménagements. Me suis-je jamais sentie aussi inutile dans une enquête, comme si je représentais un obstacle, une gêne, les gens devant agir avec moi de façon politiquement correcte, vu ma fonction, mais ne me prenant pas au sérieux, n'ayant nul besoin de moi ?

— Je pensais avoir tout vu dans ma vie. Je te préviens, Kay, c'est sinistre.

Benton m'annonce cela d'une voix creuse, vide, désenchantée.

Chapitre 19

Il y a quelques siècles, un capitaine de marine a bâti cette maison à la charpente grise et aux fondations de pierre, avec une cave à légumes à l'arrière. Le climat rude a délavé et érodé la propriété directement exposée aux embruns. Isolée, elle se dresse au bout d'une étroite rue verglacée, grossièrement sablée par les équipes d'urgence de la ville. Là où des branches ont cassé, la glace s'est fracassée sur la terre gelée et étincelle comme du verre brisé sous un soleil haut dans le ciel, qui ne dispense aucune chaleur mais répand un éclat aveuglant.

Le sable gémit sous les roues du SUV. Benton conduit lentement, à la recherche d'un endroit où se garer. Je contemple la houle d'un bleu profond, le bleu plus clair d'un ciel dépourvu de nuages et la luminosité de la route sablée. Le besoin de sommeil ne se fait plus sentir, et si j'essayais, je crois que je ne parviendrais pas à m'endormir. Levée hier à cinq heures moins le quart dans le Delaware, je suis debout depuis trente heures d'affilée. Rien d'exceptionnel, ni même de remarquable dans une profession où les gens ne font pas preuve de la plus élémentaire courtoisie en ne tuant ou ne mourant que pendant les horaires de bureau. Pourtant, aujourd'hui, cette espèce d'insomnie est de nature différente, inconnue. S'y ajoute une excitation proche de l'hystérie née de ce que l'on m'a appris ou, à tout le moins, laissé entendre : j'ai passé une partie de ma vie avec un meurtrier, et c'est à cause de moi qu'il l'est devenu.

Personne n'a employé ces termes, ni exprimé véritablement une chose pareille. Toutefois c'est la vérité, je le sais. Benton s'est montré diplomate, mais peu importe. Il n'a jamais dit que j'étais responsable de la mort brutale de plusieurs personnes, ni du manque de respect, de la souillure infligée à un nombre incalculable d'autres. Sans parler de ceux que l'on ne connaîtra peut-être jamais, les cobayes, les « rats de labo », comme a dit Benton, utilisés dans un projet scientifique malveillant, une recherche sur une forme puissante de stéroïdes anabolisants, une sorte de testostérone synthétique mélangée à un hallucinogène pour accroître la force et la masse musculaire, augmenter l'agressivité et l'intrépidité. L'objectif consiste à créer des machines à tuer, transformer des êtres humains en monstruosités dépourvues de cortex frontal, sans notion des conséquences de leurs actes, des robots capables de tuer sauvagement sans éprouver de remords, et de ne ressentir quasiment rien, même pas la souffrance. Benton m'a décrit ce que le Dr Liam Saltz, perdu et terrifié, a raconté ce matin au FBI.

Le Dr Saltz soupçonne qu'Eli s'est retrouvé embarqué dans des expériences dévoyées, non autorisées chez Otwahl, pris dans des programmes de l'Agence de recherches avancées de la Défense qui ont affreusement mal tourné, et il s'apprêtait à prévenir son beau-père, le Prix Nobel humaniste, à lui offrir des preuves et à le supplier de mettre un terme à tout cela. Fielding a brisé Eli parce qu'il faisait usage de ces produits dopants dangereux. Peut-être même mon adjoint participait-il à leur distribution, mais surtout, surtout, poussé par sa soif éternelle de puissance, de beauté physique et ses douleurs chroniques, était-il accro à ces drogues. Ainsi se résumerait la théorie derrière les crimes infâmes de Fielding. Je ne crois pas que ce soit aussi simple, ni même véridique. Benton a fait d'autres commentaires avec lesquels je suis d'accord. Je me suis montrée trop indulgente vis-à-vis de Fielding, depuis toujours. Je ne l'ai jamais vu tel qu'il était, je n'ai jamais admis son véritable potentiel de nuisance, je lui ai donc permis de s'épanouir en toute liberté.

Là où l'océan réchauffe l'atmosphère, la neige s'est transformée en pluie givrante. L'électricité est toujours coupée à la suite de chutes de lignes dans cette partie de la péninsule de Salem Neck du nom de Winter Island, où Jack Fielding possède une maison historique, ce que j'ignorais. Pour y accéder, il faut passer devant un établissement pour adolescents, la Plummer Home for Boys, un ravissant manoir vert mousse qui se dresse sur une magnifique pelouse donnant sur la mer, d'où l'on aperçoit de loin la riche station balnéaire de Marblehead. Je ne peux m'empêcher de penser au commencement et à la fin de toute chose, à la façon dont les humains ont tendance à courir sur place, à piétiner, sans jamais parvenir à dépasser le point où tout a commencé pour eux.

L'existence de Fielding s'est arrêtée là où elle avait démarré si précipitamment, dans un environnement pittoresque destiné aux adolescents à problèmes, incapables de vivre avec leurs familles. Ce choix d'une maison située à un jet de pierre à peine d'un établissement pour adolescents était-il délibéré de sa part ?

A-t-il pesé sur son subconscient lorsqu'il s'est décidé pour une propriété dans laquelle il avait l'intention de prendre sa retraite, m'a-t-on dit, à moins qu'il n'ait voulu la revendre plus tard avec une plus-value, une fois le marché immobilier à la hausse et quand il aurait achevé les travaux d'amélioration dont elle avait impérativement besoin ? C'est lui qui a effectué ces travaux dans la maison et sa dépendance, et très mal. Benton m'a prévenue que j'allais découvrir la manifestation de son esprit chaotique et désorganisé, l'œuvre d'un individu qui a complètement dérapé. Je m'apprête à voir comment mon protégé laissé à lui-même a vécu et fini.

Benton m'effleure le bras :

— Tu es toujours là ? Je sais que tu es fatiguée.

— Ça va.

Je m'aperçois qu'il parlait et que je ne l'écoutais plus.

— Tu n'as pas l'air en forme. Tu pleures encore.

— Je ne pleure pas, c'est le soleil. J'ai dû oublier mes lunettes de soleil.

— Je t'ai dit que je pouvais te prêter les miennes, fait-il en tournant vers moi ses verres foncés tandis qu'il progresse sur la chaussée recouverte de sable, baignée par les rayons éblouissants.

— Non, merci.

— Si tu me confiais ce qui ne va pas ? Nous n'aurons pas l'occasion de nous reparler avant un moment. Tu es en colère contre moi.

— Tu ne fais que ton travail, quel qu'il soit.

— Tu m'en veux parce que tu en veux à Jack et que ça te fait peur.

Je le détrompe :

— Je n'ai pas peur de ce que je ressens à son propos. Ce sont plutôt tous les autres que je crains.

— Ce qui signifie ?

— Une sensation. Mais tu n'es pas d'accord avec moi, alors, nous devrions laisser tomber, lui dis-je en regardant par la vitre l'océan bleu et froid et l'horizon au loin, les maisons qui ponctuent le rivage.

— Si tu te montrais plus précise ? Que sens-tu ? Tu penses à quelque chose de nouveau ?

— Non. Et personne n'a envie d'entendre ce que j'ai à dire, rétorqué-je, détaillant ce magnifique après-midi pendant que nous continuons de chercher une place de parking.

Je ne lui suis pas vraiment d'une grande aide, en fait. Je me contente de rester assise à regarder par la vitre. Mon esprit vagabonde, tel un petit animal peu rassuré à la recherche d'une cachette. Benton doit probablement penser que je suis un poids mort. Mais en tardant tant à venir me chercher, pour une affaire qui dure depuis des heures, il n'a fait que se rendre complice de cette inutilité. On pourrait croire que nous jouons dans une comédie musicale ou un opéra. Je débarquerais en plein milieu, mais, quel que soit l'acte, cela n'aurait pas grande importance.

— Bon sang, c'est ridicule ! s'énerve mon mari. Ils auraient pu penser à nous réserver une place. J'aurais dû dire à Marino de placer des cônes, nous garder un coin, grommelle Benton à l'adresse des voitures garées et de la rue étroite, avant de se tourner vers moi. Je veux savoir de quoi tu parles, qu'il s'agisse ou pas d'une nouvelle idée. Maintenant, tant qu'il nous reste une minute à nous.

Il ne sert à rien de m'étendre sur le sujet, de lui répéter mon sentiment : derrière ce qui est arrivé à

Wally Jamison, Mark Bishop et Eli Goldman, je perçois un calcul, une cruelle logique. Derrière ce qui est arrivé à Fielding, derrière tous ces événements, je devine un plan précisément agencé, même s'il a tourné court. Non que je connaisse le plan dans sa globalité, je n'en sais même presque rien, mais ce que je pressens est palpable, indéniable, et personne ne me convaincra du contraire. *Fie-toi à ton instinct, et à rien d'autre. L'objet de tout cela est le pouvoir. Le pouvoir de dominer les gens, de les faire se sentir bien ou de leur faire peur, de leur infliger des souffrances insoutenables. Un pouvoir de vie et de mort.* Je ne vais pas encore une fois répéter ce qui doit paraître irrationnel. Ressasser que je ressens un insatiable désir de pouvoir, la présence d'une entité meurtrière qui nous observe, attendant son heure, tapie dans un coin sombre. Une part de tout cela est peut-être achevée, mais pas tout. Je ne lui confie rien.

— Je vais la flanquer là, tant pis !

Il se parle à lui-même, tout en se garant le plus près possible d'un mur de pierre pour ne pas dépasser de moitié dans la rue glissante et sablée.

— Espérons qu'un abruti ne me rentrera pas dedans. Sinon, il aura la surprise de sa vie, conclut-il.

Il sous-entend sûrement par là qu'il ne serait pas drôle de réaliser que la portière qu'on vient d'érafler, le pare-chocs qu'on vient d'enfoncer ou le flanc qu'on vient de percuter appartient au FBI. Noir, avec des vitres teintées, des sièges en tissu et des phares stroboscopiques d'urgence derrière la calandre, le SUV est un véhicule fédéral caractéristique. Par terre à l'arrière, deux gobelets à café sont soigneusement calés dans leur carton à emporter, accompagnés d'un sac de victuailles roulé en boule. La voiture de fonction d'un agent très occupé, soigné, mais qui n'a pas toujours à sa disposition un endroit pratique pour jeter ses détritus. J'ignorais que Douglas était une femme, jusqu'au moment où Benton a fait allusion à l'agent spécial qui conduit d'habitude cette voiture en utilisant le pronom « elle », me racontant qu'elle avait procédé à la vérification du numéro d'immatriculation de la Bentley venue à notre rencontre à Hanscom la veille au soir. La Bentley Continental Flying Spur noire quatre portes de 2003 appartient personnellement au président d'une compagnie basée à Boston, qui fournit « des chauffeurs discrets pour services divers ». Ils peuvent conduire n'importe quel véhicule à la demande, ce qui explique que la Bentley n'avait pas de plaque de limousine.

La réservation a été faite en ligne par quelqu'un qui s'est servi d'une adresse *e-mail* appartenant à Johnny Donahue. Celui-ci se trouvait au McLean, sans accès Internet à sa disposition, lorsque le message a été envoyé hier depuis une adresse IP qui est celle d'un cybercafé situé près du Salem State College, non loin d'ici. La carte de crédit utilisée appartient à Erica Donahue, qui, pour autant qu'on le sache, n'achète strictement rien en ligne et ne toucherait pour rien au monde à un ordinateur. Inutile de préciser que ni le FBI ni la police ne croient une seule seconde qu'elle ou son fils aient loué la Bentley et son chauffeur.

La police et le FBI sont convaincus qu'il s'agit de Fielding. Il a probablement eu accès aux informations de la carte de crédit appartenant à Mme Donahue lorsqu'elle a payé les cours de taekwondo de son fils. Jusqu'à ce qu'il soit prié de ne plus se présenter en classe, après avoir tenté de donner un coup à son professeur, mon assistant et grand maître ceinture noire septième *dan*. Comment Fielding a-t-il eu accès au compte de messagerie de Johnny, voilà qui est moins clair. À moins qu'il n'ait persuadé l'adolescent malléable et vulnérable de lui communiquer son mot de passe ou qu'il ne l'ait appris d'une autre façon.

Le chauffeur, qui ne fait l'objet d'aucun soupçon, si ce n'est celui de ne pas avoir cherché à se renseigner sur le Dr Scarpetta, a reçu son ordre de mission par l'intermédiaire du service d'expédition de la compagnie. D'après celui-ci, aucun membre du personnel de cette société de transport haut de gamme n'a jamais rencontré la supposée Mme Donahue ni ne lui a parlé au téléphone. La réservation en ligne précisait qu'« une voiture de luxe étrangère » était requise pour « une course ». Des instructions supplémentaires et une lettre à livrer seraient déposées au siège de la compagnie. Vers dix-huit heures une enveloppe kraft a été glissée dans la boîte aux lettres de l'entrée, et trois heures plus tard le chauffeur s'est présenté à Hanscom, décidant que Benton était le Dr Scarpetta.

Nous descendons de voiture, aussitôt environnés par l'air froid et pur. La couverture de glace que le soleil fait étinceler donne le sentiment de se trouver à l'intérieur d'un lustre de cristal illuminé. La main en visière afin de protéger mes yeux, j'observe le ressac de l'océan bleu nuit qui se fracasse sans relâche contre un rivage inhabité, hérissé de rochers. À cet endroit, un capitaine de marine a contemplé cette même vue, dont je doute qu'elle ait beaucoup changé en quelques siècles : des hectares de côte déchiquetée, une plage ponctuée de taillis de bois dur, intacts et inhabitables parce qu'ils font partie d'un parc naturel marin qui dispose d'un appontement.

Un peu plus loin, au-delà de l'aire de camping, là où la péninsule s'enroule autour du port de Salem, se trouve un port de plaisance où le Mako de six mètres de Fielding est remisé. La police l'a trouvé ce matin sur cales, sous une housse de plastique. J'avais vaguement le sentiment qu'il possédait un bateau de pêche, l'en ayant entendu parler, mais j'ignorais où il était amarré. Vingt-quatre heures plus tôt, je n'aurais jamais imaginé que ce bateau puisse devenir l'objet d'une enquête pour homicide, non plus que son SUV Navigator bleu foncé auquel manque la plaque d'immatriculation, ou que son Glock au numéro de série effacé. Non plus que tout ce que possède Fielding, toute son existence.

Un hélicoptère Dolphin orange, un HH-65A, tourne à basse altitude à travers le ciel d'un bleu hivernal. Le Fenestron de son rotor de queue à onze pales diffuse son écho particulier. Ce son modulé, décrit comme étouffé, me paraît toujours plutôt aigu, inquiétant, et me rappelle un peu un C-17. On m'a dit que la Sécurité intérieure exerçait une surveillance aérienne. À moins d'une crainte concernant la sécurité globale de Salem Harbor, un port important doté d'une énorme centrale électrique, j'ignore pourquoi les agences fédérales grouillent dans les airs, sur terre et sur les eaux. J'ai saisi en passant le mot *terrorisme*, mentionné par Benton, puis par Marino quand je l'ai eu au téléphone il y a quelques minutes, mais c'est un mot que j'entends beaucoup ces derniers temps. Pratiquement tout le temps, en fait. Bioterrorisme. Terrorisme chimique. Terrorisme domestique. Terrorisme industriel. Nanoterrorisme. Technoterrorisme. Si j'y réfléchis trente secondes, tout est terrorisme. De la même façon que tous les crimes violents sont haineux.

Tout me ramène à Otwahl, et mes pensées ne cessent d'y revenir d'un coup d'aile de Flybot, ou, comme dirait Lucy, du Graal des nanorobots. Je repense à mon vieil ennemi, MORT, et à sa réplique grandeur réelle, perchée tel un insecte mécanique géant dans un appartement de Cambridge loué par Eli Goldman. Je m'inquiète ensuite du Dr Liam Saltz, le scientifique controversé qui doit éprouver un chagrin au-delà de toute expression. Peut-être s'est-il simplement retrouvé pris au piège d'une de ces effroyables coïncidences de l'existence, son malheur tenant au fait qu'un brillant jeune homme, fourvoyé dans une recherche dévoyée, les substances et les armes illégales, n'était autre que son beau-fils.

Un gamin trop brillant pour son propre bien, comme dit Benton, assassiné alors qu'il portait une chevalière ancienne sans doute subtilisée chez Erica Donahue, tout comme son papier à lettres, sa machine à écrire et un stylo plume. Des objets sur lesquels Fielding a dû mettre la main, on ne sait comment. Il a dû soutirer beaucoup de choses à Johnny Donahue, le riche étudiant d'Harvard qu'il maltraitait. Pourtant cette hypothèse ne me satisfait pas. Je suis incapable de prouver que Fielding n'a pas échangé la chevalière ou le Glock contre des drogues. Je ne peux pas démontrer qu'Eli les a récupérés d'une autre façon, qu'il existe une autre explication beaucoup plus abominable et dangereuse que celle que proposent Benton et les autres.

En revanche, je peux dire, et ne m'en suis pas privée, qu'Eli Goldman représentait un obstacle au développement mercantile d'une entreprise comme Otwahl, et le dénominateur commun de toute cette histoire, ce n'est ni le taekwondo ni Fielding, mais Otwahl. Pour moi, si Fielding est véritablement le seul responsable direct, comme tout le monde le clame, alors nous devrions nous intéresser de très près et sous un angle différent à Otwahl. Nous devrions nous demander quel était le rapport de Fielding avec cet endroit, au-delà du fait qu'il a pu être sujet de recherche, utilisateur ou même fournisseur de drogues expérimentales avant qu'elles ne l'anéantissent complètement.

« Otwahl et Jack Fielding », ai-je dit à Benton il y a peu. Si Fielding est coupable de meurtre, de manipulation d'indices, d'obstruction à la justice, de toutes sortes de mensonges et de complots, alors il est intimement lié à Otwahl, jusque et y compris au parking de l'entreprise, où il est plus que probable qu'il a garé son Navigator à l'abri des regards hier soir dans le blizzard. « Ce lien doit être établi de façon probante », ai-je répété à Benton au cours de notre trajet en direction de cet endroit désolé, d'une beauté poignante mais dévastée, comme si la maison de Fielding formait une vilaine tache sur la toile d'une exquise marine.

« Otwahl Technologies et la maison d'un capitaine de marine du XVIIIe siècle sur Salem Neck, quelle association ! » ai-je fait remarquer à mon mari. Je lui ai demandé son opinion, franche et impartiale. Après tout, son alliance avec les bien informés et très objectifs « nous » devrait lui permettre d'avoir une vue pertinente, ainsi que j'ai souligné. Ce « nous », ses camarades anonymes, ces ombres de la base du FBI, auquel il n'appartient plus, prétend-il, mais je n'en crois rien. Oh si, il appartient au FBI. Il est redevenu aussi secret et déterminé qu'à cette époque lointaine, et si je ne me sentais pas complètement abandonnée, peut-être pourrais-je le supporter.

Il ne m'écoute même plus. C'est tout juste s'il ne m'a pas plantée là quand je lui ai dit il y a quelques minutes que Fielding devait avoir avec Otwahl un lien autre que des cours d'arts martiaux à des grosses têtes étudiantes en stage chez ce mastodonte technologique. Il doit y avoir davantage entre eux qu'une relation fondée sur des substances pharmacologiques. Des patchs antidouleur imprégnés de produits dopants ne constituent pas l'unique explication de ce que je m'apprête à découvrir à l'intérieur d'une petite dépendance de pierre que Fielding transformait en maison d'amis, avant de lui trouver une destination qui lui vaudrait d'autres surnoms.

Le cottage de la Mort, me dis-je avec amertume. *La maison du Sperme*, j'ajoute avec cynisme.

Une bâtisse sans doute destinée à devenir la nouvelle attraction de Salem pendant les fêtes d'Halloween qui durent ici tout le mois d'octobre, avec un million de touristes débarquant en pèlerinage des quatre coins du pays. Un autre exemple d'endroit qui doit sa célébrité à des atrocités dont la réalité s'est perdue, des histoires à dormir debout, presque caricaturales, à l'image de la sorcière chevauchant un balai qui fait partie du logo de la ville de Salem, reproduit sur les badges de la police et même sur les portières de ses véhicules. Prenez garde à ce que vous haïssez et assassinez. Un jour, cela vous possédera. La Ville des sorcières, ainsi que les gens ont baptisé le lieu où des hommes et des femmes ont été menés en troupeau jusqu'à ce qui s'appelle aujourd'hui Gallows Hill Park, le parc de la colline des potences, un lieu qui ressemble à celui où Fielding a acheté une maison de marin. Des endroits qui ne changent guère et sont aujourd'hui des parcs. Sauf que Gallows Hill est laid, il ne saurait en être autrement. Un espace ouvert, ravagé par le vent, aride, où rien ne pousse. Des mauvaises herbes, des cailloux et des plaques d'herbe drue.

Des pensées jaillissent dans mon esprit sans que je parvienne à les maîtriser. Benton m'agrippe fermement le coude et nous traversons la rue sablée, en cul-de-sac, transformée en parking pour les véhicules des agents des forces de l'ordre, banalisés ou pas, certains portant le logo de Salem. Le fourgon blanc du Centre que Marino a conduit jusqu'ici il y a plusieurs heures, tandis que je me trouvais dans la salle d'autopsie, puis dans mon bureau, sans avoir la moindre idée de ce qui se déroulait à quarante-huit kilomètres de là, est garé très près de la maison du capitaine, quasiment collé contre l'arrière. Marino se trouve à l'intérieur du fourgon ouvert, chaussé de bottes en caoutchouc vertes, coiffé d'un casque de sécurité jaune vif. Il a également enfilé une combinaison jaune vif de niveau A, de celles que nous utilisons pour des missions nécessitant une protection contre les risques biologiques ou chimiques.

Des câbles serpentent sur le sol en tôle d'aluminium strié, s'étirent à l'extérieur des portières métalliques ouvertes, le long de l'allée verglacée non pavée, et disparaissent dans l'entrée du cottage de pierre. Il devait s'agir d'une charmante et douillette dépendance avant que Fielding ne la transforme en chantier, ses pierres de fondations mises à nu, cernées de terre recouverte d'une neige glacée et grisâtre. L'étendue derrière la maison est un cauchemar de ciment renversé, de piles bancales de briques et d'amas de bois de charpente, d'outils rouillés, de bardeaux, de rubans d'étanchéité, de clous jonchant le sol. Une bâche noire qui claque recouvre partiellement une brouette, et le périmètre dans son entier est ceint d'un ruban de scène de crime jaune qui volette au vent.

— On a assez de jus dans ce truc pour éclairer, c'est tout, et il nous reste à peu près cent vingt minutes, annonce Marino en farfouillant dans une caisse de rangement du fourgon.

Il parle du générateur auxiliaire, qui peut faire tourner le système électrique du fourgon moteur coupé et fournir une quantité limitée d'énergie externe en cas d'urgence.

— Au cas où le courant serait pas rétabli, précise-t-il. On aura peut-être de la chance, j'ai entendu dire que ça pourrait être imminent. Le gros problème, ce sont ces poteaux renversés par des arbres abattus. Vous les avez probablement aperçus en venant sur Derby Street. Enfin, même si l'électricité revient, ça nous servira pas à grand-chose là-dedans, ajoute-t-il en parlant de la dépendance. Y a pas de chauffage. Il fait un froid de gueux, et je peux vous dire qu'au bout d'un moment on en peut plus, jette-t-il de l'intérieur du fourgon pendant que Benton et moi restons plantés dans le vent et que je remonte le col de ma parka. Imaginez que vous travaillez pendant des heures dans ce foutu frigo à la morgue, il fait à peu près aussi froid que là-dedans !

On dirait que je n'ai jamais travaillé sur une scène de crime par un temps glacial et qu'une chambre froide de morgue est une grande nouveauté pour moi.

— Évidemment, si l'électricité est coupée, ce qui arrive dans ces coins-là en cas de tempête, ça peut avoir des avantages. Il avait pas de générateur de secours, fait Marino en parlant de Fielding. Et un paquet de fric à perdre si le congélo tombait en rade.

Faire fonctionner un radiateur d'appoint et le pousser au plus fort, c'était évidemment pour foutre en l'air l'ADN, pour qu'on sache jamais à qui il avait prélevé les trucs. Vous croyez que c'est possible ? me demande-t-il.

— Je ne sais pas très bien…

Il m'interrompt :

— Qu'on les identifie pas ? Vous croyez que c'est possible ?

Il continue à parler sans interruption, comme s'il n'avait cessé de boire du café depuis que je l'ai quitté. Il a les yeux vitreux et injectés de sang.

— Non, je ne le crois pas. Je pense que nous trouverons.

— Alors vous croyez que ça vaut quand même plus que du tapioca ?

— Seigneur ! Celle-là, j'aurais pu m'en passer, jette Benton. Bon sang, j'aimerais bien que vous arrêtiez avec ces foutues comparaisons alimentaires !

— La démarche LCN, *low copy number*.

Je rappelle à Marino que l'on peut obtenir un profil ADN avec un nombre très réduit de cellules, jusqu'à trois. À moins que toutes les cellules ou presque n'aient été dégradées, je lui assure que tout ira bien.

— Faut qu'on fasse notre maximum, c'est que justice, fait-il en s'adressant à moi comme si Benton n'était pas là, et lui, Marino, seul responsable de l'affaire – sans doute ne tient-il pas à ce qu'on lui rappelle la présence de mon mari, agent ou ex-agent du FBI. J'veux dire, vous imaginez si c'était votre fils ?

— Certes, nous devons les identifier et prévenir les proches.

— Et se retrouver avec un procès aux fesses, maintenant que j'y pense ? rectifie Marino en reconsidérant sa position. On devrait peut-être rien dire à personne. Je crois qu'on a juste besoin de savoir de qui ça venait. Pourquoi aller le raconter aux familles et ouvrir la boîte de Pandore ?

— Divulgation complète, intervient Benton avec ironie, comme s'il savait ce que ça signifie.

Il lit quelque chose sur son iPhone, puis ajoute :

— Il est probable que nombre de proches soient déjà au courant. Nous partons du principe que Fielding s'est entendu avec eux à l'avance, afin qu'ils paient le service qu'il offrait. Il est impossible de dissimuler quoi que ce soit.

Je réplique :

— Et nous ne le ferons pas, parce que nous ne dissimulons rien. Un point, c'est tout.

— En tout cas, moi, j'vous le dis, je crois qu'on devrait vraiment installer des caméras dans les congélateurs, la chambre froide, pas seulement dans le hall, la baie et certaines salles, mais carrément dedans ! me dit Marino comme s'il avait toujours été convaincu de cette idée.

À dire vrai, c'est bien la première fois qu'il évoque cette possibilité. Il réfléchit :

— J'me demande si des caméras fonctionneraient dans une chambre froide…

— Elles fonctionnent bien à l'extérieur, et la température par ici descend plus bas en hiver qu'à l'intérieur de la chambre froide, remarque Benton avec lassitude, l'écoutant à peine.

Rayonnant, Marino profite à fond de son rôle dans le drame qui vient de se dérouler. Il n'a jamais aimé

Fielding, et il est évident qu'il se retient de me lancer un gigantesque « J'vous l'avais bien dit ! ».

— Si, si, on doit le faire, insiste-t-il. Avec des caméras on aura plus ce genre de conneries, des gens qui font des trucs dont ils pensent qu'on s'apercevra pas.

Derrière nous, devant l'entrée du cottage, sont alignées des rangées de boots et des chaussures. Le cottage de la Mort, le cottage du Sperme. Certains flics l'ont baptisé « la Petite Boutique des horreurs ».

Je fixe la maison de pierre pendant que Marino continue :

— Si y avait eu des caméras dans la chambre froide, on aurait tout enregistré. Bordel, d'un autre côté c'est peut-être une bonne chose qu'on ait rien. Merde, vous imaginez si un truc de ce genre avait fuité et que ça atterrisse sur YouTube ? Fielding en train de s'activer sur tous ces macchabées ? Seigneur ! Mais je parie que vous avez ça à Dover, non ? fait-il en nous tendant des combinaisons jaune vif identiques à la sienne. Ils doivent avoir des caméras dans les chambres froides à Dover, non ? J'suis sûr que le département de la Défense adore ce genre de trucs. Y a pas de mal à poser la question, hein ? Étant donné les circonstances, je crois qu'il faut rien écarter en matière d'amélioration de la sécurité chez nous…

Je me rends compte que Marino est toujours en train de me parler, mais je ne réponds pas, inquiète de ce qui repose dans la cabine du fourgon. Plantée dans le froid, le vent et le soleil, ma combinaison fourrée sous le bras, tandis que Benton enfile la sienne, la pitié me submerge soudain.

Marino continue de babiller gaiement, au point qu'on pourrait se croire le Mardi gras :

— … Comme je disais, heureusement qu'y fait froid. Travailler sur cette affaire-là par des trente-deux degrés comme on faisait à Richmond, quand rien ne bouge et qu'on pourrait extraire de l'eau de l'air tellement il fait humide, je vous raconte pas ! Je veux dire, c'était vraiment un foutu porc ! Jetez même pas un œil dans les toilettes ; la dernière fois que la chasse a été tirée là-dedans, ça doit remonter à quand ils brûlaient les sorcières dans le coin…

Je m'entends dire :

— On ne les a pas brûlées, mais pendues.

Marino me regarde, l'air ahuri. Il a le nez et les oreilles tout rouges. Son casque perché sur sa tête chauve m'évoque le capuchon jaune d'une bouche d'incendie. Désignant la cabine du fourgon et ce qu'elle abrite, je m'enquiers :

— Comment va-t-il ?

— Anne est un vrai petit Dr Dolittle. Vous saviez qu'elle voulait devenir vétérinaire avant d'opter pour Mme Cœuri ?

Bien que je lui aie répété un nombre incalculable de fois que le nom se prononçait avec un *u*, à l'instar de « curium », l'élément chimique baptisé ainsi en l'honneur de Pierre et Marie Curie, il s'obstine à le prononcer « Cœuri », comme l'épice.

— Mais j'vais vous dire, c'est une bonne chose qu'il se soit pas écoulé plus de cinq ou six heures entre le moment où le chauffage de la maison a été coupé et celui où quelqu'un est arrivé. Les chiens comme ça, ils ont pas beaucoup plus de poils que moi. Il s'était enfoui sous les couvertures, dans le pucier qu'était le lit de Fielding, et il tremblait comme s'il avait une attaque. Évidemment, il était mort de trouille. Tous ces flics, le FBI, qui ont déboulé avec leur équipement tactique, en sortant le grand jeu. Sans compter que j'ai entendu dire que les lévriers détestent rester tout seuls. Ils ont – comment on appelle ça déjà ? – une névrose d'abandon.

Il ouvre une nouvelle caisse de rangement et me tend une paire de bottes sans avoir besoin de me demander ma taille.

— Comment savez-vous qu'il s'agit du lit de Jack ?

— Y a ses affaires partout. À qui d'autre ça pourrait être ?

Je répète encore une fois :

— Nous devons nous assurer du moindre détail. Jack était là, au milieu de nulle part, sans voisins, pas d'yeux ou d'oreilles qui traînent. À cette époque de l'année, le parc est désert. Comment pouvez-vous avoir la certitude qu'il était seul ici ? Comment pouvez-vous être absolument certain qu'il ne disposait pas d'aide ?

— Et qui ça ? Bordel, qui irait l'aider à faire un truc pareil ?

Ce que pense Marino est aussi clair que de l'eau de roche. Je ne me conduis pas rationnellement vis-à-vis de Fielding. C'est exactement l'opinion de Marino, et probablement de tout le monde.

— Nous devons conserver l'esprit ouvert, j'insiste en désignant de nouveau la cabine du fourgon pour demander comment va le chien.

— Il va bien, me rassure-t-il. Anne lui a trouvé quelque chose à manger, du riz et du poulet qui restaient du resto grec de Belmont, elle lui a improvisé un chouette lit confortable, et le chauffage crache à fond, on se croirait dans un four ! On doit tirer plus de jus pour réchauffer son petit cul que pour éclairer la cave à légumes. Vous voulez le voir ?

Il nous tend de gros gants de caoutchouc noir, ainsi que des gants de nitrile jetables. Benton ne cesse de consulter son téléphone et d'envoyer des textos tout en soufflant dans ses mains pour les réchauffer. Il n'a pas l'air le moins du monde intéressé par ce que nous racontons, Marino et moi.

— Je m'occupe d'abord du reste, dis-je à Marino.

Pour l'instant, je n'ai pas le courage de prendre en charge un chien abandonné dans une maison obscure, sans chauffage, après que son maître a été assassiné par la personne qui l'a volé. Enfin, selon la théorie adoptée.

— Voici la procédure, annonce Marino en nous tendant deux casques de protection jaune vif. Là-bas, où vous verrez les bacs à décontamination en plastique, on enlève et on remet les combinaisons et les bottes, fait-il en pointant du doigt vers une zone de terre près d'un panneau de contre-plaqué qui sert de porte d'entrée au cottage. Pour ne pas entraîner quoi que ce soit au-delà du périmètre.

À côté de trois bacs en plastique pleins d'eau se trouvent une bouteille de détergent et la rangée de souliers des gens qui ont pénétré à l'intérieur. J'identifie au milieu une paire de rangers de combat masculines brun clair. D'après ce que j'ai sous les yeux, il y a au moins huit enquêteurs sur la scène de crime, incluant sans doute un militaire, peut-être Briggs. Marino se penche pour vérifier où en est le générateur de secours installé à l'arrière du fourgon, puis descend d'un pas lourd les marches d'aluminium strié pour rejoindre l'éclat aveuglant réverbéré par la glace qui nappe les arbres. On dirait qu'ils ont été plongés dans le verre. De leurs branches pendent de longues stalactites effilées, semblables à des clous et des épieux.

— Enfilez tous vos trucs maintenant.

Marino ne s'adresse qu'à moi, car Benton, qui s'est éloigné, l'oreille collée à son téléphone, ne nous écoute pas.

Nous nous dirigeons vers le cottage, prenant soin de ne pas glisser sur la couche de glace irrégulière qui s'est formée sur la terre, la boue et les détritus que Fielding n'a jamais débarrassés.

— Laissez vos chaussures là, me dit Marino, et si vous avez besoin d'aller au petit coin ou de prendre l'air, n'oubliez pas d'ôter vos bottes avant de rentrer de nouveau. Il y a plein de merdes là-dedans que vous tenez pas à trimbaler partout. On sait même pas exactement quoi, enfin, je veux dire, des trucs qu'on connaît pas encore. Et ce qu'on connaît déjà, c'est pas des choses que vous voulez semer n'importe où. Je sais qu'on dit que le virus du sida ne survit pas longtemps *post mortem*, mais me demandez pas d'aller vérifier.

— Qu'est-ce qui a été fait ? dis-je en dépliant ma combinaison, que le vent manque de m'arracher des mains.

— Des trucs dans lesquels vous avez pas envie de plonger le nez et qui doivent pas vous concerner, déclare-t-il en enfournant ses grosses mains dans une paire de gants violets.

Je rectifie :

— Je ferai ce qui est nécessaire.

— Si vous tripotez des tas de machins là-dedans, vous allez avoir besoin de vos gros gants de caoutchouc, conseille-t-il en enfilant les siens.

J'aurais bien envie de lui répliquer que je ne suis pas en promenade. Bien sûr, je vais toucher des objets. Mais je n'ai pas l'intention de m'abaisser à formuler à haute voix que je suis venue travailler sur une scène de crime. Je ne fais pas partie des troupes qui rendent compte à Marino. Et pourquoi pas le saluer, pendant que j'y suis ? Bien entendu, je comprends la raison du comportement de Marino, celui de Benton, de tout le monde. L'ironie de la chose, c'est que personne ne souhaite que je sois coupable de ce dont Mme Donahue a accusé Fielding. Moi non plus, je ne tiens pas au conflit d'intérêts. Je comprends parfaitement que je ne dois pas être la personne qui va examiner l'individu qui a travaillé pour moi et dont la rumeur veut que j'aie couché avec.

Pourquoi ne suis-je pas plus bouleversée que ça, voilà qui m'échappe. Une unique tristesse m'a envahie : celle que j'éprouve pour un chien du nom de Sock, qui dort sur des serviettes dans la cabine du fourgon du Centre de sciences légales. J'ai peur de m'effondrer à la vue du chien, et mes seules inquiétudes le concernent. Que va-t-il devenir ? Il n'échouera pas dans un refuge, je ne le permettrai pas. Il serait logique que Liam Saltz le récupère, mais il vit en Angleterre. Comment le ramener là-bas, sinon dans la soute d'un avion, et ça non plus, je ne le laisserai pas faire. Cette pauvre créature a suffisamment souffert.

Marino poursuit son briefing, comme si j'étais ignorante de ce qui peut se dérouler ici :

— Faites attention, c'est tout. Et juste pour que vous sachiez, on a le van qui fait des allers-retours réguliers.

Oui, je sais. C'est moi qui ai organisé la chose. J'observe Benton, qui revient vers le fourgon, toujours au téléphone. Je me sens oubliée, étrangère. J'ai l'impression de ne servir à rien et de n'intéresser personne.

— Quasiment sans interruption, presque trente ou quarante échantillons d'ADN dans les tuyaux, dont une bonne partie pas complètement décongelée, alors vous avez peut-être raison, et on aura de la chance. Le van effectue un transport d'indices, fait demi-tour, puis revient, il est sur le chemin à cet instant même, précise Marino.

Je me penche pour délacer une de mes boots. Marino n'arrête pas et je perçois une nuance de tendresse dans sa voix lorsqu'il déclare :

— Anne fonce à un train d'enfer, je savais pas ! J'me suis toujours dit qu'elle devait conduire comme une petite vieille, mais elle a pas arrêté d'entrer et de sortir d'ici sur les chapeaux de roues, comme si ce foutu véhicule était monté sur skis. C'est quelque chose ! Enfin, tout le monde bosse aussi dur que les assistants du Père Noël. Le général dit qu'il peut faire venir des scientifiques en renfort de Dover. Vous êtes d'accord ?

À cet instant précis, je ne sais pas ce que je veux, sinon une opportunité de procéder moi-même à l'évaluation de la situation. J'ai été très claire là-dessus.

— La décision ne vous appartient pas, dis-je à Marino en défaisant mon autre boot. Je m'en occupe.

— Ben, ça ferait pas de mal si le laboratoire d'empreintes génétiques de l'armée nous donnait un coup de main.

Marino s'exprime d'une façon qui me rend soupçonneuse, et je scrute les rangers de combat près des bacs de décontamination.

La présence de Briggs est déjà assez problématique, mais il me vient à l'esprit qu'il n'est peut-être pas le seul à avoir débarqué de Dover.

Je m'appuie contre des parpaings pour ne pas perdre l'équilibre et interroge :

— Qui d'autre ? Rockman ou Pruitt ?

— Eh bien, le colonel Pruitt.

Pruitt, également militaire, est le directeur du laboratoire d'empreintes génétiques de l'armée.

— Ils sont arrivés ensemble, le général et lui, ajoute Marino.

Je n'ai demandé ni à l'un ni à l'autre d'être présents, mais ils pouvaient se passer d'une requête de ma part. Marino a reconnu avoir invité Briggs à venir. Il me l'a avoué au téléphone, pendant que j'étais en route avec Benton. À propos, il espérait que ça ne m'embêtait pas qu'il ait pris cette liberté, surtout que Briggs avait soi-disant appelé, et je n'avais soi-disant pas répondu. Du coup, Briggs avait pourchassé Marino. Le général voulait des nouvelles d'Eli, l'homme de Norton's Woods.

Marino lui avait confié ce que l'on savait de l'affaire, plus « tout le reste », m'a-t-il appris, et il espérait que ça ne m'embêtait pas.

J'ai répondu que si, mais ce qui est fait est fait, avec la sensation de ressasser toujours la même phrase, ce que j'ai précisé à Marino au téléphone pendant le trajet. Certaines choses ont été accomplies parce qu'il en a pris l'initiative tout seul, sans me consulter, lui ai-je dit, et ce n'est certes pas avec de tels comportements que je peux diriger le Centre. C'est précisément la justification de la présence de Briggs. Personne ne l'a formulé. Pourtant c'est implicite. Briggs est là parce que je me montre dans l'incapacité de diriger un service. Pas comme ça. Pas du tout. Si je pouvais diriger le Centre de sciences légales de la façon dont le gouvernement, le MIT et Harvard l'entendent, personne ne serait aujourd'hui sur cette scène de crime, parce qu'elle n'existerait pas.

J'enfile mes bottes en caoutchouc vertes, et la combinaison raide me rentre dans le menton. Marino écarte la plaque de contre-plaqué. Une large feuille de plastique translucide épais pend derrière à la façon d'un rideau, clouée au sommet du chambranle.

Je lui répète ce que je lui ai déjà expliqué :

— Pour que les choses soient claires, je maintiens la chaîne de responsabilité. Nous fonctionnons de la même façon que d'habitude.

— Si vous le dites.

— Tout à fait !

J'en ai parfaitement le droit. Briggs n'est pas au-dessus des lois. Il doit respecter les juridictions. Pour le meilleur ou pour le pire, cette affaire ressortit à la juridiction du Massachusetts, où se sont déroulés les crimes.

— Je pense juste que toute l'aide qu'on peut…, plaide Marino.

— Je sais ce que vous pensez.

— Écoutez, c'est pas comme s'il allait y avoir un procès. Fielding a fait économiser un foutu paquet de fric à l'État !

Chapitre 20

Une intense odeur de feu flotte dans l'air, et je remarque que la cheminée installée sur le mur du fond est bourrée de morceaux de bois partiellement brûlés, surmontés de nuages de cendre grise presque blanche, aussi délicate que des toiles d'araignée superposées. Un matériau qui se consume proprement, peut-être un tissu de coton ou un papier coûteux renfermant peu de pulpe de bois.

Le feu a été lancé avec le conduit fermé. L'hypothèse veut que ce soit Fielding, mais personne ne sait au juste pourquoi il aurait fait cela, à moins d'être complètement fou ou d'espérer que sa Petite Boutique des horreurs brûlerait jusqu'à la dernière pierre. En tout cas, si telle était son intention, il ne s'y est pas pris de la façon adéquate. Je note la présence d'un bidon d'essence dans un coin, d'autres bidons de diluant à peinture, de chiffons et d'amas de bois, moyens de déclencher facilement un incendie. L'usage de la cheminée dans ce but n'a aucun sens, à moins qu'il n'ait eu le cerveau vraiment dérangé ou qu'il ait essayé de se débarrasser de quelque chose, de détruire des indices, plutôt que de mettre le feu au bâtiment. Lui ou une autre personne.

L'éclairage provisoire basse tension, baladeuses

suspendues à des crochets ou projecteurs montés sur des perches, aux ampoules protégées par des grilles, projette une lumière crue et irrégulière. Je découvre un vieil établi de bois éraflé, constellé d'éclaboussures de peinture, jonché d'outils : pinces, forets, pinceaux, godets en plastique emplis de clous à parquet en L et de vis, une perceuse électrique équipée d'accessoires de vissage, une scie circulaire, une ponceuse électrique à bande et un tour sur un support métallique. Des copeaux de métal, pour certains très brillants, ainsi que de la sciure couvrent l'établi et le sol de béton. Tout est dégoûtant, rouillé. Rien ne protège l'investissement immobilier de Fielding des intempéries et de l'air marin, sinon du plastique épais et du contre-plaqué agrafé et cloué de façon à occulter les fenêtres. De l'autre côté de la pièce une deuxième porte est grande ouverte, et j'entends l'écho de voix et de sons divers monter de l'escalier qui permet d'accéder à la cave.

Je jette un regard autour de moi, me remémorant ce que j'ai découvert au microscope. Si je pouvais agrandir des échantillons de l'atelier de Fielding, je parie que je trouverais un tas de saletés composé de rouille, de poussière, de fibres, de moisissures et de débris d'insectes. Je demande à Marino :

— Qu'avez-vous collecté ici ?

— Eh ben, il est évident que certains des copeaux de métal sont récents : super-brillants, ils ont pas eu le temps de rouiller. On a donc fait des prélèvements qui sont partis au labo pour déterminer au microscope si ça ressemble à ce que vous avez trouvé dans le corps d'Eli Saltz.

Je lui rappelle pour la énième fois que le nom de famille de la victime n'est pas Saltz, mais Goldman.

— Pour comparer les marques d'outils, vous voyez, fait-il. Encore qu'on ait pas beaucoup de doutes sur ce qu'a fait Fielding, vu qu'on a trouvé la boîte.

Marino fait référence à la mallette contenant le couteau guêpe et poursuit :

— Deux cartouches de gaz carbonique utilisées, deux manches supplémentaires et même le mode d'emploi, tout le bazar ! D'après l'entreprise qui le fabrique, Jack a acheté ça y a deux ans. Peut-être pour sa plongée sous-marine, fait-il en haussant ses larges épaules dans sa grande combinaison jaune. Sauf qu'il l'aurait pas commandé à cette époque-là pour tuer Eli, ça, c'est sûr. Y a deux ans, Jack résidait à Chicago. Pourquoi qu'il aurait eu besoin d'un couteau guêpe, je vous demande ?

Marino fait les cent pas dans ses grandes bottes vertes et ne cesse de jeter des regards en direction de l'escalier qui mène au sous-sol, à l'évidence curieux de ce qui se dit ou fait en bas. Il conclut :

— Dans les Grands Lacs, le seul truc capable de vous tuer, c'est la quantité de mercure dans les poissons.

— Tout cela est parti chez nous ? Nous avons la mallette et les deux cartouches de gaz ? Tout ?

Je veux savoir à quels labos ils ont été adressés. Je veux m'assurer que Briggs n'a pas expédié mes indices aux labos du bureau du médecin expert de l'armée à Dover.

— Ouais, tout, sauf le couteau lui-même, le couteau guêpe. Celui-là, on l'a pas retrouvé encore. Pour moi, il a dû s'en débarrasser après avoir poignardé le type, le balancer d'un pont, un truc dans ce genre-là. Pas étonnant qu'il ait pas tenu à ce qu'on envoie quelqu'un sur les lieux à Norton's Woods, hein ?

Le regard injecté de sang de Marino passe alternativement de moi au reste de la pièce, distraitement, comme quelqu'un pour qui rien de ce qu'il voit ne constitue une surprise. Il est arrivé de nombreuses heures avant moi.

— Et ça ? dis-je en m'accroupissant devant la cheminée.

Il s'agit d'un foyer ouvert en vieilles briques réfractaires qui date probablement de la construction de la maison.

— Qu'est-ce qu'on a fait à propos de ça ?

J'enlève et pose par terre mon casque de protection, qui ne cesse de me tomber sur les yeux.

— C'est-à-dire ? demande Marino en me détaillant sans bouger.

J'avance mon doigt ganté en direction des cendres blanchâtres. Légères telles des plumes, elles frissonnent et se soulèvent au rythme des mouvements de l'air. On dirait que je les ai déplacées par la pensée. Je réfléchis au meilleur moyen de préserver ce que j'ai sous les yeux. Les cendres sont beaucoup trop fragiles pour être collectées dans leur totalité. Je suis presque certaine de comprendre ce qui s'est passé dans cette cheminée, au moins en partie. J'ai déjà vu ce genre de cendres, il y a de cela pas mal de temps déjà, au moins dix ans. Aujourd'hui, lorsqu'on brûle des documents, il s'agit le plus souvent d'impressions sur du papier photocopie bon marché, contenant une grande quantité de pulpe de bois qui ne se consume pas complètement, avec pour résultat beaucoup de cendres charbonneuses. Le papier renfermant une forte proportion de coton se consume de façon différente. La lettre dont Erica Donahue prétend qu'elle ne l'a jamais écrite me vient immédiatement à l'esprit.

Je déclare à Marino :

— Je suggère que nous couvrions le foyer afin de ne pas disperser les cendres. Il faut les photographier *in situ* avant. Procédons ainsi, puis nous les récupérerons dans des pots pour le labo d'études des documents.

Ses grosses bottes se rapprochent et il lâche :

— Pour quoi faire ?

En réalité, il veut savoir pourquoi je me comporte comme un enquêteur de scène de crime. Si je devais lui répondre, ce que je ne ferai pas, je lui dirais qu'il faut bien que quelqu'un s'y colle.

— Agissons suivant le protocole, comme nous savons le faire et l'avons toujours fait.

Je croise son regard morne. Rien n'est fini, tel est le message que je lui transmets. Je me fiche pas mal des certitudes des autres. Cette affaire n'est pas terminée.

— Voyons ce que vous avez là, dit-il en s'accroupissant à côté de moi.

Nos combinaisons en plastique chuintent à chaque mouvement et leur légère odeur m'évoque un rideau de douche neuf.

Je pointe l'index et les cendres frémissent de nouveau.

— Des caractères tapés à la machine.

— Si vous arrivez à lire un truc qui a été cramé, vous êtes voyante et vous devriez vous dégoter un boulot dans une des boutiques de magie du coin !

— C'est en partie déchiffrable. Un papier coûteux brûle proprement, devient blanc, et on peut distinguer les caractères encrés tapés par une machine à écrire. Marino, ce n'est pas la première fois que nous tombons sur cela, même si ça ne remonte pas à hier.

Regardez ! (Je pointe de nouveau le doigt, dérangeant les cendres par mon mouvement.) On peut apercevoir la gravure de l'en-tête, en tout cas un fragment. Boston et une partie du code postal. Identique à celui de la lettre que j'ai reçue de Mme Donahue, celle dont elle maintient ne pas l'avoir écrite, d'autant que sa machine à écrire a disparu.

— Y en a une dans la maison principale. Une verte, une vieille portative posée sur la table de la salle à manger, annonce-t-il en se levant et en pliant les jambes comme si ses genoux le faisaient souffrir.

— Une machine à écrire verte à côté ?

— J'pensais que Benton vous l'avait dit.

— Eh bien, en une heure il n'a pas dû avoir le temps de tout me raconter !

— Vous énervez pas, Doc. Sans doute qu'il pouvait pas. Vous verriez le merdier à côté ! Visiblement, quand Fielding est arrivé ici, il a pas vraiment emménagé. Y a des cartons partout, on dirait une foutue décharge.

— Je doute qu'il ait possédé une machine à écrire portative.

— À moins qu'il ait été en cheville avec le gamin Donahue. C'est la théorie qui explique d'où proviennent pas mal des merdes.

— Pas d'après sa mère. Johnny n'aimait pas Jack. Alors pourquoi Jack détiendrait-il la machine à écrire de Mme Donahue ?

— Si c'est bien la sienne. On le sait pas. Et puis y a les drogues – enfin, ces substances. Ça paraît évident que Johnny les absorbe depuis à peu près le moment où il a commencé à suivre les cours de taekwondo de Fielding. Un plus un égale deux, non ?

— Nous découvrirons ce qui peut ou non s'additionner. Du papier, à lettres ou autre, vous en avez trouvé ?

— Rien vu.

— À l'exception de ce qui a l'air de s'être consumé là-dedans.

Je lui rappelle que, selon toute vraisemblance, une partie ou peut-être l'intégralité du papier à lettres d'Erica Donahue a été réduit en cendres.

— Écoutez…, commence Marino sans achever sa phrase.

Inutile, je sais ce qu'il va me sortir. Il va me rappeler que je ne me suis jamais montrée raisonnable à l'égard de Fielding, et que lui, Marino, est bien placé pour le savoir en raison de notre histoire commune. Lui aussi se trouvait là à nos débuts, il se souvient de l'époque où Fielding était mon interne en médecine légale à Richmond, mon protégé et, si l'on en croit la rumeur, bien plus que cela dans l'esprit de certains.

Je désigne un rouleau de gros adhésif gris foncé abandonné sur l'établi.

— Ça se trouvait là ?

On peut comparer avec précision la déchirure du dernier morceau arraché du rouleau à l'extrémité d'un segment isolé.

— Ouais, d'accord, acquiesce-t-il en se baissant sur une mallette de scène de crime ouverte par terre pour en sortir un sac à indices. Bon, alors maintenant faut que vous m'expliquiez comment il aurait mis la main dessus et pourquoi.

Il fait allusion à Fielding. Comment Jack Fielding a-t-il récupéré la machine à écrire d'Erica Donahue ? Dans quel but aurait-il rédigé une lettre frauduleuse pour la faire remettre en mains propres par un chauffeur de location plus habitué aux bar-mitsvahs et aux mariages ? Johnny Donahue a-t-il donné à Fielding la machine et le papier à lettres ? Pourquoi ? À moins que Fielding n'ait simplement manipulé Johnny, ne l'ait attiré dans un piège.

— Peut-être une ultime tentative pour enfoncer le gamin, lâche alors Marino en répondant à sa propre question, exprimant à voix haute une hypothèse que je m'apprête à écarter après l'avoir considérée. Une bonne question pour Benton.

Mais Benton est parti je ne sais où. Il est au téléphone ou bien il s'entretient avec ses congénères du FBI, peut-être avec cette femme agent du nom de Douglas. Penser à elle me tracasse. J'espère être simplement paranoïaque, les nerfs à vif, et ne pas avoir raison de craindre que la nature de sa relation avec l'agent spécial Douglas dépasse le cadre professionnel. J'espère que le deuxième gobelet à café dans le SUV n'a pas servi à mon mari, qu'il ne consacrait pas tout son temps à cette femme lorsque j'étais à la base de Dover, après avoir fait la navette à Washington. Voilà que je ne suis plus simplement un catalyseur et un piètre mentor, mais aussi une mauvaise épouse. J'éprouve le sentiment d'un saccage, d'une fin. J'ai l'impression d'enquêter sur ma propre mort, comme si ma vie antérieure s'était évaporée pendant mon absence et que je tente de reconstituer ce qui m'a tuée.

— Voici ce que nous devons faire tout de suite, dis-je à Marino. Je suppose que personne n'a touché à la machine à écrire ? Il s'agit bien d'une Olivetti ?

— On a été pas mal occupés ici, me rétorque-t-il, sous-entendant que la police avait autre chose à faire que s'occuper d'une vieille machine à écrire. On a trouvé le chien là-bas, je vous l'ai dit. Une chambre que Fielding semblait utiliser, et on voit bien qu'il y séjournait de temps en temps, mais c'est ici que ça se passait, explique-t-il en indiquant la dépendance dans laquelle nous sommes. La machine à écrire est dans une valise sur la table de la salle à manger. Je l'ai ouverte pour voir ce qu'il y avait dedans, rien de plus.

— Avant de l'emballer et de l'expédier aux labos, effectuez des prélèvements ADN sur les touches. Et je veux que ces prélèvements partent lors du prochain passage du van. Ces analyses doivent être pratiquées en urgence. Elles pourraient pointer vers l'auteur de cette lettre.

— Je crois bien qu'on le connaît, non ?

— Ensuite, la machine sera transmise au labo des documents, pour comparer la police avec celle de la lettre, une police cursive. Nous analyserons le ruban adhésif de l'enveloppe pour vérifier s'il provient du rouleau posé sur l'établi et quelles sortes de traces s'y trouvent, ADN, empreintes, n'importe quoi. Ne soyez pas surpris si ces éléments nous orientent vers les Donahue, je veux dire l'ADN et les empreintes digitales.

— Pourquoi ?

— Faire accuser leur fils.

— J'croyais pas Jack aussi malin.

— Ai-je mentionné Jack ? Je n'ai porté d'accusation ou émis de jugement sur personne, je rectifie d'un ton impassible. Nous disposons de son profil ADN et de ses empreintes à des fins d'exclusion, ainsi que de toutes les nôtres. Nous devrions donc parvenir à une certitude à son sujet. Et si nous trouvons de l'ADN provenant d'une autre source, ce qui serait logique, nous les passons immédiatement dans CODIS, la banque de données des profils ADN.

— OK, si c'est ce que vous voulez.

— Bon, Marino. Nous savons où se trouve Jack, mais si jamais une tierce personne est mêlée à tout cela, y compris les Donahue, nous n'avons pas de temps à perdre.

— OK, Doc.

Je lis dans ses pensées : *Nous sommes dans la maison de Jack Fielding, c'est son cottage de la Mort, sa Petite Boutique des horreurs. Pourquoi s'embêter davantage ?* Il est convaincu que je suis en déni de réalité, que je conserve l'espoir ténu et irrationnel que Fielding n'a tué personne. Que quelqu'un d'autre, qui s'est servi de sa maison et de ses affaires, est responsable de tout cela. Que Fielding est une victime, et non l'abominable monstre que tout le monde croit.

D'un ton patient et mesuré, je rappelle à Marino :

— Qui nous dit que sa famille n'est pas venue ici ? Sa femme, ses deux petites filles. Nous ignorons qui s'est trouvé dans la maison et a pu toucher des objets.

— Elles seraient parties de Chicago pour vivre dans ce taudis ?

— Quand ont-elles quitté Concord ?

Sa famille s'était installée dans la région avec lui, dans une maison en location que je l'avais aidé à trouver.

— À l'automne dernier. Et ça colle avec le reste, insiste Marino, qui se lance encore dans des suppositions. Le footballeur, ce qui s'est passé après que la famille de Fielding est repartie pour Chicago et qu'il a emménagé ici, pour vivre comme un clodo tout en se lançant dans le bricolage. Il aurait au moins pu vous envoyer un foutu *e-mail*, vous informer que sa vie personnelle marchait pas trop fort. Que sa femme et ses enfants avaient repris leurs cliques et leurs claques peu de temps après que le Centre a commencé à fonctionner vraiment.

— Il ne m'en a rien dit. Je le regrette.

— Ouais, eh ben, me balancez pas que j'aurais dû vous mettre au parfum, remarque-t-il en scellant le rouleau d'adhésif dans un sac à indices. C'était pas mes affaires. J'allais pas démarrer ma nouvelle carrière ici en caftant sur le personnel, en vous racontant que Fielding était toujours le même sac à emmerdes, et que, bordel, vous auriez dû vous y attendre quand vous avez eu la brillante idée de le reprendre !

— J'aurais dû m'attendre à *ça* ? dis-je en soutenant le regard plein de ressentiment de Marino.

— Mettez votre casque avant de descendre. Y a plein de merdes suspendues au plafond, toutes ces foutues lampes, on se croirait à Noël. Je dois retourner au fourgon et je sais que vous avez besoin d'une petite minute.

J'ajuste la coiffe intérieure de mon casque de protection, resserrant le tour de tête. Je doute que la décision de Marino de ne pas m'accompagner à la cave soit une preuve de délicatesse, afin par exemple de me permettre d'affronter ce qui se trouve en bas sans l'avoir sur le dos. Peut-être s'en est-il lui-même persuadé. Cependant, alors que ses bottes plongent et barbotent dans les bacs de décontamination, j'imagine à quel point cette scène de crime doit lui être pénible. Pour une raison qui n'a que peu de rapport avec des fluides corporels décongelés, ou même sa paranoïa au sujet de l'hépatite, du sida ou d'autres virus, mais tout à voir avec la façon dont ces fluides ont atterri ici. Les ablutions de Marino dans les bacs emplis de détergent sont une tentative afin de se purger de la culpabilité qu'il ressent, je le sais.

Marino ne s'est jamais aperçu des manigances de Fielding, c'est bien tout le problème. Il s'est convaincu qu'il aurait dû s'en rendre compte. Pourtant, ainsi que je l'ai expliqué à Benton dans la voiture, puis à Marino au téléphone, un prélèvement de sperme ressemble un peu à une vasectomie, à ceci près que la procédure devient encore plus rapide et simple lorsqu'elle concerne un cadavre, pour des raisons évidentes. L'anesthésie locale est superflue et le médecin n'a guère à se préoccuper des sentiments, des états d'âme ou d'un changement d'avis du patient.

Fielding n'a eu qu'à pratiquer une petite incision sur un côté du scrotum et plonger une seringue dans le canal déférent pour extraire du sperme, l'affaire de quelques minutes. Il s'y prenait probablement avant l'autopsie, se rendant dans la chambre froide quand celle-ci était déserte. Certes, il lui fallait s'assurer un accès au corps le plus vite possible après le décès. Rétrospectivement, voilà peut-être pourquoi il a remarqué avant tout le monde l'hémorragie de l'homme de Norton's Woods. Lorsqu'il est arrivé tôt lundi matin au bureau, sa première urgence consistait à réaliser un prélèvement *post mortem* de sperme, et il a vu le sang accumulé sur le plateau, sous la housse à cadavre. Il a foncé dans le couloir afin de prévenir Anne et Ollie.

La seule personne qui aurait éventuellement pu repérer ces agissements pendant les six mois où je me trouvais à Dover, c'est Anne, ai-je assuré à Marino. Or elle n'a jamais vu ce que fabriquait Fielding, n'a jamais eu le moindre soupçon. D'après ce que nous avons retrouvé dans un congélateur de la cave et ce qui était réduit en mille morceaux par terre, nous savons qu'il a prélevé du sperme sur une centaine, au moins, de patients. Une somme potentielle d'environ cent mille dollars, peut-être beaucoup plus, selon les tarifs qu'il pratiquait. Prenait-il en compte ce que la famille ou les personnes intéressées étaient capables d'investir, avec une sorte d'échelle d'honoraires, si je puis dire ? De l'or liquide. C'est ainsi que les flics ont baptisé ce que Fielding vendait au marché noir, grâce au trafic qu'il avait mis sur pied. Je m'interroge sur le choix d'Eli comme involontaire donneur. Si tant est que telle ait bien été l'intention de Fielding, ce que nous ne saurons jamais.

Cependant, lorsque Fielding a pénétré dans la chambre froide hier matin, un seul cadavre masculin jeune, assez récent pour devenir un candidat valable à l'extraction de sperme, était disponible : Eli Goldman. La deuxième victime étant âgée, l'achat de son sperme ne présentait guère d'intérêt. Quant à la troisième, il s'agissait d'une femme. Si Fielding avait assassiné Eli avec le couteau à injection, aurait-il ensuite été assez téméraire et imprudent pour prélever le sperme du jeune homme ? Et à qui comptait-il le vendre sans se compromettre personnellement ? Une tentative de cette sorte aurait signé l'homicide.

L'idée que Fielding ignorait qui était le jeune homme non identifié lorsqu'on l'a averti du décès dimanche après-midi continue de me titiller. Fielding n'a pas pris la peine de se rendre sur les lieux à ce moment-là, se désintéressant totalement de l'affaire. Je continue de soupçonner qu'il ne savait rien jusqu'au moment où il est entré dans la chambre froide. C'est seulement alors qu'il a reconnu Eli Goldman. Il existait entre eux un lien. Peut-être les drogues, raison pour laquelle Eli détenait une des armes de Fielding. Celui-ci avait peut-être donné ou vendu le Glock à la victime. Des substances illicites, un pistolet ou autre chose encore. Si seulement j'avais pu habiter les pensées de Fielding lorsqu'il a pénétré dans la chambre froide hier matin !

J'écarte une baladeuse qui menace de heurter mon casque tandis que je descends les marches de pierre.

Une sueur froide dégouline de mes flancs sous mon encombrante combinaison jaune. Je m'inquiète de ma confrontation imminente avec Briggs et d'un lévrier du nom de Sock. Je tourne et retourne ces angoisses dans mon esprit, tout pour éviter de penser à ce que je suis sur le point de découvrir. J'ai beau me plaindre de Marino, il a pris la bonne décision : c'est mieux ainsi. Je n'aurais pas voulu que le corps de Fielding soit transporté au Centre de sciences légales. J'aurais détesté le voir dans une housse à cadavre, sur un chariot de métal ou une table d'autopsie. Marino me connaît assez pour savoir que j'aurais exigé d'être face au corps de Fielding avant qu'on l'emporte, si on m'en avait donné le choix. Je dois m'assurer que la réalité correspond aux apparences, que mes observations sont identiques à celles de Briggs, qui m'a précédée ici de quelques heures. Je dois vérifier que le général et moi partageons une opinion identique quant aux causes et aux circonstances de la mort de Fielding.

La cave, dépourvue d'ouvertures, au plafond de pierre voûté, est entièrement peinte en blanc. L'espace est trop réduit pour le nombre de gens qui y évoluent, tous revêtus comme moi de combinaisons jaune vif, de gros gants noirs, de bottes en caoutchouc vertes et de casques de sécurité jaunes. Certains portent des écrans faciaux, d'autres des masques de chirurgie. Je reconnais trois de mes chercheurs du laboratoire ADN, qui prélèvent des échantillons sur une partie du sol en pierre jonché d'éclats de tubes en verre et de leurs bouchons de plastique noir. À proximité se trouve le radiateur d'appoint mentionné par Marino, et un congélateur cryogénique vertical en acier inoxydable, d'une marque et d'un modèle identiques à ceux que nous utilisons dans les labos lorsque nous avons besoin de conserver des échantillons biologiques à des températures extrêmement basses.

La porte du congélateur est grande ouverte. Les étagères intérieures sont vides : quelqu'un, sans doute Fielding, a ôté tous les échantillons et les a fracassés par terre, avant de mettre en marche le radiateur d'appoint. Je remarque que des fragments d'étiquettes adhèrent encore à des morceaux de verre sur un sol par ailleurs propre. Les murs de la cave ont été blanchis à l'aide d'un produit mat, une sorte d'apprêt, comme si on avait transformé une cave à vin en laboratoire, avec un évier et une paillasse en acier, des racks pour tubes à essai et de grandes bonbonnes en acier d'azote liquide. Au centre de la pièce se dresse une longue table de métal que Fielding utilisait probablement pour procéder aux envois, ainsi que plusieurs chaises. L'une d'entre elles est un peu écartée de la table, comme si quelqu'un s'était assis dessus. Je regarde la chaise en premier lieu, puis cherche des traces de sang, sans en distinguer aucune.

Sur la table recouverte de papier de boucherie sont disposés des paires de gants bleu vif résistants au froid, qui remontent jusqu'aux coudes, des ampoules, des socles à roulettes pour bonbonnes, des stylos anti-maculage, de longs bouchons et réglettes pour canisters de stockage, et au-dessous sont entreposées des boîtes en carton bon marché appelées CryoCubes, que nous utilisons habituellement pour expédier des échantillons biologiques placés dans un récipient en aluminium, où ils peuvent demeurer congelés à moins cent cinquante degrés centigrades durant cinq jours. Ces emballages spéciaux sont adaptés à l'expédition de sperme congelé et prisés par les éleveurs, qui les baptisent souvent « réservoirs à sperme ».

Je suppose que l'équipement et les consommables utilisés par Fielding pour son petit trafic clandestin scandaleux ont été dérobés au Centre de sciences légales. Au cœur de la nuit, en dehors des heures de bureau, il s'est débrouillé pour sortir furtivement des labos ce dont il avait besoin, sans un battement de cils de la part du service de sécurité. À moins qu'il n'ait tout commandé, le facturant au Centre mais le faisant directement livrer ici, à la maison du capitaine. Alors même que je bâtis des suppositions, il repose si près de moi que je pourrais le toucher, sous un drap bleu jetable, sur son sol blanc propre. Le papier plastifié est souillé de sang à un bout, une tache provenant d'une large flaque répandue sous sa tête, d'après ce que j'en sais. De là où je me tiens, je vois que le sang a coagulé. Le processus de décomposition n'en est qu'aux premiers stades, sensiblement ralenti en raison de la température ambiante. Elle est aussi glaciale que dans notre chambre froide et de la buée s'échappe de nos bouches.

Le flash d'un appareil photo crépite à plusieurs reprises, tandis qu'une silhouette en jaune à la large carrure photographie la seule zone du mur blanchi qui soit noircie et sale. Un tachéomètre, une station totale robotique, a été installé sur son tripode jaune vif, et je suppose que le système de mesure électro-optique des distances a déjà procédé à tous les relevés de la pièce, enregistrant les coordonnées de chaque élément, y compris ce que photographie le colonel Pruitt. Il surprend mon regard sur lui et baisse l'appareil, pendant que je me dirige vers le mur. L'odeur de la mort m'environne, la puanteur âcre et moisie du sang dégradé et sec depuis des mois dans un milieu froid et privé de lumière. Je sens la moisissure, la poussière, et je remarque des bouts de moquette sale déchirée et du contre-plaqué en tas contre un autre mur. Les traces de terre et de poussière sur le sol blanc indiquent que le monticule a été récemment traîné à ce nouvel endroit.

À hauteur de ma tête est chevillée dans la pierre une série de manilles d'ancrage en acier, que j'associe à des assemblages de supports de levage. La présence de rouleaux de corde, de pinces, de pistolets à graisse, d'un chariot, de crochets à chape et d'anneaux de levage tournants me laisse à penser que Fielding avait mis au point un ingénieux système afin de remplacer les lourdes bonbonnes d'azote liquide. À un moment donné ce système a été détourné pour une autre utilisation, à laquelle il n'avait probablement pas pensé lorsqu'il avait entamé son trafic de sperme.

Sans même m'adresser un bonjour, comme si notre rencontre ici était normale, dans la parfaite continuité de notre travail à Dover, Pruitt m'annonce :

— D'après ce que j'ai réussi à en déduire pour l'instant, le merlin constitue le principal objet utilisé, qui explique à la fois les entailles et les enfoncements constatés sur les blessures. Une sorte de cognée à long manche terminée d'un fer, carré d'un côté et aiguisé comme une hache de l'autre. L'outil se trouvait sous la moquette et le bois, en plus d'un blouson teddy du Boston College, d'une paire de *sneakers* et d'autres articles vestimentaires dont nous pensons qu'ils appartiennent à Wally Jamison. Tout ça avait été fourré sous ces trucs là-bas, précise-t-il en indiquant la moquette et le bois déplacé, dont je présume qu'ils ont servi à dissimuler la scène du crime. Le tout, y compris le merlin, bien entendu, a déjà été emballé et expédié chez vous. Vous avez vu l'arme ? me demande-t-il en secouant la tête.

— Non.

— Quelqu'un me tomberait dessus avec un truc comme ça, Seigneur, je n'arrive même pas à l'imaginer ! Et des morceaux de corde ensanglantés… à force d'avoir été suspendu…, souligne-t-il en me désignant les anneaux et les chaînes scellés dans la pierre que le sang séché a recouverte d'une sorte de croûte noirâtre.

J'ai presque la sensation que l'odeur de la peur envahit mes narines, l'inimaginable terreur du footballeur torturé et assassiné à Halloween.

— Pourquoi n'a-t-il pas nettoyé ?

Je pose la première question qui me vienne à l'esprit à la vue de cette scène de crime qui semble être demeurée intacte après l'assassinat sadique et brutal de Wally Jamison.

— Je suppose qu'il a choisi la solution de facilité et s'est contenté de tout recouvrir avec la moquette et le contre-plaqué, répond Pruitt. Voilà pourquoi il y a des fibres et de la poussière partout. Il semble qu'il n'ait pas pris la peine de laver quoi que ce soit, il a juste balancé de la vieille moquette par-dessus et appuyé toutes ces planches contre le mur, dit-il en pointant de nouveau les morceaux de moquette de couleurs différentes et les larges plaques de contre-plaqué empilés sur le sol blanc, près d'une porte fermée qui mène à l'extérieur de la cave.

J'insiste :

— J'ai du mal à comprendre pourquoi il n'aurait pas nettoyé. Cela remonte à trois mois. Il a abandonné une scène de crime quasiment intacte ? En se contentant de jeter dessus de la moquette et des planches ?

— Une des hypothèses, c'est qu'il prenait son pied. Certains criminels photographient ou filment leurs actes pour continuer à en jouir après. À chaque fois qu'il descendait ici, il savait ce qui se trouvait dissimulé là-dessous, il adorait ça.

Ou bien quelqu'un d'autre adorait ça. Jack Fielding n'a jamais été amateur de *gore* et, pour un médecin légiste, il se montrait plutôt impressionnable. Benton affirmera qu'il faut y voir l'influence de ses produits dopants. Tout le monde approuve probablement, et peut-être est-ce vrai. L'état de Fielding s'était profondément altéré. De cela je ne doute pas.

— Vous savez, on peut vous aider, me dit alors Pruitt.

Il me dévisage à travers un écran facial en plastique qui s'embue par intermittence sous son souffle, son regard noisette vif, amical, mais pourtant inquiet. Comment pourrait-il en être autrement ? Je me demande s'il éprouve la même chose que moi, s'il ressent au plus profond de lui que quelque chose ne cadre pas dans cette histoire. Se pose-t-il la même question que moi en contemplant le mur noirci de sang séché aux chaînes rouillées scellées dans la pierre ?

Pourquoi Jack Fielding irait-il faire une chose pareille ?

Les prélèvements de sperme vendus à des familles dans le chagrin, voilà qui est du domaine du compréhensible. On peut l'attribuer à la cupidité, ou même au désir de gratification, la griserie du pouvoir, rendre d'une certaine façon la vie qui avait été fauchée. Toutefois je me souviens que lorsque j'avais étudié les clichés, les enregistrements vidéo et les CT scans du corps mutilé de Wally Jamison, l'idée que son meurtre obéissait à des composantes sexuelles et émotionnelles m'avait effleurée. La personne qui avait manié l'arme éprouvait des sentiments pour lui. À tout le moins, une rage qui n'avait trouvé l'apaisement que dans les lacérations, les entailles, les coupures et les contusions de Wally, saigné à mort, rendu méconnaissable par les coups. Son corps nu avait ensuite été transporté, probablement par bateau, sans doute celui de Fielding, puis jeté dans le port devant le poste des gardes-côtes. Un acte que Benton a qualifié de culotté, de provocation vis-à-vis des forces de l'ordre. Ce qui ne ressemble pas non plus à Fielding. Pour un féroce grand maître bodybuildé, Fielding se montrait plutôt lâche.

— Merci. Voyons ce dont nous avons besoin, dis-je à Pruitt.

— Eh bien, en ce qui concerne l'ADN, vous le savez. Nous avons déjà des centaines de prélèvements, pas seulement le sperme, qui doit être à chaque fois apparié avec le donneur correspondant, mais à peu près tout ici a été récolté.

— Je sais. C'est un travail énorme et qui va se poursuivre un moment, car nous ignorons ce qui s'est déroulé entre ces murs. Nous n'en connaissons qu'une partie. Ce qui se trouvait dans le congélateur, et tout ce qui a pu être commis. En plus du meurtre de Wally Jamison, probablement.

À l'énoncé de son nom, je revois la mâchoire carrée, les cheveux noirs frisés, les yeux bleu clair, la belle carrure de sportif. Et ce à quoi il ressemblait après.

— À quelle heure êtes-vous arrivé ?

— Il y a environ sept heures. John et moi avons débarqué tôt.

Je ne lui demande pas où se trouve Briggs.

— Il a procédé à l'examen externe et passera en revue tous ces détails avec vous quand vous serez prête, ajoute Pruitt.

— Et avant, personne n'avait touché au corps ?

Fielding avait été découvert peu après trois heures du matin, à ce qu'on m'a révélé.

— Lorsque je suis arrivé avec John, le corps était recouvert de la même façon, me précise Pruitt, corroborant ce que m'a appris Benton. Le Glock n'est pas là. Une fois que le FBI a récupéré le numéro de série, l'arme a été enveloppée et expédiée à vos labos.

— Je n'ai été mise au courant que très récemment, en venant ici.

— Écoutez, si j'avais été présent à trois heures du matin et si on m'avait demandé mon avis ?…

Pruitt sous-entend qu'il m'aurait immédiatement appris tout ce qui se passait. Il poursuit :

— Mais le FBI voulait garder l'affaire sous le boisseau, parce que personne n'était sûr que Fielding ait agi absolument seul. Et puis à cause de tous les autres éléments, le Dr Saltz, le député anglais, etc. La crainte du terrorisme.

— Oui. Toutefois pas le genre de terrorisme auquel est en général confronté le FBI. Nous avons affaire ici à une sorte de terrorisme « personnel ». Vous ne croyez pas ? Qu'en pensez-vous ?

Pruitt ne tient pas à me faire part de son avis et répond à côté :

— Lorsque la police et le FBI ont trouvé le corps, personne n'y avait touché. Je sais qu'à ce moment-là il était à température ambiante. Il reposait là depuis un bout de temps. Vous devriez en parler avec John.

— Vous voulez dire qu'à trois heures du matin le cadavre de Fielding était à la même température que cette cave ?

— Il fait un peu moins de cinq degrés. Peut-être quelques degrés supplémentaires maintenant, avec toute cette agitation. Mais John va vous donner les détails.

Pruitt fixe la forme humaine qui repose sous un drap bleu de l'autre côté de la cave, près du congélateur, les prélèvements biologiques en voie de décongélation sur le sol de pierre. Équipés de genouillères, les enquêteurs ramassent un à un les éclats de verre, collectent des échantillons, les emballant séparément dans des enveloppes en papier qu'ils étiquettent à l'aide de marqueurs permanents. Je ne m'avancerai pas tant que je n'aurai pas examiné le corps, mais ce que je viens d'entendre ajoute à mes soupçons. Quelque chose ne va pas.

Chapitre 21

La répugnante tache sombre s'étale sur le mur blanchi à environ un mètre quatre-vingts au-dessus du sol, probablement à hauteur de la tête et de la nuque de Wally Jamison lorsque celui-ci a été entravé, battu et tailladé.

Une constellation d'éclaboussures en têtes d'épingles s'étend à partir de la tache principale. Examinées de près, les minuscules traces noires sont allongées et projetées selon un certain angle. Le sang jailli de l'arme à chaque coup assené, l'arme ensanglantée à chaque impact, maculée de chair humaine. J'imagine le merlin à fendre le bois dont m'a parlé Pruitt et je suis d'accord avec lui. Quelle atroce façon de mourir ! Puis je repense au couteau à injection, qui a lui aussi infligé une mort terrible. L'expression du sadisme.

— Il disposait probablement d'un système de classement des échantillons, dis-je à Pruitt.

J'observe les enquêteurs, à quatre pattes dans leurs tenues jaunes. Certains d'entre eux me sont inconnus. Peut-être Saint Hilaire de Salem se trouve-t-il là, de même que Lester Law, le fameux « Lawless » de Cambridge. En réalité, je ne sais pas très bien qui est présent sur les lieux, seulement que le FBI travaille en coordination avec une force opérationnelle composée des enquêteurs de divers départements appartenant au Conseil des forces de l'ordre du nord-est du Massachusetts. Je poursuis mes réflexions à l'adresse de Pruitt et attire son attention sur des morceaux d'étiquettes adhésives encore collés aux débris de verre éparpillés au sol :

— S'il vendait réellement des prélèvements de sperme, je suppose qu'il avait mis au point un enregistrement des spécimens. Avec ça l'identification sera plus facile et nous pourrons ensuite vérifier à l'aide de l'ADN. Si tous les échantillons provenaient d'affaires traitées par le Centre de sciences légales, nous devrions disposer dans chaque cas d'ADN sur les cartes de prélèvement sanguin.

— Marino a lancé des recherches là-dessus, il a quelqu'un qui sort les dossiers de sujets masculins jeunes susceptibles de constituer des candidats intéressants. Surtout lorsque Fielding a réalisé l'autopsie.

Je rectifie :

— Avec tout mon respect, c'est moi qui ai donné ces instructions, pas Marino.

Je ne parviens pas à juguler l'irritation qui perce dans ma voix. Mais j'en ai plus qu'assez de mon nouvel assistant, désigné par ses propres soins, Pete Marino. J'en ai plus qu'assez des allusions qui sous-entendent qu'il dirige mon service.

— Nous n'avons pas encore retrouvé trace d'un tableau d'enregistrement, ajoute Pruitt, mais Farinelli est là-bas avec l'ordinateur de Fielding, qui était aussi *kaput* que lui quand nous sommes arrivés. Le tableau se trouvera peut-être dessus.

Lorsque les enquêteurs font allusion à ma nièce par son nom de famille, j'éprouve toujours une sensation étrange. Lucy doit se trouver à côté, dans la maison principale, où il n'y a ni lumière ni chauffage, à moins que l'électricité n'ait été rétablie. Je n'en ai pas la moindre idée, puisque ici, au sous-sol de la dépendance, nous utilisons des éclairages auxiliaires. Je déniche une lampe torche dans une mallette Pelican ouverte au bas des marches de l'escalier, puis retourne vers le mur pour éclairer les taches de sang, voir ce qu'elles ont d'autre à me révéler. Avant d'examiner la personne qui en est prétendument responsable, mon assistant, seul dans son cottage de la Mort. *Un loup solitaire, agissant sans aucune aide*, songé-je avec scepticisme. Ma colère à l'égard de la police, du FBI, de tous ceux qui ont commencé à travailler sur cette scène de crime sans moi, ne fait que croître.

À la tache sombre sur le mur en correspond une autre sur le sol blanchi, une myriade de gouttes solidifiées en une seule. Une flaque de sang maintenant noire et écaillée, dont la majeure partie a été absorbée par la pierre poreuse. Quelques-unes des gouttes situées au pourtour de la large zone sont parfaitement circulaires, à peine festonnées ou déformées par la rugosité de la pierre. Il s'agit d'éclaboussures passives, résultant de l'hémorragie de la victime. D'autres gouttes ont été étalées : quelqu'un, sans doute l'agresseur, a marché dedans ou a traîné quelque chose dessus alors qu'elles étaient encore fraîches. La moquette et des planches, peut-être. Les seules taches de sang qui indiquent une trajectoire sont celles du mur et du plafond. Noires, allongées ou en forme de larmes, je pense que la plupart d'entre elles ont été projetées par les multiples coups assenés avec le merlin.

La victime était debout lorsqu'elle a saigné, enchaînée au mur, semble-t-il. Ce que je ne peux déterminer, c'est le moment où l'un des coups a été donné, le coup fatal. Était-ce au début ? *Le plus tôt aurait été le mieux*, ne puis-je m'empêcher de penser en imaginant la scène, en reconstituant la douleur et, plus que tout, la terreur du jeune homme. J'espère qu'il ne souffrait pas depuis trop longtemps lorsqu'une artère s'est rompue, très probablement sa carotide gauche. Le motif très distinctif en forme de vague est le signe du jet artériel jaillissant sous une très forte pression, au rythme des battements de son cœur. Je me remémore les photos des profondes entailles dans son cou.

Après une telle blessure, Wally Jamison n'a pas survécu plus de quelques minutes, et je me demande combien de temps encore ont duré les coups et les entailles, alors qu'il était trop tard pour lui faire du mal. Je m'interroge sur la rage dont il a été la victime et sur le lien qui pouvait exister entre lui et Fielding. Le simple fait qu'ils fréquentaient le même gymnase me paraît bien peu suffisant. Wally ne pratiquait pas les arts martiaux et ne connaissait ni Johnny Donahue, ni Eli Goldman, ni Mark Bishop, pour autant que je sache. Il n'était ni stagiaire ni employé chez Otwahl, et n'avait apparemment rien à voir avec la robotique ou d'autres technologies. Tout ce que je sais de Wally Jamison, c'est qu'il était originaire de Floride, étudiant en histoire au Boston College, jouissant d'une petite célébrité à cause du football, fêtard et homme à femmes. Comment Fielding aurait-il pu le connaître ? Je n'en ai pas la moindre idée. À moins d'une rencontre de hasard, à cause du gymnase, peut-être, ou des drogues, du cocktail hormonal mentionné par Benton.

Les examens toxicologiques pratiqués sur Wally Jamison n'ont révélé aucune trace d'alcool, de drogues illégales ou de médicaments, mais à moins de soupçonner un lien avec le décès, on ne pratique pas systématiquement de recherche de stéroïdes. La cause de la mort de Wally ne laissait subsister aucun doute. Aucune raison donc de penser que les stéroïdes aient pu le tuer, en tout cas directement, et il est maintenant trop tard pour revenir en arrière. Nous ne disposerons pas d'autre échantillon de son urine, mais nous pouvons analyser ses cheveux, dans lesquels les molécules de drogues, y compris les stéroïdes, ont pu s'accumuler au niveau des racines. La détection de stéroïdes serait difficile et ne nous dirait de toute façon pas si Wally les a obtenus de Fielding, s'il connaissait Fielding ou si celui-ci l'a assassiné. Toutefois je suis prête à essayer n'importe quoi. Quand je regarde cette cave et que j'aperçois la forme du corps de Fielding gisant par terre sous un drap, je suis déterminée à savoir pourquoi. Je dois savoir, et je refuse d'accepter pour explication qu'il était fou, qu'il avait perdu la tête. Ce n'est tout simplement pas suffisant.

Je m'approche à nouveau de la mallette Pelican près des marches, dont je sors une paire de genouillères, que j'enfile avant de me baisser près du drap bleu. Je tire celui-ci pour dévoiler le visage de Fielding et éprouve un choc : il a l'air si présent. C'est le mot qui me vient à l'esprit, *présent*, comme s'il était encore là, endormi, mais pas en très bonne forme. Il n'a plus rien de vivant ou d'éclatant. Les détails que je découvre se bousculent dans mon esprit, les mèches raides du gel qu'il utilisait pour dissimuler sa calvitie, les taches rouges sur son visage pâle et bouffi. Le drap bruisse lorsque je l'écarte. Je m'accroupis sur les talons de mes bottes de caoutchouc et examine les cheveux châtain clair collés par le gel, parsemés sur le sommet du crâne quand ils n'ont pas complètement disparu, le sang séché autour de son oreille et accumulé en flaque sous sa tête.

Je me le représente, pointant le canon du Glock dans son oreille gauche et pressant la détente. Je tente de recréer ses dernières pensées. Pourquoi aurait-il fait une chose pareille ? Pourquoi l'oreille ? La tempe est une cible banale lors d'un suicide par arme à feu, pas l'oreille. Et pourquoi du côté gauche ? Fielding était droitier. J'avais pour habitude de me moquer de son « extrême latéralisation », parce qu'il était incapable de se servir de sa main gauche, incapable d'aucune dextérité ou agilité de cette main-là. Il ne s'est sûrement pas tiré une balle dans l'oreille gauche en tenant le pistolet de la main droite, à moins d'être devenu contorsionniste. Peut-être tout le monde va-t-il néanmoins trouver l'hypothèse valable ? Je vérifie l'angle de tir en pointant du mieux possible mon index droit, représentant le canon du Glock, dans mon oreille gauche.

— La situation n'est pas si désespérée, plaisante à voix basse le général John Briggs. Nous n'en sommes tout de même pas là, non ?

Je lève les yeux. Il est debout devant moi, les jambes écartées, mains derrière le dos, grand et massif en jaune vif, mais il ne porte ni gants, ni casque de protection, ni écran facial. Son visage aux traits d'une rudesse irrésistible, évoquant un peu un oiseau de proie, est ombré d'une barbe naissante. Très brun, son épaisse chevelure à peine colonisée par le gris en dépit de son âge, soixante ans exactement, il a beau se raser autant de fois que nécessaire, un duvet sombre reparaît vite. Son regard est d'un intense gris sombre.

Il s'accroupit à côté de moi en ramassant la torche que j'ai posée verticalement sur le sol et déclare en l'allumant :

— Colonel, j'imagine que vous vous posez la même question que moi.

— J'en doute, rétorqué-je tandis qu'il projette le faisceau lumineux dans l'oreille gauche de Fielding.

— Je me demande où il se tenait. J'ai cherché des projections de sang à vélocité élevée, un indice de sa présence. Étrange. Il était là, devant son congélateur cryogénique, et il s'est flanqué son pistolet dans l'oreille ?

Je récupère ma torche entre ses mains afin d'éclairer ce que je veux voir. Du sang noir séché et écaillé tapisse l'intérieur de l'oreille de Fielding. En me penchant davantage, je distingue la petite plaie d'entrée sombre, une plaie de contact allongée et de biais. Une grande quantité de sang s'est répandue sous sa tête, formant une flaque épaisse et poisseuse, parce que la cave est humide. Je détecte l'odeur douceâtre et viciée du sang qui commence à se dégrader, ainsi que celle de l'alcool. Je ne serais pas étonnée que Fielding se soit mis à boire vers la fin. Qu'il se soit tiré une balle dans la tête ou que quelqu'un d'autre s'en soit chargé, son état s'était sans doute beaucoup altéré. Je me souviens du gros SUV équipé de phares au xénon qui nous a suivis, Benton et moi, il y a environ seize heures, alors que nous rentrions au Centre au milieu du blizzard. L'hypothèse actuelle veut que Fielding ait été le chauffeur du SUV : il s'agissait de son Navigator, dont il avait retiré la plaque avant pour que nous ne puissions pas l'identifier.

Mais pourquoi aurait-il décidé de nous suivre, Benton et moi, et comment aurait-il pu disparaître presque par enchantement après que Benton s'était arrêté au milieu de la route enneigée dans l'espoir que notre suiveur nous dépasse ? Personne ne m'a offert d'explication satisfaisante à ce sujet. Il semble que je sois la seule obsédée par le fait qu'Otwahl Technologies est très proche de la zone où le gros SUV s'est volatilisé. Si quelqu'un disposait d'une télécommande ou d'un code d'ouverture de la grille du parking, ou encore connaissait la police privée de la société, cette personne aurait pu y dissimuler le Navigator. Elle aurait pu disparaître là-dedans comme dans la *Bat Cave*, ai-je suggéré à Benton, qui n'a pas eu l'air particulièrement impressionné. « Comment Jack Fielding aurait-il disposé de ce genre d'accès à Otwahl ? ai-je demandé à Benton quand nous venions ici. Même en étant mêlé aux agissements de gens qui travaillent là-bas, aurait-il pu pénétrer sur le parking ? Aurait-il pu y rentrer aussi vite, confiant dans le fait que la police privée qui patrouille les lieux n'y aurait rien vu à redire ? »

Briggs remarque :

— Avec toutes les surfaces blanches dans cette pièce, il aurait dû être aisé de découvrir les traces du point d'origine du coup de feu.

Je détaille les mains de Fielding, aussi froides que la pierre de la cave, et la rigidité cadavérique est complètement installée. Musclé comme il l'est, autant bouger les bras d'une statue de marbre. Je projette le faisceau de la lampe sur ses mains épaisses et fortes, et remarque ses ongles propres et bien taillés, ce qui m'étonne. Je m'attendais à les trouver sales, en concordance avec l'état de folie que tout le monde lui attribue. Je remarque ses cals, qu'il a toujours eus, souvenir des poids qu'il a tant soulevés au gymnase, des heures passées à réparer ses voitures ou à bricoler chez lui. Il semble être mort le pistolet dans la main gauche. Ou on a voulu le faire croire. Les doigts solidement refermés, l'empreinte de la crosse antidérapante du Glock imprimée en pointillé sur sa paume. Néanmoins, la fine brume de sang qui aurait dû éclabousser sa peau lorsqu'il a pressé la détente manque. Ce type de projection est un artefact impossible à mettre en scène ou à truquer. Je note :

— Nous ferons un relevé de résidus de tir sur ses mains.

Je remarque alors que Fielding ne porte pas son alliance. Il l'avait la dernière fois que je l'ai vu, mais cela remonte au mois d'août, et, d'après ce que j'ai compris, il vivait encore avec sa famille à ce moment-là.

— La gueule du pistolet est maculée de sang, m'informe Briggs. L'aspiration du sang a taché l'intérieur du canon.

Lorsque le canon d'une arme est pressé contre la peau et le coup de feu tiré, les gaz explosifs provoquent ce phénomène.

— Et la douille éjectée ?

— Là-bas, répond Briggs en indiquant un endroit sur le sol à environ un mètre cinquante du genou droit de Fielding.

— Et le pistolet ? Dans quelle position ?

Je glisse les mains sous la tête de Fielding et tâte la bosse dure de métal cranté sous le cuir chevelu, au-dessus de son oreille droite, là où la balle a terminé sa course pour rester coincée entre la peau et la boîte crânienne.

— Dans sa main gauche crispée. Je suis sûr que vous avez remarqué ses doigts recroquevillés et l'empreinte de la crosse dans la paume. Nous avons dû forcer pour récupérer l'arme.

— Je vois. Donc, alors même que Fielding est droitier, il s'est tué de la main gauche. Pas impossible, mais inhabituel. Et soit il était déjà par terre lorsqu'il a tiré, soit il est tombé, la main toujours serrée sur la crosse. Un spasme cadavérique a amplifié cette crispation et il a chuté bien proprement sur le dos comme ça ? Eh bien, voilà qui exige de l'imagination. Vous savez ce que je pense de ces phénomènes de rigidité instantanée, John.

— Mais cela arrive.

— Oui, gagner au Loto aussi. Ça arrive, mais jamais à moi.

Je sens le déplacement des os fracturés sous mes doigts tandis que je palpe doucement la tête de Fielding. La balle a suivi une trajectoire ascendante, très légèrement de l'arrière vers l'avant, et s'est logée à environ sept à huit centimètres au-dessus de l'angle inférieur droit de sa mâchoire.

— Il se serait donc suicidé de cette façon ? dis-je en repliant à nouveau les doigts de façon à simuler une arme et en pointant mon index ganté de nitrile violet suivant un angle peu pratique, comme si j'allais me tirer un coup de feu dans l'oreille gauche. Admettons qu'il ait tenu son arme de la main gauche, alors qu'il n'était pas gaucher. Néanmoins, la façon dont je dois maintenir mon coude, baissé et en arrière, est quelque peu étrange et malaisée, ne croyez-vous pas ? De surcroît, on s'attendrait à trouver un fin brouillard d'éclaboussures de sang sur sa main. Bien entendu, tout cela n'est jamais figé dans le marbre…

Je poursuis :

— … Choisir de se tirer une balle dans l'oreille est rare : en général, les gens appréhendent le bruit de la dénotation. Totalement irrationnel, bien sûr, puisqu'on va mourir de toute façon, mais ainsi va la nature humaine. *Idem* pour le suicide d'une balle dans l'œil. Presque personne ne s'y résout.

— Vous et moi devons discuter, Kay, me déclare Briggs.

— Autre point important, le moment où le congélateur cryogénique a été vandalisé. Plus le chauffage d'appoint allumé et les cendres dans la pièce au-dessus, sans doute le papier à lettres d'Erica Donahue. Si Jack a accompli tout cela avant de se suicider, comment se fait-il qu'il n'y ait ni sperme ni verre brisé par terre sous son corps ?

Je manipule la grande carcasse inerte de Fielding, raide et récalcitrante. Je le déplace un peu. Le sol sous son cadavre est blanc et propre.

— S'il est descendu ici pour briser toutes ces éprouvettes avant de se tirer une balle dans l'oreille, il devrait y avoir du verre et du sperme sous lui. Il y a en a partout, mais ailleurs. Regardez cet éclat de verre dans ses cheveux, dis-je en le récupérant et en l'examinant. Quelqu'un a brisé les tubes après sa mort, alors qu'il était déjà étendu sur le sol.

— S'il a tout fracassé avec violence, il a pu récolter un éclat de verre dans les cheveux, rétorque Briggs d'un ton qui, venant de lui, est patient et gentil.

Il a presque l'air désolé pour moi. Mes insécurités refont surface. Je lève les yeux vers son fascinant visage.

— John, vous vous êtes forgé une opinion définitive ? Vous et tous les autres ?

— Kay, ne me dites pas que vous n'avez pas compris ! Nous avons beaucoup de choses à passer en revue et je préférerais un peu de discrétion. Quand vous serez prête, vous me trouverez à côté.

L'électricité a été rétablie à Salem Neck vers quatorze heures trente, à peu près au moment où j'ai achevé mon examen du corps de Jack Fielding. Je suis restée agenouillée près de lui jusqu'à ce que mes pieds commencent à me picoter et qu'en dépit des genouillères mes genoux douloureux me brûlent.

Les lustres de la vieille cuisine démodée sont illuminés. La maison est glaciale, mais l'air qui souffle des bouches d'aération au niveau du sol annonce la chaleur. J'ai retiré mon équipement protecteur pour ne garder que mes gants jetables, seulement revêtue de ma parka et de mon treillis. L'évier de porcelaine blanche déborde d'assiettes. Une écume de savon surmontée d'une couche de graisse jaunâtre coagulée flotte sur l'eau, et le fin rideau jaune qui pend à la fenêtre située au-dessus de l'évier est taché et miteux.

Partout où je pose les yeux, je ne vois que restes de nourriture, détritus, vestiges d'une importante consommation d'alcool. Le sordide d'un nombre incalculable de scènes de crime me revient, la pourriture et les déchets, les odeurs de renfermé et de moisi. Bien souvent, l'essence du crime nichait déjà dans l'existence qui avait précédé la mort. Les derniers mois de Fielding sur cette terre ont été bien plus torturés qu'il ne le méritait, et je refuse l'idée que son destin ait été un choix délibéré de sa part. Ce n'était pas écrit, il n'était pas né pour ça, et je ne cesse de ressasser son expression favorite : « je ne suis pas né pour ça », surtout lorsque je lui demandais de faire quelque chose qu'il jugeait ennuyeux ou déplaisant.

Je m'arrête près d'une table en bois poussée sous une fenêtre qui fait face à la rue verglacée et à l'océan bleu foncé au-delà, flanquée de deux chaises. La table disparaît presque sous l'amoncellement de vieux journaux et de magazines que j'étale de ma main gantée. Le *Wall Street Journal*, le *Boston Globe*, le *Salem News*, dont certains remontent à peine à samedi. J'ai aperçu plusieurs journaux recouverts de givre sur le trottoir devant la maison, comme s'ils avaient été jetés là et que personne ne soit venu les ramasser avant la grande tempête. Il y a une demi-douzaine de numéros de *Men's Health*, et je remarque que les étiquettes d'expédition indiquent l'adresse de Fielding à Concord. Les numéros de janvier et février ont été envoyés directement ici, ainsi qu'une bonne quantité de courrier, dans la pile que je passe au crible. La location de la maison de Concord remonte à presque un an. À voir le fouillis et les meubles que je reconnais pour les avoir déjà vus chez mon adjoint, conjugué à ce que j'ai appris de ses problèmes familiaux, il serait logique qu'il n'ait pas renouvelé le bail. Il a déménagé dans une vieille maison sillonnée par les courants d'air, dont le délabrement a gommé le charme ancien. J'imagine fort bien ce qu'il avait en tête quand il est tombé amoureux de cet endroit. Pourtant il est évident que la situation a ensuite évolué vers le pire.

Que t'est-il arrivé ? Je contemple les marques sordides de la décrépitude. *Qui étais-tu au bout du compte ?* La froideur, la rigidité de ses mains mortes me reviennent, leur étonnante lourdeur. Elles étaient propres, ses ongles soignés, et ce minuscule détail ne semble pas cadrer avec tout le reste. *Est-ce toi le res-*

ponsable de cet horrible gâchis ? Ou bien ta maison a-t-elle abrité quelqu'un d'autre, quelqu'un de négligé et fou ? Cependant me revient la justesse d'une phrase de Ralph Waldo Emerson : la cohérence est le spectre des petits esprits. Il est malaisé de définir ou d'expliquer les individus, d'autant que leurs actes sont parfois incohérents. Fielding aurait pu glisser le long d'une pente raide, entraînant tout dans sa chute, en demeurant assez vigilant sur son apparence physique pour conserver une excellente hygiène. Ce serait tout à fait crédible.

Je ne le saurai jamais. Son CT scan, son autopsie ne me le révéleront pas. Tant de choses me demeureront inconnues, y compris la raison pour laquelle il ne m'a jamais parlé de cette maison à Salem. Benton dit que Fielding l'a achetée juste après avoir déménagé dans le Massachusetts, en janvier, il y a plus d'un an, mais je ne l'ai jamais su. Je ne suis pas sûre que son but ait été de dissimuler une activité criminelle, actuelle ou future. Je présume plutôt qu'il tenait à posséder quelque chose qui ne soit qu'à lui, quelque chose avec quoi je n'avais rien à voir, pas d'avis à donner, et que je ne l'aiderais pas à changer ou améliorer. En se lançant dans l'acquisition, pour lui ou à titre d'investissement, du refuge d'un capitaine de marine du XVIIIe siècle, il ne voulait surtout pas de moi comme mentor.

S'il s'agit de la vérité, quelle tristesse ! Je soupire en regardant de l'autre côté de la rue gelée les flots étincelants couleur de saphir qui s'écrasent contre le rivage de roches grises. Je franchis une large ouverture, jadis fermée de portes coulissantes, pour pénétrer dans une salle à manger dont le plafond de plâtre blanc aux poutres apparentes de chêne foncé est auréolé de taches d'inondation. La lanterne de marine de cuivre terni suspendue aurait sa place dans une entrée plutôt qu'au-dessus de la table en noyer poussiéreuse, entourée de chaises dépareillées et en grand besoin de nouvelles garnitures. Je comprends que Fielding n'ait pas tenu à me voir ici. Je suis bien trop critique, bien trop sûre de mon foutu bon goût et de mes avis éclairés. Pas étonnant que je l'aie rendu fou. Non contente d'être une sorte de catalyseur, je me suis montrée mauvaise mère, alors que je n'aurais même pas pu m'arroger le droit d'en être une bonne. J'aurais dû me contenter de rester une patronne responsable. S'il se trouvait là à cet instant, je lui dirais que je suis désolée, je lui demanderais de me pardonner de l'avoir connu et de m'être montrée trop bienveillante, puisque cela n'a servi à rien. Bon sang, quel bien lui ai-je fait ?

Je me focalise sur un endroit sans poussière à l'extrémité de la table. Quelqu'un devait manger ou travailler là. Peut-être l'Olivetti y avait-elle été posée. La chaise correspondant à cette place est en meilleur état que les autres. Son assise de velours rouge fané et élimé est intacte, et on peut probablement s'asseoir dessus sans dommage. J'essaye de me représenter Fielding tapant à la machine à cette table, devant les vieilles fenêtres à double battant. La vue sur l'allée de gravier est triste, et je n'arrive pas à l'imaginer penché sur sa petite chaise, sous une lanterne, tapant et retapant sans relâche une lettre de deux pages sur du papier gravé filigrané jusqu'à obtenir une impeccable version.

Fielding et ses gros doigts impatients. Il avait appris à taper tout seul, avec deux ou trois doigts, le regard rivé à son clavier, sans jamais devenir adroit. Que ce document truqué émane de lui est invraisemblable. Étant donné l'état de Fielding – ainsi qu'il ressort de ce dont Benton a été témoin la semaine précédente dans mon bureau –, que mon assistant en soit venu à de telles extrémités pour piéger un étudiant d'Harvard dans le meurtre de Mark Bishop paraît fort peu plausible. Pourquoi Fielding aurait-il tué ce petit garçon de six ans ? Je n'adhère pas à la théorie de Benton, selon laquelle Fielding se tuait lui-même en enfonçant des clous dans la tête de Mark Bishop. Benton m'a soutenu que Fielding mettait ainsi un terme à ses propres années d'enfance maltraitée. Je n'en suis pas persuadée.

Cela étant, je dois me souvenir que nombre de gens agissent d'une manière qui leur paraît sensée, alors que personne autour ne comprend rien. Même lorsqu'une explication soutient leurs agissements, celle-ci paraît sans rime ni raison. Je m'arrête un instant devant une fenêtre, pas encore tout à fait prête à pénétrer dans la pièce voisine, d'où me proviennent les chuintements des rangers de Briggs. Il est au téléphone et je sors le mien pour vérifier mes messages. Bryce m'a écrit : « Vous pouvez appeler Evelyn ?! »

Je tente de la joindre au labo d'analyse des traces et tombe sur un jeune chercheur du nom de Matthew.

— Vous avez un ordinateur à proximité ? me demande-t-il d'un ton assuré et tendu d'excitation. Evelyn est aux toilettes, mais on veut vous envoyer un truc complètement dingue. Je n'arrête pas de penser qu'il s'agit d'une erreur, ou alors de la contamination la plus étrange que j'aie jamais vue. Vous savez que le diamètre d'un cheveu est d'à peu près quatre-vingts microns, c'est-à-dire quatre-vingt mille nanomètres de diamètre, n'est-ce pas ? Eh bien, imaginez quelque chose qui fait quatre nanomètres, en d'autres termes vingt mille fois moins qu'un cheveu. Et même si l'empreinte élémentaire est en majeure partie du carbone pur, ce n'est pas organique, dans le sens « vivant » du terme. Nous avons également décelé des résidus de ce qui ressemble à de la phencyclidine…

J'interromps son débit précipité :

— Vous avez trouvé du PCP ?

— Oui, de la poudre d'ange, une quantité absolument résiduelle. En spectroscopie à infrarouges par transformation de Fourier. Maintenant, si on se contente d'un bon vieux microscope optique, grossissement cent, on distingue les granules et des tas d'autres débris microscopiques, surtout des fibres de coton, au dos du patch antidouleur, d'accord ? Certaines de ces structures granulaires sont probablement du PCP, peut-être de l'ibuprofène aussi, et il y a sans doute d'autres produits chimiques.

— Doucement, Matthew !

— Eh bien, avec un grossissement de cent cinquante mille au microscope électronique à balayage – bref, ce qu'on va vous envoyer –, vous verrez de quoi je parle, gros comme une maison, docteur Scarpetta !

— Allez-y ! Si besoin est, j'irai me connecter dans le fourgon. Mais envoyez des PDF, je vais d'abord essayer de les lire sur mon iPhone. Ça ressemble à quoi exactement ?

— Ben, un genre de *buckyballs*, ces aimants en forme de billes, comme un haltère, mais avec des pattes. C'est incontestablement artificiel, à peu près de la taille d'un brin d'ADN, comme je vous l'ai dit, quatre nanomètres, et du carbone pur, à l'exception de ce qui devait être relâché. Également des traces de polyéthylène glycol, dont nous supposons qu'il composait le revêtement de ce qui devait être relâché.

— « Ce qui devait être relâché » ? Expliquez-moi ça. Vous parlez d'un objet conçu à l'échelle nanométrique pour délivrer une minuscule dose de PCP ?

— Évidemment, ce n'est pas mon domaine, et puis, au Centre, nous n'avons pas d'AFM, de microscope à force atomique, si vous voyez le gros sous-entendu. Parce que je crois que nous venons d'entrer dans une nouvelle ère, où nous allons devoir rechercher des choses de ce genre, qui ont besoin d'être grossies des millions de fois. À mon avis, un objet de ce type n'a pu être mis au point qu'à l'aide d'un microscope à force atomique, pour pratiquer l'assemblage, manipuler les nanotubes, les nanoparticules qu'on essaie de faire tenir ensemble, en utilisant des nanosondes. On pourrait probablement en gérer une bonne partie avec le microscope à balayage électronique, mais un AFM, ce serait top, si ce genre de choses devait nous tomber de plus en plus dessus, docteur Scarpetta.

— Donc vous ignorez ce que vous avez découvert, mais il s'agit d'une sorte de nanorobot, un robot plus que microscopique, à l'échelle nanométrique, dont vous pensez qu'il peut éventuellement servir à délivrer une ou plusieurs drogues ? Vous en avez trouvé un sur la pellicule au dos du patch découvert dans la poche de la blouse de labo ? dis-je sans préciser le nom de son propriétaire.

— Juste un, mélangé aux fibres et aux autres particules, parce que nous n'avons pas analysé la pellicule dans son entier, juste l'échantillon monté sur la platine. Le reste de la pellicule plastique est au labo des empreintes, puis va ensuite à l'ADN et à la chromatographie gazeuse couplée à une spectrométrie de masse. Et puis, j'oubliais, il est cassé ou dégradé.

— Quoi donc ?

— Le nanorobot. En tout cas, il a l'air brisé ou en voie de détérioration. On dirait qu'il devait y avoir huit pattes, mais j'en vois quatre d'un côté et deux de l'autre. Je vous expédie ça par *mail* tout de suite, quelques photos qu'on a prises pour que vous puissiez vous faire une idée.

Je parviens à récupérer les images sur mon iPhone et remarque l'inquiétante symétrie. Un sentiment indéfinissable m'envahit lorsque je constate que ce nanorobot ressemble à la version moléculaire d'une mouche mécanique miniaturisée. Je ne sais pas si le Graal des mouches-robots auquel Lucy a fait allusion est similaire à ce nanodrone grossi des milliers de fois, mais la structure artificielle que je découvre sur les photos, avec un corps fuselé tirant sur le gris aimant, est comparable à celle d'un insecte. Les délicats bras ou pattes en nanofils encore intacts présentent des angles à quatre-vingt-dix degrés, avec aux extrémités des appendices préhensiles, sans doute destinés à s'accrocher aux membranes cellulaires ou à s'enfoncer dans les organes et les vaisseaux sanguins, vraisemblablement afin d'atteindre leur cible et d'y adhérer le temps d'y libérer les médicaments ou même les drogues illégales destinées à des récepteurs particuliers du cerveau.

Pas étonnant que les examens toxicologiques de Johnny Donahue n'aient rien révélé. Si des nanorobots ont été ajoutés aux préparations sublinguales destinées à traiter son allergie ou, mieux encore, à son pulvérisateur nasal de corticostéroïdes, les drogues ont pu se trouver en dessous du seuil de détection. Encore plus incroyable, elles n'ont peut-être pas pénétré la barrière hémato-encéphalique, mais étaient programmées pour se fixer aux récepteurs du cortex frontal. Si les drogues ne sont jamais passées dans le sang, elles n'ont pas été excrétées par l'urine. Inutile, également, d'espérer des dépôts dans les cheveux. C'est là tout l'objet des nanotechnologies en médecine : traiter les maladies et les désordres avec des médicaments non systémiques et donc moins nocifs. Comme dans tous les domaines, une chose conçue pour faire du bien finira assurément par être employée à mauvais escient.

Le sol et les murs du salon de Fielding sont nus, et des boîtes poussiéreuses en carton marron s'amoncellent quasiment jusqu'au plafond. Des dizaines de cartons ornés du logo de l'entreprise de déménagement Gentle Giant, disposés en piles carrées, auxquels personne n'a l'air d'avoir touché depuis leur arrivée.

Briggs est assis au milieu de ce bunker de cartons. Dans son uniforme sable, un MacBook sur les genoux, son dos aux larges épaules bien droit contre le dossier d'une chaise, il me rappelle une photo de Matthew Brady d'un général de la guerre de Sécession. Je me fais la réflexion que cela lui ressemble bien, de s'asseoir et de me laisser debout, de mettre en scène notre conversation de façon à me donner un sentiment de petitesse et de soumission. Mais il se lève pour me laisser la place, que je refuse, en précisant :

— Non merci, je reste debout.

Nous nous déplaçons donc tous les deux jusqu'à la fenêtre et il pose son ordinateur portable sur l'appui. Il fixe l'océan et les rochers de l'autre côté de la rue gelée saupoudrée de sable ocre et embraye :

— Le fait qu'il dispose d'un réseau sans fil me paraît intéressant, non ? Après tout ce que vous avez vu ici, vous vous seriez attendue à une telle chose ?

— Il n'était peut-être pas seul ici.

— Peut-être.

— Au moins, vous envisagez cette possibilité, général. C'est plus que n'importe qui d'autre.

Je dispose mon iPhone sur le rebord de la fenêtre afin qu'il puisse voir ce qui s'affiche sur le petit écran. Il jette un œil, puis détourne le regard.

— Imaginez deux types de nanorobots, déclare-t-il comme s'il s'adressait à quelqu'un planté de l'autre côté de la vitre ancienne en verre ondulé, au point qu'on pourrait croire que seuls le soleil et la mer le captivent, certainement pas la femme debout à côté de lui – une femme qui, quel que soit son âge et ce qu'elle est devenue, se sentira toujours jeune et peu sûre d'elle auprès de lui. Un nanorobot biodégradable, qui disparaît après avoir délivré une minuscule dose d'un produit psycho-actif, et puis un deuxième type de nanorobot, autorépliquant.

Avec Briggs, j'éprouve toujours le sentiment de ne pas être moi-même. Nos manches se touchent, je sens la chaleur de son corps et, debout près de lui, je songe à l'influence à la fois merveilleuse et terrible qu'il a pu avoir sur moi.

— Celui qui nous inquiète le plus, c'est le modèle autorépliquant. Imaginez quelque chose comme ça dans votre organisme, insiste-t-il.

Mais ce qui est en moi, c'est la force irrésistible du général John Briggs, et je comprends ce que Fielding a ressenti, combien il a dû à la fois me vénérer et m'en vouloir.

Je comprends à quel point il est en même temps merveilleux et affreux d'être écrasé par quelqu'un. Un phénomène identique à celui de la drogue, me dis-je. Une addiction dont on veut se débarrasser à tout prix, tout en la préservant à toute force. Briggs aura toujours le même effet sur moi. De ma vie je ne parviendrai à m'en délivrer.

— Le nanorobot autorépliquant permet l'émission soutenue d'un produit comme la testostérone, poursuit-il.

Je ressens son énergie, son intensité, j'ai conscience que nous sommes tellement proches l'un de l'autre, attirés l'un par l'un l'autre. Cette attirance a toujours existé, alors qu'elle n'aurait jamais dû voir le jour.

— Le PCP, par exemple, ne peut pas se répliquer, bien entendu. On effectuerait donc une seule émission, mais celle-ci serait renouvelée lorsque le sujet répète ses pulvérisations nasales, ses injections, ou bien s'applique un nouveau patch transdermique imprégné de nanorobots biodégradables. Cependant on peut programmer la réplication d'une substance que votre corps produit naturellement : le nanorobot s'autoréplique librement dans votre organisme, se répand dans vos artères, se fixe sur des zones prédéfinies, tel votre cortex frontal, sans besoin de pile. Il est autorépliquant et autopropulsé.

Briggs tourne la tête vers moi. Son regard est dur. Pourtant s'y lit au fond l'affection qu'il a toujours éprouvée à mon égard, aussi constante que conflictuelle. J'ai le souvenir vivace de qui nous étions à Walter Reed : nos avenirs respectifs, encore mystérieux, leurs infinies possibilités. Il était plus âgé et terriblement impressionnant, et j'étais un jeune prodige. Il m'avait baptisée le « major Prodige ». Je suis rentrée d'Afrique du Sud, partie à Richmond, et il ne m'a plus jamais appelée durant des années. Ce qui existait entre nous se révélait complexe et insondable. Tous ces souvenirs affluent alors que je me tiens à son côté.

— Les guerres deviendraient inutiles, déclare-t-il. En tout cas, les guerres telles que vous et moi les connaissons, Kay. Nous nous tenons au seuil d'un nouveau monde, où nos vieilles guerres paraîtront bien simples et presque humaines.

Je réplique :

— Jack Fielding était loin de ce type de scientifique. Il n'a pas fabriqué ces patchs, et si quelqu'un avait tenté de l'inciter à user de drogues délivrées par des nanorobots, il ne se serait pas laissé convaincre facilement. Je serais sidérée qu'il ait même su ce qu'est un nanorobot, ou qu'il ait eu le moindre soupçon qu'il introduisait une telle découverte technologique dans son organisme. Il pensait probablement absorber une nouvelle forme de stéroïdes, des stéroïdes de synthèse, qui l'aideraient pour son bodybuilding, le soulageraient de ses douleurs chroniques dues à des années de surconsommation et l'empêcheraient de vieillir. Il détestait vieillir. Pour lui, la vieillesse n'était pas une option.

— Eh bien, il n'aura plus à s'en préoccuper.

Non, ça, c'est sûr. Cependant j'argumente :

— Je refuse de penser qu'il s'est tué parce qu'il ne voulait pas vieillir. Je n'accepte pas son suicide et j'ai de sérieux doutes concernant cette hypothèse.

— J'ai cru comprendre que vous aviez été exposée à l'action d'un de ses patchs. J'en suis désolé, mais si cela n'avait pas été le cas, vous seriez restée ignorante de tout le reste. Kay Scarpetta défoncée… Un vrai spectacle. Je regrette de ne pas avoir été là pour voir ça.

Benton a dû le mettre au courant.

— Voilà ce à quoi nous nous mesurons, Kay, m'annonce-t-il. Ce nouveau monde merveilleux, cette grande peur que je nomme, que le Pentagone nomme « neuroterrorisme ». La grande terreur. Faites-nous perdre les pédales et vous obtiendrez la victoire. Nous nous tuerons nous-mêmes, épargnant cette peine aux méchants. En Afghanistan, donnez donc à nos troupes de l'opium, des benzodiazépines, des hallucinogènes, quelque chose pour atténuer leur ennui, et ensuite regardez ce qui se passe quand ils grimpent dans leurs avions de combat, leurs hélicoptères et leurs Humvee. Regardez ce qui se passe quand ils rentrent chez eux accros et mentalement dérangés.

Je remarque :

— Otwahl ? Nous y développons des armes de ce genre ?

— Pas *nous*. Bon sang, ce n'est pas pour ça que l'Agence de recherches avancées de la Défense leur verse des millions ! Mais quelqu'un chez Otwahl s'y consacre, et il n'est probablement pas tout seul. Nous pensons à une cellule de grosses têtes impliquées dans des expériences qui n'ont été ni autorisées ni approuvées, et d'une extrême dangerosité.

— Je suppose que vous connaissez leurs identités.

— Foutus gamins ! souffle-t-il en fixant l'après-midi lumineuse. Dix-sept, dix-huit ans, des QI de génies, pleins de passion, mais sans rien là-dedans, fait-il en se tapant le front de la main. Surtout les garçons, inutile de vous le préciser. La formation de leurs lobes frontaux n'est même pas achevée, elle ne le sera pas avant l'âge de vingt ou vingt-cinq ans, et pourtant ils sont là à jouer dans les labos de nanotechnologie, avec les supraconducteurs, la robotique, la biologie synthétique, tout ce qui peut vous passer par la tête. C'est déjà suffisamment difficile quand on leur donne des armes et qu'on les fourre dans des bombardiers furtifs, mais au moins, là il y a des règles, assène-t-il d'un ton dur. Nous avons des structures, des régiments, une hiérarchie, la supervision la plus stricte. Mais que croyez-vous qu'il puisse se passer dans un endroit comme Otwahl, quand l'objectif de la discipline et de la sécurité nationale est remplacé par l'argent et l'ambition ? Bon Dieu, ces foutus petits génies comme Johnny Donahue ne connaissent rien de rien à l'Afghanistan, au Pakistan, à l'Irak. Ils n'ont jamais mis les pieds dans une base militaire.

— À l'exception de cours d'arts martiaux dispensés à certains d'entre eux, je ne vois pas le lien avec Jack.

Le ciel est d'un bleu turquoise immaculé, sous lequel danse l'océan.

— D'une façon ou d'une autre il a été en rapport avec eux et, à mon avis, il est devenu sujet d'expérience sans le savoir. Vous ne connaissez que trop bien les essais cliniques. Mais ceux qui nous sont familiers sont supervisés et strictement contrôlés par des commissions sur l'expérimentation humaine. Imaginez que vous soyez un ingénieur de dix-huit ans d'Harvard ou du MIT employé chez Otwahl. Où allez-vous trouver des volontaires ? Jack a probablement établi ses contacts par l'intermédiaire du gymnase, des cours de taekwondo. Nous sommes tous douloureusement conscients de ses éternels problèmes avec les substances dopantes, surtout les stéroïdes. Et quelqu'un lui propose l'élixir de vie, une fontaine de jouvence, sous forme de patchs antidouleur. Ce qui est sûr, c'est que le résultat n'a pas été ce qu'il espérait ! Et de même pour Wally Jamison, Mark Bishop ou Eli Goldman.

— Wally Jamison n'était pas employé par Otwahl, général.

— Il est sorti pendant un moment avec quelqu'un qui y travaille. Dawn Kincaid, une autre de ces « neuroterroristes ».

— La meilleure amie de Johnny Donahue. Et où se trouve-t-elle ? Tous ceux que vous avez mentionnés sont morts. Sauf elle.

À l'instant où je prononce ces mots, un signal d'alarme retentit dans mon cerveau.

— Disparue. Elle ne s'est pas montrée chez Otwahl ni hier ni aujourd'hui, soi-disant en vacances.

— C'est ça.

— Exactement. Nous allons lui mettre la main dessus et lui soutirer le reste de l'histoire. Il n'y a pas de doute sur la question, puisqu'elle est spécialisée en nano-ingénierie et en synthèse chimique à l'échelle nanométrique. D'après ce que nous avons appris, c'est probablement elle qui a développé les saletés de nanorobots qui ont atterri chez Jack Fielding et l'ont transformé en Mr Hyde, c'est le moins qu'on puisse dire.

Je répète :

— Mr Hyde ? Erica Donahue a employé la même expression à propos de son fils. Sauf que je doute que Johnny ait tué qui que ce soit, je souligne.

— Il n'a pas tué ce petit garçon.

— Vous êtes convaincu que le coupable est Jack.

— Il avait perdu les pédales.

— Et ensuite il aurait tué Eli.

Je me demande si ma réflexion paraît aussi creuse à Briggs qu'à moi et s'il sent à quel point je n'y crois pas.

— Quand on pense que tout cela est dû à cette foutue grippe H1N1 ! poursuit-il, le regard perdu par-delà la vitre poussiéreuse. Si le père biologique de sa belle-fille n'était pas tombé malade, Liam Saltz n'aurait pas eu la satisfaction de l'accompagner à son mariage, et il n'aurait pas débarqué aux États-Unis, à Cambridge, à Norton's Woods, à la dernière minute. Et Jack n'aurait pas été obligé de poignarder Eli avec un fichu couteau à injection.

— Pour l'empêcher de confier au Dr Saltz ce que vous êtes en train de me raconter ?

— Il est un peu tard pour poser la question à Jack, Kay.

— Si Eli s'apprêtait à révéler au Dr Saltz, ou à qui que ce soit, que Jack trafiquait du sperme prélevé sur des cadavres, je pourrais comprendre. Ce serait un mobile plausible.

— Nous ignorons ce que savait Eli. Mais il était très probablement au courant des drogues et connaissait de toute évidence assez Jack pour posséder une de ses armes. Quand Jack a découvert par la police de Cambridge que le mort avait un Glock dont le numéro de série était effacé, il a dû passer un mauvais moment.

Je remarque :

— Marino vous a tout raconté, semble-t-il, présentant les choses comme les éléments irréfutables d'un dossier. Mais il ne s'agit que d'une théorie. Nous ne disposons d'aucun indice tangible étayant l'idée que Jack ait tué qui que ce soit.

— Il savait qu'il avait des ennuis. On peut affirmer cela sans gros risque de se tromper, observe Briggs.

— Du moins peut-on le supposer. S'il n'avait pas craint des problèmes, il n'aurait pas subtilisé le Glock au labo, je suis entièrement d'accord. Ma question est : qui protégeait-il ? Lui ou quelqu'un d'autre ?

— Il savait foutrement bien que nous allions récupérer le numéro de série et remonter jusqu'à lui.

— Encore *nous*. J'ai beaucoup entendu ce pronom ces derniers temps.

— Je connais votre sentiment, déclare Briggs en plantant les mains sur le rebord de la fenêtre et en se penchant comme s'il avait mal dans le bas du dos. Vous pensez que j'essaye de vous retirer quelque chose. Non, vous en êtes convaincue, fait-il, un sourire sévère aux lèvres. Le capitaine Avallone est venue ici à l'automne dernier.

— Quelqu'un d'un rang aussi subalterne ? Dans le but de ne pas éveiller les soupçons ?

— Tout à fait. Pour que la visite paraisse fortuite, informelle, une simple étape sur son chemin. Alors qu'en réalité des rumeurs déplaisantes sur la façon dont votre second dirigeait le Centre de sciences légales nous étaient remontées aux oreilles. Inutile de vous rappeler que nous avons un intérêt dans ce centre. Tout comme le bureau du médecin expert de l'armée, le département de la Défense, beaucoup de gens. Il ne vous appartient pas de le démolir.

— Cela ne m'appartient pas du tout ! De toute évidence, avant même de démarrer véritablement, j'ai tout gâché…

Il m'interrompt :

— Vous n'avez rien gâché, et je suis tout aussi responsable que vous. Vous avez choisi Jack, ou plus exactement vous avez cédé à sa demande de revenir. Je ne suis pas intervenu, alors que j'aurais dû ! Je ne voulais pas passer par-dessus votre autorité, alors que mon devoir consistait à contester cette décision. J'ai pensé que dans quatre mois vous seriez de retour et, honnêtement, je n'imaginais pas le chaos que cet homme pouvait générer en si peu de temps. Mais il était mêlé à cette meute confidentielle d'Otwahl Technologies, drogué, et perdait les pédales.

Rassemblant mon courage, je demande :

— Est-ce la raison pour laquelle vous avez repoussé mon départ de Dover ? Pour avoir le temps de remplacer le management du Centre ? Me remplacer ?

— Tout le contraire. Pour vous tenir écartée de tout cela. Je ne voulais pas que vous puissiez pâtir de la situation. J'ai retardé votre départ autant de fois que je l'ai pu, sans aller jusqu'à l'enlèvement pur et simple… Puis le père de la mariée à Londres attrape cette fichue grippe et un cadavre se met à saigner dans une chambre froide. Votre nièce débarque à Dover dans son hélicoptère. J'ai essayé de vous convaincre de rester en vous offrant de faire transporter le corps à Dover, mais vous avez refusé, point final. Et nous revoilà encore une fois tous les deux.

— Oui, encore une fois.

— Nous avons déjà eu nos problèmes à régler. Et nous en connaîtrons probablement d'autres.

— Vous n'avez donc pas envoyé Lucy me chercher ?

— Sûrement pas. D'autant que Lucy n'est pas du genre à obéir à mes ordres. Dieu merci, elle n'a jamais pensé à s'engager dans l'armée. Elle finirait à la prison militaire de Leavenworth.

— Vous ne lui avez pas demandé de mettre mon bureau sous surveillance ?

— Une suggestion comme ça, en passant, afin que nous sachions ce que fabriquait au juste Jack.

— Une suggestion en passant de votre part m'évoque un cannibale qui vous inviterait à dîner d'un ton désinvolte.

— Charmante comparaison.

— Les gens sont très attentifs à vos suggestions, et vous le savez.

— Lucy prête attention à ce qu'on lui suggère lorsque ça lui convient.

— Et le capitaine Avallone ? A-t-elle comploté contre moi avec Jack ?

— Jamais de la vie. Je vous ai dit pourquoi elle avait débarqué en novembre, pour une inspection. Elle vous est totalement loyale.

— Tellement loyale qu'elle a parlé à Jack de l'affaire du Cap, rétorqué-je, surprise de m'entendre le formuler à haute voix.

— Jamais de la vie, encore une fois. Sophia ignore tout du Cap.

— Alors comment Julia Gabriel était-elle au courant ?

— Lorsqu'elle vous a insultée ? Je vois, dit-il comme si je venais de répondre à une question dont j'ignorais qu'il l'avait posée. Je me suis arrêté devant votre porte pour vous dire un mot et j'ai entendu que vous étiez au téléphone, au milieu d'une conversation des plus intenses. Moi aussi, je lui ai parlé. Elle s'est débrouillée pour contacter un certain nombre de gens, parce qu'on lui a raconté que nous pratiquions des prélèvements de sperme systématiques à Dover, une connerie finie. Nous ne ferions jamais une chose pareille, à moins qu'elle ne soit officiellement agréée. Mme Gabriel a tiré cette idée des agissements clandestins de Jack au Centre : il avait pratiqué un prélèvement sur l'homme tué dans un taxi à Boston le jour de son mariage. Un homme qui avait un lien avec le fils de Mme Gabriel. Vous comprenez qu'elle ait pu espérer que la même procédure soit appliquée à son fils Peter.

— Elle ne sait donc rien de moi ? Ce n'était pas dirigé contre moi personnellement ? Vous en êtes certain ?

— Et pourquoi diable auriez-vous une opinion tellement négative de vous-même ? demande-t-il.

— Je crois que vous savez très bien pourquoi, John.

— Mme Gabriel ne faisait allusion à rien de spécial, c'est foutrement impossible ! Il s'agit d'une femme en colère, militante, qui a laissé libre cours à sa rage en vous qualifiant des mêmes termes que moi ou d'autres personnes à la base. « Sectaires », « racistes », « nazis », « fascistes ». Ce matin-là, pas mal des employés ont été baptisés de noms peu glorieux.

Briggs s'écarte de la fenêtre et ramasse son ordinateur, signe qu'il doit s'en aller. Il est incapable de poursuivre une conversation plus de vingt minutes. D'ailleurs celle que nous venons d'avoir était pour lui un record de durée. Elle a éprouvé sa patience et abordé des points un peu trop intimes.

— Pourriez-vous me rendre un grand service, que j'apprécierais beaucoup ? déclare-t-il. S'il vous plaît, cessez de raconter que je voyais en MORT la plus grande invention humaine depuis le pain en tranches !

Benton, je suppose. Ces deux-là sont devenus très copains, à ce que je vois. Il poursuit :

— C'est faux. Je comprends que ce soit le souvenir que vous en ayez, et je suis désolé que nous nous soyons affrontés là-dessus. Cependant, si pour ramener un soldat mort sur le champ de bataille on a le choix entre un robot et un être humain qui risque sa vie, que décider ? C'est ce que j'appelle le choix de Sophie. Les deux options sont mauvaises. Vous aviez tort. Moi aussi.

— Alors restons-en là. Je le reconnais. Nous avons tous les deux pris de mauvaises décisions.

— Pas la première fois, marmonne-t-il.

Nous sortons ensemble de la maison du capitaine. Les pièces que nous traversons, celles que j'ai déjà vues, sont vides et déprimantes, comme si personne n'avait jamais vécu ici. On a le sentiment que Fielding s'est contenté de s'abriter là, tandis qu'il s'acharnait comme un fou sur ses travaux de rénovation et travaillait en secret dans sa cave. J'ignore ce qui le motivait. L'argent, peut-être. Il avait toujours désiré avoir de l'argent, et ce n'était pas avec notre métier qu'il allait devenir riche. Sur ce sujet-là aussi, probablement éprouvait-il de la rancœur vis-à-vis de moi. Je me débrouille mieux que la plupart des gens. Je planifie bien et Benton dispose de son héritage. Quant à Lucy, les technologies informatiques qu'elle a commencé à vendre alors qu'elle était à peine plus âgée que les neuroterroristes auxquels fait allusion Briggs l'ont incroyablement enrichie. Dieu merci, les inventions de Lucy sont légales, pour autant que je sache.

Elle est installée à l'intérieur du fourgon du Centre en compagnie de Marino et Benton. Combinaisons jaunes et casques ont été abandonnés, et tout le monde a l'air fatigué. Anne est repartie dans le van pour une nouvelle livraison aux labos, tandis que des cartons blancs emplis d'enveloppes à indices l'attendent encore ici.

Devant les autres, Briggs m'informe :

— Un paquet vous attend dans votre voiture. Le dernier gilet pare-balles de niveau IV, spécialement conçu pour les femmes sur le terrain, qui serait parfait si vous preniez la peine d'y glisser les plaques balistiques, mesdames.

— Si le gilet n'est pas confortable…, dis-je.

— Je crois qu'il l'est. Toutefois je ne suis pas tout à fait bâti comme vous. Cela dit, s'il ne ferme pas complètement sur les côtés, ce sera un problème. Les projectiles se débrouillent pour trouver cette unique ouverture, on ne l'a que trop souvent vu.

— Je l'essayerai pour toi, propose Lucy.

— Super, remarque Marino. Tu le mets et je te tire dessus pour voir si c'est efficace.

— Il y a aussi les impacts, ce que la plupart des gens semblent oublier, dis-je à Briggs. La munition ne pénètre pas le gilet pare-balles, mais si la contusion dépasse les quarante-quatre millimètres, impossible de survivre au choc.

Lucy bavarde avec Marino :

— Il y a longtemps que je ne suis pas allée au champ de tir. On peut peut-être se servir de celui de Watertown ? Vous êtes allé au nouveau ?

— Je joue au bowling avec leur patron de stand.

— Ah oui, votre équipe de crétins ! Comment s'appelle-t-elle déjà ? « Raclures de trottoir » ?

— « Pas de quartier ». Vous devriez venir jouer au bowling avec nous de temps en temps, dit Marino en s'adressant à Briggs.

— Colonel, je vous en conjure, accepteriez-vous que le laboratoire d'empreintes génétiques de l'armée envoie une équipe de scientifiques en renfort au Centre ? me demande Briggs. Avec l'avalanche d'indices qui ne cesse de dégringoler…

— Toute aide est la bienvenue. Et je vais tout de suite essayer le gilet.

— Allez dormir d'abord, intime Briggs comme s'il s'agissait d'un ordre. Vous avez une tête de déterrée.

Chapitre 22

L'hôpital vétérinaire du Massachusetts dispose d'un service d'urgence ouvert vingt-quatre heures sur vingt-quatre. Bien que Sock, qui ne paraît pas souffrir outre mesure, ronfle roulé en boule à l'instar d'un chien de manchon, un chihuahua ou un caniche, je dois en apprendre le plus possible sur lui. La nuit est presque tombée. Nous sommes installés tous deux à l'arrière du SUV emprunté, le chien sur mes genoux, lancés sur l'Interstate 95 en direction du nord.

L'homme assassiné pendant qu'il promenait Sock ayant été identifié, j'ai l'intention de prodiguer la même bonté au chien de courses réformé, personne ne semblant savoir d'où il vient. Liam Saltz ignorait que son beau-fils Eli possédait un lévrier ou un quelconque animal de compagnie. Le concierge de l'immeuble proche d'Harvard Square a dit à Marino que les animaux n'y étaient pas autorisés. Au dire de tous, Eli n'avait pas de chien lorsqu'il avait loué son appartement là-bas au printemps dernier.

— On n'a pas besoin de faire ça ce soir, remarque Benton en conduisant.

Je caresse la tête soyeuse du lévrier, pleine de pitié pour lui. Je fais attention à ses oreilles abîmées. Il n'aime pas qu'on les touche, et son museau pointu porte de vieilles cicatrices. Il est calme, un peu hébété. *Si seulement tu pouvais parler !*

— Ça ne pose pas de problème au Dr Kessel. Autant le faire tant que nous ne sommes pas rentrés.

— Je ne faisais pas allusion aux problèmes du vétérinaire, rétorque Benton.

— J'avais compris.

Je caresse Sock, songeant que j'aimerais peut-être le garder. J'essaye de me souvenir du nom de la femme qui sert de nounou à Jet Ranger.

— Ne nous embarquons pas là-dedans, Kay.

— Lucy non plus n'est jamais chez elle et ça fonctionne très bien. Je crois qu'elle s'appelle Annette, ou peut-être Lanette. Je demanderai à Lucy si Annette, ou Lanette, peut passer dans la journée, peut-être tôt tous les matins. Pour prendre Sock et l'emmener chez Lucy, que Jet Ranger et lui se tiennent compagnie. Et Annette, ou Lanette, pourrait ramener Sock à Cambridge le soir. Ce ne serait pas trop difficile.

— Le moment venu, nous trouverons une bonne maison à Sock, répond Benton en prenant la sortie de Woburn.

Les phares de la voiture illuminent le panneau vert iridescent tandis que Benton ralentit sur la bretelle d'autoroute. Je souffle au chien :

— Tu vas avoir une belle maison… L'agent secret Wesley vient de le dire. Tu l'as entendu.

La voix de Benton s'élève du siège du conducteur plongé dans l'obscurité :

— L'idée d'avoir un chien a toujours été mauvaise dans ton cas, pour une raison très simple : ton QI chute d'à peu près cinquante points.

— Il deviendrait négatif alors. Moins dix, au moins.

— Je t'en prie, ne commence pas à bêtifier ou à parler ce charabia que tu utilises avec les animaux.

— Où pourrions-nous lui acheter à manger ?

— Je peux te déposer et faire un saut dans une épicerie ou un supermarché, propose mon mari.

— Pas de boîtes. Il faut d'abord que je me renseigne sur les marques. Un petit sachet de nourriture pour seniors, parce que Sock n'est pas un perdreau de l'année. Non, je sais, je vais lui préparer des blancs de poulet, du riz, du cabillaud et un peu de quinoa, une céréale bien saine. En définitive, je crois qu'il te faut une véritable épicerie. Il me semble qu'il y a un Whole Foods quelque part dans le coin.

Une fois dans la clinique vétérinaire, on me guide le long d'un couloir lumineux, de part et d'autre duquel s'ouvrent des salles d'examen. L'assistant qui nous accompagne est très gentil avec Sock, plutôt apathique. Il trottine avec légèreté, remontant lentement le couloir, comme s'il n'avait jamais participé à une course de sa vie et qu'il en fût parfaitement incapable.

— Je pense qu'il a peur, dis-je au technicien.

— Oh, ils sont paresseux.

— Qui croirait ça d'un chien capable de courir plus de soixante kilomètres à l'heure ?

— Quand ils y sont obligés, mais sinon ils préfèrent de loin dormir sur un canapé.

— Écoutez, je ne veux pas le traîner. Et il a la queue entre les jambes.

— Pauvre bébé, fait le technicien qui s'arrête toutes les trente secondes pour le caresser.

Je soupçonne le Dr Kessel d'avoir prévenu le personnel des tristes circonstances qui entourent l'arrivée du chien. Tout le monde s'est montré plein de considération, de compassion et d'attentions, comme si

Sock était célèbre. J'espère sincèrement que tel ne sera pas le cas. Si son existence devenait publique, qu'il se retrouve l'objet de discussions sur Internet ou de plaisanteries de mauvais goût, lesquelles semblent se répandre autour de moi, je le déplorerais. Du genre : est-ce que j'emmène Sock à la morgue ? Est-ce qu'il a reçu un entraînement de chien de cadavre ? Que fait-il quand je rentre à la maison en sentant la mort ?

Il n'a pas de fièvre, ses dents et ses gencives sont saines, son pouls et sa respiration normaux, et il ne présente aucun signe de déshydratation ni de souffle cardiaque. Mais je refuse que le Dr Kessel pratique une prise de sang ou un prélèvement d'urine. Le chien n'a pas besoin de traumatismes supplémentaires, nous réserverons cela pour une visite complète une prochaine fois.

— Qu'il fasse un peu plus connaissance avec moi avant de m'associer à la douleur, dis-je au Dr Kessler, un homme mince en tenue médicale, l'air bien trop jeune pour avoir achevé l'école vétérinaire.

À l'aide d'un petit scanner qu'il baptise « baguette magique », il cherche une puce électronique qui aurait pu être implantée sous la peau du dos anguleux de Sock, assis sur la table d'examen tandis que je le caresse.

— Eh bien, il en a une, une jolie puce RFID là où elle devrait se trouver, sur l'épaule, annonce-t-il en découvrant ce qui apparaît sur l'écran du scanner. Nous avons donc un numéro d'identification. Je vais passer un coup de fil au Fichier national des animaux de compagnie et nous allons trouver à qui appartient ce garçon.

Le Dr Kessel téléphone et prend des notes. Il me tend bientôt un bout de papier avec un numéro de téléphone et le nom : *Lost Sock*, « Chaussette perdue ».

— En voilà un nom pour un chien de course, hein, mon vieux ? plaisante le vétérinaire. Tu as peut-être été à la hauteur, c'est pour ça qu'on t'a mis à la retraite. L'indicatif est 770. Ça vous dit quelque chose ?

— Non.

Il entre l'indicatif dans un ordinateur installé sur un comptoir et m'annonce :

— Douglasville, Géorgie. Probablement un cabinet de vétérinaires. Vous voulez que j'appelle pour voir s'ils sont ouverts ? Tu es bien loin de chez toi, lance-t-il alors à Lost Sock, dont il est exclu que je le nomme ainsi.

— Tu ne seras plus jamais perdu, je lui assure tandis que nous retournons vers la voiture.

Je préfère téléphoner en privé.

La femme qui me répond y va d'un simple « bonjour », comme s'il s'agissait d'un numéro personnel. Je lui explique que j'appelle à propos d'un chien dont la puce d'identification correspond à ce numéro.

— Alors il s'agit d'un de nos réformés, m'informe-t-elle avec l'accent un peu traînant du Sud. Probablement de Birmingham. On a plein de réformés des courses là-bas. Comment s'appelle-t-il ?

Je le lui dis.

— Noir et blanc, cinq ans.

Je confirme.

— Il va bien ? Il n'est pas blessé ? Il n'a pas été maltraité ? s'inquiète la femme.

— Il est roulé en boule sur mes genoux.

— C'est un amour, mais ils le sont tous ! Ce qu'il y a de bien avec lui, c'est qu'il supporte les chats, les petits chiens et les enfants, pourvu qu'ils ne se suspendent pas à ses oreilles. Si vous patientez une seconde, je vais consulter l'ordinateur, pour voir où il devrait se trouver et avec qui. Je me souviens qu'une étudiante l'a pris, mais j'ai oublié son nom. Quelque part dans le Nord. Il était perdu, errant ? Et d'où appelez-vous ? Il a été dressé et éduqué, il a réussi le programme haut la main, vous avez là un très gentil chien et je suis sûre que sa propriétaire doit être aux quatre cents coups.

Je répète, tandis que je pense à cette étudiante propriétaire de Sock :

— Dressé et éduqué ? De quel programme parlez-vous ? Votre association est impliquée dans une sorte de programme particulier qui place des lévriers dans des maisons de retraite ou des hôpitaux ? Ce genre-là ?

— Dans les prisons. Il a été réformé de la course en juillet dernier et a suivi un programme de neuf semaines. Les détenus sont chargés du dressage. Dans son cas, il était à Chatham, la prison pour femmes, en Géorgie.

Benton m'a raconté que la thérapeute condamnée pour avoir molesté le jeune Jack Fielding, garçon difficile placé dans un établissement près d'Atlanta, était incarcérée dans une prison en Géorgie.

— Ils entraînaient déjà des chiens à la détection de bombes et nous avons pensé qu'ils auraient peut-être envie de faire quelque chose d'un peu plus chaleureux, explique la femme tandis que je la mets sur haut-parleur et monte le son. S'occuper d'un de ces petits amours, par exemple. Le détenu apprend la patience et le sens des responsabilités, à être l'objet d'un amour inconditionnel, et de son côté le lévrier apprend les ordres de base. Lost Sock a donc été dressé par une détenue de Chatham, qui a dit qu'elle voulait le garder quand elle sortirait. J'ai bien peur que ce ne soit pas avant un bon moment. Il a ensuite été adopté par quelqu'un qu'elle a recommandé, la jeune femme dans le Massachusetts. Vous avez de quoi écrire ?

Elle me donne le nom de Dawn Kincaid, ainsi que plusieurs numéros de téléphone. L'adresse est celle où nous nous trouvions à Salem, celle de la maison de Jack Fielding. Je doute sérieusement qu'elle ait vécu là, mais peut-être s'y est-elle rendue fréquemment. Je doute également qu'elle ait vécu en permanence avec Eli Goldman. Peut-être baby-sittait-il son chien. De toute évidence, il la connaissait, ils travaillaient tous les deux chez Otwahl, et je me souviens que Briggs a cité la synthèse chimique et la nano-ingénierie comme étant les spécialités de Dawn Kincaid. Dissimuler un système d'enregistrement audiovisuel dans un casque relevait du jeu d'enfant pour une spécialiste de son niveau. Il est probable qu'elle ait eu facilement accès au casque et à la radio satellite portable d'Eli. Elle travaillait avec lui. Son chien se trouvait dans l'appartement du jeune homme, ce qui sous-entend qu'elle devait venir régulièrement. Elle a pu y séjourner. Elle pourrait disposer d'une clé.

Quand je l'appelle, Bryce se trouve toujours au Centre de sciences légales. Je lui demande de sortir du dossier la photocopie que j'ai faite de la lettre d'Erica Donahue avant de l'envoyer aux labos et de me lire les numéros de téléphone. Je les note et l'interroge sur ce qui se passe au labo d'analyse d'ADN.

— Ils travaillent sans interruption. J'espère que vous ne revenez pas ici ce soir. Allez vous reposer.

— Le colonel Pruitt est-il là, ou en route pour Dover ?

— Je l'ai vu il y a un petit moment. Il est avec le général Briggs, et certains de leurs gens débarquent de Dover. Enfin, je suppose que ce sont aussi les vôtres…

— Mettez la main sur le colonel Pruitt et demandez-lui si les profils prélevés sur la machine à écrire seront bien comparés dans le fichier CODIS, au plus vite, ainsi que je l'ai exigé. C'est peut-être déjà fait ? En tout cas, il sait de quoi je parle. Mais le plus important, c'est que je veux une recherche familiale. Il faut comparer tous les profils ADN à l'empreinte de Jack Fielding. La recherche dans CODIS devra inclure une comparaison avec l'empreinte d'une détenue de Chatham, une prison pour femmes en Géorgie. Une certaine Kathleen Lawler, dis-je en le lui épelant. Une récidiviste…

— Où ça ?

— Chatham, la prison pour femmes près de Savannah, en Géorgie. Son profil ADN devrait se trouver dans la base CODIS…

— Quel rapport avec ?…

— Jack et elle ont eu une fille. Je veux une recherche familiale pour voir si nous avons une correspondance avec les éléments récupérés…

— Il a quoi ? Il a quoi avec qui ?

— Et les empreintes latentes sur la pellicule plastique…

— D'accord. Là, vous me mettez la tête à l'envers…

— Bryce, remettez-la d'aplomb et calmez-vous. Vous feriez bien de noter tout ça.

— C'est ce que je fais, patronne !

— Je veux que les empreintes sur la pellicule soient comparées à celles de Fielding et aux miennes, et je veux qu'on détermine les empreintes ADN là-dessus aussi, le plus vite possible. Pour savoir qui d'autre y a touché. Sans doute la personne qui a fabriqué ou modifié le patch. Et je parie qu'Otwahl dispose d'un fichier recensant les empreintes digitales de tout son personnel. Logique pour une entreprise aussi obsédée par la sécurité. Il est très important que nous sachions exactement qui a fourni ces patchs modifiés. Le colonel Pruitt et le général Briggs comprendront tout cela.

Je téléphone ensuite à Erica Donahue, tandis que Benton traverse Cambridge, suivant les mêmes rues qu'Eli la dernière fois qu'il a marché ici avec Sock le dimanche, en chemin pour rencontrer son beau-père, pour dénoncer les agissements d'Otwahl Technologies à un homme disposant d'une influence certaine.

La voix de Mme Donahue se déverse par l'intermédiaire du haut-parleur. Elle m'apprend que Dawn Kincaid est venue à Beacon Hill, chez eux, à de multiples reprises et qu'elle y est toujours la bienvenue. Les Donahue l'adorent.

— La bienvenue, cela signifie à quelle fréquence ?

— Pour dîner ou bien juste en passant, surtout les week-ends. Vous savez, elle s'est construite à la force du poignet, elle a dû travailler dur. Elle a traversé tant de malheurs. Elle a perdu sa mère dans un accident de voiture, puis son père est mort tragiquement, j'ai oublié de quoi. Une jeune femme tellement adorable, qui a toujours été si gentille avec Johnny. Ils se sont rencontrés chez Otwahl quand il a commencé à travailler là-bas, au printemps dernier, bien qu'elle soit plus âgée. Elle prépare un doctorat au MIT, après avoir étudié à Berkeley, je crois. Elle est incroyablement intelligente et si séduisante. Comment la connaissez-vous ?

— Nous ne nous sommes jamais rencontrées.

— C'est vraiment la seule amie de Johnny. En tout cas la plus proche qu'il ait jamais eue. Il ne s'agit pas d'un lien sentimental. Je l'avais espéré, mais je doute que cela se produise un jour. Je crois qu'elle sort avec quelqu'un d'autre chez Otwahl, un scientifique avec qui elle travaille là-bas.

— Vous connaissez son nom ?

— Désolée, je ne m'en souviens pas, si même je l'ai jamais su. Il me semble qu'il vient également de Berkeley et qu'il a atterri là à cause du MIT et d'Otwahl. Un Sud-Africain. J'ai entendu Johnny faire allusion de façon assez grossière au petit « génie boutonneux afrikaner » avec qui sortait Dawn, et d'autres qualificatifs que je ne répéterai pas. Avant, Dawn fréquentait un « crétin de sportif », d'après mon fils, qui est un peu jaloux…

— Un crétin de sportif ?

— Une chose affreuse à dire d'un pauvre garçon mort si tragiquement. Mais Johnny manque de tact, entre autres choses qui le distinguent des autres.

— Vous connaissez le nom de cet homme ?

— Ça m'est sorti de l'esprit, mais il s'agissait du footballeur retrouvé dans le port.

— Johnny a-t-il évoqué cette affaire avec vous ?

— Vous ne sous-entendez pas que mon fils a quelque chose à voir avec…

Je la rassure en lui affirmant que je n'ai jamais impliqué quoi que ce soit de ce genre et conclus la conversation alors que les pneus du SUV arrachent des crissements à la neige gelée qui recouvre l'allée de notre maison à Cambridge. Au bout de celle-ci, sous les branches nues d'un énorme chêne, se trouvent les anciennes écuries transformées en garage. Les phares illuminent leurs doubles portes en bois.

— Tu as entendu, Benton ?

— Cela ne prouve pas l'innocence de Jack, qu'il n'a pas tué Wally Jamison, Mark Bishop ou Eli Goldman, rétorque-t-il. Soyons prudents.

— Bien entendu ! Nous le sommes toujours. Tu ne savais rien de tout ça ?

— Je ne peux pas te faire part des confidences d'un patient. Disons les choses autrement : ce que Mme Donahue vient de raconter est intéressant, et je n'ai jamais prétendu que j'étais convaincu de la culpabilité de Fielding. En revanche, nous n'avons pas de certitudes sur certains aspects, ce qui explique que la prudence soit de mise. Je te promets que nous les obtiendrons. Tout le monde cherche Dawn Kincaid et je vais transmettre ces dernières informations.

Il me fait comprendre que nous ne pouvons ou ne devrions rien faire, et il a raison. Inutile de nous lancer tous deux aux trousses de Dawn Kincaid, qui se trouve sans doute maintenant à un millier de kilomètres.

Le SUV arrêté, Benton pointe la télécommande. Une porte du garage remonte en s'enroulant et une lumière s'allume à l'intérieur, illuminant son cabriolet noir Porsche et trois emplacements vides.

Il gare le SUV à côté de la voiture de sport. Je glisse la laisse autour du long cou mince de Sock, puis l'aide à descendre de mes genoux et de la voiture. Un froid polaire s'engouffre dans le garage par l'ouverture de la fenêtre manquante du fond. Escortée par Sock, je traverse le sol revêtu de caoutchouc et regarde à travers l'ouverture béante la cour recouverte d'une épaisse couche blanche. En dépit de la dense obscurité, je distingue la neige piétinée, de nombreuses empreintes de pas. Les enfants du quartier ont encore utilisé notre maison comme raccourci. Mais cela va cesser. Maintenant que nous avons un chien, je vais faire monter un mur ou une clôture autour de la cour.

Je deviendrai la méchante voisine grincheuse qui interdit qu'on pénètre chez elle.

Le froid est vif, la nuit blanche et silencieuse. Nous sortons du garage pour remonter l'allée glissante et je remarque :

— Savoureux ! Tu décides d'installer un système d'alarme dans le garage, mais il ne fonctionne pas et n'importe qui peut s'y introduire. Quand aurons-nous une nouvelle fenêtre ?

Nous nous dirigeons vers la porte de derrière à pas prudents sur la neige gelée. À l'évidence, Sock n'apprécie guère ce terrain et lève les pattes en frissonnant comme s'il progressait sur des charbons ardents. Les arbres se balancent au gré du vent sous un ciel constellé d'étoiles. Une lune petite et blafarde brille très haut au-dessus des toits de Cambridge.

— Galère, admet Benton en changeant le sac de courses de main pour trouver la clé de la porte d'entrée. Demain, je les fais venir à la première heure. Simplement, je n'étais pas là et quelqu'un doit rester à la maison.

— Ce ne serait pas bien difficile de faire poser une clôture pour Sock derrière. Pour le laisser sortir sans craindre qu'il ne fugue.

— Tu m'as dit qu'il n'aimait pas courir.

Benton déverrouille la porte de la véranda.

Au-delà, j'aperçois les silhouettes sombres des arbres de Norton's Woods. Plongé dans l'obscurité, le bâtiment de bois au toit de métal à trois niveaux dresse sa masse noire dans la nuit. Mon regard effleure le siège de l'Académie des arts et des sciences, je pense à Liam Saltz, à son beau-fils assassiné, et la tristesse m'envahit. Je me demande si la Flybot mutilée repose toujours là-bas, quelque part, enterrée et gelée, dépourvue de vie, pour employer l'image de Lucy, car hors de portée de la lumière solaire. J'ai le pressentiment que quelqu'un l'a retrouvée. Le FBI peut-être. Ou bien des gens de l'Agence de recherches avancées de la Défense, du Pentagone. Ou encore Dawn Kincaid.

— Je crois qu'il a besoin de bottes, dis-je. Ils font des petites bottines pour chiens. Ça évite qu'ils s'entaillent les pattes sur la glace et la neige.

— Tu sais, dans ce froid il n'ira pas très loin, rétorque Benton.

Il ouvre la porte et l'alarme se met à biper.

— Fais-moi confiance, ajoute-t-il. Tu auras du mal à ce qu'il sorte par ce temps. J'espère qu'il est éduqué à faire ses besoins dehors.

— Il faut aussi lui trouver un ou deux manteaux. Je suis étonnée qu'Eli ou Dawn, ou qui que ce soit, n'en ait pas acheté. Par ici, les lévriers en ont besoin. Ce n'est pas vraiment l'endroit idéal pour ce genre de chiens, mais c'est comme ça, mon pauvre Sock. Tu vas être traité comme un coq en pâte, bien au chaud et bien nourri.

Benton entre le code sur le clavier, puis réarme le système dès qu'il a fermé la porte derrière nous. Sock s'appuie contre mes jambes.

Je propose :

— Tu allumes un feu et je prépare à boire. Ensuite, je ferai du poulet et du riz ou bien du cabillaud et du quinoa, mais pas tout de suite. Il a dévoré du poulet et du riz toute la journée, je ne tiens pas à ce qu'il soit malade. Qu'est-ce que tu veux manger ? Je devrais plutôt demander ce qu'il y a dans la maison, d'ailleurs…

— Il reste de ta pizza dans le congélateur.

J'allume. Les vitraux français de la cage d'escalier sont invisibles pour nous, mais doivent être magnifiques vus du dehors, éclairés de l'intérieur. Lorsque je sortirai Sock le soir, les scènes de nature seront illuminées. Un vrai plaisir. Je m'imagine jouer avec lui au printemps et en été, lorsqu'il fera chaud, les vitraux éclatants dans la nuit, et la vie sera civilisée et paisible. Vivre à la limite d'Harvard, rentrer du bureau pour retrouver mon bon vieux chien. Et je planterai une roseraie derrière. Cette perspective me ravit.

— Pour l'instant, rien à manger pour moi, décrète Benton en ôtant son manteau. Chaque chose en son temps. Un bon verre, quelque chose de bien raide, s'il te plaît.

Il pénètre dans le salon. Les griffes de Sock crissent sur le parquet, puis les tapis étouffent le son alors que nous traversons pièce après pièce pour rejoindre la cuisine. Il se presse contre mes jambes tandis que j'ouvre les placards en merisier au-dessus des appareils ménagers en inox. Quoi que je fasse, le lévrier vient se coller contre moi, contre mes mollets. Je sors les verres, des glaçons, puis une bouteille de notre meilleur whisky, un Glenmorangie *single malt* de vingt-cinq ans d'âge, cadeau de Noël de Jaime Berger. Je nous verse à boire le cœur serré, en pensant à la rupture de Lucy et Jaime, aux gens disparus, à ce que Fielding a fait de sa vie, à sa mort. Il n'a jamais cessé de se détruire, et quelqu'un a achevé la tâche à sa place, lui a fourré le canon d'un Glock dans l'oreille et a pressé la détente. Sans doute alors qu'il se tenait près du congélateur cryogénique, où il entreposait du sperme de contrebande avant de l'expédier aux femmes, aux mères et aux amantes d'hommes morts trop jeunes.

À quelle personne Fielding aurait-il fait confiance au point de lui donner accès à sa cave, de lui faire partager son entreprise illégale, de lui laisser la jouissance de sa maison et probablement de tout ce qu'il possédait ? Je me souviens des paroles de son ancien patron, le médecin expert de Chicago. Il était content, avait-il dit, que Jack déménage dans le Massachusetts pour se rapprocher de sa famille. Simplement, il ne faisait pas allusion à Lucy, Marino ou moi, à aucun de nous, même pas à sa femme et leurs deux enfants. Le médecin expert parlait de quelqu'un dont j'ignorais jusqu'à maintenant l'existence, j'en suis certaine, et si je ne m'étais pas montrée aussi égoïste et égotiste, l'idée m'en serait venue plus tôt.

Me persuader de l'importance que j'avais dans la vie de Fielding, voilà qui me ressemble bien, alors que Fielding ne pensait pas du tout à moi quand il avait mentionné sa famille à son ancien patron. Il parlait probablement de l'enfant qu'il avait eu avec son premier amour, sans doute la première femme avec laquelle il avait eu des relations sexuelles, la thérapeute de l'établissement près d'Atlanta qui avait porté sa fille, puis avait abandonné celle-ci, tout comme tout le monde avait abandonné Fielding. Une fille avec un lourd bagage héréditaire, comme dit Benton, qui la ferait atterrir en prison, à moins d'être morte avant. L'année dernière, elle était venue ici de Berkeley, et Fielding était de retour de Chicago.

Je pénètre dans le confortable salon aux poutres apparentes et aux bibliothèques encastrées, plongé dans la pénombre. La lumière est éteinte, un feu crépite et rougeoie dans la cheminée de brique. Des étincelles jaillissent lorsque Benton déplace une bûche avec le tisonnier. J'annonce :

— 1978. Elle aurait environ l'âge de Lucy, à peu près trente et un ans.

Je lui tends une généreuse rasade de whisky avec peu de glaçons. L'alcool prend des reflets cuivrés sous la lueur du feu de bois. Je reprends :

— Tu crois que c'est elle ? Que Dawn Kincaid est sa fille biologique ? Moi, j'en suis convaincue. Et j'espère que tu n'étais pas déjà au courant.

— Je te jure que non. Si c'est bien cela.

— Tu n'étais pas du tout focalisé sur Dawn Kincaid ou sur un enfant que Fielding avait eu avec cette femme en prison.

— Absolument pas. Kay, souviens-toi à quel point tout ça est récent.

Nous nous installons l'un à côté de l'autre sur le canapé, et Sock vient se lover sur mes genoux. Benton poursuit :

— Jusqu'à la semaine dernière, pas de traces de Fielding sur nos radars, en tout cas pour rien de criminel ou de violent. Mais j'aurais dû effectuer des recherches sur le bébé adopté, reconnaît Benton d'un ton qui montre qu'il s'en veut un peu. J'aurais fini par le faire, mais cela ne paraissait pas suffisamment important sur le moment.

— Et ce ne l'était pas, comparé à tout le reste. Je ne te reproche rien.

— D'après les dossiers auxquels j'avais eu accès, le bébé, une fille, avait été confié à l'adoption lorsque la mère était en prison la première fois. Une agence d'adoption à Atlanta. À l'instar de certains enfants adoptés, elle s'est peut-être mis en tête de découvrir l'identité de ses parents biologiques.

— Et avec son intelligence, cela n'a sans doute pas été très difficile.

— Bon sang, soupire Benton en ingurgitant une gorgée de whisky, c'est toujours la métaphore du grain de sable dont on pense qu'il est dénué d'importance, qu'il peut attendre…

— Je sais. Cela marche presque toujours comme ça. Le détail dont on ne veut pas s'embarrasser.

Assis sur le canapé, nous contemplons le feu, Sock roulé en boule sur mes genoux. Il s'est attaché à moi, ne me quitte pas des yeux et éprouve la nécessité d'être en contact avec moi, comme s'il redoutait que je disparaisse, le laissant à nouveau abandonné dans une maison délabrée où des choses horribles se produisent.

Benton poursuit d'un ton plat :

— À mon avis, l'ADN nous donnera cette information sur Dawn Kincaid. Je regrette que nous ne l'ayons pas soupçonnée plus tôt, mais nous n'avions aucune raison de chercher dans cette direction.

— Inutile de revenir sur ce point. Pourquoi y aurais-tu pensé ? En quoi un bébé, que Fielding avait conçu adolescent, possédait-il un lien avec toute cette affaire ?

— De toute évidence, si.

Je plaisante :

— Avec tout le recul nécessaire, prévoir est chose aisée.

— Je savais qu'il écrivait à Kathleen Lawler, qu'il correspondait avec elle par *e-mails*. Mais il n'y a rien de criminel à cela, rien qui puisse inspirer le soupçon. Aucune mention de quelqu'un du nom de Dawn, juste d'un *intérêt* qu'ils avaient en commun. Je me souviens de ces mots, leur « intérêt commun ». Bon sang, je croyais qu'ils parlaient de crime, peut-être leur ancien crime, et comment celui-ci les avait à jamais transformés tous les deux, explique Benton, l'air contrit, tentant de démêler la situation au fil de son discours. Je dois maintenant me demander si cet intérêt commun n'était pas leur enfant, Dawn Kincaid, pourquoi pas ? Quel malheur que Jack n'ait jamais réussi à surmonter cette partie de sa vie, qu'il soit demeuré lié à Kathleen Lawler, et réciproquement, sans doute ! Et puis une fille dotée de l'intelligence de Fielding, ses bons et ses mauvais côtés. Et les bons et très mauvais côtés de la mère. Dieu sait tous les endroits où la gamine a été ballottée, sans jamais vivre avec son père, dont je pense qu'elle ne l'a pas connu avant l'âge adulte. Évidemment, tout cela n'est que suppositions.

— Pas complètement. C'est comme une autopsie. La plupart du temps, elle me confirme ce que je sais déjà.

— J'ai bien peur que nous ne nous trompions pas et que nous ayons vraiment affaire à une histoire horrible. Quand on parle de mauvaise graine et des péchés du père…

— En l'occurrence, il s'agirait plutôt des péchés de la mère.

— Je dois passer des coups de téléphone, annonce Benton en demeurant assis à boire son verre, le regard fixé sur le feu.

Il est en colère contre lui-même. Il ne supporte pas d'avoir raté ce fameux grain de sable, comme il le nomme. Le voilà convaincu que la recherche d'un bébé né il y a plus de trente ans en prison aurait dû devenir son absolue priorité. Totalement déraisonnable ! Comment aurait-il pu penser qu'un tel détail avait tant d'importance ?

— Jack n'a jamais mentionné Dawn Kincaid devant moi, ni une enfant confiée à l'adoption. Absolument jamais. Je n'en avais pas la moindre idée, dis-je.

Le whisky m'a réchauffée. Je caresse Sock, les bosses sur ses côtes, le cœur étreint d'une tristesse qui refuse de me libérer. Je poursuis :

— Je doute vraiment qu'elle ait vécu avec lui jusqu'à une période récente. Je ne vois pas comment le contraire serait possible. En tout cas, sûrement pas à Richmond. Et il est peu plausible que ses femmes aient accepté de voir entrer dans leurs vies une fille née de cette première liaison criminelle, si tant est qu'elles aient été au courant. Il ne leur a sans doute jamais rien raconté, sinon pour faire allusion à sa difficulté de travailler sur des décès d'enfants. Et je ne suis même pas certaine qu'il leur ait fait part de cette aversion.

— Toi, il te l'a dit.

— Je n'étais pas une femme de sa vie, mais sa patronne.

— Pas seulement.

— Benton, je t'en prie, nous n'allons pas recommencer. Cela devient ridicule. Je sais que tu es de mauvaise humeur et nous sommes tous deux fatigués.

— C'est juste l'idée que tu ne te sois pas montrée honnête avec moi. Je me fiche de ce que tu as pu faire à cette époque-là. Je n'ai pas le droit d'éprouver quoi que ce soit concernant une relation que tu as eue avant que nous soyons ensemble.

— Tu ne t'en fiches pas et tu en as parfaitement le droit. Mais combien de fois devrai-je te le répéter ?

— Je me souviens de la première fois que nous nous sommes fréquentés.

— Mon Dieu, comme c'est daté ! Je parle du mot, bien sûr… On dirait deux personnes un dimanche soir à la télé dans les années 1950, dis-je en lui prenant la main.

— 1988, ce restaurant italien dans le quartier du Fan. Tu te souviens de Joe's ?

Je souris :

— Chaque fois que je sortais avec des flics, nous atterrissions là. Rien de mieux qu'une grande assiette de spaghettis après une scène de crime.

— Tu étais médecin expert depuis peu de temps.

Benton s'adresse aux flammes dans la cheminée et me caresse doucement les doigts. Nos deux mains reposent sur Sock. Il poursuit :

— Je t'ai posé la question à propos de Jack parce que tu te montrais si vigilante à son égard, concernée et concentrée, que ça m'a paru inhabituel. Et plus je te sondais sur le sujet, plus tu te montrais évasive. Je ne l'ai jamais oublié.

— Cela n'avait rien à voir avec Jack, mais avec ce que je ressentais vis-à-vis de moi-même.

— À cause de Briggs. Un homme en dessous de qui il ne fait pas bon se trouver. Pardon, cela peut prêter à confusion, ce n'est pas ce que je voulais dire. Encore que tu ne serais pas nécessairement sous lui, ou qui que ce soit d'autre, mais plutôt au-dessus.

— Pas de sarcasmes, s'il te plaît.

— Je me moque de toi, et nous sommes tous les deux trop fatigués et à cran pour ça. Je m'excuse.

— De toute façon, c'est de ma faute. Inutile de rejeter la responsabilité sur lui ou un autre. Mais, à cette époque, pour moi le général était un dieu. J'étais, au fond, protégée. Je n'avais rien fait d'autre qu'aller en cours, étudier, passer d'un stage médical à un autre.

Seigneur, toutes ces années d'internat, une sorte de long rêve consacré au travail, sans beaucoup dormir, mais en obéissant aux détenteurs de l'autorité. Au tout début, je remettais rarement celle-ci en question. J'avais le sentiment que je ne méritais pas de devenir médecin. J'aurais dû m'occuper de la petite épicerie de mon père, être une bonne mère, une épouse parfaite, mener une vie simple, comme les autres membres de ma famille.

— Je comprends très bien. John Briggs était la personne la plus puissante à laquelle tu avais eu affaire, me rassure Benton.

Je sens qu'il connaît peut-être Briggs mieux que je l'ai imaginé. Je me demande jusqu'où ont été leurs conversations ces six derniers mois, et pas seulement au sujet de Fielding. Je m'interroge sur ce que Benton sait de Briggs, et surtout de moi. Je poursuis :

— Je t'en prie, ne te sens pas menacé par Briggs. Notre passé commun n'a plus d'importance. Et, de toute façon, le problème se résume à ma perception de la situation d'alors. À cette époque-là, j'avais besoin qu'il soit un homme de pouvoir.

— Parce que ton père était tout l'opposé. Toutes ces années où il a été malade, où tu as pris soin de lui, de tout le monde. Tu voulais que pour une fois quelqu'un s'occupe de toi.

— Et quand on obtient ce qu'on veut, devine ce qui se passe… John s'est très mal occupé de moi. Enfin, il serait plus exact de dire que *je* me suis très mal occupée de moi. J'ai su ou, encore mieux, on m'a persuadée d'aller contre ma conscience et me laisser embarquer dans quelque chose qui n'était pas juste.

— La politique, dit Benton comme s'il était au courant.

— Que sais-tu de ce qui s'est passé à cette époque-là ?

Je détaille les ombres qui dansent sur son beau visage intense dans la lueur du feu.

— Je crois qu'on sert deux ans en échange de chaque année d'études juridiques ou médicales payée par l'armée. Donc, à moins que je ne sois vraiment nul en maths, tu devais au gouvernement américain huit ans de service dans l'armée de l'air, et plus spécifiquement à l'Institut d'anatomopathologie et au bureau du médecin expert de l'armée.

— Six. J'ai bouclé Johns Hopkins en trois ans.

— Exact. Mais tu as servi combien de temps ? Un an ? Et à chaque fois que je t'ai posé la question, tu m'as servi la même rengaine, à savoir que l'Institut d'anatomopathologie voulait créer un programme de bourses en Virginie, et qu'ils avaient décidé de t'installer là-bas en tant que médecin expert.

J'explique :

— Nous avons bien lancé ce programme. À cette époque, il n'existait pas beaucoup de services disponibles quand on faisait partie de l'Institut et qu'on souhaitait se spécialiser en médecine légale. Nous avons donc ajouté Richmond. Et maintenant, bien entendu, nous, le Centre de sciences légales. C'est ce que nous visons et je dois mettre ça en place au plus vite.

— La politique, répète Benton en sirotant son whisky. Tu t'es toujours sentie coupable de quelque chose. Pendant très longtemps, j'ai pensé qu'il s'agissait de Jack. Parce que tu avais eu une liaison avec lui, que tu avais répété son traumatisme originel : une femme de pouvoir responsable de lui, qui entretient des relations sexuelles avec lui, le réduit à nouveau à l'état de victime. Voilà qui aurait été impardonnable à tes yeux, non ?

— Sauf que rien de tout cela n'est vrai.

— Tu me l'assures ?

— Je te l'assure.

— En tout cas, tu as fait quelque chose.

Il n'a pas l'intention de laisser tomber.

— Oui… avant Jack.

— Kay, tu as simplement obéi aux ordres. Il faut que tu lâches prise, me presse-t-il.

Il sait. Il est évident qu'il sait.

— Je n'ai jamais dit la vérité aux familles.

Il demeure silencieux. Je reprends :

— Les deux femmes assassinées au Cap. Je ne pouvais pas appeler les proches, leur raconter ce qui s'était véritablement passé. Ces gens sont convaincus qu'il s'agissait de racisme, de membres de gangs pendant l'apartheid. Un taux de criminalité élevé, un grand nombre de Noirs tuant des Blancs, voilà qui arrangeait certains leaders politiques à ce moment-là. Ils voulaient que ça devienne la vérité. Plus il y avait d'affaires de ce genre, mieux c'était.

— Kay, ces leaders ne sont plus là aujourd'hui.

— Tu devrais passer tes coups de fil, Benton. Appeler Douglas, je ne sais qui, leur parler de Dawn Kincaid. Les informer des examens que j'ai demandés et de sa probable identité.

— L'administration Reagan est loin derrière nous, Kay.

Benton veut me pousser aux confidences, et je suis convaincue que le sujet a déjà été débattu. Briggs lui en a probablement parlé, parce qu'il sait fichtrement bien à quel point la chose me hante.

— Mes actes ne sont pas loin derrière moi.

— Kay, tu n'as absolument rien fait de répréhensible ! Tu n'avais rien à voir avec leurs assassinats. Et je n'ai pas besoin de connaître les détails pour t'affirmer ça, assure-t-il en entrelaçant ses doigts aux miens.

Nos mains jointes s'élèvent et s'abaissent au rythme de la respiration de Sock.

— J'éprouve le sentiment contraire. J'ai tout à y voir.

— Non. D'autres gens étaient responsables et on t'a obligée à garder le silence. Sais-tu le nombre de fois où je suis tenu de dissimuler ce que je sais ? Et toute ma vie s'est déroulée de cette façon. L'autre option se résume à aggraver la situation. La question est là. Parler fait-il empirer les choses, avec pour conséquence la persécution ou la mort d'autres personnes ? *Primum non nocere*. « D'abord ne pas nuire. » Je pèse tout à cette aune et suis absolument certain que tu agis de même.

Je n'ai pas besoin d'un sermon.

Sock respire paisiblement, heureux, comme s'il était chez lui et avait toujours vécu avec nous. Je demande à Benton :

— Tu crois qu'elle est coupable ? Qu'elle les a tous tués ?

— Maintenant je me pose des questions, reconnaît-il en contemplant son verre, qui a pris la couleur du miel dans la lueur du feu de cheminée.

— Elle a tué Jack pour mettre fin à ses souffrances ?

— Elle le détestait probablement, rectifie mon mari. Voilà pourquoi elle s'est rapprochée de lui une fois adulte. Elle a voulu le connaître, si cette hypothèse est la bonne.

— En tout cas, je ne crois pas que ce soit lui qui ait entravé Wally Jamison dans sa cave et qui l'ait taillé en pièces. Si Wally s'est rendu de son plein gré à la maison de Salem, c'est probablement à l'invitation de Dawn, pour la voir. Elle lui a peut-être proposé une mise en scène, une sorte de jeu sexuel macabre pour Halloween. Peut-être a-t-elle agi de la même façon avec Mark Bishop. Et lorsqu'elle les a sous contrôle, sous son charme, qu'elle les a amenés exactement là où elle le souhaitait, elle frappe. Pour quelqu'un d'aussi diabolique, c'est l'excitation ultime.

— La seconde femme de Liam Saltz, la mère d'Eli, est sud-africaine, m'annonce Benton. De même que le père biologique d'Eli, son mari de l'époque. La chevalière que portait Eli a sans doute été subtilisée par Dawn chez les Donahue, en même temps que le papier à lettres et la machine à écrire. Tant qu'elle y était, elle a peut-être utilisé le gros ruban adhésif pour collecter des fibres, des indices, de l'ADN, dans le but de faire croire que la lettre provenait véritablement d'Erica Donahue et démolir davantage l'alibi de Johnny.

— Voilà que tu réfléchis de façon aussi irrationnelle que moi, dis-je d'une voix désabusée. C'est ce qui s'est passé, ou à peu près, j'en suis convaincue.

— Le jeu…, médite Benton du ton qu'il adopte lorsqu'il hait les agissements d'un individu. Des jeux, et encore des jeux, élaborés et complexes, des émotions fortes. J'attends avec impatience de rencontrer cette foutue salope, vraiment !

— Tu as peut-être assez bu ?

— Oh non, et de très loin ! Quoi de plus idéal qu'une femme séduisante, une grosse tête, plus âgée que lui, pour manipuler Johnny Donahue ? Pour fourrer dans le crâne de ce pauvre gamin qu'il a assassiné un enfant de six ans pendant ses délires et ses absences, provoqués par les drogues avec lesquelles elle a trafiqué ses médicaments ? Un individu toxique, qui détruit les gens qu'il est censé aimer, qui leur fait payer le moindre faux pas commis contre lui… Tu y ajoutes sa prédisposition génétique et peut-être le même cocktail de drogues que celui de Fielding…

— Tous les ingrédients sont réunis pour déchaîner l'ouragan…

Benton continue du même ton, et je sais que si je le regardais dans les yeux, j'y verrais un mépris absolu.

— « Voyons jusqu'où je peux aller en me transformant en machine à tuer, et m'en tirer… » Et une fois qu'elle en a terminé, elle demeure la seule debout au milieu d'un foutu champ de cadavres. Blindée, à l'épreuve des balles.

Sa dernière phrase me rappelle le carton que j'ai laissé dans la voiture. J'acquiesce :

— Tu as peut-être raison. Tu devrais passer tes coups de téléphone.

— Sadique, manipulatrice, narcissique, *borderline*.

— Je suppose qu'il y a des gens qui réunissent tout ça.

Je pose mon verre sur la table basse et fais doucement descendre Sock sur le tapis.

— Oui, il y en a.

Je me lève du canapé en déclarant :

— J'ai oublié le carton que Briggs a déposé pour moi. Je vais en profiter pour sortir Sock. Prêt à faire tes besoins ? dis-je au chien. Ensuite, je réchaufferai la pizza. Je parie que nous n'avons pas de quoi faire une salade ? Bon sang, qu'est-ce que tu as mangé pendant mon absence ? Laisse-moi deviner. Tu fonces chercher de la cuisine chinoise chez Chang An et tu vis dessus pendant trois jours ?

— Ce serait vraiment sympa là.

— Je suppose que tu as fait ça semaine après semaine.

— Mais je préfère de loin ta pizza !

— La flatterie ne prend pas.

Je file dans la cuisine chercher la laisse de Sock, que je lui passe. Je trouve une torche dans un tiroir, une vieille Maglite que Marino m'a donnée il y a des siècles, en aluminium noir, très longue, avec de grosses piles D, qui me rappelle l'époque où la police utilisait des lampes aussi gigantesques que des matraques. Aujourd'hui tout est devenu petit, comme les minuscules SureFire que Lucy adore et celles que Benton conserve dans sa boîte à gants. Je désactive l'alarme et m'inquiète du froid pour Sock. Tandis que nous descendons dans l'obscurité les marches du perron de derrière, je me rends compte que j'ai oublié d'enfiler un manteau.

Le témoin lumineux du détecteur de mouvements du garage est éteint. Je tente en vain de me souvenir si tel était le cas il y a une heure, lorsque nous sommes rentrés. Il y a tant de choses à réparer, à changer, à faire. Par quoi commencer demain ?

Benton n'a pas fermé le garage à clé. Avec une fenêtre béante de la taille d'un grand écran de télévision, une telle précaution s'avère inutile. Il règne un froid glacial dans les écuries aménagées plongées dans l'obscurité. L'air souffle à travers le carré sombre que je distingue à peine. Je tente d'allumer la Maglite, qui ne marche pas. Les piles doivent être mortes. Quelle idiote de ne pas avoir pensé à vérifier avant de quitter la maison ! Je pointe la clé de contact en direction du

SUV : la serrure stridule, mais le plafonnier demeure éteint. Foutu véhicule du FBI, l'agent spécial à qui elle appartient a dû déconnecter l'éclairage intérieur. À tâtons, je cherche sur la banquette arrière le fameux carton, très volumineux. Il ne va pas m'être facile de transporter le tout en tenant Sock. Impossible en fait.

— Désolée, Sock, dis-je au chien que je sens trembler contre mes jambes. Je sais qu'il fait froid ici. Accorde-moi une minute. Je suis vraiment désolée. Mais tu t'en rends compte maintenant, je suis quelqu'un de très bête.

Je me sers de la clé de contact pour fendre le ruban adhésif qui ferme le carton, puis tire un gilet pare-balles dont le toucher m'est familier, même si je n'ai jamais essayé ce modèle-là. Je reconnais le nylon résistant et la rigidité des plaques balistiques en céramique-Kevlar, que Briggs – ou quelqu'un d'autre – a déjà insérées dans les poches internes. Je tire les attaches en velcro sur les côtés pour écarter les pans du gilet et le jeter sur mon épaule. Je sens le poids du gilet pare-balles autour de mon torse lorsque je repousse la portière pour la fermer. Sock saute en arrière comme un lapin et m'arrache la laisse des mains.

— C'est la portière, Sock ! Tout va bien, viens là, Sock…

À l'instant où je le hèle, je perçois un mouvement à l'intérieur du garage, près de la fenêtre ouverte. Je me retourne pour voir de quoi il s'agit, mais il fait trop sombre.

— Sock ? C'est toi ?

Un souffle d'air glacé m'entoure, le coup qu'on m'assène dans le dos ressemble à un marteau qui s'abat entre mes omoplates, et je perds l'équilibre.

Un cri perçant, un violent sifflement, une brume chaude m'éclabousse le visage alors que je m'écroule brutalement contre le SUV et balance un coup de toutes mes forces, au jugé. La Maglite s'écrase avec la violence d'une batte de base-ball contre quelque chose de dur qui cède sous le choc et se déplace. Je balance de nouveau un coup et frappe quelque chose de différent. Je sens l'odeur métallique du sang, le goût m'envahit les lèvres et la bouche. Je continue de frapper, frapper dans le vide. Les lumières s'allument, je suis aveuglée par leur éclat et couverte d'une mince pellicule de sang, comme si on m'avait aspergée avec un pistolet à peinture. Benton est là, dans le garage, et pointe une arme sur la femme vêtue d'un long manteau noir, affalée face contre le sol en caoutchouc. Le sang s'accumule sous sa main droite. À côté gît l'extrémité d'un doigt tranché, terminé d'un ongle d'un blanc éclatant, une magnifique *french manucure*. Un peu plus loin encore, un couteau muni d'une mince lame en acier, d'un large manche noir et d'un bouton d'émission de gaz sur la garde en métal brillant.

— Kay ? Kay ? Tu vas bien ? Kay ! Tu vas bien ?

Je me rends compte que Benton hurle alors que je me suis accroupie près de la femme, que je tâte son cou pour trouver le pouls. Je m'assure qu'elle respire et la retourne pour vérifier ses pupilles. Elles ne sont pas fixes. Les coups de Maglite lui ont ensanglanté le visage et la ressemblance avec Jack Fielding me terrifie : les cheveux châtain clair tirant un peu sur le roux coupés très court, les traits bien dessinés, la lèvre inférieure pleine. Même ses petites oreilles collées contre sa tête ressemblent à celles de Jack. Je constate la puissance des muscles de son torse, de ses épaules, bien qu'elle ne soit pas très grande, entre un mètre soixante-cinq et un mètre soixante-dix. Elle est svelte, en dépit de la solide ossature héritée de son défunt père. J'enregistre tous ces détails, tandis que je crie à Benton de courir à la maison appeler les secours et me ramener un récipient de glace.

Chapitre 23

Un front plus doux s'est installé au cours de la nuit, apportant à nouveau de la neige, une neige cette fois docile, qui tombe en silence, absorbant tous les autres sons, recouvrant la laideur, adoucissant les angles durs et aigus.

Je me dresse dans le lit de notre grande chambre du premier étage de la maison de Cambridge. La neige s'est accumulée sur les branches dénudées d'un chêne que j'aperçois de la grande fenêtre située non loin de moi. Il y a quelques instants, un écureuil gris ventru s'était assis, en parfait équilibre, sur l'un des minces rameaux de l'arbre, me fixant droit dans les yeux, ses joues rebondies en pleine activité, alors que je passais en revue les papiers et photographies posés sur mes genoux. L'odeur mêlée du vieux papier, de la poussière et du désinfectant qui imprègne les lingettes que j'ai utilisées pour nettoyer les oreilles de Sock me frôle les narines. J'ai eu le sentiment qu'il y avait bien longtemps que les oreilles du lévrier n'avaient fait l'objet d'autant de soins, si d'ailleurs elles avaient un jour été nettoyées à ma manière. Il a d'abord fait savoir qu'une telle attention n'était guère à son goût. Mais j'ai fini par le convaincre en lui parlant avec douceur et en l'amadouant à l'aide d'une gâterie à base de patate douce que Lucy avait apportée avec la boîte de lingettes qu'elle utilise pour son bouledogue. Le miconazole-chlorhexidine est efficace sur le pachydermatis, une levure. J'ai commis la bévue d'en faire la remarque à Lucy lorsqu'elle est venue s'assurer que je me portais bien, tôt ce matin.

Jet Ranger n'apprécierait pas du tout qu'on évoque un pachyderme en parlant de lui, a rétorqué Lucy. Ce n'est ni un éléphant ni un hippopotame, et la marge de manœuvre de ma nièce en ce qui concerne l'embonpoint de son bouledogue est minime. Elle lui donne maintenant un nouveau régime adapté aux chiens seniors, mais l'exercice intense ne lui est pas recommandé en raison de ses problèmes de hanches, et en plus la neige provoque des éruptions de boutons au bout de ses pattes, pour une mystérieuse raison, et de toute façon ses pattes sont trop courtes pour l'épais manteau neigeux qui s'est accumulé, expliquant que les balades se limitent au strict minimum à cette époque de l'année, et… À l'évidence, je l'ai vraiment vexée. Bref, elle a réagi à son habitude lorsqu'elle est inquiète, effrayée, et surtout j'ai senti que ma nièce était secouée de n'avoir pas été présente hier soir. Elle est en colère parce qu'elle ne se trouvait pas là pour s'occuper personnellement de Dawn Kincaid. Moi, au contraire, j'en suis soulagée. Certes, je ne prétendrai pas que je suis fière d'avoir fracturé le crâne de quelqu'un, occasionnant une commotion cérébrale, mais si Lucy s'était trouvée dans le garage à ma place, une autre personne serait décédée. Ma nièce aurait abattu Dawn Kincaid, cela ne fait aucun doute et trop de gens sont déjà morts.

Quoi qu'elle affirme, il n'est pas non plus exclu que Lucy n'ait pas survécu à l'affrontement. L'issue de la rencontre aurait dépendu de deux détails qui expliquent que je suis toujours en vie alors qu'on a bouclé Dawn Kincaid dans le service médico-légal d'un hôpital local. Je suis certaine qu'elle ne s'attendait pas à ce que je pénètre dans le garage. Selon moi, elle était tapie de l'autre côté de la fenêtre béante, attendant que je sorte Sock dans l'obscurité du jardin. Je l'ai donc surprise en entrant dans le garage, afin d'y récupérer ce que j'avais laissé dans la voiture. Au cours des quelques secondes qui lui étaient nécessaires pour se faufiler par l'ouverture de la fenêtre, j'avais récupéré et jeté le gilet pare-balles sur mes épaules. Lorsqu'elle m'a frappée dans le dos avec le couteau à injection de gaz, la lame a percuté la plaque de céramique-Kevlar recouverte de nylon, et le terrible recul conséquent à cette impénétrable barrière a fait glisser ses doigts sur l'arme. Elle s'est tranché trois doigts jusqu'à l'os et amputé l'extrémité de son auriculaire en même temps que le gaz carbonique se répandait et que son sang était vaporisé sur moi.

J'ai souligné à l'attention de ma nièce qu'à moins qu'elle aussi n'ait réduit à néant l'élément de surprise de l'attaque de Kincaid et qu'elle n'ait été revêtue d'une armure protectrice, le sort se serait montré sans doute moins faste envers elle qu'envers moi. Ma nièce devrait cesser de seriner que c'est vraiment un coup de malchance qu'elle n'ait pas été présente la nuit dernière, qu'à l'évidence elle aurait réglé le problème, sous-entendant que je m'en suis montrée incapable, alors que, de fait, j'ai mis bon terme à tout cela, même si j'ai eu beaucoup de chance. Je crois franchement que je me suis bien débrouillée et espère que je parviendrai au même résultat en ce qui concerne un sujet plus important, qui ne m'a pas encore tuée même si je l'ai redouté à maintes reprises.

— Elle m'a dit qu'il y avait eu des sifflets et des commentaires monstrueux, m'avoue Mme Pieste au téléphone, alors que je passe en revue avec elle l'affaire concernant sa fille. Ils l'appelaient « la Boer ». Criaient que les Boers devaient rentrer chez eux. Comme vous le savez, c'est le terme en afrikaans pour « fermier », mais on l'utilise péjorativement pour tous les Africains du Sud blancs. Je n'ai pas arrêté de répéter à cet homme du Pentagone que je me moquais de la raison, que les choses se soient produites parce que Noonie et Joanne étaient blanches ou américaines, ou parce qu'on les avait prises pour des Sud-Africaines. Bien sûr qu'elles n'étaient pas sud-africaines. Cela n'avait pas d'importance à mes yeux. Mais je ne voulais pas croire qu'elles avaient enduré toutes les souffrances qu'il décrivait.

— Vous souvenez-vous de l'identité de cet homme du Pentagone ? demandé-je.

— Un avocat.

J'insiste d'un ton plein d'espoir :

— Il ne s'agissait pas d'un colonel de l'armée ?

— Un jeune avocat du Pentagone qui travaillait pour le secrétariat à la Défense. J'ai oublié son nom.

Donc ce n'est pas Briggs.

— Un type qui parlait très vite, ajoute Mme Pieste d'une voix teintée de mépris. Je ne l'aimais pas. D'un autre côté, j'en aurais voulu à toute personne me racontant la même chose que lui.

Je répète :

— Madame, le seul réconfort que je puisse vous apporter, c'est que Noonie et Joanne n'ont pas souffert comme vous avez pu l'imaginer à la suite de ce qu'on vous a raconté. Je ne me risquerai pas à affirmer de façon formelle qu'elles n'ont pas eu conscience qu'on était en train de les étouffer, toutefois je le pense parce qu'elles avaient été droguées au préalable.

— Mais des tests ont dû être réalisés, non ?

Mme Pieste a l'accent du Massachusetts et prononce à peine les *r*. Je viens de découvrir qu'elle est originaire d'Andover et n'a déménagé dans le New Hampshire qu'après le meurtre de sa fille Noonie.

Je rectifie :

— Madame Pieste, comprenez que rien n'a été analysé comme cela aurait dû être le cas.

— Mais pourquoi ?

— Le médecin légiste du Cap…

— Mais vous avez signé le certificat de décès, docteur Scarpetta. Et le rapport d'autopsie. J'ai en ma possession des copies expédiées par cet avocat du Pentagone.

Je la détrompe :

— Non, je ne les ai pas signés.

Jamais je n'aurais accepté de parapher des documents dont je savais qu'il s'agissait de faux, de mensonges. Toutefois le simple fait de le savoir me rend coupable, moi aussi. Je continue :

— Je n'en ai aucune copie, même si ça paraît incroyable. On ne me les a pas transmis. Je ne détiens que mes propres notes, mes rapports que j'ai envoyés aux États-Unis avant de quitter l'Afrique du Sud, tant je craignais que mes bagages soient fouillés, à juste titre puisqu'ils l'ont été.

— Mais… ce que j'ai porte votre signature, insiste-t-elle.

— Je vous donne ma parole que c'est faux, répliqué-je avec calme et fermeté. Selon moi, certaines personnes ont apposé ma signature sur ces documents falsifiés dans l'éventualité où je me déciderais à faire ce que j'ai bien l'intention d'accomplir.

— Si vous aviez résolu de dire la vérité ?

Quel choc d'entendre les choses résumées de façon si crue ! La vérité. Ce qui sous-entend que ce que j'ai dit ou tu durant toutes ces années fait de moi une menteuse.

— Je suis désolée, madame Pieste. Vous aviez le droit d'apprendre la vérité dès le début, juste après le décès de votre fille et de son amie.

— Mais je ne comprends pas pourquoi vous n'avez pas parlé à l'époque.

Elle ne semble pas affreusement bouleversée, ni furieuse. Plutôt vivement intéressée et soulagée de pouvoir enfin discuter d'un événement qui a dominé la plus grande part de sa vie. Elle poursuit :

— Quand des gens commettent de telles choses, on ne sait jamais jusqu'où ils peuvent aller. Il n'y a plus de limite. D'autres personnes auraient pu en souffrir, dont vous.

Je réplique :

— Jamais je n'aurais toléré que quelqu'un d'autre soit blessé.

Je me sens encore plus mal parce que je crains qu'elle me soupçonne d'avoir d'abord pensé à ma propre sécurité. J'ai eu peur d'un tas de choses et d'une foule de gens invisibles. J'ai eu peur que d'autres personnes meurent ou soient accusées à tort.

Mme Pieste reprend :

— Il faut que vous sachiez que lorsque j'ai pris connaissance du certificat de décès et du rapport d'autopsie, et bien que je n'aie pas compris la plupart des termes médicaux, j'ai cru qu'ils émanaient de vous.

— Pas du tout, et de surcroît il s'agit de faux. Je n'ai remarqué aucune réponse tissulaire au niveau des blessures. Tout a été infligé *post mortem*. Des heures après la mort, madame Pieste. Ce qu'ont subi Noonie et Joanne a été perpétré plusieurs heures après leur décès.

— Et on n'a fait aucune analyse pour détecter la présence de drogue. Comment donc pouvez-vous être certaine qu'on les avait forcées à prendre quelque chose ? insiste-t-elle.

Un déclic caractéristique : une tierce personne vient de décrocher un autre téléphone.

— Je suis Edward Pieste, annonce une voix masculine. Le père de Noonie.

— Mes plus sincères condoléances, monsieur.

Dieu, que cette phrase me parait faible, insipide ! Je poursuis :

— J'aimerais tant trouver les mots adéquats. Je suis tellement désolée qu'on vous ait menti, et de l'avoir toléré, et, bien que je ne me cherche pas d'excuses…

Le père m'interrompt :

— Nous comprenons pour quelle raison vous n'avez pas pu parler. La situation de l'époque et la collusion très discrète entre notre gouvernement et ceux qui tenaient à maintenir l'apartheid. C'est la raison pour laquelle Noonie faisait ce documentaire. Ils refusaient de laisser entrer l'équipe de tournage en Afrique du Sud. Il a fallu que ses membres pénètrent sur le territoire séparément, à l'aide de visas touristiques. Un gros secret très sale. Ce que notre gouvernement de l'époque a fait pour soutenir les atrocités qui se déroulaient là-bas !

— Ce n'était pas si secret que ça, Eddie, rectifie Mme Pieste.

— En tout cas, la Maison-Blanche a fait bonne contenance.

J'examine une photo de Noonie. Pour rien au monde je ne voudrais qu'elle tombe entre les mains de ses parents. Mme Pieste continue :

— Je suis certaine qu'ils vous ont parlé du documentaire que tournait Noonie. Elle avait un bel avenir devant elle.

Je m'en souviens :

— Au sujet des enfants de l'apartheid. Je ne l'ai pas vu lorsqu'il a été diffusé chez nous.

— Les horreurs de la suprématie blanche. De toutes les suprématies d'ailleurs.

— J'ai raté la première partie de votre discussion, intervient M. Pieste. Je pelletais la neige de l'allée du garage.

— Il n'écoute rien, commente son épouse d'un ton d'affection un peu triste. Un homme de son âge jouant de la pelle. Il a la tête dure. Le Dr Scarpetta me disait que Noonie et Joanne avaient été droguées.

— Vraiment ! C'est quelque chose.

Sa voix est atone.

J'explique :

— Je me suis rendue dans l'appartement qu'elles occupaient plusieurs jours après leur mort, pour une investigation rétrospective. Une mise en scène, bien sûr. Leurs meurtres ont été mis en scène. Toutefois j'ai découvert des canettes de bière, des gobelets en plastique dans la poubelle de la cuisine et une bouteille de vin blanc de Stellenbosch. J'ai tout ramassé, en plus d'autres indices. J'ai expédié l'ensemble aux États-

Unis afin que des analyses soient réalisées. Nous avons détecté la présence d'une grosse concentration de GHB dans la bouteille et dans deux des gobelets. De l'acide gamma-hydroxybutyrique, plus connu sous son surnom de « drogue du viol ».

— Ils ont mentionné un viol, renchérit M. Pieste de cette même voix monocorde.

— J'ignore, monsieur, s'il y a véritablement eu viol. Je n'ai trouvé aucun signe l'indiquant, aucune blessure hormis celles mises en scène et infligées *post mortem*. Quant aux écouvillons que j'ai d'abord fait analyser aux États-Unis, on n'a découvert aucune présence de sperme dessus.

Je passe en revue des clichés présentant les cadavres nus, ligotés sur des chaises, alors que je sais pertinemment que les deux victimes n'étaient pas assises lorsqu'elles ont été assassinées. Je détaille des gros plans des lividités cadavériques qui prouvent que les femmes sont restées étendues sur des draps en désordre au moins douze heures après leur décès.

J'étale des photos prises à l'aide de mon propre appareil photo. Des entailles, des coupures qui n'ont presque pas saigné, des ligatures qui n'ont occasionné qu'un imperceptible sillon sur la peau. Les brutes derrière ces meurtres étaient trop ignorantes pour savoir ce qu'elles faisaient. Des exécuteurs rémunérés ou désignés par des membres du gouvernement ou de l'armée pour trafiquer une bouteille de vin local et partager quelques verres avec les deux femmes. Peut-être un ami, du moins une personne en apparence inoffensive, en qui elles avaient confiance, une erreur mortelle. Je révèle ensuite aux parents que les tests sérologiques que j'ai effectués après mon retour indiquaient qu'un homme était présent avec elles. Plus tard, lorsque j'ai pu obtenir une empreinte ADN, les résultats ont prouvé qu'il s'agissait d'un Européen, bref d'un Blanc, inconnu des fichiers. Je ne peux certes pas affirmer que cet homme est le tueur. En revanche, il a bu de la bière dans l'appartement.

Si tant est que l'on puisse reconstituer ce qui s'est passé, j'explique aux Pieste ma théorie. Noonie et Joanne ont été droguées. Une fois qu'elles furent groggy, voire inconscientes, leur agresseur les a couchées et les a étouffées à l'aide d'un oreiller. Je me fonde sur les hémorragies punctiformes et les autres blessures pour l'affirmer. Ensuite, cet homme a dû quitter les lieux pour une raison indéterminée. Peut-être voulait-il revenir avec ses complices, ou alors il est sorti de l'appartement afin d'attendre l'arrivée de ses associés, je ne sais. Un bon moment s'est écoulé avant que les deux victimes décédées soient ligotées, tailladées, sauvagement mutilées. Tous ces détails m'ont sauté aux yeux lorsque je les ai examinées.

— Ici, nous avons pas loin de dix centimètres de neige, m'apprend M. Pieste après quelques instants de silence, parce qu'il en a entendu assez. Et du verglas pour couronner le tout. Vous avez du verglas à Cambridge ?

— Je pense que nous devrions porter plainte… auprès de je ne sais qui. Est-ce que trop de temps s'est écoulé ? demande alors Mme Pieste.

— Peu importe le temps écoulé lorsqu'il s'agit de la vérité. Il n'existe pas de délai de prescription pour les homicides dans notre pays, l'informé-je.

— J'espère juste qu'ils n'ont pas bouclé un innocent dans cette affaire, déclare Mme Pieste.

— Le dossier a été classé. Les meurtres ont été attribués à des membres d'un gang noir, sans arrestation à la clé.

— Mais il s'agissait probablement d'un Blanc, rectifie la mère.

— Un Blanc a bu de la bière dans l'appartement. Cela, je peux l'affirmer sans grands risques de me tromper.

— Vous connaissez son identité ? insiste-t-elle.

— Parce que nous souhaitons que les coupables soient punis, renchérit son mari.

— Je n'ai de certitudes que sur le genre d'individus qui ont pu commettre un tel acte. Des lâches que la politique et le pouvoir fascinent. Cela étant, vous devriez faire ce que vous ressentez au plus profond de vous.

— Eddie, qu'est-ce que tu en penses ?

— Je vais écrire une lettre au sénateur Chappel.

— Tu sais très bien sur quoi ça débouchera !

— Eh bien alors, à Obama, Hillary Clinton, Joe Biden. Je vais écrire à tout le monde.

— Et qu'est-ce que pourraient faire ces gens aujourd'hui ? rétorque Mme Pieste. Eddie, je ne suis pas sûre de pouvoir revivre tout ça.

— Hum… Bon, il faut que je retourne déneiger l'allée, déclare M. Pieste. Je ne dois pas me laisser dépasser par la neige, et ça tombe ! Merci de vos efforts et de nous avoir consacré du temps, madame, me dit-il. Merci de votre démarche et de nous avoir dit la vérité. Je suis certain que ma fille aurait apprécié si elle était toujours là.

Je raccroche et reste assise sur le lit un moment, les documents et photos à nouveau rangés dans le dossier gris à soufflets où je les ai conservés durant plus de vingt ans. Je vais le replacer dans le coffre du sous-sol. Pas maintenant. Je ne me sens pas l'énergie de descendre. Il me semble qu'une voiture vient de se garer dans notre allée. Je perçois le geignement de la neige écrasée sous des pas et je ne suis pas d'attaque pour regarder qui arrive. Je vais demeurer encore un peu dans la chambre. Peut-être écrire la liste des courses à faire. Je pourrais aussi caresser Sock.

— Je ne peux pas t'emmener en balade, lui dis-je.

Il est roulé en boule contre moi, la tête posée sur ma cuisse. L'affligeante conversation qu'il vient d'entendre ne l'a pas perturbé. Il ne comprend pas ce que cela implique au sujet du monde dans lequel il vit. Pourtant il connaît la cruauté, sans doute mieux que la plupart d'entre nous.

— Pas de promenade sans manteau, je poursuis en le caressant.

Il bâille et lèche ma main. Le bip de l'alarme que l'on débranche résonne et la porte principale se referme. Alors que les voix de Benton et Marino me parviennent de l'entrée, j'annonce au lévrier :

— Je crois bien que nous allons essayer des bottines. Je crois que tu n'aimeras pas ces petites chaussures conçues pour les chiens et tu risques d'être fâché contre moi. Mais je t'assure qu'elles sont très utiles. Nous allons avoir de la compagnie, Sock ! (Je reconnais les pas lourds de Marino qui grimpe l'escalier.) Tu te souviens de lui ? Le policier du fourgon. Ce grand homme tout en jaune qui me tape sur les nerfs la plupart du temps. Mais tu n'as aucune raison d'être effrayé. Ce n'est pas une méchante personne. Peut-être le sais-tu, mais les gens qui se connaissent depuis très longtemps ont tendance à être beaucoup plus indélicats entre eux qu'envers d'autres personnes qu'ils aiment moins.

La grosse voix de Marino tonne en même temps qu'il tourne la poignée de la porte de ma chambre, tout en frappant au panneau. Il ouvre sans attendre de réponse.

— Y a quelqu'un ? Benton a affirmé que vous étiez décente. À qui que vous parliez ? Vous étiez au téléphone ?

Je lance depuis le lit, seulement vêtue d'un pyjama, les couvertures rabattues sur moi :

— Il a des dons d'extralucide alors ? Non, je ne suis pas au téléphone et je ne m'entretenais avec personne.

— Comment va Sock ? Alors, bonhomme, comment tu vas, mon gars ? vocifère-t-il avant que j'aie eu le temps de placer une phrase. Pourquoi il sent bizarre comme ça ? Avec quoi vous l'avez tartiné ? Un machin anti-puces ? À cette époque de l'année ? Vous avez l'air de tenir le choc. Comment vous vous sentez ?

— Je lui ai nettoyé les oreilles.

— Et donc, comment vous vous sentez, Doc ?

Marino se plante devant moi, encore plus massif qu'à l'accoutumée, engoncé dans son épaisse parka, coiffé de sa casquette de base-ball et chaussé de boots de randonnée, alors qu'une mince couche de flanelle me couvre, sans oublier un bout de couverture et de couette. Il cramponne un petit étui noir dans lequel je reconnais l'iPad de Lucy, à moins qu'il ne s'en soit offert un, ce dont je doute.

— Je n'ai pas été blessée, je vais bien. J'ai un peu traîné à la maison ce matin. Des choses à faire. Je suppose que Dawn Kincaid va bien aussi. Aux dernières nouvelles, elle était dans un état stable.

— Stable ? Vous rigolez là ?

— Je faisais référence à sa condition physique. La reconstitution de son doigt amputé et les blessures aux trois autres, sévèrement coupés. Au fond, le froid intense qui régnait dans le garage a été un élément favorable dans son cas. Bien sûr, nous avons aussitôt enveloppé sa main et sa phalange coupée dans de la glace. J'espère que ça l'aura aidée. Avez-vous du nouveau ? Dans quel état se trouve-t-elle ? Je n'ai pas eu de retour depuis son admission, la nuit dernière.

— Vous plaisantez, non ? répète Marino.

Il me fixe, ses yeux aussi injectés de sang que la veille à Salem.

— Pas du tout. Personne ne m'a tenue au courant. Benton m'avait assuré qu'il vérifierait, mais je doute qu'il l'ait fait.

— Il a été pendu au téléphone avec nous toute la matinée.

— Peut-être auriez-vous l'amabilité d'appeler l'hôpital et de prendre des nouvelles ?

— J'en ai rien à secouer qu'elle perde un foutu doigt ou même les dix ! Bordel, qu'est-ce que vous en avez à cirer ? Vous avez la trouille qu'elle vous traîne en justice ? Ça doit être ça. Logique. D'ailleurs elle le fera sans doute. Elle vous collera un procès sur le dos parce que peut-être qu'elle a perdu l'usage de sa main à cause de vous et qu'elle ne peut plus construire des nanorobots ou ce genre de trucs. Une tordue comme ça. Les psychopathes doivent être stables, je veux dire dans le sens « maladie mentale » du terme, non ? Est-ce qu'on peut être dingue et psychopathe ? Mais ils peuvent quand même être assez d'aplomb pour travailler dans des endroits comme Otwahl ? Elle va nous occasionner un gros, très gros problème. Si elle sort. Eh bien, je vous laisse imaginer.

— Et pourquoi sortirait-elle ?

— Je vous dis juste qu'elle va représenter un sacré problème. Vous ne serez jamais en sécurité si elle est remise en liberté. Aucun d'entre nous d'ailleurs.

Il s'assied au pied du lit et le matelas s'enfonce. J'ai soudain le sentiment d'être perchée en haut d'une butte. Il se met à son aise, caresse Sock tout en m'annonçant que la police et le FBI ont découvert le « trou à rat » que Dawn Kincaid a loué, un deux-pièces à Revere, à la sortie de Boston, où elle séjournait lorsqu'elle n'était pas avec Eli Goldman ou avec son père biologique, Jack Fielding, ou qui que ce soit d'autre pris dans sa toile d'araignée. Marino fait glisser l'iPad de sa housse de protection et l'allume. Il m'apprend qu'en compagnie de Lucy et de deux autres enquêteurs ils ont retourné le trou à rat durant des heures, fouillant dans les mémoires de l'ordinateur de Dawn et dans toutes ses autres possessions, au nombre desquelles pas mal d'objets volés.

— Et sa mère ? je demande. On l'a contactée ?

— Kincaid est restée en contact avec sa mère durant pas mal d'années. Elle lui a parfois rendu visite en prison, en Géorgie. Au fil des ans, elle a entretenu une relation plus ou moins soutenue avec elle et Fielding. Elle sait parfaitement se cramponner aux gens en fonction de ses intérêts. Une manipulatrice de première.

— Sa mère est-elle au courant des faits qui se sont déroulés ici ?

— Qu'est-ce que vous en avez à foutre de ce que peut penser un agresseur d'enfants ?

— Sa relation avec Jack n'était pas aussi simple. Elle ne peut s'expliquer seulement dans ces termes. Je n'aimerais pas qu'elle apprenne la fin de Jack aux nouvelles.

— Rien à foutre !

— C'est toujours très dur d'apprendre le décès de quelqu'un de cette façon, j'insiste. Peu importe de qui il s'agit. Quant à ses liens avec Jack, ils n'étaient pas si clairs que vous le pensez. Les liens de ce type ne le sont jamais.

— Ben, pour moi, c'est tout simple et bien carré. Noir ou blanc.

Je reprends, tout en étant consciente que je m'obstine :

— Et si elle l'apprend par les médias ? Je déteste que les choses se passent ainsi. C'est si affreux pour les proches d'être mis au courant de ces événements terribles de cette manière. Ça me préoccupe.

— Une clepto, lâche Marino.

L'enquête et ce qu'ont trouvé les enquêteurs dans l'appartement de Dawn Kincaid sont les seules préoccupations du grand flic.

À l'évidence, Dawn est une cleptomane *bona fide*, pour reprendre l'expression de Marino. Une femme qui a collectionné plein de souvenirs volés à ceux qu'elle rencontrait, dont un bon nombre que nous ne connaissons pas. Toutefois les enquêteurs ont reconnu des bijoux et des pièces de monnaie rares dérobés au domicile des Donahue, ainsi que des partitions manuscrites autographiées dont Mme Donahue ignorait totalement qu'elles avaient disparu de la bibliothèque familiale.

Dans un coffre muni d'une serrure et caché dans la penderie de Dawn, on a retrouvé des armes à feu dont on pense qu'elles avaient été prélevées de la collection de Fielding, ainsi que l'alliance de celui-ci. S'y trouvait également un sac de sport destiné aux arts martiaux où étaient rangés une écharpe en satin noir, un uniforme blanc, des protections pour les combats d'entraînement, un sachet à déjeuner plein de clous rouillés à parquet en forme de L, un marteau et une paire d'Adidas spéciales pour le taekwondo, taille garçonnet, sans doute celles que portait Mark Bishop en répétant ses mouvements de jambes dans sa cour en cette fin d'après-midi, peu avant d'être tué. Mais personne ne sait au juste grâce à quelles ruses Dawn Kincaid est parvenue à convaincre le petit garçon de s'allonger face contre terre afin qu'ils puissent « s'amuser » au jeu monstrueux qu'elle avait imaginé et qui consistait à « faire semblant » de lui enfoncer des clous dans la tête. Notamment le premier.

— Celui qu'a pénétré là, continue de spéculer Marino en pointant l'espace qui s'étend entre le bas de son cou et la base du crâne, ça l'aurait tué sur le coup, non ?

— S'il faut l'énoncer ainsi.

— J'veux dire, peut-être qu'elle s'est un peu occupée de lui dans la classe junior des Petits Tigres où enseignait Fielding, continue-t-il, lancé sur sa version. Donc le gosse la connaît, il a du respect pour elle, d'autant qu'elle est sexy. Vraiment canon, la fille. À sa place, j'aurais raconté au gamin que j'allais lui montrer un nouveau mouvement, un machin de ce genre, mais qu'il devait s'allonger dans la cour. Bien sûr, le môme va faire ce qu'un expert lui demande, un expert qui lui a déjà enseigné des trucs. Il s'étend, il fait presque nuit et boum ! C'est fini.

— Quelqu'un comme elle ne peut pas être libéré, reprends-je. Elle fera pire la prochaine fois, si c'est concevable.

— Elle nie tout en bloc. D'ailleurs elle parle pas beaucoup, sauf pour clamer que Fielding a tout fait et qu'elle est innocente.

— C'est faux.

— J'suis d'accord.

Je continue à examiner les photos. Marino en a pris des centaines. Je souligne :

— Il va falloir qu'elle se creuse les méninges pour expliquer tout ce qu'on a retrouvé chez elle.

— Elle est jolie fille, charmante, super-intelligente. Et Fielding est mort, énumère le grand flic.

— Très incriminant ! (J'ai répété ce mot à plusieurs reprises en découvrant les clichés mémorisés sur l'iPad.) Ça devrait beaucoup aider l'accusation. Je ne parviens pas bien à comprendre pourquoi vous insinuez que le procès risque de ne pas couler de source.

— Non, y aura des problèmes. La défense collera tout sur le dos de Fielding. Cette ordure psychopathe va réunir autour d'elle une équipe d'enfer de ténors du barreau et ils vont se débrouiller pour que le jury gobe que Fielding est coupable.

Marino se penche vers moi et le matelas tangue dans l'autre sens. Sock ronfle, son ancienne propriétaire et son trou à rat le laissant indifférent, tout autant que le coussin qui lui était réservé là-bas et que Marino me montre.

Le grand flic est pratiquement affalé sur moi, faisant défiler les photographies du coussin en tissu écossais et de quelques jouets, et j'indique que je préférerais regarder les photos toute seule. Marino et Sock m'écrasent et j'ai l'impression d'étouffer.

— Ben, j'voulais vous les montrer, vu que c'est moi qui les ai prises.

— Merci, je vais m'en sortir. Elles sont très réussies.

— Bon, c'est certain que le chien a vécu là-bas, déclare Marino en faisant référence au trou à rat de Dawn Kincaid. Et aussi chez Eli et Fielding. À sa décharge, j'crois qu'elle aimait bien son chien.

— Elle l'a laissé chez Jack seul et sans chauffage, rectifié-je en faisant défiler d'autres prises particulièrement incriminantes.

— Elle a rien à cirer de rien, sauf quand ça l'arrange. Dans le cas contraire, elle se débarrasse d'une façon ou d'une autre de ce qui l'emmerde. Donc elle aimait bien le chien quand ça lui convenait.

— Je préfère cette version, Marino.

J'examine les clichés représentant un lit double en désordre, puis une petite chambre bourrée à craquer de trucs et de machins, au point qu'on pourrait croire que Dawn Kincaid est une accumulatrice compulsive ou une receleuse.

— En plus, elle avait une autre raison de laisser le lévrier, poursuit Marino. Si elle l'abandonne chez Fielding, peut-être qu'on va penser que c'est lui qui a tué tout le monde, avant de se suicider. Le chien est dans la baraque, sa laisse rouge aussi. C'est sans doute le bateau de Fielding qui a été utilisé pour aller balancer le cadavre de Wally Jamison dans la flotte, et les vêtements du footballeur, sans oublier l'arme du crime, sont découverts dans le sous-sol de la dépendance. Vous rajoutez le Navigator et la plaque minéralogique avant manquante. En fait, on veut vous faire croire que c'est Fielding qui vous a suivis lorsque Benton et vous avez quitté Hanscom. Votre adjoint est dérangé. Il vous surveille, vous suit, tente de vous intimider ou de vous espionner, peut-être dans l'intention de vous buter, vous aussi.

— Il était déjà mort quand on nous a suivis. Certes, je ne peux pas être très précise quant à l'heure du décès. Selon moi, elle remonte à lundi après-midi. Je pense qu'il a été abattu peu après être rentré à Salem, après avoir subtilisé le Glock du labo et quitté le Centre. C'est Dawn qui, au volant du Navigator, nous a filés lundi soir. C'est elle qui est dérangée. Elle a collé à notre pare-chocs pour que nous sachions qu'on nous filait, puis a disparu, sans doute en se dissimulant dans le parking d'Otwahl. Son but était, en effet, que nous pensions que Jack nous surveillait, alors qu'en fait elle l'avait déjà assassiné avec le pistolet qu'elle avait probablement offert un jour à son petit ami, Eli. Elle abat Eli, Fielding récupère le Glock au Centre et elle s'en sert pour le tuer à son tour. De toute évidence, elle a tenté de faire incriminer Jack. D'autant plus aisé qu'il n'est plus là pour se défendre. Elle s'est débrouillée pour que nous pensions que Jack voulait faire plonger Johnny Donahue pour le meurtre de Mark Bishop. Terrifiant !

— Ouais. Ben, va falloir que vous convainquiez le jury.

— C'est toujours le grand défi, quelle que soit l'affaire.

— C'est super-dommage qu'on ait retrouvé le chien chez Fielding. Ça crée un lien avec le meurtre d'Eli. Bordel, on le voit balader le chien sur les enregistrements, juste avant de se faire dézinguer.

Je rappelle à Marino :

— La puce. La puce permet de remonter jusqu'à Dawn, pas Jack.

— Ça veut rien dire. Fielding bute Eli, puis prend le chien qui le connaît, non ? réplique Marino, comme si Sock n'était pas couché à quelques centimètres de lui, endormi, la tête sur ma jambe. J'veux dire, le chien était habitué à Fielding puisque Dawn séjournait parfois à Salem et le laissait là-bas. Donc Fielding tue Eli, fait main basse sur le lévrier et se barre. C'est ce que Dawn veut que nous gobions.

— En tout cas, les choses ne se sont pas déroulées de cette façon. Jack n'a tué personne, affirmé-je, concluant que le taudis qu'occupait Dawn fait penser à la maison de Jack à Salem.

Des boîtes, du fouillis dans tous les coins. Des amas de vêtements entassés dans les endroits les plus étonnants. Des assiettes sales dans l'évier. Des poubelles qui débordent. Des piles de journaux, de sorties d'imprimante, de magazines. La police a étiqueté et aligné quantité d'objets sur la table de la salle à manger, notamment une montre de sport avec GPS du même modèle que celle que j'ai offerte à Fielding pour son anniversaire quelques années plus tôt. À côté se trouve un nécessaire militaire de dissection dans sa boîte en bois de rose, datant de la guerre de Sécession, un autre cadeau fait à mon adjoint du temps où nous collaborions à Richmond.

Un gros plan me permet de détailler une paire de gants noirs, dont l'un est muni d'un petit boîtier, noir aussi, accroché au poignet. Marino décrit l'accessoire comme étant une paire de gants de données poids plume, équipés d'accéléromètres, de trente-six senseurs et d'un transmetteur-récepteur ultra-bas profil.

Bien sûr, il me faut faire le tri dans la description de Marino, truffée d'erreurs de prononciation et d'approximations, un massacre. Les gants que Briggs et Lucy ont étudiés de près sur les lieux sont sans conteste destinés au contrôle robotique gestuel, pour diriger, par exemple, la Flybot qu'Eli détenait lorsqu'il a été tué par la femme qui lui avait offert la chevalière qu'il portait toujours dans la morgue du Centre.

Je suppute :

— Donc la Flybot en question se trouvait chez Dawn ? Benton vous a-t-il proposé un café ?

— Ras-le-bol du café. Y en a parmi nous qui ont pas encore eu la chance de se pieuter.

— Ce n'est pas parce que je suis dans mon lit que j'ai dormi, je rectifie.

Il me prend l'iPad des mains et consulte les fichiers en regrettant :

— Ça doit être chouette. J'aimerais bien rentrer chez moi et m'allonger dans le lit pour bosser.

— Peut-être pourrions-nous ajuster votre poste. Vous pourriez rester chez vous quelques jours de l'année pour y travailler, en fonction de votre âge et de votre décrépitude, qu'il faudra, bien sûr, évaluer. Je suppose que je m'acquitterais de l'évaluation en question.

— Ah ouais ? Et vous, c'est qui qui évalue votre décrépitude et votre âge ?

Il trouve enfin le cliché qu'il veut me montrer.

— Nul besoin d'évaluation, Marino. C'est évident !

Il me montre un gros plan de la Flybot, bien qu'il soit ardu de deviner la nature véritable de l'objet d'un simple coup d'œil. Un petit objet brillant, sillonné de filaments, posé sur une feuille de papier blanc sur la table de Dawn Kincaid. Le micro-appareil pourrait tout aussi bien évoquer une boucle d'oreille. Une boucle d'oreille en argent écrasée sous une chaussure, ce qui d'ailleurs est l'hypothèse, me confirme Marino. Lucy pense que le nanorobot a été piétiné pendant que les ambulanciers s'affairaient autour d'Eli. Lorsque, ensuite, Dawn Kincaid est revenue à Norton's Woods – sans doute revêtue du même manteau long et noir qu'elle portait lorsqu'elle m'a agressée dans le garage, probablement celui de Fielding –, elle a retrouvé ce qui restait de la Flybot. Un témoin a affirmé avoir vu un jeune homme ou une jeune femme, portant un long manteau de laine noire, arpentant Norton's Woods, une lampe torche à la main, plusieurs heures après le décès d'Eli. Le témoin s'est étonné que l'individu en question soit seul, sans chien, et qu'il ou elle semble chercher quelque chose en faisant d'étranges mouvements de main.

— Elle devait nager dans ce manteau et l'ourlet devait presque traîner par terre, précise Marino en se levant. Je dis pas qu'elle essayait de se faire passer pour un mec, mais entre ses cheveux très courts, le manteau, un chapeau, des lunettes et je sais pas quoi d'autre… Tant qu'on voit pas ses seins, et Dieu sait qu'elle est gâtée de ce côté-là ! Un autre point commun avec son papa, non ?

— Je n'avais jamais remarqué que Jack jouissait d'une poitrine avantageuse, je déclare.

— J'veux dire super-musclés tous les deux.

J'éteins l'iPad et le lui tends en commentant :

— Donc elle est revenue sur les lieux du crime dès qu'elle a pensé qu'elle ne risquait plus rien. Bien que la Flybot ait été sérieusement endommagée, elle a peut-être répondu aux signaux radio envoyés par les gants de données.

— Moi, j'crois qu'elle l'a simplement vue par terre. Ça devait luire dans l'obscurité, sous le pinceau lumineux de la torche. Lucy dit que la bestiole est *kaput* ! Complètement écrasée.

— Sait-on avec précision ce qu'elle est capable d'accomplir, du moins avant sa destruction ?

Marino hausse les épaules, à nouveau une tour au-dessus de moi. Il porte toujours sa parka qu'il n'a pas pris la peine de déboutonner, comme s'il n'avait pas l'intention de s'attarder chez moi.

— C'est pas trop mon domaine d'expertise, Doc. J'ai pas compris la moitié de ce que racontaient le général et Lucy. Je sais juste que le potentiel de ce truc est du genre inquiétant, quoi qu'il puisse réaliser. Le département de la Défense est bien décidé à enquêter sur ce qu'ils foutent chez Otwahl. Mais j'suis pas certain qu'on le sache pas déjà.

— Que voulez-vous dire ?

Marino replace l'iPad dans son étui et déclare :

— Je me demande si le gouvernement n'est pas au courant de certains projets, même s'il veut pas que ça s'ébruite. Du coup, y a des gamins qui perdent les pédales et la merde vous revient en pleine tronche. Vous voyez où j'veux en venir. Quand est-ce que vous retournez bosser ?

— Sans doute pas aujourd'hui, Marino.

— Bordel, on a des trucs à faire et à défaire, jusqu'au menton.

J'ironise :

— Merci pour la mise au point.

— Fendez-vous d'un coup de fil si vous avez besoin de moi. J'vais appeler l'hôpital. J'vous raconterai comment se porte la dingue.

— Merci d'être passé.

L'écho de ses pas lourds s'arrête devant la porte d'entrée. La porte se referme, puis j'entends à nouveau le bip de l'alarme que Benton rebranche. Me parviennent ensuite les pas de Benton, plus légers, alors qu'il contourne l'escalier pour se rendre à l'arrière de la maison, dans son bureau.

— Allez, on se lève ! dis-je à Sock, qui ouvre un œil et me fixe en bâillant. Tu sais ce que signifie « au revoir » ? Je suppose que non. Ils ne t'ont pas appris ça dans cette prison et, à mon avis, tu n'as envie que d'une chose : dormir. Bon, mais j'ai des choses à faire, alors il faut y aller. Je te trouve un peu paresseux, tu sais ? Tu es vraiment sûr d'avoir un jour gagné une course ou même d'y avoir simplement participé ? Je ne suis pas certaine de te croire.

Je repousse sa tête avec douceur et pose les pieds par terre. Il doit y avoir un magasin spécialisé dans le coin qui propose tout ce dont a besoin un bon vieux lévrier maigrichon et fainéant en cas de mauvais temps.

Tout en enfilant mes chaussons et ma robe de chambre, je propose à Sock :

— Allons nous dégourdir les jambes. Voyons ce que fabrique l'agent secret Wesley. On va sans doute le trouver pendu au téléphone dans son bureau. Tu veux parier ? Je sais, il a toujours le téléphone scotché à l'oreille et ça peut devenir très agaçant. Peut-être qu'il va nous emmener faire quelques courses. Ensuite, je concocterai de bonnes pâtes, des *pappardelle* maison accompagnées d'une bolognaise digne de ce nom, veau haché, vin rouge et plein de champignons et d'ail.

J'ajoute, tandis que nous descendons l'escalier :

— Maintenant je dois te préciser un point important : tu auras des menus canins spécifiques, c'est la règle dans cette maison. Pour aujourd'hui je te propose quinoa et cabillaud. Un changement appréciable après tous ces plats à base de riz et de poulet du restaurant grec.

Patricia Cornwell
dans Le Livre de Poche

LES ENQUÊTES DE KAY SCARPETTA

Mémoires mortes n° 37109

Beryl Madison, romancière à succès, se terre à Key West. Le manque d'argent la contraint à rentrer à Richmond, le temps de vendre sa maison. On la retrouve violée et égorgée. Kay Scarpetta est perturbée : des témoignages incohérents, des rencontres déplaisantes troublent ses recherches.

Et il ne restera que poussière n° 37111

En deux ans, quatre couples ont disparu dans la région de Williamsburg. Cette fois, l'étudiante qui a disparu avec son ami est la fille du numéro un de la lutte antidrogue, bien décidée à remuer ciel et terre pour élucider cette disparition.

Une peine d'exception n° 37112

Kay Scarpetta attend le corps de Ronnie Joe Waddell, qui ne sera officiellement déclaré mort sur la chaise électrique qu'à 23 h 05. Cette même nuit, un adolescent est découvert, mutilé, contre une benne à ordures. Et l'on relève sur les lieux du crime l'empreinte digitale de Waddell…

La Séquence des corps n° 37113

Black Mountain, dans la Caroline-du-Nord : Emily, 11 ans, a disparu, et bien des indices mènent au sinistre Temple Gault. L'affaire se complique lorsqu'un policier local, Ferguson, est tué, victime d'une mise en scène érotique des plus singulières.

Une mort sans nom n° 37114

Une jeune femme est retrouvée nue dans Central Park. Tuée selon un rituel qui rappelle Temple Gault, le meurtrier psychopathe introuvable…

Morts en eaux troubles n° 17032

Le cadavre de son ami journaliste Ted Eddings, retrouvé au fond de l'eau dans une zone militaire interdite, lance Kay Scarpetta sur les traces d'une secte manipulée par un réseau terroriste.

Mordoc n° 17077

Des cadavres, Kay Scarpetta en a vu beaucoup mais jamais dont la peau présente, comme signe distinctif, les symptômes d'une maladie depuis trente ans éradiquée de la planète !

Combustion n° 17134

Un tueur machiavélique, qui se sert du feu pour couvrir la trace de ses crimes : Kay Scarpetta a vite la conviction que Carrie Grethen, évadée de sa prison new-yorkaise, est mêlée à ces meurtres.

Cadavre X n° 17182

Un cadavre décomposé est retrouvé à bord d'un cargo belge faisant étape à Richmond. Kay Scarpetta ne parvient à déterminer ni l'identité du mort ni les causes du décès. Seuls indices : un tatouage et des poils blonds.

Dossier Benton n° 17220

Kay Scarpetta se remet à peine de l'attaque d'un serial killer, Jean-Baptiste Chandonne. Le tueur vient d'être arrêté, mais Kay risque de se retrouver sur le banc des accusés.

Baton Rouge n° 37070

Baton Rouge détient le triste record du crime, de la corruption, des trafics de toutes sortes. C'est là que débarque Kay Scarpetta, marquée par la mort de l'homme de sa vie, Benton. Sa mission : enquêter sur d'énigmatiques disparitions de femmes…

Signe suspect n° 37115

Kay Scarpetta s'est installée en Floride. Elle a quitté la médecine légale institutionnelle pour l'expertise privée. Pourtant, elle va devoir revenir à Richmond. Sur place, des surprises désagréables l'attendent.

Sans raison n° 37270

Kay Scarpetta, consultante à l'Académie nationale des sciences légales de Floride, se trouve plongée dans une affaire de meurtres sans mobile apparent. Parallèlement, elle enquête sur l'étrange disparition, dans un quartier en apparence tranquille, de quatre personnes.

Registre des morts n° 31256

Lorsqu'elle s'installe à Charleston, en Caroline-du-Sud, pour y ouvrir, avec sa nièce Lucy et Pete Marino, un cabinet de médecine légale, Kay Scarpetta entre en conflit avec des politiciens locaux ; on cherche visiblement à saboter son projet. C'est alors que va se produire une série de morts violentes.

Scarpetta n° 31720

Oscar Bane exige d'être admis dans le service psychiatrique de l'hôpital de Bellevue. Il prétend avoir échappé au meurtrier de sa petite amie, et ne se laissera examiner que par Kay Scarpetta, l'unique personne en qui il ait confiance.

L'Instinct du mal n° 32149

Un producteur de la chaîne CNN souhaite que Scarpetta lance une nouvelle émission. Alors qu'elle intervient en direct au sujet d'une affaire très médiatisée, Kay reçoit un appel surprenant d'une téléspectatrice et, de retour chez elle, trouve un inquiétant paquet.

Du même auteur :

Et il ne restera que poussière
(nouvelle traduction)
Éditions des Deux Terres, 2005
Le Livre de Poche, n° 37111, 2006

Une peine d'exception
(nouvelle traduction)
Éditions des Deux Terres, 2005
Le Livre de Poche, n° 37112, 2006

La Séquence des corps
(nouvelle traduction)
Éditions des Deux Terres, 2006
Le Livre de Poche, n° 37113, 2007

Une mort sans nom
(nouvelle traduction)
Éditions des Deux Terres, 2006
Le Livre de Poche, n° 37114, 2007

Morts en eaux troubles
Calmann-Lévy, 1997
Le Livre de Poche, n° 17032, 1998

Mordoc
Calmann-Lévy, 1998
Le Livre de Poche, n° 17077, 1999

La Ville des frelons
Calmann-Lévy, 1998
Le Livre de Poche, n° 17089, 1999

Combustion
Calmann-Lévy, 1999
Le Livre de Poche, n° 17134, 2000

La Griffe du Sud
Calmann-Lévy, 1999
Le Livre de Poche, n° 17140, 2000

Cadavre X
Calmann-Lévy, 2000
Le Livre de Poche, n° 17182, 2001

Dossier Benton
Calmann-Lévy, 2001
Le Livre de Poche, n° 17220, 2002

L'Île des chiens
Calmann-Lévy, 2002
Le Livre de Poche, n° 17249, 2003

Jack l'Éventreur
Éditions des Deux Terres, 2003
Le Livre de Poche, n° 37007, 2004

Baton Rouge
Calmann-Lévy, 2004
Le Livre de Poche, n° 37070, 2005

Signe suspect
Éditions des Deux Terres, 2005
Le Livre de Poche, n° 37115, 2006

Postmortem
Éditions des Deux Terres, 2004

Mémoires mortes
Éditions des Deux Terres, 2004

Sans raison
Éditions des Deux Terres, 2006
Le Livre de Poche, n° 37270, 2008

Tolérance zéro
Éditions des Deux Terres, 2007
Le Livre de Poche, n° 31534, 2009

Registre des morts
Éditions des Deux Terres, 2008
Le Livre de Poche, n° 31256, 2009

Scarpetta
Éditions des Deux Terres, 2009
Le Livre de Poche, n° 31720, 2010

Trompe-l'œil
Éditions des Deux Terres, 2009
Le Livre de Poche, n° 31951, 2010

L'Instinct du mal
Éditions des Deux Terres, 2010
Le Livre de Poche, n° 32149, 2011

Voile rouge
Éditions des Deux Terres, 2012

Le Livre de Poche s'engage pour
l'environnement en réduisant
l'empreinte carbone de ses livres.
Celle de cet exemplaire est de :
600 g éq. CO_2
Rendez-vous sur
www.livredepoche-durable.fr

Composition réalisée par Nord Compo

Achevé d'imprimer en mai 2012, en France sur Presse Offset par
Maury-Imprimeur – 45330 Malesherbes
N° d'imprimeur : 173409
Dépôt légal 1re publication : mars 2012
Édition 02 – mai 2012
LIBRAIRIE GÉNÉRALE FRANÇAISE – 31, rue de Fleurus – 75278 Paris Cedex 06

31/6265/8